EL PLAN HATUEY

El plan Hatuey
de Pablo Gato

COLECCIÓN PERSPECTIVAS
Primera edición: enero 2006

Portada: ilustración de Alber Vázquez

ISBN: 84-934025-8-3
Depósito Legal: NA-2716-2005

Impreso por Gráficas Cems, S.L. Villatuerta, Navarra

PRINTED IN SPAIN

EL PLAN HATUEY

PABLO GATO

EDITORIAL VERBIGRACIA

*A Mercedes, el alma de esta novela
y un ángel en mi camino.*

*A María y Miguel, mis hermanos. Y a toda mi familia.
A pesar de la distancia, unas llamas que nunca se apagan.*

*A mi madre. Partió demasiado pronto, pero su presencia
sigue acariciando cada día nuestros corazones.*

El cacique Hatuey llegó a Cuba procedente de la Española huyendo a la conquista. Al desembarcar Velázquez con sus fuerzas en la región de Baracoa, Hatuey, que había reunido unos 200 hombres, comenzó a hostigarlos.

Apresado finalmente, fue juzgado y, culpable de rebelión, se le condenó a la hoguera.

Luego, durante 10 años y a pesar de la abismal diferencia de armamentos, el cacique Guamá mantuvo en jaque a los conquistadores.

PLACA SITUADA EN UNA DE LAS SALAS DEL MUSEO DE LA HISTORIA DE LA FUERZA AÉREA REVOLUCIONARIA DE CUBA, LA FAR, EN LA HABANA, CUBA

No estábamos preparados. No entendimos la magnitud de la tragedia que se estuvo preparando frente a nosotros durante un período considerable de tiempo. Este fue, sobre todo, un fallo de imaginación. Nuestros servicios de inteligencia nunca pensaron que algo así podría ocurrir.

THOMAS KEAN, PRESIDENTE DE LA COMISIÓN DEL 911, QUE INVESTIGÓ LOS ATAQUES TERRORISTAS DEL ONCE DE SEPTIEMBRE

1. LOS TRES MOTIVOS DE UN ESPÍA

COMO CADA MAÑANA, el disciplinado Gerardo Rivera manejaba su furgoneta hacia su trabajo en el Pentágono. Sus movimientos eran exactamente los mismos desde hacía tres años, siete meses y cinco días. Gerardo había asumido una rutina casi marcial y tenía pautados a la perfección todos los pasos de su jornada laboral. No había sorpresas ni improvisaciones. La repetición invariable y sistemática de esa rutina hacía que cada día fuera una copia idéntica al anterior. Sin embargo, esa monotonía estaba muy lejos de molestarle. Al contrario. Este puertorriqueño de Humacao tenía una gran motivación para realizar perfectamente la tarea que se le había encomendado: pasar desapercibido, obtener el máximo de datos sobre el funcionamiento de la logística diaria del Pentágono y, lo más importante, reclutar espías en el Departamento de Defensa para la causa de la revolución cubana. ¿Qué le motivaba? Su odio visceral al gobierno de los Estados Unidos y su ferviente deseo de provocarle el mayor daño posible. Gerardo Rivera era el primer tipo de espía, el espía ideológico. Alguien que actúa por creer en una causa determinada. Sin intereses ulteriores. Porque así se lo dictan su corazón y su conciencia.

A Gerardo le gustaba la forma de ser de los habitantes de Estados Unidos e incluso se sentía muy a gusto viviendo entre ellos. Sin embargo, aborrecía a su gobierno, al que acusaba de realizar todo tipo de sangrientos atropellos internacionales sin que la inmensa mayoría de los estadounidenses lo supiera. «Tienen el cerebro lavado por la propaganda», «Viven en una burbuja», «No tienen ni idea de lo que en verdad hace su gobierno en el mundo ni por qué», pensaba.

Su enorme furgoneta Dodge Ram 1500 salió de la autopista 395 Norte y llegó al aparcamiento sur del Pentágono. El Departamento de Defensa había cedido sesenta y siete acres de terreno para que algunos de sus empleados pudieran estacionar allí sus automóviles. Una inmensa explanada de cemento donde cabían ocho mil setecientos setenta coches. De lejos, parecía un interminable y destelleante mar de metal sin principio ni fin.

Tras pasar la garita de vigilancia, donde siempre había patrullas de la policía, siguió recto hasta la calle Fern y ahí giró a la derecha. En ocasiones, Gerardo también veía vehículos militares en esa zona. Algunos, con ametralladoras pesadas y otros con misiles antiaéreos.

Su cerebro tenía la secuencia memorizada a la perfección: «pasas por debajo de la autopista, giras a la derecha en Navy Army drive, sigues recto, doblas a la izquierda en la calle Hayes, continúas derecho, giras a la izquierda en la calle Doce y ahí te detienes». Gerardo siempre dejaba aparcada allí su furgoneta. En la segunda planta de un estacionamiento privado. Justo frente al centro comercial Fashion Center, más conocido como Pentagon City Mall. Y es que aún no había conseguido uno de los restringidos pases especiales para estacionar en el mismo Pentágono.

—A veces un soldado es mucho más importante que un coronel e incluso un general. Tu misión será vital para nosotros... —recordó las palabras de «Santiago», el nombre en código del agente secreto cubano que le instruyó—. Tienes que convertirte en invisible. Que nadie repare en ti. Y cuando estés seguro de que no has despertado ninguna sospecha, comenzarás a tender tus redes. Sólo entonces. Poco a poco. Con mucha cautela.

De esa forma, y aunque él no lo supiera, Gerardo se había convertido en uno de los espías más importantes para el gobierno cubano en Washington.

—Estarás operando en la misma boca del lobo. En las

entrañas más profundas del enemigo. Te enseñaremos cómo actuar para no despertar sospechas y qué métodos seguir para captar nuevos espías. ¡Eres un héroe! —le dijo el cubano con emoción mientras estrechaba los hombros del joven con sus dos manos.

Gerardo, delgado, eléctrico, de facciones finas y pelo corto negro, era el sobrino de un líder prófugo de los Macheteros, un grupo independentista puertorriqueño al que Washington describía como terrorista. Este hombre, de apenas veinticinco años, admiraba a su tío y no lo consideraba un terrorista, sino más bien un verdadero patriota. Un héroe que luchaba para que Puerto Rico dejara de ser una colonia.

Su tío no sólo hablaba, sino que había puesto bombas contra intereses estadounidenses, destruido aviones de combate del Pentágono destacados en la isla y también robado varios bancos para financiar el movimiento. Gerardo ya estaba harto de ver como a muchos líderes independentistas se les iba la fuerza por la boca y jamás se arriesgaban a hacer nada para provocar un verdadero cambio de poder en la isla.

—¡Son unos cobardes o se venden por cuatro chavos! —solía criticarles.

Su tío Gilberto, médico de profesión, era de Guaynabo. De joven había ido a La Habana, donde enseguida comenzó a colaborar con el servicio secreto cubano. Tras completar su formación como espía, los cubanos lo enviaron en 1962 a Puerto Rico con la misión de monitorear las instalaciones militares estadounidenses en la isla.

Primero se integró en el Movimiento Independentista Revolucionario Armado, después en las Fuerzas Armadas de Liberación Nacional y, finalmente, en el Ejército Popular Boricua. Más conocido como los Macheteros. Tras varios robos y acciones armadas, muchos de sus compañeros fueron arrestados, pero él logró huir y aún figuraba oficialmente como prófugo. De hecho, su nombre todavía aparecía en la lista de los fugitivos más buscados por el FBI.

Gerardo se había visto con él varias veces en La Habana e, igual de motivado que su tío, ofreció de inmediato sus servicios a la Seguridad del Estado cubana.

—Haré lo que me digan, pero no llamé a su puerta para perder el tiempo. Sólo tengo una condición: quiero dañar lo máximo posible al gobierno imperialista que mantiene su bota opresora clavada contra el cuello de mi pueblo... —fueron sus palabras.

Tras cambiarse de nombre y recibir documentos falsificados, nadie sospechó de él en el Departamento de Defensa. Especialmente, debido al trabajo de tan bajo perfil que realizaba.

—El primer general ruso que visitó el Pentágono después de la caída de la Unión Soviética llegó al edificio con unos números apuntados en un pequeño plano —le dijo Santiago aquel día. Eran unas coordenadas obtenidas por sus satélites militares. Nada más llegar, fue directo al lugar de esas coordenadas y, cuando lo vio, no pudo evitar una estruendosa carcajada que sorprendió a todos allí. «Seguíamos muy de cerca todo lo que ocurría aquí —afirmó señalando con vehemencia el punto—. ¡Aquí mismo! —repitió—. ¡El motivo es que este era el lugar con más movimiento de todo el edificio! ¡Creíamos haber descubierto uno de los principales puestos de mando! ¡Ja, ja!».

—¿Sabes de qué se trataba? —preguntó el cubano—. En el medio del Pentágono hay un pequeño parque donde muchos empleados van a almorzar, estirar un rato las piernas o a fumarse un cigarrillo. ¿Y qué hay allí? ¡Un puesto de perritos calientes y hamburguesas! ¡Ese lugar se abarrota cada día de gente para comprar sandwiches! ¡A eso se refería el ruso! ¡Ahí era donde apuntaban los misiles rusos! ¡Misiles nucleares intercontinentales para destruir un puesto de perritos calientes! ¡Ja, ja! ¿No es increíble? —rió él también.

El agente Santiago tardó varios segundos en recuperar la compostura. Después, ya algo más calmado, continuó dando instrucciones al puertorriqueño.

—Gerardo, tú vas a trabajar allí. Ya está arreglado. Esa será una oportunidad de oro para conocer a muchas personas dentro del Pentágono y poder seleccionar a quienes más nos interesen. El lugar perfecto. ¿Quién va a sospechar de un vendedor de hot dogs que ni siquiera trabaja físicamente en las oficinas del Departamento de Defensa? —se preguntó feliz.

No obstante, Santiago notó enseguida que Gerardo no parecía entusiasmado con esa misión.

—No te dejes engañar por lo que podría parecer como un trabajo de poca monta... Todo lo contrario... Como te dije, si operamos con éxito, lo que tú hagas ahí podría ser incluso más importante que la labor que realizan muchos experimentados generales en La Habana. Recuerda. Tenemos muchos menos medios que el enemigo, por eso hemos de ser infinitamente más creativos y audaces que ellos.

Y, en efecto, en esos tres años, siete meses y cinco días, el puertorriqueño no sólo había logrado reclutar a dos importantes colaboradores, sino también recabar mucha información sobre el enorme edificio del Pentágono. Conocía muy bien la distribución de las oficinas, cuáles eran sus funciones y también tenía mapas detallados sobre esa gigantesca estructura de seis millones quinientos mil pies cuadrados en la que trabajaban treinta y tres mil personas. Unos datos que había grabado en su memoria y que a menudo repetía mentalmente para mantenerlos siempre frescos... «cinco niveles, varios bajo suelo, cien mil millas de cables telefónicos, un millón doscientas mil cartas diarias, siete mil setecientas cincuenta y cuatro ventanas, seiscientas noventa y una fuentes, ciento treinta y una escaleras fijas, diecinueve mecánicas, doscientos ochenta y cuatro lavabos, doscientas mil llamadas telefónicas al día...». Las instrucciones para Gerardo eran claras: averiguar hasta el detalle más insignificante.

—Nunca sabes cuándo podrías necesitarlo —le dijo el agente cubano—. Imagina que, en caso de guerra, quisiéramos envenenar al personal del Pentágono. Saber cuántas fuentes hay y de dónde les viene el agua sería extremadamente útil —sonrió.

Con la puntualidad de un reloj suizo, Gerardo aparcó su camioneta a las siete y treinta de la mañana. A la hora habitual. Cerró las puertas, recogió su pequeña mochila y se dirigió hacia las escaleras mecánicas. Pero, de repente, su beeper comenzó a sonar con frenesí. El puertorriqueño apretó un botón del localizador y no pudo evitar un escalofrío en el cuerpo al leer el número 656 en la pantalla de aquel pequeño aparato negro, plano y rectangular.

Acto seguido, bajó a la calle y se fue a una esquina desierta. Miró a su alrededor y, al comprobar que nadie podía escucharlo, se acercó hasta un teléfono público. Marcó un número, dejó sonar dos veces y colgó. Después repitió la operación pero, esta vez, se mantuvo en línea.

—Diga... —respondió una voz.

—¿Rafael?

—Sí... ¿quién es?

— Tu primo Tony.

—Ah... hola... ¿qué tal?

—Bien... bien... ¿y tú?

—Todo en orden... ¿qué tal la familia?

—Sin novedad, chico... Te mandan recuerdos... Mira, acabo de llegar de Atlanta y pasaré aquí el día en reuniones...

—Vaya... no sabía que venías...

—Sí, apenas organizamos el viaje ayer... ya sabes, la locura del trabajo...

—Claro...

—Pero, mira... si tienes un ratito quizás podríamos tomarnos un café para charlar...

—Por supuesto... ¿cuándo?

—¿Te va bien ahora?

—¿Ahora? Este... déjame ver... sí... sí... está bien... ¿dónde?

—¿Que te parece en la cafetería El Capitolio?

—Perfecto...

—¿Media hora?

—Hecho.

—OK... te veo allá...

—Adiós...

Tras colgar, Gerardo regresó a su camioneta y llamó a su jefe para decirle que tenía una terrible migraña y que no podría ir a trabajar. Después, tal y como especificaba el protocolo, enfiló rumbo al sur.

Su voluminosa Dogde Ram roja de dieciséis válvulas y trescientos cuarenta y cinco caballos de potencia no pasaba inadvertida. Sin embargo, en ese caso, eso era precisamente lo que Gerardo quería. A pesar de que los puertorriqueños tenían pasaporte estadounidense, muchos los consideraban como «inmigrantes». Y él quería ser percibido como un inmigrante de éxito. Alguien completamente adaptado al sistema de vida del país y a sus valores de trabajar con ahínco para después obtener grandes recompensas. No podía permitirse el lujo de parecer «fuera de lugar». Gerardo no paraba de repetir a sus clientes lo agradecido que estaba a esta nación por todas las oportunidades que le había brindado.

—¡Sólo en América! —les decía—. ¿Cuándo me hubiera podido yo comprar en Puerto Rico una camioneta así, de treinta mil dólares? Una persona como yo, sin estudios... ¡Nunca! ¿Cuándo hubiese podido hacerme con una casa como la que tengo aquí? ¡Jamás! ¿Irme de vacaciones a Europa? ¡En la vida!

Consciente también de que en el Pentágono había muchos más republicanos que demócratas y que el nivel de patriotismo estaba por las nubes, había pegado tres llamativos rótulos plásticos en la parte trasera de la camioneta. Uno decía: «Estoy orgulloso de ser republicano», otro «Viva Bush» y el último «América: ámala o... ¡vete de aquí!». Si se trataba de ser conservador y patriota, nadie lo sería más que él.

Mientras Gerardo manejaba hacia el sur, Rafael Dueñas salía de la Oficina de Asuntos Continentales del Departamento de Defensa. Ese departamento estaba ubicado en la habitación número 3C900 del edificio del Pentágono.

El primer número indicaba el piso. Cada piso tenía cinco anillos concéntricos, de forma que el C significaba el tercero porque venía después del A y del B. El siguiente dígito marcaba el pasillo y había un total de diez. Ese era, pues, el corredor nueve. Las dos últimas cifras indicaban el número específico de la oficina. En este caso, la 00.

Orientarse en una estructura tan grande como el Pentágono constituía un verdadero reto, no en vano ese era el edificio de oficinas más grande del mundo. Muchos se sentían allí como en una pirámide y los recién llegados tardaban semanas en lograr ubicarse y moverse con efectividad.

El capitán del Ejército Rafael Dueñas, de Carolina del Norte, trabajaba en la oficina 3C900 desde hacía cuatro años. Su jefe, con rango de subsecretario, era el responsable de la política del Departamento de Defensa para todo el continente americano, excepto los propios Estados Unidos. Es decir, coordinaba toda la estrategia exterior del Pentágono desde Argentina hasta Canadá. Ese departamento prestaba especial atención a países considerados como «amenazas» y siempre tenía planes secretos de contingencia para, de ser necesario, invadir todas y cada una de las naciones del continente. Cuba era la número uno de la lista.

Gerardo Rivera había conseguido llegar hasta él. ¿Cómo?

Tras algunos meses de estar trabajando allí, el puertorriqueño recibió de La Habana unos transmisores minúsculos que permitían ubicar por satélite a quien los llevara encima. Incluso a través de satélites comerciales. Eran una pequeña cinta adhesiva con circuitos electrónicos incorporados de no más de un cuarto del tamaño de una uña, transparentes, y que se mimetizaban a la perfección con el lugar al cual fueran pegados.

Gerardo, al concluir su jornada, se sentaba muchas veces a beber algo caliente en una cafetería ubicada al lado del garaje donde le esperaba su camioneta. Muchos empleados del Pentágono hacían lo mismo. El último cafecito antes de regresar a casa. La inmensa mayoría solía ir con sus maletines de trabajo, que muchas veces dejaban desatendidos en el mostrador mientras encargaban o pagaban sus bebidas. Cuando surgía la oportunidad, Gerardo se acercaba con disimulo, distraía a la persona y le pegaba el transmisor en la ropa o en su maletín. El aparato tenía que ser colocado fuera del Pentágono porque dentro había numerosos instrumentos para detectar cualquier tipo de vigilancia electrónica. El transmisor tenía una autonomía de cinco horas. Lo justo para seguir a la persona y averiguar su domicilio. El primer paso para conocer después todos los pormenores de su vida.

Sus jefes le habían dicho que se centrara especialmente en los guardias que se encargaban de la custodia del edificio.

Muchos de ellos ni siquiera eran militares, sino personal de seguridad. La Habana los consideraba como la vía intermedia perfecta para acceder después a otras personas de más interés.

No le fue sencillo dar con la persona adecuada. El motivo era que el gobierno seleccionaba con mucho cuidado a quienes ponía en esas posiciones. Solían ser individuos de un pasado intachable y lejos de toda sospecha. Pero, tras veintisiete intentos, apareció Timothy Rodman.

No hubo que escarbar mucho para descubrir que Timothy Rodman tenía una gran debilidad: el juego. Cuando disponía de tiempo libre y algo de dinero, sus viajes eran siempre al mismo lugar: Atlantic City. En sus casinos derrochaba todo el dinero que tenía y, para suerte de Gerardo, también el que todavía no había ganado. Sus deudas crecían y crecían peligrosamente, como una ola nerviosa que se une a otras aún más bravas hasta convertirse en una marejada y, más tarde, en un vendaval. En esta ocasión, un vendaval de números rojos.

Hasta entonces, Timothy se las había ingeniado para que sus jefes no supieran nada de esa parte de su vida, pero el agujero financiero en el que se encontraba era cada día más profundo y llegó un momento en que, simplemente, ya debía mucho más capital del que jamás pudiera pagar con un sueldo como el suyo. Por si fuera poco, y con la ayuda de otros agentes cubanos, Gerardo le había tendido varias trampas para que esa deuda se multiplicara todavía más. El truco más usado consistía en ponerle al lado de las mesas de los casinos a personas que le incitaran a gastar más y más. En especial, mujeres muy atractivas que le convencían de que su mala suerte cambiaría en la siguiente jugada.

Finalmente, el espía compró la enorme deuda del guardia de seguridad y un día le llamó por teléfono.

—Usted está en una situación muy comprometida. Me debe cuatrocientos mil dólares, más intereses. Si sus jefes se enteran de su vicio por el juego, sabe muy bien que lo despedirán de inmediato. Lo considerarían un riesgo. Una persona demasiado «problemática» para su posición —enfatizó—. Por otro lado, también sabe qué le ocurre a la gente que no paga ese tipo de deudas. Son un mal ejemplo que no se puede permitir.

—¿Quién es usted?

—Eso es irrelevante. ¿Ha recogido el paquete que le envié?

—Sí...

—¿Vio qué hay dentro?

—Claro... —dijo refiriéndose a varias fotos de su familia, una bala y diez mil dólares.

—Haga lo que le pido y jamás tendremos que usar balas como esa. Por otro lado, recibirá esa cantidad cada mes. Su deuda será congelada y podrá usar ese dinero para seguir divirtiéndose. Si dice algo de todo esto, mataremos a su familia antes de que pueda ocultarlos en algún lugar. No tiene opción. No sea estúpido. Colabore con nosotros y disfrute del mucho dinero que le vamos a dar. Cuando su suerte cambie y recupere sus pérdidas, paga nuestra deuda y jamás volverá a escuchar de mí.

Timothy Rodman se convirtió en el segundo tipo de espía. El que accede a cooperar no porque crea en la causa, sino porque es sobornado para que lo haga. Aunque también se les suele coaccionar, su verdadera motivación no es otra que el dinero.

La primera tarea del guardia de seguridad fue localizar el departamento encargado de planificar acciones militares contra Cuba. Es decir, el de Asuntos Continentales. La segunda, averiguar el nombre de algún militar hispano de rango medio en esa oficina. Ahí fue cuando Gerardo escuchó por primera vez el nombre de Rafael Dueñas.

Reclutar al capitán fue más rápido y sencillo.

Tras una semana de seguimiento, el militar fue a bailar a una sala de fiestas cercana a la plaza Dupont Circle, en el centro de la capital. Un lugar considerado por muchos como el centro de los bares gays de Washington. Cuando el agente de la Seguridad del Estado cubana que lo seguía vio al capitán besándose desenfrenadamente con otro hombre, supo que ya no era necesario seguir investigándolo. Por lo general, el capitán era muy reservado y tomaba bastantes más precauciones para pasar desapercibido, pero aquella vez la pasión había ganado la partida.

El siguiente paso fue tomar fotos. Después, tenderle una trampa. Simularon que una agencia de promociones turísticas había realizado un sorteo al azar: la rifa de un viaje de cinco días con todos los gastos pagados a la República Dominicana. Rafael jamás sospechó nada y se mostró encantado de su buena suerte cuando le telefonearon para anunciarle que era el ganador.

El destino, Puerto Plata. Tan conocido por sus playas espectaculares como por ser uno de los destinos preferidos de los llamados turistas sexuales. Las calles rebosaban lujuria y los bares siempre se veían abarrotados de hombres de mediana edad solos y rodeados por los cuatro costados de jóvenes y atractivas mujeres. Los turistas, en su mayoría, eran europeos o estadounidenses con poco tiempo para divertirse y mucho dinero para poder hacerlo.

Nadie disimulaba allí. Los hombres se sentaban en los bares y, en apenas segundos, ya tenían a varias mujeres a su alrededor o incluso sentadas sobre sus rodillas. El alcohol corría a raudales y también los billetes para pagar un buen rato de placer, ya fuera en las habitaciones del bar, en las del hotel o incluso en algún rincón oscuro del mismo local. Un ambiente de permisividad sexual pública muy distinto al que Rafael estaba acostumbrado.

El muchacho parecía tener más de veinte años. Rafael ya ni se acordaba del número de cervezas que se había tomado. Ambos acabaron en la habitación de un motel cercano. A pesar de que no vio a nadie conocido allí, el militar no quiso llevarlo a su hotel por temor a que alguien lo reconociera subiendo a su cuarto con el dominicano.

La secuencia de eventos fue casi insultantemente previsible, pero el capitán siempre permaneció ajeno a la verdadera naturaleza de lo que se estaba fraguando a su alrededor. Al fin y al cabo, tampoco tenía ningún motivo para sospechar. Él no era un general y estaba haciendo lo mismo que centenares de otros hombres allí...

Tras una media hora en la habitación, unos gritos y unas patadas contra la puerta. Esta se viene abajo. Entra la policía. Escenas de caos, empujones, insultos. Arrestan a ambos. Los llevan a una comisaría. Rafael está aterrorizado. Congelado. Les piden los documentos. Lo zarandean. Algunos golpes para intimidarlo aún más. Las habituales instantáneas contra la pared de frente y de perfil con un número de caso en el pecho. Huellas dactilares, confiscación de pasaporte. El muchacho es menor de edad. Apenas dieciséis años. También hay fotos de ellos dos manteniendo relaciones sexuales en la habitación, tomadas con una cámara oculta. La policía se lo deja muy claro: los cargos son abuso sexual de menores y prostitución infantil. La pena, varios años de cárcel. Su vida acaba de dar un vuelco de ciento ochenta grados.

Los agentes se van del cuarto. Entra otra persona que también habla en español con acento caribeño, pero no es dominicano.

—Seré breve y quiero una respuesta inmediata. ¿Me escucha? —dijo en tono claramente intimidatorio.

Rafael aún estaba en shock. Confundido, avergonzado, con miedo.

—¿Me escucha? —insistió.

Un silencio.

—Sí...

Otro silencio.

—En unos minutos puede estar esposado y en dirección a una cárcel en Santo Domingo. Le aseguro que con todas estas pruebas no saldrá de allí antes de diez o quince años. También tengo que decirle que esa cárcel no es precisamente un hotel de lujo. ¿Me entiende?

—Perfectamente. ¿Qué quiere? ¿Dinero? ¿Cuánto dinero quiere? Le daré lo que sea... —dijo Rafael desesperado.

El otro hombre se frotó el rostro con su mano izquierda. Después tiró unas fotos encima de la mesa que los separaba.

—Además... tan sólo esto sería suficiente para acabar con su prometedora carrera militar... Ya sabe que el Pentágono lo prohíbe.

El capitán pareció despertar.

—¿Cómo sabe que soy militar?

El otro estiró la mano y le acercó aún más las fotos. Al verlas, la confusión de Rafael aumentó. Era él en su propia cama de Washington y en pleno acto sexual con un amigo.

—Esto fue en mi casa... ¿cómo consiguió esto?

Entonces se dio cuenta de todo.

—¡Hijo de puta! —gritó al abalanzarse sobre el hombre que tenía enfrente.

El agente secreto cubano lo tiró hacia un lado y se postró junto a él. Cuando Rafael intentó levantarse del suelo, le dio un fuerte puñetazo en el estómago. El golpe fue preciso y contundente, como si hubiera sido ensayado infinidad de veces.

Pasaron los segundos y Rafael seguía tumbado en el piso.

—Siéntese y escuche. No voy a perder mucho de mi tiempo. Si va a comportarse así, me voy ahora mismo y por la mañana ya estarán violándolo en prisión. Ya sabe cómo son las cárceles.

Poco a poco, el militar regresó a su silla.

—...le estoy escuchando...

El cubano también tomó asiento y le señaló con el dedo.

—Es obvio que le hemos tendido una trampa. Sin embargo, las fotos de Washington son reales, así como las que le hemos tomado con el muchacho. También es cierto que se acostó con un menor de edad. Y no sólo eso, sino que ahora mismo ese niño está firmando a la policía un documento donde dice que usted lo drogó para llevarlo a la cama. Que fue contra su voluntad.

Rafael analizaba con rapidez todo lo que le decía el otro hombre en un intento por adivinar adónde quería llegar.

—¿Cuánto va a costarme esto? —insistió.

El cubano suspiró.

—Va a costarle, pero no dinero.

El militar levantó la cabeza.

—Puedo hacer que todo esto desaparezca de su vida. Que quede como una simple pesadilla que jamás ocurrió. Tengo muy buenos contactos aquí.

Los silencios eran cortos, pero se sentían eternos.

—Continúe...

El agente golpeó la superficie de la mesa un par de ocasiones con sus dedos y prosiguió.

—Cuando regrese a su trabajo, una persona se pondrá en contacto con usted. Se identificará como «Chacho». Él va a pedirle que haga algunas cosas en su oficina y también que le dé información sobre ciertos temas.

—¿Qué temas? —preguntó enseguida el capitán.

El otro hombre no se fue con rodeos.

—Estamos muy interesados en todo lo que tenga que ver con Cuba. Qué planes hay respecto a Cuba... de qué se habla cuando se menciona Cuba...

—Ya... Cuba... —suspiró él también.

—No sólo Cuba, pero sí especialmente Cuba... También nos interesan mucho otros países de Latinoamérica... Colombia... Venezuela... Bolivia...

El cubano notó un nuevo silencio y decidió romperlo de inmediato.

—Si su respuesta es «no», ya sabe lo que le espera en Santo Domingo. Si la respuesta es «sí» pero al llegar a su país no cumple con su promesa, es muy fácil predecir cuáles serían los próximos pasos. Sus jefes reciben las fotos de Washington y las de aquí. Le despiden del trabajo. Ya sabe que el Pentágono prohíbe contratar a homosexuales. Estas fotografías dejarían pocas dudas al respecto. La Interpol emite una orden internacional de captura. La policía dominicana dice que usted se escapó de su custodia. Las autoridades estadounidenses cooperan al máximo. No es buena publicidad proteger a un perversor de menores. Usted regresa esposado. Lo juzgan y condenan, pero esta vez a aún más años de prisión por haberse fugado. ¡Su vida a la papelera!

—Ya...

—En cambio, si coopera con nosotros, regresa a su vida habitual. Como si no hubiese pasado nada... Sigue con su prometedora carrera y continúa ascendiendo sin problemas...

Ahora el que rió fue Rafael.

—Sin problemas... —soltó casi una carcajada.

El cubano lo observó atentamente, incapaz de vaticinar cuál sería la respuesta.

—Primero me pide traicionar a mi país... pero, además de eso, ¿tiene usted idea de lo que me pasaría si, en un momento como este, me arrestan espiando para ustedes...? ¿Recuerda la palabra «Guantánamo»? —dijo con furia.

La respuesta fue inmediata.

—Eso sólo es una remota posibilidad. Su país está obsesionado con Irak, Irán y Corea del Norte. Usted lo sabe. Están en guerra. Para el Pentágono, Latinoamérica generalmente no existe, pero ahora incluso menos. Está fuera del radar. La atención está en otra parte. El riesgo es mínimo. Le pediremos cosas muy sencillas —mintió.

El cubano lo sabía perfectamente. Una vez que se accede a hacer la primera entrega, ya no hay límites para que el chantajista siga exigiendo más y más, tanto en cantidad como en calidad de información.

—Sí, pero ¿sabe usted qué me ocurriría?

—Nada peor que quince años en una cárcel aquí acusado de haber violado a un niño. Se lo aseguro.

Rafael Dueñas se levantó y caminó durante algunos segundos por la sala.

—Está bien. No tengo alternativa —dijo finalmente.

El militar se acababa de convertir en el tercer tipo de espía. El que acepta espiar por chantaje. Generalmente, por motivos sexuales.

El servicio secreto cubano aprovechaba todas las vulnerabilidades de sus enemigos. Por lo general, los chantajes por aventuras sexuales eran contra hombres o mujeres heterosexuales casados, pero si el Pentágono convertía en causa de despido que una persona admitiese públicamente su homosexualidad, los militares gays pasaban a ser presas más fáciles que el resto. Una infidelidad podría provocar entonces no sólo la pérdida de una pareja, sino también arruinar cualquier carrera militar. Y los cubanos tenían dónde escoger, ya que en las Fuerzas Armadas estadounidenses había alrededor de setenta mil homosexuales.

Cuba tenía uno de los mejores servicios de inteligencia

del mundo. Eran auténticos especialistas del engaño. La última prueba había sido esa operación, realizada en la República Dominicana sin que nadie se enterara. Incluida la policía de ese país, ya que los supuestos agentes no eran sino espías cubanos disfrazados. Y la presunta víctima, un joven prostituto de veintidós años que aparentaba bastantes menos y que ganó mucho dinero aquella noche con su magistral actuación.

Cuando Rafael llegó a la cafetería El Capitolio, Gerardo Rivera, el agente Chacho, ya estaba esperándolo allí. La mañana era fría, así que el puertorriqueño decidió quedarse en una mesa fuera. Con esa temperatura, los clientes permanecían dentro y habría más privacidad.

Estaban en un barrio llamado Kingstowne, a unas cinco millas del Pentágono. En un pequeño centro comercial colindante con la calle South Van Dorn. Un lugar de fácil acceso, pero también discreto y apartado.

Rafael se sentó. Nervioso, fue directamente al grano. La presión del servicio de inteligencia cubano era enorme para que les pasara la mejor información que cayera en sus manos. La Habana nunca estaba contenta. Siempre quería más. De lo contrario, las consecuencias serían inmediatas.

—Tenga —le dio una pluma estilográfica.

—¿Qué ocurrió?

—Hace cuatro horas, durante mi turno de noche, se presentó de improviso en la oficina Alfonso Noriega, el director del departamento. Pero no venía solo. Con él estaba el jefe de SOUTHCOM, el Comando Sur de Miami. Ya sabe, los que se encargan de todas las operaciones militares en Latinoamérica. Un general de cuatro estrellas.

—¿Y bien...?

El capitán miró a su alrededor para asegurarse de que nadie les escuchara.

—Nos pidieron todos los planes con respecto a Cuba.

—¿Planes? ¿Planes de qué?

Rafael giró su cabeza de nuevo.

—Planes de invasión —más que hablar, murmuró.

Gerardo vio en la expresión de Rafael que no se trataba de ninguna broma.

—Planes para invadir Cuba...

—Sí. Planes de invasión —dijo molesto por hacérselo repetir.

Gerardo observó la pluma estilográfica.

—Y no sólo eso... después pidieron los de Venezuela.

—¿También de invasión?

—Sí —dijo incómodo Rafael.

Gerardo reflexionó durante unos segundos.

—Pero ellos siempre tienen esos planes de contingencia. Los revisan constantemente. Es pura rutina...

Rafael prendió un cigarrillo y observó de nuevo la zona en busca de algo fuera de lo normal.

—Les trajimos todos los documentos y se encerraron en el despacho del jefe. Como quien llevó los informes fui yo, dejé disimuladamente la pluma entre unos libros de la estantería. Hubo suerte. Por lo general, ese tipo de encuentros se hacen en salas «seguras». Antes de cualquier reunión, siempre realizan barridos electrónicos en ellas para asegurarse de que no haya micrófonos ocultos. Esta vez tenían prisa y se quedaron en la misma oficina.

La pluma contenía un micrófono especial que le había entregado el servicio secreto cubano precisamente para ocasiones como aquella. Al quitarle la tapa, la grabadora comenzaba a funcionar de inmediato. Para hacerla más real, también se podía escribir con ella.

—Pasaron allí casi una hora y dijeron que regresarían esta tarde para una reunión más larga. Aunque contentos, se les veía tensos. Aquello no tenía nada de rutinario. Créame. Quieren poner al día esos planes. Sin excusas. Yo conozco muy bien a mi jefe y sé cuándo habla en serio y cuándo no.

El agente cubano asentía.

—Y si tiene alguna duda, escuche esta grabación —dijo señalando la pluma—. Dejará de tenerla.

Acto seguido, Rafael tiró el cigarrillo al suelo, lo pisó, se levantó y se fue. Gerardo apenas esperó un par de minutos más para también marcharse del lugar.

Una vez en su furgoneta, se puso unos auriculares y se dirigió hacia Washington. Después, conectó el cable de sus au-

dífonos a un pequeño agujero ubicado en la pluma estilográfica que le había dado Rafael y comenzó a oír la grabación.
Primero escuchó el movimiento de papeles sobre una
mesa. Más tarde, una puerta cerrándose.

—Hemos de estar preparados, general —dijo Noriega—.
Hay un importante grupo de personas en el Consejo de Seguridad Nacional, en el Departamento de Estado, en la CIA, en
el Pentágono, en el Congreso y en la propia Casa Blanca que
piensa como yo. Estoy hablando de gente al más alto nivel.

—¿Está ocurriendo en Cuba algo que yo no sepa? —preguntó en seguida el militar.

—No. Estamos hablando de una operación estratégica a
medio plazo.

Más movimiento de documentos sobre el escritorio antes de que Noriega prosiguiera.

—Usted sabe que la prioridad del Presidente es expandir la democracia en el mundo. Ahora la mayoría de los
esfuerzos están concentrados en la guerra en Irak y en Afganistán, pero, claro, esas no son las únicas amenazas. Los dos
otros grandes problemas son sin duda Irán y Corea del Norte.
Con Corea del Norte hay poco que hacer. Ya tienen varias
bombas nucleares. Nuestra única opción es intentar conte-
nerlos. Si los atacáramos, podrían soltar esas bombas en
Seúl y en varios lugares de Japón. Tenemos decenas de miles
de militares allí. Sería un desastre. Cientos de miles o incluso
millones de personas pulverizadas en cuestión de segundos.
Por supuesto, después Corea del Norte desaparecería del
mapa, pero el daño ya estaría hecho. ¡Y la cosa no acaba ahí!
—exclamó de pronto—. Ese país tiene misiles capaces de
transportar esas bombas nucleares a miles de millas de distancia. Quizás, incluso hasta la misma costa oeste de los Estados Unidos.

Gerardo escuchó entonces algo que pareció el sorbo de
alguna bebida. La siguiente voz fue de nuevo la del funcionario.

—Irán aún no tiene bombas nucleares, pero podría ob-
tenerlas relativamente pronto. La Casa Blanca va a dar algo de
tiempo a la diplomacia. No quieren que se repita la crítica

internacional que ocurrió con el tema de Irak. Eso nos ha costado muy caro. Cada día son menos los países que nos ayudan con sus tropas allí. Ahora, como usted sabe muy bien, prácticamente toda la sangre y el dinero en Irak lo ponemos nosotros. Nuestros soldados mueren a diario y Washington se está endeudando de forma muy peligrosa.

Tal y como había dicho Rafael, el tono de la reunión era de extrema seriedad.

—Vamos a dar otra oportunidad a Irán para que destruya todo su programa nuclear —siguió el subsecretario de Defensa—. No porque nos importe mucho lo que diga Europa, la ONU o quién sea, sino porque, de todas formas, estamos obligados a esperar. Tras el grueso de la campaña en Irak y Afganistán, el Pentágono necesita un año más para reorganizarse y rearmarse. La mayoría de las bombas fueron usadas y hay que llenar de nuevo el arsenal. Las fábricas trabajan sin cesar, pero la lista es muy larga.

Gerardo seguía manejando su furgoneta hacia Washington y en ese momento vio el Pentágono a su mano izquierda. Una imponente masa de cemento. El centro nervioso de las mejores y más potentes fuerzas armadas que jamás hayan existido en la Historia de la Humanidad.

La habitación 3C900 era una amplia oficina de madera de roble de tono oscuro. En sus paredes había varias fotografías de Latinoamérica y de políticos estadounidenses. Instantáneas de bulliciosas calles argentinas, frondosas selvas del Brasil y paradisíacas playas nicaragüenses junto a rostros como el del ex presidente Ronald Reagan o el del actual mandatario de la Casa Blanca, George W. Bush. Había una secretaria y tres despachos. El más grande era el del subsecretario, que tenía una gran ventana que la llenaba de luz. La entrada a la oficina, situada en un gigantesco pasillo lleno de fotografías de héroes militares estadounidenses, estaba custodiada por un circunspecto infante de marina con su habitual traje azul, negro, rojo y blanco. El guardia siempre llevaba una pistola cargada en su reluciente cartuchera blanca.

Noriega prosiguió.

—La guerra en Irak seguirá durante muchos años, pero

esperamos no necesitar tantas tropas en el futuro. Con más militares y policías iraquíes, la situación será más manejable y eso nos permitiría usar esos soldados en otro lugar. Y ese lugar sería Irán.

—¿Vamos a invadir Irán? —se sorprendió el militar.

—No. La idea sería bombardear sus instalaciones nucleares.

La pregunta no se hizo esperar.

—¿Y cree usted que este país tendrá el estómago suficiente para una nueva guerra?

—Bueno, es un secreto a voces que Irán esta desarrollando un programa nuclear. Están construyendo centrales. La evidencia está ahí.

—Ellos dicen y dirán que es con fines pacíficos.

—Sí, pero Irán no es Irak. Irán es el mismo que dijo que Israel debería ser borrado del mapa de la Tierra. Irán es el mismo que entró en nuestra embajada en Teherán y secuestró a nuestros ciudadanos. Sería mucho más fácil hacer un caso contra ellos frente a la opinión pública.

—¿Y qué consecuencias cree que tendría ese bombardeo?

—Tenemos que asumir que los iraníes responderían militarmente y eso provocaría un conflicto generalizado.

El general escuchaba atentamente. De hecho, sabía muy bien que muchos soldados de la reserva eran sometidos a un rigurosísimo entrenamiento cuando regresaban de Irak. Eso, a pesar de que a algunos ya se les había dicho que no volverían allí. Un entrenamiento quizás incluso más fuerte que el que siguieron antes de llevar a cabo el ataque final contra el régimen de Saddam Hussein. Algo que hacía que todos ellos se preguntaran lo mismo: «¿Para qué nos estamos preparando con esta intensidad?», «¿Cuál es el siguiente país en la lista?», «¿Cuándo?».

—Otro motivo es que no podemos iniciar una guerra contra Irán antes de las próximas elecciones congresionales —dijo el subsecretario en tono conformista—. A pesar de que Bush fue reelegido con contundencia, las encuestas dicen que la mayor parte de la población cree que atacar Irak no valió la pena. ¡Imagínese! —se indignó—. Un nuevo conflicto podría aumentar el descontento y provocar que los demócratas ganen esas elecciones. Si se hacen con el control de ambas cámaras, estarían en posición de paralizar la agenda legislativa republicana. La conclusión es que, de cualquier manera, hay que esperar algo más antes de emprender una nueva guerra. Tenemos las manos atadas.

De repente, el rostro del funcionario cambió de expresión para esbozar una leve sonrisa.

—Y si ese es el caso... ¿por qué no dar la apariencia a la famosa «comunidad internacional» de que su opinión nos interesa genuinamente? —ironizó Noriega—. ¡Que piensen que estamos cediendo! ¡Esperando su «bendición» antes de hacer nada! —dijo después de forma burlona.

Gerardo se ajustó los auriculares para no perderse nada.

—¡Ja, ja! Y, dicho sea de paso, general... ese «ceder» podríamos cobrárselo después de muchas y muy jugosas maneras... De todo lo malo siempre se puede sacar algo bueno —afirmó con picardía.

El puertorriqueño jamás había conseguido material tan bueno como aquel y ya pensaba en cómo hacérselo llegar a sus jefes lo antes posible. Al mismo tiempo, seguía escuchando la grabación.

—Nuestros expertos creen que Teherán no conseguirá ninguna bomba antes de uno o dos años. Incluso podrían tardar hasta cinco o diez años. Por supuesto, si las cosas cambiaran, habría que replantearse todo —dijo el funcionario, un hombre de cuarenta y dos años, pelo y ojos castaños, intenso, delgado, con lentes y con un largo currículum académico.

Luego, se detuvo por un momento.

—Y usted, general, se estará preguntando «¿y qué tiene que ver todo esto conmigo?», ¿no? Le ruego un poco de paciencia...

El militar rió suavemente.

—Como le dije, el Presidente quiere expandir la democracia en el mundo. Él cree que esa es su misión más importante. Su legado. Pero hay que ser realistas. Irak podría complicarse. El primer problema es la insurgencia. He-

mos matado a miles de rebeldes, pero siguen siendo, como mínimo, veinte mil. Quizás más. El segundo problema son los terroristas que llegan continuamente a Irak de todo el mundo
para unirse a la lucha. Pero eso no es lo que más nos preocupa...

Alfonso Noriega se frotó la barbilla.

—Tras todos los fallos de nuestros servicios de inteligencia en el tema de Irak, lo que más nos preocupa es que
nuestros aliados no nos crean y que, por lo tanto, tampoco nos
ayuden en caso de guerra contra Irán. ¿Qué pasaría si un día
anunciamos que Teherán, finalmente, consiguió armas nucleares? ¿Confiarían en nosotros? Quizás no y, en ese caso, sería difícil derribar el régimen de los ayatolas sin enfrentarnos
de nuevo a medio mundo. Resultado: más sangre y dinero
exclusivamente norteamericanos. Algo que debemos evitar
a toda costa porque nuestros soldados ya están al límite y
nuestros cofres cada vez más vacíos. Por si fuera poco, los
desastres de Katrina, Rita y Wilma no han hecho más que
agravar la situación. Tenemos que estar llamando constantemente a la Guardia Nacional para labores domésticas en vez
de poder enviarlos a Irak.

El funcionario no creía en una buena parte de lo que acababa de decir, pero ese era un tema «radiactivo» en el que no
tenía ninguna intención de entrar. Ni siquiera con una persona en la que confiaba plenamente.

Noriega jamás pensó que las agencias de espionaje estadounidenses se hubieran equivocado con Irak. Al contrario,
era de la opinión que sabían muy bien que Saddam Hussein
no tenía armas de destrucción masiva. Sin embargo, si admitían eso, no se hubiese podido justificar una invasión. «El gobierno ya había decidido meses antes del primer disparo que
habría cambio de régimen, así que la estrategia fue seguir adelante con los planes militares y más tarde, simplemente, decir
que se habían equivocado. Que la CIA quedara como una
agencia llena de burócratas ineficientes no les importaba en
absoluto. Lo importante era ocupar ese país», pensaba él.

La táctica, según Noriega, había sido presionar e intimidar a los analistas de la CIA y del Departamento de Estado

para que dijeran lo que la Casa Blanca quería escuchar e ignorar y castigar a quienes no lo hicieran. ¿El premio? Controlar las enormes reservas de petróleo iraquíes, disponer de amplio territorio para instalar una gran base militar en pleno Oriente Medio y eliminar una molesta amenaza en la zona. Eso sin contar con tener completamente rodeado a Irán, tanto por el lado de Irak como por el de Afganistán.

—Pero sigamos... —continuó el funcionario—. Si no se ataca a Irán y logramos reducir nuestras tropas en Irak, el grupo de personas al que me referí antes piensa que sería la ocasión perfecta para deshacernos de varios problemas muy molestos en nuestro propio patio trasero. Tendríamos muchos medios y, tras las campañas en Irak y Afganistán, también contaríamos con soldados muy curtidos en el campo de batalla. El Pentágono jamás ha dispuesto de tanto dinero como ahora. Nuestro presupuesto es prácticamente de mil millones de dólares cada día. No podemos dejar pasar esta oportunidad —sentenció Noriega, hijo de inmigrantes de Nicaragua y que odiaba visceralmente el comunismo.

El general seguía más interesado en escuchar que en hablar.

—El panorama en el continente se está complicando y nosotros creemos que también hay que luchar por la democracia en nuestro propio barrio. Y ahí entra usted de plano, general.

—Le escucho.

—No tenía por qué decirle todo esto, pero lo he hecho porque sé que usted es un militar discreto y que jamás comentaría nada a otros. Lo hago por respeto a usted. Para que entienda todo el contexto en el que nos movemos. Sabemos también que usted es un fiel republicano y que comprende el desafío vital que nuestro país encara en estos momentos. El mundo está en peligro y hay que actuar. Este no es momento para pusilánimes y usted ya dio muestras de su lealtad y valentía en la invasión de Panamá, en la guerra en Nicaragua y en muchas otras ocasiones durante la guerra fría. En especial, en Vietnam. Necesitamos líderes como usted, osados y decididos. Todos creemos que tiene un gran futuro en el Pentágono.

—Muchas gracias... Mi país y mi gobierno pueden estar seguros de que pueden contar conmigo... —afirmó solemne el militar.

Otro sorbo. Aunque Rafael no lo sabía, el jefe de su departamento había realizado la reunión en su despacho y no en una habitación segura por un motivo muy claro: el Pentágono verificaba que en esos lugares no hubiera micrófonos clandestinos, pero ellos sí tenían instalados los suyos. Todas las conversaciones eran grabadas y Alfonso Noriega quería que esa, definitivamente, fuera de carácter privado. Aunque pocos, también había demócratas en el Departamento de Defensa y cualquier filtración a la prensa arruinaría todos sus planes. Por otro lado, sabía muy bien que no todos en la Administración republicana compartían sus puntos de vista, así que lo mejor era operar a sus espaldas hasta el momento oportuno.

—Latinoamérica está girando hacia la izquierda. No podemos ignorar esa realidad —siguió Noriega—. Muchos países han elegido gobiernos de izquierda. Argentina, Uruguay, Brasil, Chile, República Dominicana... y el comunismo podría regresar con fuerza en Bolivia, Nicaragua, Ecuador y Haití. Por supuesto, no hace falta ni hablar de Cuba, Venezuela o de la poderosa guerrilla colombiana que mata a diario y continúa exportando inestabilidad y delincuencia a sus vecinos. Ecuador y Panamá son sólo dos ejemplos. Hay mucho desencanto con la democracia. En especial por la corrupción, que no cesa. Y por si eso no fuera suficiente, todo indica que el siguiente presidente de México también será un izquierdista, López Obrador. ¡Tendremos miles de kilómetros de frontera con un país izquierdista de más de cien millones de habitantes! ¡Fantástico! ¿Quién da más?

El funcionario recuperó el aliento e intentó no excitarse todavía más antes de continuar.

—Cuba es un cáncer y hay que extirparlo. Castro nos ha hecho la vida imposible durante cuatro décadas, pero creíamos que, con la edad, ya había abandonado sus afanes mesiánicos de exportar la revolución. Sin embargo, vemos que no es así. Fidel nunca renunció a ese sueño y ya ha vuelto a las andadas. Una vez más, se quitó la máscara. Y su nuevo pasatiempo se llama Hugo Chávez. Le ha hecho creer que es Simón Bolívar reencarnado y está creando una gran desestabilización. Y lo mejor es que Chávez ni se da cuenta de que es una simple marioneta en manos de un genio de la política. Su ego, su vanidad y sus escasas luces lo ciegan. Venezuela está siguiendo los mismos pasos de Cuba y Chávez podría convertirse en el nuevo Fidel. Pero un Fidel quizás aún más peligroso porque tiene mucho dinero para utilizar a su antojo. Miles y miles de millones de dólares cada año. Venezuela controla las mayores reservas de petróleo del continente y es el tercer proveedor de crudo de los Estados Unidos. Por eso Castro lo manipula de esa manera. Chávez regala a Cuba más de ochenta mil barriles de petróleo diarios. Para eso lo quiere. Para eso y para ayudarle a meter la mano de Cuba en todo el continente. Fidel dice que es ateo, pero debería creer en Dios porque Chávez ha sido para él un verdadero regalo del cielo —dijo Noriega con cinismo.

De repente, sonaron unos ligeros golpes en la puerta.

—Perdón... ¿más café?

—No, gracias... ¿general?

—Tampoco, gracias...

La puerta volvió a cerrarse y Noriega prosiguió.

—Chávez, poco a poco, se está convirtiendo en un dictador. Intimida a la oposición, amordaza a la prensa; destruye la independencia judicial, crea las leyes a su medida; hace del Parlamento una cámara de papagayos que le dicen a todo que sí; despide a cualquier funcionario que no vote por él; crea los círculos bolivarianos, milicias populares como en Cuba; tiene el país lleno de militares, asesores y espías cubanos; entre otras muchas armas, compra aviones y barcos de guerra y más de cien mil ametralladoras que Venezuela obviamente no necesita para fines defensivos; financia grupos políticos de izquierda en otros países del continente; apoya a la guerrilla colombiana y le da santuario; ataca verbalmente cada día a los Estados Unidos, culpándolo de todos los males de la Humanidad; se alía con todos los enemigos de Washington; quiere formar un bloque comercial y político latinoamericano con la única filosofía de socavar los intereses de este país, amenaza con cortarnos las ventas de petróleo, exporta el marxismo a toda la región... ¿sigo, general?

—Creo que no es necesario...

El funcionario se levantó y reflexionó para sí, pero en silencio. Lo que nunca diría públicamente es que derrocar a Castro también elevaría la popularidad del Partido Republicano a niveles astronómicos. Sin duda, muchas naciones los criticarían, pero lo importante para él era la opinión pública estadounidense. «Cuba no es Irak. Hay demasiados cubanos en los Estados Unidos. Los únicos que verdaderamente cuentan son quienes votan en este país. El resto, en el fondo, son irrelevantes», pensó.

Alfonso Noriega no era un funcionario de carrera, sino de designación política. Se trataba de un hombre de máxima confianza de la Casa Blanca. Uno de los llamados neoconservadores. Todos ellos habían jurado no fallar en lo que creían era un momento histórico para el mundo. Estaban convencidos de su causa y no habría nadie capaz de detenerlos. Cambiar el régimen cubano también era parte de esa misión.

Tanto él como muchos otros en su círculo político más íntimo pensaban que, finalmente, el presidente Bush actuaría con decisión para que su hermano Jeb fuera el siguiente nominado por los republicanos para aspirar a la presidencia de la nación. Noriega no tenía ninguna duda de que los Bush querían convertirse en la única familia en la historia del país capaz de haber instalado a tres inquilinos en la Casa Blanca.

Jeb era el gobernador de Florida, un Estado vital para las elecciones. Si los Bush lograban derrocar a Castro, los cubanoamericanos de ese y otros Estados votarían abrumadoramente a su favor. «Una victoria de la democracia, la eliminación de un dictador, una imagen de firmeza, aplausos de los conservadores, admiración de los militares, un país liberado, el voto cubano en la Florida, otro Bush en la Casa Blanca, los demócratas a la defensiva, Venezuela contra las cuerdas, un freno a la izquierda en el continente... ¿qué más podemos pedir? El Presidente no va a desaprovechar esta oportunidad para ayudar a su hermano. Los Bush jamás volverán a estar en una situación tan favorable como esta: George Bush es presidente, controla todo el aparato de su partido y, en tiempos de guerra, la gente tiende a solidarizarse con su líder. Sus decisiones se cuestionan mucho menos. Es decir, tiene las manos libres para hacer lo que quiera. Y si, por algún motivo, Jeb Bush decide no lanzarse como candidato para las próximas elecciones, sin duda lo hará más adelante. Es muy joven», reflexionó.

—Hay que cortar la cabeza de la serpiente —dijo ya Noriega en voz alta—. A Chávez aún se le pueden parar los pies, pero no podemos demorarnos. Si no le damos un buen susto muy, pero que muy pronto, podría ser ya demasiado tarde y, para entonces, tal vez sea él quien nos lo dé a nosotros. Estamos obsesionados con Oriente Medio y Corea del Norte y no nos damos cuenta de que el polvorín está a punto de estallar en nuestra propia frontera sur. Nuestros enemigos están tocando en nuestra misma puerta y los estamos ignorando. ¡Sólo hace falta ver la televisión! ¡Castro y Chávez abrazados como dos amantes y prometiendo una nueva revolución! ¡Es que ni disimulan! ¡Lo dicen abiertamente! ¿Vio a Chávez llamándonos gobierno terrorista en plena asamblea de las Naciones Unidas? ¡Parecemos estúpidos! ¿Qué es lo que necesitamos para reaccionar? ¡Nos están perdiendo el respeto!

Noriega, una vez más, respiró hondo.

—La idea, general, sería derrocar a Fidel Castro —soltó después la bomba.

De nuevo, un profundo silencio en la habitación. Los ojos del general, de repente, más tensos y concentrados.

—Con eso mataríamos dos pájaros de un tiro —sentenció el subsecretario—. Castro desaparecería del mapa y Chávez se distanciaría de su recuerdo para evitar que le ocurra lo mismo. Ya sabe, bajar la cabeza y ver las balas pasar por encima de uno. Y si se aleja de su mentor, dudo mucho que quiera seguir con sus ambiciones revolucionarias por todo el continente. La prioridad de cualquier político es sobrevivir y eso Chávez sí sabe hacerlo muy bien. Pero para eso tiene que creer que hablamos en serio. Hemos de estar preparados para atacar e invadir Cuba y, de ser necesario, también Venezuela.

Esa es su misión. Explicarme cómo hacerlo con éxito. Cuba es la base del eje del mal de las Américas: La Habana, Caracas y las FARC colombianas. Como en un dominó, si tumbamos la primera ficha, las otras caen detrás de ella.

El general tenía un torrente de preguntas en su cabeza, pero la primera fue inevitable.

—¿Quién más está al corriente de todo esto?

Alfonso Noriega ni pestañeó.

—Un número limitado de gente, pero en puestos vitales. No voy a negarle que hay otros que no comparten nuestro punto de vista, pero confiamos en que, cuando llegue el momento, podremos convencer al Presidente. Perdóneme si no le doy nombres concretos, pero le aseguro que se trata de personas muy cercanas a Bush. Recuerde que los grandes cambios históricos siempre han comenzado por la acción de un grupo muy reducido de personas. Ahora nos toca a nosotros cambiar el rumbo de la Historia, general.

—Entiendo...

El militar conocía muy bien las conexiones de Alfonso Noriega en la Administración, así que no dudó en ningún momento de la veracidad de sus palabras. El hecho de que Noriega, sin mucha experiencia militar, hubiera logrado un puesto de ese nivel en el Pentágono hablaba por sí solo.

—Si no hay una Guerra contra Irán o Corea del Norte, Fidel Castro podría tener los días contados. Usted pasaría a los libros de historia como la persona que derrocó al último dictador del hemisferio. ¡Al mítico Fidel Castro! —enfatizó el funcionario.

El veterano militar pareció simpatizar con las ideas de Noriega. Él también se consideraba un ferviente anticomunista. Al fin y al cabo, no era ninguna casualidad que el gobierno lo hubiera elegido precisamente a él para comandar SOUTHCOM. El grupo al que se refería Alfonso Noriega tenía mucho poder y estaba ubicando a sus miembros más leales en puestos estratégicos clave para materializar los proyectos que habían planeado con paciencia durante más de veinte años.

—Derrocar a Fidel no es una tarea fácil. Muchos lo han intentado durante décadas. En este mismo edificio hay militares de alto rango que se opondrían con vehemencia a una acción semejante. Dicen que no hay tropas suficientes y que los desastres de Katrina, Rita y Wilma nos lo han recordado amargamente. Además, Cuba se prepara sin descanso y de forma obsesiva contra una potencial invasión del Pentágono. Incluso tienen planes de represalia para atacarnos aquí, en nuestro propio territorio. Con acciones tipo comando —dijo el general haciendo de abogado del diablo.

Noriega pensó en ese momento que las decisiones en el Pentágono no son siempre tomadas por militares. Es más, muchas veces se realizan en abierta oposición al criterio de excelentes soldados con décadas de experiencia. De inmediato le vino a la cabeza el ejemplo del general estadounidense Eric Shinseki, que advirtió públicamente al Congreso que ocupar Irak requeriría tantos militares como derribar al régimen de Saddam Hussein. Es decir, varios cientos de miles. «Eso le valió un claro enfrentamiento con los máximos líderes civiles del Departamento de Defensa, que, para tranquilizar al país sobre el costo humano y material de la guerra, insistían en que la cifra sería mucho menor», reflexionó. El tiempo pareció demostrar que el general estaba en lo cierto, pero no pocos pensaron que osarse a contradecir a sus jefes civiles provocó que Shinseki fuera relegado a un tercer plano en el Pentágono hasta que finalmente se retiró. Sin embargo, Noriega no quiso recordar al jefe de SOUTHCOM que eran personas como él, políticos y no militares, quienes tenían la última palabra en las guerras de los Estados Unidos. La idea era buscar la cooperación del militar, no humillarlo dándole a entender claramente que, en aquella gran partida de ajedrez, su papel era el de un simple peón que otras fichas más poderosas movían a su conveniencia de un lado a otro del tablero.

—¿Atacarnos? ¿A nosotros? —sonrió con cierta arrogancia el funcionario, a pesar de que recordaba haber sido informado someramente de la existencia de ciertos planes cubanos de ataque y sabotaje contra los Estados Unidos.

Después, recuperó su compostura.

—Es cierto. Podemos odiar a Castro, pero no se ha mantenido en el poder durante más de cuarenta años por estúpido.

Es un enemigo formidable. Sería una misión muy difícil. Sin embargo, este país jamás ha sido tan poderoso como en estos momentos. En especial, sus fuerzas armadas. No se preocupe. Si necesitamos soldados, los tendremos.

Noriega levantó entonces con su mano derecha una foto de Hugo Chávez con uniforme castrense y se la mostró al general.

—Además, ya no podemos ir a la cama esperando que Fidel se muera porque otro Fidel se está alistando para sustituirle —continuó—. Es ahora o nunca. Si derrocamos a Saddam Hussein, ¿por qué no podríamos hacer lo mismo con Castro? Si logramos vencer al imperio soviético, ¿por qué no habríamos de ser capaces de aniquilar al dictadorzuelo de una pequeña isla del Caribe? Y por Chávez no se preocupe. Cuando los B-52 comiencen a soltar sus bombas de dos mil libras en los cuarteles del Ejército venezolano, la inmensa mayoría de soldados empezará a correr. Muchos lo apoyan por miedo y desde luego no van a dar la vida por él. Al contrario, miles se unirían a nosotros. Y de los famosos milicianos que está entrenando, no vale la pena ni hablar. Los más inteligentes se esconderán en sus casas tras la primera explosión. A los más tontos, nuestras fuerzas especiales les rebanarán la garganta sin que ni siquiera los vean llegar. Recuerde lo que ocurrió en Panamá con los famosos Batallones Dignidad. Usted mismo lo vio. Huyeron aterrorizados como pollos sin cabeza.

Una sonrisa del general bendijo las predicciones. Él era uno de muchos en el Pentágono que creía que su país tenía que usar su enorme poderío bélico con más decisión. El presupuesto militar de Washington era mayor que los de la inmensa mayoría de países industrializados juntos. Tan sólo uno de sus decenas de submarinos nucleares de ataque, como, por ejemplo, los de la clase Seawolf, podría destruir cualquier nación del planeta. Regresarla a la Edad de la Piedra. Personas como el comandante de SOUTHCOM pensaban que Estados Unidos debería sacar más provecho de esa enorme ventaja. Eran fervientes partidarios de usar esos medios mucho más a menudo como presión psicológica para lograr los objetivos políticos de Washington. Y, de fallar la diplomacia, apretar el gatillo sin tantos miramientos. Eran los llamados «halcones del Pentágono».

—Quizás la orden nunca llegue, pero si la recibimos, todo ha de estar listo. Hasta el último detalle. Y no tengo ni que decirle que, si eso ocurre, fallar no es una opción para nosotros. Estamos hablando del legado del Presidente. Como usted mismo dijo, no faltarán funcionarios y militares que digan que eso es una misión imposible. Muy arriesgada. Con costos demasiado altos. Esos son unos mediocres que sólo ven los árboles y no el bosque. Su desafío, general, es demostrar que están equivocados. A nosotros no se nos va a escapar el tren de la Historia. A ellos, sí. El mundo está lleno de blandengues, pero nosotros no lo somos.

—Entiendo.

Gerardo Rivera detuvo la grabadora y aparcó su camioneta en la calle Dieciséis del noroeste de Washington. Más tarde, se acercó a un mendigo.

—¿Quieres ganarte diez dólares?

—Claro... ¿qué tengo que hacer? —dijo este sorprendido.

—¿Ves aquella verja? —señaló a una mansión situada a una cuadra de distancia.

—Sí.

—Fíjate a la izquierda de la puerta... hay un hombre arreglando unas matas en el jardín. ¿Lo ves?

El vagabundo concentró su visión.

—Sí, ahí está —señaló con el dedo índice de su mano derecha.

—Muy bien. Camina por la acera. Cuando pases delante de él, acércate un poco y dile «Avisen a Ronaldo que Pedro quiere tomar café con él».

—A ver... —intentó recordar.

—«Avisen a Ronaldo que Pedro quiere tomar café con él» —repitió Gerardo.

—Bien... bien. «Avisen a Ronaldo que Pedro quiere tomar café con él».

—Exacto.

—¿Nada más?

—Eso es todo. Cinco ahora y cinco después de que lo hagas. Recuerda, no pares. Sólo camina más despacio cuando estés junto a él. Le dices eso con disimulo y te vas —dijo Gerardo consciente de que el Servicio Secreto estadounidense tenía monitoreado el edificio y que cualquier precaución era poca.

Cuando el mendigó regresó, le dio los otros cinco dólares, subió de nuevo a su furgoneta y se fue.

Al cabo de una media hora, un hombre salió de aquella mansión de la calle Dieciséis, ubicada entre la Fuller y la Euclid. Una gran casona de color crema, de dos pisos y con una enorme antena parabólica en su tejado. Cuando el señor cerró la verja tras de sí, pasó al lado de un resplandeciente rótulo metálico de color oro que decía: «Embajada de Suiza. Sección de Intereses Cubanos». Ya que La Habana y Washington no mantenían relaciones diplomáticas, la embajada Suiza se encargaba de ceder un espacio para que los diplomáticos cubanos pudieran tener algún tipo de presencia en la capital de su archienemigo, los Estados Unidos. Un favor que Cuba devolvía permitiendo también que el Departamento de Estado tuviera una representación en La Habana.

El hombre era de raza negra y complexión atlética. Alto y musculoso. Con pelo corto y bigote, el cubano caminó decididamente. Sin prisas, pero sin pausas.

Había varias formas de recoger mensajes de los diferentes agentes. La utilizada aquel día por Gerardo significaba que era urgente. Para ello, había elegido la ruta uno. La más rápida. La Seguridad del Estado de Cuba supo de inmediato que Gerardo tenía prisa en que aquello llegara a sus manos.

El agente apodado Ronaldo dobló a la izquierda en la Fuller y siguió hasta la Mozart. Ahí, una derecha y después una nueva izquierda en Columbia road. Ya estaba en pleno Adams Morgan, uno de los barrios más hispanos de la capital. Repleto de negocios con sus carteles en español y donde el inglés apenas se utilizaba.

Ahí siguió recto pasando las calles Qarry, Ontario y Champlain hasta llegar a la Adams Mill. En ese corto trayecto se había girado hacia atrás en varias ocasiones para comprobar si alguien le seguía o veía algún rostro que le resultara familiar. Al no detectar ninguna señal de alarma, giró a la derecha y caminó una calle más hasta llegar a la esquina con la Lanier. Justo en ese lugar, y frente a una gasolinera Exxon, había un buzón de correos. El espía dio una vuelta a su alrededor y, en uno de sus lados, vio dos marcas blancas hechas con tiza. Era la señal dejada por Gerardo confirmando que todo estaba bien y que siguiera por la ruta uno. Que no había observado a nadie siguiéndole antes de dejar el «paquete».

El cubano caminó unos cincuenta metros más, hasta llegar al número 2611 de la misma calle Adams Mill. Entonces se acercó a la escalera de entrada al edificio. Allí, en uno de sus extremos, encontró pegado un trozo de cinta adhesiva de color rojo. Eso significaba que el paquete había sido depositado en el punto número dos de recogida. El uno era un buzón personal en ese mismo edificio. El agente dio media vuelta y empezó a caminar en dirección opuesta. Unos doscientos metros más abajo, y en la acera de la izquierda, se detuvo en un café llamado Tryst. Un lugar moderno, informal y repleto de jóvenes bohemios. Tryst, irónicamente, se traducía al español como una cita discreta entre dos personas.

Al entrar, estudió fugazmente las caras de todos los que estaban allí. Después se sentó en la barra y pidió un café.

—¿Dónde está el baño? —preguntó como si no lo supiera.

El teniente de la Seguridad del Estado había visto muchas fotos del bar y un mapa detallado de todo su interior, incluido, por supuesto, el baño.

—Allí, al fondo —señaló la camarera.

Cuando llegó, un empleado estaba colocando un cartel de «No funciona».

—No se preocupe, es sólo para lavarme las manos... —dijo él y entró.

En seguida se dio cuenta de que Gerardo había roto la palanca del baño de una patada para que entrara menos gente.

Sin pérdida de tiempo, levantó la papelera y en el fondo exterior de la misma vio la estilográfica. Estaba pegada al metal con varios trozos de cinta adhesiva. La pluma había sido ubicada en un pequeño hueco, ideado a la perfección para esconderla. Aunque los empleados limpiaran su interior o vaciaran la basura, tendrían que buscar específicamente algo ahí para poder encontrarla.

El cubano se la puso en un bolsillo y regresó a la barra. Cuando le llegó el café, comenzó a beberlo con tranquilidad mientras leía el diario El Nuevo Herald, de Miami. De pronto, otro hombre se sentó a su lado.

—Perdone... veo que habla español...

—Sí...

—¿Me permite un bolígrafo un segundito para apuntar un número telefónico?

—Claro... tenga —dijo ofreciéndole la pluma.

El hombre escribió algo en un papel y, en un rápido movimiento de manos, cambió la estilográfica por otra exactamente igual. Todo, a la vista del teniente cubano apodado Ronaldo, que ni se inmutó.

La original acabó en el bolsillo del otro agente, que se despidió y se fue sin más demora. Tras acabar el café, Ronaldo se levantó y emprendió el regreso a la Sección de Intereses de Cuba en Washington.

Los agentes siempre tomaban todas las precauciones posibles. Quienes no tenían inmunidad diplomática podían ser detenidos en la calle con cualquier excusa por el Servicio Secreto estadounidense para registrarles y ver qué llevaban encima. Algo que, en esta ocasión, los cubanos no estaban dispuestos a permitir.

Tan sólo una hora después, ya se estaba realizando una transcripción completa del material enviado por Gerardo Rivera. El contenido tenía que llegar urgentemente a La Habana.

2. LA HORA CERO

AQUELLA ERA UNA noche cerrada. Oscura como pocas. En una sección del puerto de La Habana, sin embargo, había tanta claridad como en un despejado día de verano. Unos potentes reflectores alumbraban hasta el último rincón del muelle número diez, donde estaba atracado un inmenso buque de guerra ruso.

El Yamal pertenecía a la antes poderosa flota del mar Negro, integrada en la época soviética por casi cuatrocientas naves y setenta mil militares. Este carguero era uno de los ocho de la clase Vytegrales que Moscú utilizaba para enviar provisiones, munición y armamento a los barcos de su Armada desplazados alrededor del mundo.

Los estibadores ya habían llevado a tierra una buena parte de la carga del navío, pero todavía quedaban por bajar algunos de los voluminosos contenedores traídos desde la ciudad ucraniana de Odessa. Todos ellos eran de forma rectangular y tenían impreso en alfabeto cirílico los mismos letreros sobre su parte exterior: «Fertilizantes» o bien «Medicinas».

Además de los trabajadores del puerto, el recinto estaba repleto de activos soldados cubanos y rusos. Los militares, sin pérdida de tiempo y ayudados por dos enormes grúas instaladas sobre la cubierta del carguero, depositaban en el muelle las compactas cajas metálicas. Acto seguido, los contenedores eran introducidos con rapidez en grandes camiones que partían después fugazmente hacia diferentes y secretas partes del país.

Los rusos vigilaban al detalle todos los movimientos del operativo. Incluso desde el aire, donde un helicóptero Hormone-C, parte de la dotación del propio Yamal, proporcionaba la seguridad necesaria y, de paso, mantenía alejados a los curiosos con su intimidante presencia.

El Yamal, un buque de ciento veinte metros de eslora y capaz de desplazar mas de nueve mil toneladas de peso en sus bodegas, había sido especialmente modificado para el transporte de grandes contenedores de carga.

A medianoche, un vehículo todoterreno del Ejército cubano llegó al puerto rodeado de una nutrida escolta. De él descendió un enérgico militar de alta graduación. Un coronel del Ejército del Aire.

—¡Dobrii vecher, tovarisch Nicolai Sauchenko! —dijo este familiarmente dando las buenas noches en ruso a un oficial del Yamal que dirigía las operaciones de descarga.

—Dobrii vecher, coronel Montero... —le devolvió con
amabilidad el saludo el marino y también miembro del servicio secreto ruso—. Aquí está lo que le envían sus amigos ucranianos —añadió utilizando de repente el español, idioma que
aprendió tras permanecer más de diez años destinado en la
base de submarinos nucleares que Rusia había tenido en
Cienfuegos.
    —¿Cuántos?
    —Veinticuatro.
    —¿De qué tipo?
    —Los mejores. Lo último. Mírelos usted mismo.
    —Compañero, ¡sabíamos que se podía contar con uste-
des! —exclamó el coronel cubano mientras envolvía a Sauchenko en un apasionado abrazo.
    —Nosotros no nos dejamos intimidar por nadie —afir-
mó el ruso con orgullo en su rostro.
    —Bien... Veamos qué nos ha traído el Kremlin —prosi-
guió ansioso Montero.
    Ambos militares se dirigieron entonces hacia uno de los
contenedores que reposaba apaciblemente sobre el piso. Una
vez allí, el ruso ordenó a uno de sus subordinados que lo
abriera.
    Cuando aquel enorme y misterioso bloque metálico fue
desprovisto de su puerta frontal, el contenido del mismo
quedó a la vista de todos. La carga protegida con tanto celo era
un avión de combate a medio ensamblar. Uno de los aparatos
de guerra mas sofisticados del Ejército del Aire de Rusia: un
MIG-29 Fulcrum del último modelo. El orgullo de la ingeniería aeronáutica bélica de ese país.
    El coronel castrista se acercó al caza y deslizó con lenti-
tud su mano sobre las duras planchas de metal del aparato.
Para él, aquellas frías láminas de hierro y tuxteno endureci-
dos eran poco menos que delicado terciopelo.
    —Fantástico... fantástico... —repitió entusiasmado.
    —Espero que sea consciente del poder de lo que dejo en
sus manos... —dijo circunspecto el ruso—. Estas máquinas están hechas para sembrar mucha destrucción y muerte. Hay
que utilizarlas con sabiduría. O mejor dicho —se autocorrigió

con rapidez—, hay que saber cómo evitar verse obligado a tener que usarlas.

—Por supuesto, compañero... Por supuesto... —afirmó sonriendo el cubano en un intento por no despertar ningún signo de desconfianza por parte del agente ruso—. Nuestro ejército es sólo defensivo, pero no queremos estar a merced de los yanquis. Con esto en nuestras manos, anularemos cualquier intento de agresión imperialista contra este país.

—Lo entiendo muy bien. En los tiempos que corren de «estás conmigo o contra mí», uno no puede bajar la guardia —dijo Nicolai, claramente molesto.

—Como usted sabe, camarada, este tipo de armamento casi nunca hace falta, pero cuando se necesita hay que tenerlo disponible y listo para combatir o ya es demasiado tarde. ¡Ahora sí estamos seguros! ¡Independientes! ¡Soberanos! Compañero, ¡gracias! ¡Muchas gracias! ¡Que viva Rusia! ¡Que viva Ucrania! —gritó con entusiasmo Montero antes subir de nuevo a su jeep.

Cuando el transporte militar abandonó el puerto, el coronel cubano cogió de inmediato su radio de campaña.

—¿Sí...? ¿Mi general? ¡Todo en orden! ¡Ya los tenemos! Sí. Veinticuatro. Tendría que verlos, mi general... Sí... Impecables... Sí, mi general... ¡A sus órdenes, mi general! ¡Viva el socialismo! ¡Patria o muerte! ¡Venceremos! ¡Viva la revolución!

3. DINERO Y VENGANZA

OLEG ULIANOV ESTABA sentado en una mesa del café Zurich, en Barcelona. Justo frente a la plaza de Cataluña, rebosante de palomas y vendedores ambulantes. Como era habitual, la vibrante ciudad mediterránea estaba siendo visitada por una verdadera oleada de turistas. Muchos comenzaban su ruta hacia el puerto precisamente en ese punto y después caminaban por una de las calles más transitadas del mundo, las famosas

Ramblas, hasta llegar al mar. Era, en definitiva, un lugar público perfecto para pasar desapercibido.

El traficante de armas de Bielorrusia buscó una mesa apartada en el segundo piso y después instaló su computadora portátil inalámbrica frente a él. Ulianov había invertido decenas de miles dólares en un muy sofisticado sistema de seguridad cibernético gracias al cual era prácticamente imposible descifrar el código secreto de sus mensajes. También le gustaba trabajar en sitios bastante frecuentados para, en caso de ser necesario, poder huir con más facilidad entre la multitud.

A las tres en punto de la tarde accedió a una dirección electrónica y leyó sus mensajes. Uno de ellos se titulaba «Regalo de Navidad». El bielorruso dio un rápido clic al ratón y entró en el mismo. «Recibí el regalo. Muchas gracias. El tío Olguín me lo trajo. Llegó en perfecto estado. Tu regalo también te aguarda. Esperamos verte pronto. Nadia» —decía—. Ese simple mensaje acababa de hacerlo varios millones de dólares más rico. Después, accedió a una de sus cuentas corrientes en un banco ubicado en Barbados y comprobó que el resto de la transferencia ya había sido realizada. Él nunca trabajaba si el cliente no pagaba un treinta por ciento por adelantado.

Ahora era su turno de repartir. La primera transacción fue para el Ministerio de Defensa ruso. Por su asistencia, cincuenta millones. La segunda, para el general ruso que coordinó el envío en secreto. Cinco. La tercera, para el funcionario del Kremlin que apadrinó la idea. Otros cinco. La cuarta, para los políticos ucranianos que facilitaron la operación: quince millones. Para las arcas del Estado de Ucrania, seiscientos setenta y cinco. Por el costo de los aviones. Ulianov ya había enviado doscientos veinticinco millones iniciales. Y, finalmente, para él, quince millones de dólares en efectivo. Cuba había pagado un total de novecientos noventa millones de dólares por los veinticuatro MIGs-29. La mitad de ese dinero venía directamente de La Habana y la otra mitad era un préstamo procedente de una cuenta bancaria controlada por políticos venezolanos.

Ucrania nunca anunció oficialmente la venta de los cazas a Cuba. Todo fue una obra de ingeniería financiera y política entre Kiev, Moscú, La Habana, Caracas y Ulianov. Una operación realizada en el más absoluto secreto.

El bielorruso recordaba a la perfección la secuencia de eventos que le garantizaron una de las ventas más lucrativas de toda su carrera como traficante de armas.

La vieja guardia de los políticos ucranianos estaba furiosa con Estados Unidos por sus continuas críticas al régimen del anterior presidente, Leonid Kuchma. Los norteamericanos lo acusaban de corrupto y de haberse convertido en un dictador, así que Washington comenzó a fustigarlo públicamente y a maniobrar para aislarlo, tanto de Europa como del resto del mundo. Cuando el entonces líder opositor Viktor Yushchenko anunció su intención de postularse a la presidencia, resultó obvio que tenía tras de sí todo el respaldo de la Casa Blanca.

El protegido de Kuchma, Viktor Yanukovych, venció en las elecciones, pero la Corte Suprema ucraniana las invalidó por fraudulentas. Eso ayudó a que las siguientes fueran ganadas con comodidad por la llamada «revolución naranja» de Yushchenko. Este hombre, muy atractivo físicamente en otra época, ahora tenía la cara desfigurada por un poderoso veneno. En su partido decían que se trataba de una represalia política y que la orden de poner la dioxina en su comida vino de las más altas cúpulas del gobierno anterior.

Rusia había apoyado abiertamente al protegido de Kuchma, ya que era partidario de seguir bajo la esfera de influencia de Moscú. Yushchenko, el líder opositor, en cambio, quería alejarse del Kremlin para acercarse más y más a la Unión Europea. Moscú estaba extremadamente molesto con la Casa Blanca. Los rusos consideraban que Ucrania, una antigua república soviética, era parte de su «área natural» y que Washington tenía que mantenerse al margen de esa disputa casi «entre familia». Pero no fue así y muchos en el Kremlin culparon a Estados Unidos de que, finalmente, el candidato prorruso perdiera los comicios.

Que un país tan importante como Ucrania se alejara de Moscú fue una píldora difícil de tragar en el Kremlin, pero ese fue sólo el primer motivo de su molestia.

Tras las elecciones, la secretaria de Estado, Condolee-
zza Rice, criticó en público al presidente ruso, Vladimir Putin. Rice dijo que los esfuerzos de Putin para amasar poder y
controlar las cadenas de televisión en su país eran muy preo-
cupantes y que habían minado la democracia en Rusia. En
esencia, parecía estar acusándolo de caminar peligrosamente hacia un régimen autoritario. Y no sólo eso. La diplomática
añadió que el manejo del gobierno ruso de algunos casos en
los tribunales de justicia habían «sacudido la confianza de la
gente» y que podrían afectar de forma negativa a futuras in-
versiones en ese país. En la mente de muchos, se refería al
juicio contra el magnate petrolero Mikhail Khodorkovsky, ex
presidente de la compañía Yukos y antes el oligarca más rico
de Rusia. Algunos acusaban al Kremlin de haber manipulado
la ley a su antojo para prácticamente expropiar Yukos a Khodorkovsky antes de que este tuviera la oportunidad de defenderse. ¿El motivo? Financiar a grupos opositores a Putin.

Esas declaraciones de la secretaria de Estado socavaron
temporalmente la confianza en los mercados financieros de
Rusia, algo que, esta vez sí, sacó de quicio a Moscú. Ya no se
trataba de simples palabras, sino de la amenaza de una pérdida masiva de dinero. En el pasado reciente, Rusia, debido a
esa misma preocupación, ya había visto fugas de capital de
miles de millones de dólares. Dinero de empresarios tanto locales como internacionales temerosos por la estabilidad del
sistema. Bastante tenían con protegerse de la delincuencia organizada y los constantes sobornos burocráticos como para,
encima, tener que estar pendientes de que alguna persecución
política los dejara en la ruina. Y en ese contexto, lo último que
las autoridades rusas querían escuchar eran palabras como
aquellas de Rice, echando aún más leña al fuego.

—Hay que hacer algo. No nos podemos quedar cruzados
de brazos. Si quieren jugar con fuego, tenemos que demostrarles que ellos también pueden quemarse. ¿Cómo se atreven
a darnos lecciones de democracia cuando ellos invaden cualquier país que les venga en gana sin dar explicaciones a nadie?
¿Cómo se atreven a venir a desestabilizar nuestro sistema financiero infundiendo miedo de esa forma? Hay que tomar re-

presalias. De lo contrario, la próxima vez será aún peor —sentenció furioso un alto funcionario del Kremlin al dar la autorización final para la venta de los aviones MIG a Cuba.

Oleg Ulianov sabía que Cuba estaba buscando activamente MIGs-29, pero también que casi nadie se los quería vender para no enfrentarse a los Estados Unidos, la única superpotencia mundial todavía existente. Enviar armas a un país que después pudiera usarlas contra Washington podría tener consecuencias imprevisibles, pero seguramente ninguna positiva.

Tras el intento de golpe de estado en Venezuela, conseguir varias decenas de los más modernos aviones de combate rusos también se convirtió en una verdadera prioridad para el presidente de ese país, Hugo Chávez. En especial, los MIGs-29 de la última generación. Los más sofisticados del mercado. Un modelo altamente secreto de los MIGs-29 SMT, equipados con armas de la más alta tecnología, como misiles guiados por radar y bombas de dos mil libras. A la lista, también se añadían varios cazabombarderos SU-27 y otros del modelo SU-25. Estos últimos, especializados en ataques aire-tierra. Para costear esos aviones, así como otros sistemas de armas, Caracas había reservado nada más y nada menos que cinco mil millones de dólares. Dinero que provenía de las excelentes ganancias de un cada vez más caro petróleo.

Moscú podía atreverse a vender aviones de combate abiertamente a Venezuela, incluso MIGs-29. Rusia era un país poderoso y Washington mediría mucho sus represalias. Sin embargo, el Kremlin sabía que enviar a Cuba una edición de los MIGs-29 SMT provocaría una reacción de ira por parte de Washington. El Pentágono conocía muy bien las cualidades de ese aparato y la abrumadora diferencia en calidad técnica comparada con los modelos anteriores. Permitir la presencia de esos cazas cerca de territorio norteamericano era, simplemente, un peligro demasiado serio para la seguridad nacional de los Estados Unidos. Algo que la Casa Blanca consideraría como inaceptable.

No obstante, Venezuela era un tema aparte. De hecho, distintos aviones de transporte rusos Antonov AN-24-200 tipo Condor habían aterrizado hacía ya varios meses en la base aérea venezolana de Libertador con varios MIGs-29 M2 Fulcrum completamente operativos. Allí, diversos pilotos cubanos entrenaban sin descanso a un grupo muy cuidadosamente escogido de aviadores venezolanos para el uso de esos MIGs. El proceso de selección era rigurosísimo y sólo lo pasaban militares con una lealtad ciega al régimen chavista.

Estados Unidos había protestado contra cualquier venta de armamento a Venezuela, pero sin éxito. Las percibía como una amenaza directa. Primero, por lo que Caracas pudiera hacer con esas armas en Latinoamérica. Segundo, porque serían usadas para matar soldados estadounidenses en caso de que Washington decidiera finalmente invadir Venezuela para derrocar a Chávez.

El embajador en funciones de Venezuela en Paraguay, Elmer Niño, había dicho a la prensa de Asunción que Washington estaba preparando una invasión contra Venezuela para controlar el petróleo del país. Según él, igual que hicieron en Irak. «Venezuela es el principal exportador de petróleo de Latinoamérica y el segundo productor tras México. Tenemos reservas estratégicas para los próximos trescientos cincuenta años», afirmó. Incluso el mismo presidente de Venezuela, Hugo Chávez, se sumó a las acusaciones de invasión. Según él, el Pentágono ya estaba realizando ejercicios militares con ese fin. El mandatario dijo que uno de los planes era apoderarse inmediatamente de los yacimientos de petróleo del país y bombardear ciudades como Caracas, Valencia y Maracay. Chávez afirmó que sus fuerzas ya se estaban preparando para repeler esa invasión y, de producirse, prometió «una guerra de cien años que se expandiría a otras partes de Latinoamérica». La adquisición de los MIGs parecería un paso para defenderse de algo así, aunque no pocos veían esa compra, más bien, como una maniobra ofensiva de Caracas para intimidar a países vecinos como Colombia, cuyo gobierno tenía cada vez más sospechas sobre las verdaderas intenciones del régimen de Chávez.

Muchos en Bogotá decían que Chávez apoyaba a los guerrilleros colombianos y que ya les traspasaba en secreto fusiles de asalto y municiones. Unos médicos cubanos que habían desertado de su misión en Venezuela declararon públicamente que a menudo se les obligaba a curar a guerrilleros de la FARC heridos en combate, algo que aumentó aún más la controversia. En otra ocasión, un alto dirigente de ese mismo grupo fue secuestrado en Caracas por mercenarios que después lo entregaron a Bogotá. No pocos en Colombia insistían en que el guerrillero vivía tranquilamente en Caracas bajo la protección de Chávez. A pesar de los continuos intentos de ambos gobiernos por desdramatizar la situación, las tensiones eran obvias y no hacían más que crecer.

Miembros del servicio de inteligencia venezolano iban más allá y, en privado, incluso decían que Venezuela y Colombia marchaban inexorablemente hacia una guerra. Según ellos, Washington utilizaría al gobierno de Bogotá para combatir contra Caracas, ya fuera de forma directa o creando un grupo militar subversivo. «Igual que, en su día, usaron a la Contra para atacar a los sandinistas en Nicaragua», afirmaban. Repetían que todo lo que estaba ocurriendo era una estrategia trazada minuciosamente para ir enfrentando poco a poco a la opinión pública colombiana contra el régimen de Venezuela. Mentalizarla de la «amenaza chavista» para después conseguir el apoyo popular para una guerra. El objetivo: derrocar a Hugo Chávez y, con gran soporte logístico y material norteamericano, dar de paso un golpe demoledor a las FARC y al narcotráfico. «Si invadieron Panamá, que no tenía ni una gota de petróleo, ¿cómo no van a hacer lo mismo con Venezuela, que le brota por las venas?», repetían. En juego también estaban las segundas mayores reservas petroleras del planeta. Las ubicadas en la cuenca del Orinoco y en La Guajira, eternamente disputadas por Colombia y Venezuela.

En el caso de Cuba, la pregunta era clara para Ulianov: ¿cómo comprar esos aviones MIG en secreto y sin dañar seriamente las relaciones entre Washington y Moscú? El bielorruso, un auténtico especialista en este tipo de situaciones y con todos los contactos del mundo tanto en Rusia como en los países de la antigua Unión Soviética, elaboró un plan en apenas dos semanas.

El plan: Rusia vende veinticuatro aviones MIG-29 SMT a Ucrania y después Kiev los revende a Cuba. Dado que la Armada ucraniana no dispone de navíos de esa capacidad, Moscú utiliza su flota para transportar los aparatos a ambos países. El uso de cualquier barco mercante privado haría casi imposible mantener el secreto del operativo. El Yamal se encarga de la misión. De esa forma, Rusia siempre puede decir que el destino de los aviones era Ucrania y que no es responsable si después Kiev los envía a un tercer destinatario. Si la operación se descubre, los funcionarios ucranianos alegan desconocimiento, ya que ha sido una venta militar secreta y con muy poca gente involucrada. Eso, o decir que ellos sólo estaban cumpliendo órdenes procedentes de la cúpula política y castrense. ¿De quiénes? Nadie lo podría decir con exactitud porque las instrucciones siempre se habían transmitido por canales confidenciales. Algo muy normal en el funcionamiento de regímenes burocráticos, turbios y con mucho secretismo como casi todos los ex soviéticos. Como resulta obvio, los escasos documentos existentes son destruidos de inmediato, de forma que resultaría casi imposible poder investigar lo ocurrido. Las pocas personas que en verdad sí sabrían qué sucedió tendrían demasiado dinero en el banco como para querer hablar o bien miedo a serias represalias. El silencio estaba prácticamente garantizado.

Además, ese tipo de ventas, en realidad, tampoco sorprenderían a nadie. Ucrania ya había sido acusada de exportar sofisticados equipos de radar al régimen de Saddam Hussein antes de la guerra en Irak. Ventas que violaban de forma clara el embargo de armas impuesto por las Naciones Unidas y que enfurecieron a Washington porque aumentaba el peligro de que sus pilotos fueran derribados por la artillería antiaérea iraquí.

Es decir, la Ucrania postsoviética tenía un claro pasado de venderse al mejor postor, fuera o no legítimo ante los ojos de la comunidad internacional. Y una vez el gobierno de Kuchma se enemistó abiertamente con Washington, el problema se agravó aún más, comenzando a vender material militar a cualquier país que se lo comprase. Según ex funcionarios ucranianos, algunos de los clientes eran Corea del Norte, China e Irán.

El llamado Ministerio de Construcción de Maquinaria, el misterioso y altamente secreto Ministerstvo Mashinostroeniya, fue el encargado de materializar la venta de los MIGs. Se trataba del ministerio más involucrado en la venta de armamento a otros países.

La transacción inicial se había realizado antes de la subida de Viktor Yushchenko al poder. Sus enemigos sabían muy bien que después de esa fecha sería imposible hacerlo. Sin embargo, los aviones se entregaron algunos meses más tarde. Las fábricas de aviones rusas necesitaron de cierto tiempo para finalizar la producción de los aparatos y añadirles todas las especificaciones militares exigidas por las autoridades cubanas. Moscú había recibido un fuerte pago inicial y el resto se le abonó al realizar la entrega física de los cazas.

La máxima de Kiev fue clara: vengarse de Washington por ayudar a la oposición a sacarlos del lucrativo gobierno en el que estaban atrincherados desde la independencia, enriquecerse lo máximo posible antes de abandonar el poder y, de paso, dejar una verdadera «mina política» a Yushchenko. Cuando se descubriera la venta y la fecha de la misma no resultara del todo clara, tendría que verse las caras con quienes tanto lo habían ayudado: los propios estadounidenses.

La Fuerza Aérea Revolucionaria de Cuba, la FAR, disponía de unos ciento treinta aviones de combate, de los cuales únicamente veinticinco eran operacionales. Es decir, que estaban en condiciones de volar. La constante crisis económica por la que atravesaba Cuba tras la caída de la Unión Soviética, la falta de repuestos y el alto precio del combustible hacían que los cazas de La Habana apenas tuvieran un promedio de cincuenta horas de vuelo al año. Básicamente, yacían en los hangares a la espera de una orden de combate que nunca llegaba.

Todos los aviones cubanos habían sido fabricados en Rusia. En concreto, los modelos MIG-21, MIG-23 y MIG-29. Sin embargo, el MIG-29 era el único realmente moderno y capaz de enfrentarse con éxito a los cazas occidentales. En teoría, el arsenal cubano disponía de seis MIG-29 de principios de la década de los noventa, pero la realidad era que la isla sólo tenía tres en buen estado.

De repente, hacerse con dos docenas de los mejores aviones de combate rusos se convirtió en una auténtica obsesión para el régimen cubano. Un interés que Ulianov no acabó de entender en aquel momento. Sin embargo, para él el motivo era lo de menos. Lo único cierto es que se le había presentado la oportunidad de engrosar significativamente su cuenta corriente y, por supuesto, no la dejó escapar.

4. EL GENERAL

EL HOTEL COLINA, situado entre las calles 27 de noviembre y la L, era un lugar apacible. El edificio, de la década de los cincuenta, tenía una fachada de color amarillo y grandes ventanales blancos a través de los cuales podía divisarse el cercano parque de José Antonio Mella y las espectaculares escalinatas de la Universidad de La Habana.

Colgada de un mástil, la bandera cubana ondeaba orgullosa sobre la entrada del hotel, construida a base de sólidas columnas marrones que, a pesar de los años, se conservaban en perfecto estado.

El pequeño bar del Colina casi nunca estaba lleno. Para llegar allí, se giraba inmediatamente a la izquierda después de pasar por la recepción. El recinto era íntimo, con apenas algunas mesas casi escondidas en sus cuatro rincones y una antigua barra de madera de roble donde se preparaban todo tipo de cócteles tropicales.

Los clientes del hotel no se reunían en ese bar para organizar ruidosas fiestas, sino, más bien, para conversar con serenidad. Un pequeño grupo de turistas y empleados cubanos del Colina veían las noticias a través de un viejo televisor polaco.

«Buenas noches...», comenzó el locutor del noticiero

nacional de la televisión cubana, Carlos Soria, que vestía un sobrio y modesto traje marrón claro con una camisa blanca y corbata roja.

«Hoy se produjeron numerosas protestas en Moscú contra el gobierno del presidente Vladimir Putin. La mayor parte de los manifestantes eran jóvenes universitarios que quemaron varias fotografías del líder ruso, acusándolo de dictador y de querer reimplantar un régimen similar al de la antigua Unión Soviética», prosiguió Soria leyendo sobre un anticuado fondo compuesto por un mapamundi blanco y azul con líneas horizontales grises.

«Los estudiantes chocaron contra la policía y hubo numerosos heridos. Durante las manifestaciones, también se quemaron banderas soviéticas y de los países que aún son fieles al comunismo, como Corea del Norte y Cuba», dijo el locutor mientras se veía arder una bandera cubana. Segundos después, un joven sacó una foto de Fidel Castro y también la carbonizó mientras la pisoteaba con furia.

«El Kremlin aseguró que no permitirá que unos cuantos revoltosos alteren el orden público y que tomará más acciones si la violencia continúa. Muchos en Moscú sospechan que la embajada estadounidense ha animado a los estudiantes a manifestarse. El objetivo sería poner presión al gobierno de Putin para que adopte las reformas económicas que quiere Washington».

Todo lo que salía en los medios de comunicación cubanos estaba prácticamente escrito por el gobierno de La Habana. Las autoridades habían permitido la emisión de esa noticia por varios motivos. Primero, para vender la idea de que, de alguna forma, cualquier gobierno tiene derecho a reprimir manifestaciones en su contra. Un claro mensaje tanto para los disidentes como para la población en general. Segundo, para intentar convencer a los cubanos de que Rusia, tras la caída de la Unión Soviética, estaba cayendo en un caos. Y tercero, para que los cubanos más nacionalistas se indignasen al ver cómo quemaban la foto de Fidel Castro.

El viceprimer ministro del Interior y máximo responsable del aparato de inteligencia y contrainteligencia de La Habana, el general Carlos Hernández, suspiró profundamente tras el fin del noticiero. Acto seguido, apagó con decisión el monitor televisivo de su oficina. En su mano derecha tenía la grabación enviada desde Washington por Gerardo Rivera, pero, con o sin ella, el militar parecía ir convenciéndose poco a poco de que su decisión final sólo podía ser una. Que era inevitable.

—¡Este juego se tiene que acabar! ¡No somos ningunos cobardes y hemos de demostrárselo al mundo! Los rusos han traicionado sus propios ideales, pero nosotros no lo haremos. ¡No! ¡Nosotros sí decimos con orgullo que amábamos a la Unión Soviética! ¡Hay que escribir un nuevo capítulo en la historia contra el imperialismo yanqui! ¡Con o sin los malditos rusos! Quizás el comunismo muera en Europa sin presentar batalla, ¡pero aquí no! —dijo para sí con ira el militar antes de abandonar su despacho con un rostro visiblemente alterado.

5. LA FUGA

ESTA NO SERÍA una jornada más en el calendario para Héctor Lara.

Héctor se despertó al amanecer. Como siempre desde que comenzara en su nuevo trabajo. Al abrir sus ojos, el joven cubano corrió enérgicamente hacia un lado la cortina que tenía justo frente a su lecho. Entonces, a través de la ventana, pudo ver cómo las sábanas colgadas en la terraza de su apartamento se movían con rabia sacudidas por el viento. Instantes más tarde, era el cuerpo del mismo Héctor el que se hallaba nadando entre aquellos suaves y blancos trozos de tela ya secos.

Tras cerciorarse de que nadie le observaba, Héctor puso algo de saliva en uno de los dedos de su mano derecha y después lo levantó para comprobar en qué dirección soplaba el viento.

—¡Del sur! —susurró con satisfacción viendo que tenía ante sí un cielo casi por completo despejado y un mar sin apenas oleaje. Un día perfecto para escapar de Cuba. Un día para el que se había estado preparando durante meses.

Los vientos del sur eran inusuales antes del invierno. Si se producían, solían ser débiles y no duraban más de dos o tres días. Sin embargo, podían resultar de gran utilidad como primer empujón para comenzar a distanciarse de la isla.

Al cabo de unos minutos, el teléfono de la casa de Héctor comenzó a sonar. El cubano lo descolgó con rapidez y sigilo, procurando no despertar a nadie.

—Aló...

—¿Héctor?

—El que habla.

—Soy Alberto.

—Ah... Buenos días, hermano...

—Escucha. La cena con la familia de Sancti Spíritus va a ser hoy.

—¿Hoy?

—Sí. Las condiciones son ideales. Asómate a la ventana y verás.

—Ya lo hice. Eso parece, ¿no?

—Afirmativo.

—¿Estás seguro, viejo?

—Sí. ¡Ahora o nunca! ¡Ha llegado la hora de la verdad! ¿Ocá?

—De acuerdo... de acuerdo... Hoy... —se dio ánimos Héctor—. ¿A qué hora?

—A eso de las diez de la noche.

—¿Ya saben dónde será la cena?

—En la playa de Cojímar. Calle República de China número once —dijo Alberto.

—Muy bien. Adiós.

Tras recibir la señal en clave de quienes, protegidos por la oscuridad de la noche, le ayudarían a huir de la isla, Héctor puso en una bolsa deportiva todo lo imprescindible para sobrevivir una travesía que podría durar un largo número de días: varias botellas de ron, pan, agua, latas de carne, galletas, una linterna, un mechero, fósforos, sedal, anzuelos, carnada, un abrelatas, un cuchillo y un juego de cartas. Después regresó a la cama durante algunos minutos más pensando que ese podría ser su último día en Cuba durante mucho tiempo. Quizás, incluso para el resto de su vida.

A las seis de la mañana, Héctor se levantó otra vez y partió con normalidad hacia su trabajo: una fábrica de tabaco situada en las afueras de la capital. El cubano tenía que seguir, paso a paso, su rutina diaria para no levantar ningún tipo de sospechas.

6. LAS LÁGRIMAS DE UN ADIÓS

HÉCTOR LARA SE APRESTÓ a salir de su apartamento hacia las siete de la tarde sin despedirse de los suyos. A pesar de su natural sangre fría, ese día no encontró el temple necesario para decir a su familia un «hasta luego» cuando sabía que, en realidad, aquello era un casi definitivo «adiós».

Por otro lado, tampoco podía confiar en nadie. Ni siquiera en los miembros de su propia familia, ya que varios de ellos simpatizaban con el régimen e incluso eran dirigentes de los llamados Comités de Defensa de la Revolución, o CDR. Es decir, los vecinos encargados de hacer respetar las órdenes del Partido en todos los barrios del país y que denunciaban sistemáticamente a quienes no las cumplían.

Que alguien, incluso entre parientes cercanos, delatase a otro a las autoridades por querer escapar de Cuba o bien por desarrollar actividades contra el sistema no era algo inusual, sino ya bastante visto en la isla. Además, cualquier filtración, aún realizada sin mala voluntad, podría ser fatal. No sólo para él, sino también para todos los que dependían de Héctor en aquella peligrosa aventura.

A pesar del sigilo empleado por el cubano, su inquieta abuela le sorprendió justo momentos antes de que cerrase la puerta tras de sí en su camino hacia la calle.

—¿Adónde vas a estas horas, mijito? —le preguntó extrañada.

Héctor se giró, la abrazó con fuerza y acarició después con delicadeza su cabello repleto de canas.

—A la playa... —afirmó titubeante y cabizbajo.

—¿A la playa, chico? Tú nunca vas a la playa a estas horas. ¿A qué vas, mi niño? —insistió la anciana, ya más preocupada al intuir que la gravedad del rostro de su nieto no podía significar nada bueno.

—Voy a... nadar.

—¿Y esa bolsa? —cuestionó de nuevo la pequeña y regordita Sara, que tenía un gigantesco puro habano colgando de sus labios. Una afición suya de toda la vida, la de fumar, que ahora, con Héctor trabajando en una fábrica de tabaco, podía satisfacer casi a diario.

—Una toalla. Una trusa...

—¿Una bolsa tan grande para una trusa y una toalla?

—No hagas preguntas, abuela. Voy a nadar lejos... muy lejos. ¿Entiendes?

Sara hundió sus ojos en los de su nieto y, de repente, experimentó una sensación horrible al sospechar que este ya nunca regresaría. Su cuerpo quedó transpuesto, tembló y sólo la pared situada detrás de su espalda evitó que cayera desplomada contra el suelo. Sin embargo, al observar la mirada de Héctor, Sara enseguida comprendió que, aunque quisiera, seguramente su amado Hertico tampoco podía decirle la verdad.

—¡Quédate, mijito! ¡Eso es peligroso! —dijo ella casi sin poder hablar mientras las primeras lágrimas comenzaban a deslizarse por sus mejillas.

—No te preocupes, abuela. No hay problema... —añadió Héctor, al igual que Sara, semiparalizado por una asfixiante angustia.

—Mi pequeño, no te vayas. No quiero que te pase nada. ¡No quiero perder a mi único nieto!

—Por favor, no lo hagas más difícil de lo que ya es... Me gustaría quedarme, pero necesito encontrar un lugar donde pueda vivir tranquilo... con más oportunidades... —dijo él con

PABLO GATO

sus ojos también humedecidos.

A veces el cubano tuteaba a su abuela. Algo inusual en la isla, pero un hábito que el resto de la familia también compartía.

—Abuelita... Te quiero... te quiero mucho, pero tiene que ser así. ¿Es que no lo ves?

—Si te vas ahora, quizás no te vea más. ¿Por qué ha de ocurrir esto? —preguntó enfadada Sara alzando de pronto su voz—. ¿Por qué tenemos que sufrir de esa manera tan cruel las familias cubanas? ¡Esto no es justo, mi hijo! —exclamó después.

—Abuela, por favor, no me preguntes nada ahora. Tienes que comprender.

—Mi negrito... Querría decirte tantas cosas en estos momentos...

—No hace falta, Sara. Las sé todas.

—¡No! ¡Tú no sabes lo mucho que te quiero, mi niño!

—Sí. Claro que lo sé. Yo también te quiero mucho.

—¡Abrázame, Hertico! ¡Abrázame fuerte! Quiero poder recordar para siempre el olor de tu piel... —dijo la anciana mientras hundía su cabeza en el pecho de su nieto.

—Sara, ¡cómo podría explicarte lo que siento! ¡Si casi no puedo ni hablar! —exclamó Héctor Lara secándose la cara con su mano derecha! ¡Mírame! ¡Parezco un niño!

—Mijito... No rompas así mi corazón... —susurró Sara al oído de Héctor mientras pegaba su cuerpo más y más al de él.

—Abuela...

—Dime, mi niño... —dijo ella con delicadeza observando los congestionados ojos de su nieto.

—No importa si nos separa un mar, yo siempre estaré contigo y tú conmigo. ¿Entiendes?

—¡Esos degenerados comunistas! ¡Qué daño nos están haciendo! —explotó la cubana separándose repentinamente de su nieto.

—¡Cállate! —apuntó con rapidez Héctor haciendo ademán de taparle la boca—. ¿Estás loca o qué? ¿Qué es lo tuyo? ¡Podrían oírte los vecinos!

—¡Me importa un carajo! ¡Esos desgraciados! ¡Salvajes!

62

¡Malditos comunistas!

—¡Sara, ya! —gritó el joven sacudiendo con sus manos el cuerpo de su abuela en un intento por tranquilizarla.

La anciana sintió una pena sin límites, un inmenso vacío que, poco a poco, ocupó toda su alma.

—¿Y la familia, chico? ¿No vas a despedirte? —afirmó reponiéndose momentáneamente.

—No soy capaz. Nunca pude fingir con quienes quiero de verdad, pero si algo me ocurriese y no volvieran a saber de mí, diles... diles, abuelita, que...

—¿Qué, mi amor?

—Diles que son lo más importante para mí. Ustedes y mi país, pero tengo que irme. ¡Por favor! ¡No puedo romperme ahora! ¡He de ser fuerte! ¡Va a ser duro! No ha sido fácil decidirme. ¿Sabes lo doloroso que es dejar atrás a tu país y a toda tu familia? ¿Hay acaso algún sacrificio más grande, abuela?

—Hijo mío, cuídate mucho. ¡Ve con Dios! —dijo Sara en un tono mucho más cariñoso que antes y pasando su mano con ternura sobre el rostro de su nieto—. Tienes razón. Este país está condenado al sufrimiento. Si yo tuviera tu edad, también me iría de este purgatorio. ¡Mi amor siempre estará contigo! —añadió fundiendo una vez más su pecho contra el de Héctor para después escapar entre sollozos a su habitación.

7. PUNTO DE NO RETORNO

HÉCTOR SE SUBIÓ a una guagua en dirección a la zona este de La Habana. El autobús, un despintado y destartalado Ikarus húngaro, estaba repleto de pasajeros. Quienes no cabían dentro, viajaban colgándose de unas fuertes barras de hierro que habían sido instaladas en el exterior del vehículo precisamente con ese fin.

La escasez de combustible obligaba a la inmensa mayoría de cubanos a utilizar el poco transporte público disponible para realizar sus actividades diarias. La opción era esa o desplazarse de un lado a otro en simples bicicletas importadas desde Pekín.

Tras recorrer unos tres kilómetros, Héctor llegó al barrio de pescadores de Cojímar. Una vez allí, fue a la calle República de China número once, tal y como le indicaran.

Las semiderruidas casas de esa zona, así como las de otras muchas partes de Cuba, parecían querer desmoronarse en cualquier momento. Casi ningún vecino disponía del dinero o de los materiales necesarios para reparar las numerosas averías y el desgaste generados a través de los años.

Héctor llamó a la puerta y, al cabo de algunos segundos, abrió una corpulenta mulata de mediana edad. La mujer lucía un alegre y tropical vestido de flores y su pelo estaba repleto de rulos de color rosa envueltos en un destelleante pañuelo azul celeste.

—¿Sí...? —dijo la mujer.

—Vengo al aniversario del señor Carlos.

—Ah... cómo no... qué bien... ¿Y ya sabe usted cuántos años cumple el señor Carlos hoy? —preguntó la mulata mostrando un gesto de desconfianza en su rostro.

—Sí, claro. Aunque no los aparenta, cuarenta y cinco.

—¿Cuarenta y cinco? ¿Está seguro?

—¡Ay! ¡Perdón! ¡Qué tonto soy! Quise decir, cuarenta y tres...

—¡Efectivamente, mi amor! ¡Pase! —dijo la señora, ya más relajada, al comprobar que Héctor sabía el santo y seña acordado por quienes querían fugarse del país—. ¡Bienvenido a la casa de la libertad! —añadió después con una pícara y cómplice mirada.

—¿La casa de la libertad?

—Claro... porque esta es tu puerta hacia una nueva vida —respondió con una amplia sonrisa la señora exhibiendo su blanca y perfecta dentadura.

—Espero que así sea... —dijo escéptico el cubano.

Al pasar al interior, Héctor vio a seis personas. Cinco hombres y una mujer. El grupo había estado preparando su huida durante cuatro interminables meses.

Tan sólo uno de los balseros, Manolo González, se iba por razones abiertamente económicas y no políticas, aunque muchos pensaban que ambos factores eran, en realidad, inseparables.

Manolo era un musculoso y extrovertido ex militar que ahora trabajaba como profesor de gimnasia en La Habana.

—¡Me fascina Miami! —les dijo a los otros en un intento por relajar el tenso ambiente y sin que nadie le hubiera preguntado nada—. ¡Me fascina! —repitió inquieto mirando hacia el suelo.

—¡Pero si nunca has estado en Miami, hermano! A lo mejor ni te gusta y acabas yendo a Nueva York o a otra parte del país —añadió en tono jocoso Alberto Torres, el organizador del grupo.

—¡Es igual! ¡Cualquier parte será mejor que esto! No sé lo que es el capitalismo, pero, chico, sí sé una cosa: que no puede ser peor que el comunismo. Allí se tiene que vivir mejor que aquí. ¡Mira! —dijo extendiendo sus fornidos brazos—. Tengo buenos músculos para remar y voy a llegar a los Estados Unidos. ¡Cueste lo que cueste! —afirmó después mientras echaba una mirada a sus viejos y entrecortados pantalones jeans—. En Miami podré comprarme unos nuevos. ¡No como estos!

—¡Pitusas! ¿Es que sólo te interesa eso? —intervino de repente Armando López, otro de los integrantes del grupo—. Tu pueblo está agonizando por la represión política y el hambre y tú de lo único que te preocupas es de conseguir jeans que no puedes encontrar en Cuba —apuntó después en tono desafiante y mostrando la clara disparidad de motivos que inducían a ambos a escapar de la isla.

—Este país no es para gente joven como yo, sino para viejos sin ambiciones. ¿Qué hay de malo en aspirar a una vida mejor? —respondió con agresividad Manolo González.

—Nada, hermano, pero ya veo que, cuando llegues a Miami, te olvidarás muy rápido de los que se quedaron atrás —afirmó Armando, músico de profesión—. De los que no tuvieron la misma oportunidad que tú para huir de este infierno. Entonces no te importará que continúe el mismo sistema en

Cuba porque, sencillamente, tú ya estarás muy lejos. ¿Me equivoco? ¡Hay que seguir luchando contra el comunismo desde Miami!

—Oye, chico, venacá. ¿Quién te crees tú que eres para hablarme de esa forma? —dijo un cada vez más acalorado Manolo mientras se levantaba de su asiento para situarse justo frente a Armando. Cara a cara—. ¡Yo hago lo que me da la gana! ¡Vaya! No tengo que dar explicaciones a nadie de mis ideas y mucho menos a ti. Me voy para no tener que seguir obedeciendo órdenes, así que deja ya de comportarte como otro de los represores a quienes tanto criticas —añadió señalando inquisidoramente a Armando con el dedo índice de su mano derecha.

—Con esta juventud Cuba jamás logrará ningún cambio. Sólo les preocupa lo inmediato. ¡Vivir bien! ¡Nada más! ¡No hay quimbe con ustedes, compay!

—¡Esto está de madre, socio! ¡Tienen razón los que dicen que todos los cubanos tenemos un pequeño dictador dentro! ¡Mira tú! ¡Tanto hablar de libertad y tienes más madera de déspota que los del mismo Partido!

—¡Le ronca! ¡Tremendo patriota estás tú hecho!

—¿Ah, sí? —señaló en tono irónico Manolo—. Si fuera necesario, yo derramaría hasta la última gota de sangre de mi cuerpo por defender a Cuba, pero no a «esta» Cuba —matizó con rabia—. He escuchado demasiadas historias de militares cubanos que tuvieron que matar a mucha gente inocente en Angola por unos ideales en los que nunca creyeron y no quiero que, cuando yo tenga hijos, eso también les pase a ellos.

—Los problemas no se solucionan dándoles la espalda, ¿escuchaste?

—Mira, guapo, que eres muy guapo tú. Yo no estaría a punto de subir a esta balsa si los de tu generación no hubieran cometido todos los errores que cometieron. ¡Ustedes son los primeros culpables de cómo está el país, coño! ¿Con qué moral te atreves tú a hablar ahora? ¿Eh?

—¡Qué tronco de yuca eres!

—Se te cae la baba por la boca hablando de libertad y no eres más que un pequeño y amargado cobarde que se escapa asustado en balsa. Y no sólo eso, sino que, además, te atreves a echarme en cara que yo haga lo mismo que tú: huir. ¿Tan culpable te sientes? —agregó Manolo con un marcado resentimiento en sus ojos—. Si eres tan valiente, ¿por qué no agarras una pistola y te vas a pegar un tiro a quien tú ya sabes para acabar de una vez con todo esto?

—¡Tremendo ejemplar!

—¡Anda! ¡Vete al carajo!

—¡Al carajo te irás tú con tus jeans, hermano!

—¿Sabes qué? Ahora te vas a ganar un piñazo, ¡vaya! ¡Qué comemierda! —explotó finalmente Manolo.

—Sí. Ahora insúltame. ¿Qué es lo próximo? ¿Pegarme de verdad? Anda, gigantón. ¡Pégame! ¡Dale! ¿A qué esperas? ¡Dame un cocotazo! ¡Demuéstrame lo guapo que eres! ¡Vamos! ¡Dame! —gritó desafiante Armando.

Manolo González, durante algunos segundos, vio reflejado en su mente cómo su puño se estrellaba con fuerza contra el rostro de Armando, aplastando su nariz y derribándolo después al suelo. Una imagen que le llenó de placer. No obstante, el brazo del profesor de gimnasia se paralizó justo antes de salir catapultado. Manolo, aunque su rabia todavía seguía a flor de piel, respiró entonces un par de veces con profundidad para tranquilizarse.

—Parece mentira que gente como tú intente dar lecciones a los que tuvimos que heredar todos sus errores —continuó Manolo, ya más calmado al darse cuenta de que había estado a punto de cometer una tontería—. Primero, permitiendo la dictadura de Batista y luego la revolucionaria. No creo que sean ustedes los más indicados para hablar. Lo mínimo que pueden hacer es callarse la boca y no armar bulla. ¡Por Dios! —añadió conteniendo aún con dificultad las ganas de hundir sus nudillos contra la cara de Armando.

—¡Ya, chicos! ¡Ya! —intercedió Alberto, un ex preso político que ayudaba constantemente a escapar de Cuba a cuantas personas podía—. Todos estamos muy nerviosos. ¡Demasiado tensos! No comencemos a fajarnos ahora o jamás conseguirán llegar a Miami. ¡Jamás! ¿Me escuchan? ¡Hemos de estar más unidos que nunca porque sino todo se viene abajo! —gritó agarrando con energía a ambos por sus brazos.

Tras el paso de algunos difíciles e interminables momentos de absoluto silencio, los ánimos comenzaron a regresar a la normalidad.

—Lo siento. ¡Esto me tiene loco! —dijo de pronto Manolo dirigiéndose a Armando.

—No, oye, perdóname a mí, hermano. ¡Perdí la cabeza! Sé por lo que estás pasando. Todos queremos a Cuba. ¡Dios mío! ¿En qué estaría yo pensando? —se recriminó Armando mientras abrazaba a Manolo.

Héctor observó con atención toda la disputa, pero sin sorprenderse en lo más mínimo de su intensidad. Escapar de Cuba no era sólo una decisión trascendental para las vidas de todos aquellos balseros, sino que, además, nadie podía garantizar que llegaran vivos a la Florida. Era lógico que, sometidos a semejantes presiones, alguien acabara perdiendo los nervios.

Minutos después, y olvidada ya la discusión, el grupo prosiguió con su plan. Tal y como estaba previsto, a las once en punto de la noche, los cubanos desenterraron cinco sacos del amplio patio de la casa. Dentro estaban las distintas partes de dos balsas que pronto comenzaron a ser ensambladas en la orilla de la playa.

—Esta es la hora ideal para lanzarse a alta mar —dijo Alberto mirando su reloj.

—¿Por qué? —preguntó Héctor—. ¿Por qué has decidido que sea precisamente a esta hora?

—¿No ven acaso la telenovela brasileña en tu casa?

—¿La telenovela? Sí, claro... —pareció no comprender Héctor.

—Es algo irónico, pero nadie se la pierde. Ni siquiera los guardafronteras. Las calles se vaciarán en tan sólo segundos y entonces nadie se acordará de otra cosa que no sea la televisión. Ya verás —vaticinó Alberto con una sonrisa traviesa y casi infantil.

Los seis fugitivos estaban vestidos con ropa oscura o bien completamente negra para dificultar su detección durante la noche. Antes de llegar a la playa, todos esparcieron abundante fango sobre sus rostros y manos con el mismo propósito.

—¡Aquí están las balsas! ¡Con todos los hierros! Si tienen suerte y sigue esta brisa del sur, en dos o tres días estarán en alguna parte de la Florida. ¡Por fin libres! ¡Cuánto les envidio, pero pronto llegará también mi turno! —afirmó Alberto.

—¿Qué distancia hemos de recorrer esta noche para estar a salvo? —preguntó Héctor mientras se preparaban los últimos detalles de las naves.

—Recuerden: la primera noche, para escapar de los guardacostas, la balsa ha de alejarse no menos de veinte millas. Durante el segundo día, deben recorrer alrededor de veinte o treinta más. ¡Tienen que andar con mucho cuidado, señores! —exclamó de pronto Alberto—. Eso está lleno de pescadores ñángaras que, si ven las balsas, podrían denunciarlos a las autoridades. Después de las primeras cincuenta o sesenta millas —añadió—, sólo Dios y la naturaleza podrán decidir si la travesía tendrá éxito o no.

Las dos balsas eran muy rudimentarias, fruto de una mezcla casi surrealista entre el ingenio y la desesperación. Una de las mismas, confeccionada con grandes neumáticos de tractor y de unos dos metros de diámetro, resultaba totalmente inapropiada para realizar un viaje semejante. Pretender navegar en ella era casi un suicidio en toda regla. No obstante, el ansia por huir del país hizo que sus tripulantes prefirieran aceptar cualquier tipo de riesgo con tal de cumplir su objetivo: llegar hasta las costas de los Estados Unidos. La otra embarcación, de unos tres metros de eslora, era un poco más grande y había sido construida con madera.

—Los meses de verano, y hasta antes de la llegada del frío del invierno, son los ideales para huir de Cuba en balsa. El mar está más calmado y el agua es ahora bien cálida. Este año hemos tenido muchos huracanes, pero si no hay uno, el tiempo es siempre apacible. Y ahora todo está tranquilo. No hay problema —afirmó Alberto con seguridad para calmar a todos.

Alberto, durante los cuatro meses de preparación, había explicado al grupo en repetidas ocasiones todos los detalles respecto a cómo escapar de la isla. No obstante, este era el momento decisivo, así que decidió repetir las ideas esenciales una vez más para refrescarles la memoria y, además, distraerlos un poco de la creciente tensión. Él sabía muy bien que el nerviosismo que embargaba a los balseros en aquellos instantes podía hacerles olvidar cualquier cosa. Ni que decir tiene, el contenido de unas fugaces, esporádicas y furtivas clases de navegación básica.

—Ahora es el tiempo propicio, ya que se acerca la corriente del golfo que les arrastrará hasta la Florida. Además —prosiguió—, un día tranquilo como este es el mejor, ya que muchos pescadores cubanoamericanos saldrán a alta mar y podrían rescatarlos. Pero recuerden, tienen que dejarlos en la orilla y ustedes bajar y tocar tierra. Sino, los repatriarán. Es la ley. Si los guardacostas americanos los apresan en alta mar, estarán de vuelta en Cuba en un abrir y cerrar de ojos.

—¿No nos divisarán las patrullas de los guardacostas cubanos? —preguntó Héctor.

—Hermano, ¡qué quieres que te diga! —se encogió de hombros Alberto—. Ya sabes. En esto no hay garantías, pero al menos durante el verano hay más vapor flotando sobre el agua. Con vapor y sin luz de luna, los reflectores de las patrulleras apenas pueden distinguir nada sobre la superficie.

Algunos de los balseros, por razones de seguridad, ni se conocían. Alberto los había adiestrado en pequeños grupos y por separado. Demasiadas personas reunidas en cualquier casa hubieran despertado sospechas inmediatas. Por otro lado, y debido al mismo miedo a ser descubiertos, las clases siempre eran tan rápidas que, prácticamente, esta era la primera vez que los balseros hablaban con confianza entre sí sobre los peligros y las consecuencias de esta arriesgada aventura.

Héctor, como el resto del grupo, apenas podía ocultar su nerviosismo. Algo que procuraba calmar preguntando a Alberto cuantas cosas podía consciente de que muy pronto ya no tendría oportunidad para volver a hacerlo.

—Alberto, ¿sabes cuál es ahora la pena por intentar salir así de Cuba? —continuó indagando mientras su ros-

EL PLAN HATUEY

tro mostraba claramente la existencia de una extraña y dolorosa lucha en lo más profundo de su interior. Una pelea entre el miedo a lo que se avecinaba y la firme decisión de estar dispuesto a jugarse la vida sobre aquellas balsas, aunque fuera por tan sólo poder saborear la posibilidad de llegar a Miami.

—De dos a seis años en prisión. Bueno, ¡lo que les dé la gana! Acuérdate que ellos son la justicia y quienes escriben las leyes, pero ¡olvídate ahora de eso, chico!

—Es increíble. La gente sigue lanzándose a hacer esta locura. Año tras año. Hay que estar mal de la cabeza para hacer esto, ¿no te parece?

—Loco o muy desesperado.

—Desesperación. Has dado en el clavo. Sí. Esa es la palabra. Los cubanos la conocemos bien.

—Tranquilo, todo va a salir bien.

—Hermano, ya no hay vuelta atrás, así que qué mas da. Hablemos con franqueza. ¿Crees que tenemos posibilidades? —le dijo Héctor deseando con todas sus fuerzas escuchar una respuesta positiva.

—Sí. Claro. Sino, no les ayudaría. ¿Es que no escuchas por Radio Martí todos los que llegan?

—...pero, por desgracia, también hay muchos que se quedan en el camino, derrotados por la furia del mar o la de los tiburones.

—Es una decisión dura. Muy dura.

—Muchos lo han intentado dos y tres veces sin conseguirlo. He escuchado mil veces sus historias... Eso sí —apuntó consternado Héctor—, cantidad de balseros que son arrestados en el intento sufren tanto en el mar o bien después aquí en la cárcel que jamás se atreverían a repetir esta odisea.

—¡Te digo que no pienses en eso! ¿Es que no me escuchas? Su moral no puede comenzar a fallarles ahora. ¡Es lo más importante! —dijo enojado Alberto dirigiéndose ya a todos—. El que no quiera ir, todavía tiene tiempo para quedarse, pero, óiganme bien, quien no esté completamente convencido de que puede llegar, que no se suba a ninguna balsa. Sólo será un estorbo para los otros —añadió intentando contener su voz lo máximo posible para no delatarse ante cualquier vigilante inesperado.

El grupo cayó, una vez más, en un profundo e incómodo silencio que, finalmente, fue roto por Alberto. El ex preso político habló esta vez como poseído de una energía superior. Consciente de que si no lograba infundir ánimos a sus balseros en aquel preciso instante, el viaje podría concluir incluso antes de haberse iniciado.

—¡Además! ¿Sabes qué? —le dijo a Héctor.

—Dímelo —respondió este inquieto.

—También hay otra pena, pero esta por no intentar salir de aquí. La de estar condenado de por vida a pudrirte en una cárcel llamada Cuba junto a once millones más de reclusos. Aunque no estés encerrado en una celda, sabes que vives en una gigantesca prisión rodeada de un muro de mar por sus cuatro costados.

—Sí. ¡Hay que arriesgarse! ¡Tienes razón! —exclamó Héctor contagiado por el entusiasmo de Alberto e inyectándoselo al mismo tiempo a los otros.

—¡Claro! ¡Es mejor morir que no vivir como lo estamos haciendo aquí! —concluyó Alberto pareciendo haber sorteado con éxito ese imprevisto y delicado momento de flaqueza colectiva.

Acto seguido, todos retomaron sus labores para dejar listas las balsas. Nadie decidió abandonar el intento, de forma que la suerte parecía estar ya echada para los cubanos. Sin embargo, las conversaciones camufladas entre ocultos y tímidos susurros continuaron esporádicamente entre algunos de los balseros. El temor aún estaba a flor de piel.

—Óyeme, amigo... —dijo a Héctor otro de los hombres, un tal Horacio—. Escuché que hace dos días encontraron el cuerpo de un balsero en la zona de Nuevitas.

—Sí. Se encuentran casi cada día. Hay mucha gente en la cárcel por intentar salir de la isla en balsa.

—Yo no soy ningún valiente. Tengo miedo —confesó avergonzado Horacio.

—Todos tenemos miedo. Mejor dicho: pánico. ¿Es que no lo ves en nuestras caras?

—¿Es cierto lo que dicen? —preguntó Horacio mientras finalizaba de ensamblar una de las embarcaciones.

—¿Qué dicen?

—Que el balsero del que te hablaba no murió en alta mar, sino que fue arrestado en su balsa, traído a tierra y después asesinado a golpes aquí. Vaya, que murió de una paliza en la playa y que, más tarde, los guardafronteras abandonaron su cuerpo en la arena robándole lo poco que tenía en sus bolsillos.

—Eso oí yo también. Todo su cuerpo, según me contaron, estaba lleno de golpes. Chico —apuntó resignado Héctor—, imagino que son los riesgos de embullarse en algo así. O ganas o pierdes. Blanco o negro. No hay punto intermedio.

—¡Hijos de puta!

—Eso, claro, nunca lo vas a ver publicado en el Granma junto a los discursos del Comité Central elogiando el paraíso socialista, pero no te preocupes. ¡Nosotros no tendremos ese fin! —dijo tajante Héctor mientras tensaba las últimas cuerdas y arandelas de las balsas.

Ninguno de los cubanos sabía con antelación en qué balsa viajaría, dónde habían sido escondidas las embarcaciones ni la playa exacta de la que saldrían. Todo ello, para protegerse a sí mismos en caso de que alguien fuera arrestado y confesase el intento de fuga. A pesar de eso, Alberto distribuyó a todos con rapidez y eficacia en las dos plataformas demostrando así la clara utilidad de las horas empleadas en la preparación de la huida.

En la playa de Cojímar había un potente reflector de la policía que iluminaba la costa para detectar a los balseros. Cada quince o veinte minutos su luz se apagaba durante unos momentos y volvía a encenderse después intentando localizar por sorpresa a quienes pretendían salir ilegalmente de la isla.

—¡A veces pienso que no hay nadie mirando en ese maldito reflector y que sólo lo utilizan para asustar a la gente! —afirmó furioso Alberto.

—No te extrañe. Esos comunistas saben jugar muy bien con el cerebro de uno —agregó Héctor.

Las velas de las balsas habían sido confeccionadas con

trozos de lona o sacos de harina y ambas tripulaciones disponían de algunas agujas y un poco de hilo para, de ser necesario, poder reparar las telas durante la travesía.

Los mástiles no eran más que simples vigas de fino metal robadas de una obra en Trinidad mientras que varias planchas de madera procedentes de un antiguo armario del comedor de Horacio hacían las funciones de improvisadas quillas y timones para las dos naves.

—¡Adiós! ¡La noche es de los balseros! ¡No se preocupen! ¡Todo les saldrá bien! ¡Vayan con Dios! —dijo Alberto al grupo mientras empujaba las balsas sigilosamente mar adentro—. ¡Nos encontraremos en Miami cuando pueda sacar a toda mi familia! ¡Tan pronto como mi hijo salga de la cárcel, subiremos a la primera balsa disponible! ¡Nos vemos en Miami!

—¡Me lo dices! ¡Puedes apostar por eso! ¡Adiós, hermano! —respondió otro de ellos dando un emotivo abrazo a Alberto antes de subir a su pequeña embarcación de caucho, que había sido atada con una cuerda a la de madera para evitar que ambas acabaran separándose—. ¡En Miami o en una Cuba libre! —finalizó con rabia.

8. UNA PROMESA

HÉCTOR FUE UBICADO en la balsa de madera junto a la chica, Marta Quesada, y al hermano de esta, Ricardo. Esa era la primera vez que los tres se veían. Ella tenía veintidós años y los dos hombres veintisiete.

Al cabo de unas dos horas de navegación, las luces de la isla se perdieron de vista. Ya se encontraban a varias millas de la costa y rodeados sólo de los sonidos propios de alta mar.

Cuando estuvieron seguros de que ninguna embarcación se hallaba cerca de ellos, los jóvenes cubanos, con la ayuda de una pequeña linterna, comenzaron a limpiarse el fango de sus caras y manos usando para ello el agua del océano. También se cambiaron de ropa, poniéndose otra limpia.

—¿Crees que nos descubrirán? —preguntó Marta a su hermano visiblemente preocupada.

—No. El país no tiene suministros. No hay comida. No hay medicinas. No hay ropa. ¡No hay nada! —exclamó—. Para nuestra suerte, chica, tampoco hay mucho combustible y las lanchas guardafronteras salen mucho menos que antes.

—¡Espero que sea verdad! —añadió ella—. No soportaría regresar y que me metieran de nuevo en una prisión.

—No pienses en esas cosas. Eso no volverá a ocurrirte. Por eso nos estamos yendo de aquí —le dijo cariñosamente Ricardo mientras la rodeaba con sus brazos—. Tranquilízate y duerme.

—No puedo. Estoy muy intranquila. No sé qué haría si me cogen presa.

—No lo harán... no lo harán... Ni tú ni yo volveremos jamás a una cárcel por expresar nuestras ideas. ¿Me escuchas?

—¿Cómo lo sabes?

—Porque yo no lo voy a permitir. Quizás nos descubran en esta balsa, pero nunca nos detendrán de nuevo. Al menos, vivos —afirmó Ricardo palpando el bulto que sobresalía de uno de los bolsillos de su chaqueta.

—Dime que nunca nos encerrarán otra vez en ninguna prisión. ¡Prométemelo!

—Claro que no.

—¡No! ¡Prométemelo! Quiero escucharlo de tus labios.

—Te lo prometo.

—¡Nunca!

—Nunca. Si ocurre algo, haré lo que tenga que hacer... pero te aseguro que nunca más pasarás por una celda en Cuba. Si es necesario... si es necesario... —susurró Ricardo acariciando otra vez la empuñadura de su revólver.

—¡Sí! ¡Haz lo que tengas que hacer! —le interrumpió Marta sabiendo perfectamente a qué se refería su hermano—. Por favor, haz lo que sea, pero nunca permitas que esos salvajes me arresten de nuevo. Prefiero morir con dignidad antes que regresar a una cárcel.

—Tranquila, pequeña. Duérmete. No pasará nada.

—¡Nunca más quiero entrar en una celda!

—Nunca más lo harás. Nunca más... —repitió en voz baja Ricardo una y otra vez hasta que Marta recuperó cierta tranquilidad.

9. LAS RAZONES DE UNA HUÍDA

TODAVÍA DE NOCHE, y a medida que la desconfianza inicial iba derritiéndose, los tres cubanos comenzaron a hablar más entre ellos. La adversa situación les unía minuto a minuto y todos eran conscientes de que tenían que confiar ciegamente los unos en los otros para que aquella odisea tuviera ciertas posibilidades de concluir con éxito.

—Hay balseros que prefieren hacer el trayecto solos. Yo creo que es un error. ¿No te parece? —preguntó Ricardo a Héctor procurando no hacer demasiado ruido ante la constante amenaza de ser escuchado por alguna embarcación cercana que pudiera delatarlos.

Las aguas estaban bastante tranquilas y la nave, básicamente, se movía gracias a las corrientes.

—Sí. Es mejor ir acompañado, así la gente puede darse ánimos. También es menos aburrido.

—Lástima que no hayamos podido conseguir una radio portátil.

—¡Me lo dices! En Miami hay varios grupos que envían constantemente a los balseros información por radio sobre cómo orientarse por las estrellas para llegar hasta los Estados Unidos.

—¿Y tú? ¿Dejas familia en la isla? —preguntó de nuevo Ricardo a Héctor mientras Marta les servía dos tragos de ron para aplacar el ligero frío de la noche.

A veces algunas olas impedían que ambos pudieran beber. Cuando eso ocurría, esperaban con paciencia que pasaran y después seguían ingiriendo el licor.

—Toda. Yo no tengo a nadie fuera de Cuba. Sabrán que

me fui por la mañana, cuando se despierten.

—Es triste que no puedas ni despedirte de tu propia gente. Que tengas que huir a escondidas de tu mismo país.

—Los únicos que estaban al corriente de mis planes son dos amigos de toda la vida. La semana pasada, cuando era ya sólo cuestión de días el que me echara a la mar, tuvimos una fiesta clandestina de despedida en Santa Fe. Con ellos gasté en ron y comida los últimos pesos de mis escasos ahorros. ¡Cincuenta cocos! También les regalé todas mis cosas. Las fiestas de despedida son una costumbre muy arraigada entre los balseros. Yo he visto partir a muchos.

—Hay que tener cuidado con eso. Es muy arriesgado. ¡Tú mismo te delatas!

—Sí. Lo sé, pero, qué quieres que te diga. No pude resistirme. Posiblemente no los vea nunca más —dijo Héctor con melancolía en su rostro.

Ricardo no perdía de vista a su hermana. De pronto, se giró hacia ella y le brindó una sonrisa.

—¿No quieres un poco de ron?

—No, gracias. Más tarde —dijo Marta acomodándose una manta sobre su cuerpo.

La cubana no podía ocultar su nerviosismo. Ricardo, para dar cierta sensación de normalidad, siguió hablando con Héctor.

—¿Perteneces a alguna organización?

—No. Yo no soy político. La mayor parte de mi familia, tampoco. Nunca me interesó la política. Caí en la lucha contra el sistema no por convicciones ideológicas, sino por la ridícula situación que estamos viviendo en Cuba. Llegó un momento en que no pude más, protesté en la fábrica por la forma en que nos trataban y me encerraron. Después todo vino en cadena: hostigamientos, contactos con grupos opositores, más protestas, más prisión y, finalmente, aquí me tienes. Huyendo por la puerta de atrás de la tierra que me vio nacer y también dejando atrás a quienes más quiero en este mundo... —afirmó resentido Héctor mientras apretaba sus labios entre sí—. Pero, ¿y tú? —preguntó después a Ricardo pareciendo no querer recordar más las razones de su huida.

—Mi caso es distinto, chico. Mi familia está muy politizada. Siempre lo estuvo. Día tras día hemos sido tachados de contrarrevolucionarios. ¡Y no con poca razón! —exclamó de pronto Ricardo con una juguetona y satisfecha sonrisa.

—¡Odio! ¡Odio! ¡Eso es lo único que ha producido la revolución!

—Yo soy cristiano y no puedo desearle la muerte a nadie. A nadie, claro, excepto a los energúmenos comunistas. El acoso y la humillación han sido constantes para nosotros. Tanto mis padres como Marta y yo hemos pasado por la cárcel. ¡Es casi una tradición familiar! —dijo de nuevo Ricardo en voz alta con una orgullosa expresión en sus ojos—. Fue mi familia la que casi nos obligó a irnos.

—¿Van a Miami?

—Sí, pero yo sólo voy a dejar a Marta. Quiero que llegue a salvo. Tengo algunos contactos y voy a dedicarme por completo a la lucha por sacar al comunismo de Cuba. ¿Y tú? ¿No seguirás con la causa desde allí?

—Mira —le dijo Héctor a Ricardo mostrándole su oreja derecha, de la cual sólo quedaba la mitad—. ¿Ves esto?

—¿Un regalo del Partido?

—En efecto. Pasé seis meses en la prisión del Castillo del Príncipe y un año y medio más en la de La Cabaña. Allí me metieron desnudo en un pozo de castigo durante cuatro meses.

—¿Cómo es que la llamaban...? ¿Bondad revolucionaria...? —dijo irónico Ricardo.

—Sí. Exacto —suspiró con desprecio Héctor—. Durante los interrogatorios, escucha bien esto, los cabrones me clavaban la oreja en la pared. ¡Me clavaban la maldita oreja en la pared! ¿Oíste?

—¿De verdad ocurrió eso? —apuntó claramente sorprendido el hermano de Marta.

—¡Hombre! ¿Qué te piensas? ¿Que se me cayó sola?

—Perdóname... —se disculpó enseguida Ricardo—. ¡Qué salvajes!

—Dímelo a mí.

—Yo también he estado en prisión, pero nunca había escuchado nada así. ¡Es increíble!

—Tú sabes bien cómo es eso, hermano. Existen distintos tipos de cárceles, distintos tipos de guardianes y distintos tipos de prisioneros. Yo no tuve mucha suerte. Quisieron dar un ejemplo conmigo, pero esto no es nada comparado con lo que les ha tocado vivir a otros. En las cárceles de este país pasan cosas horribles de las que muchas veces nadie se entera. Ni siquiera los otros presos.

—¡Figúrate tú!

—Pasé días enteros sin poder dormir por estar con los pies de puntillas —prosiguió su relato Héctor—. Cuando, por fin, el cansancio pudo conmigo, me desplomé y parte de mi oreja se quedó pegada al muro. Un trofeo de guerra para los carceleros y una clara advertencia para los otros presos de lo que también les ocurriría a ellos si no respondían a cuanto se les preguntase. ¿Te parece a ti que no voy a devolverle esta pelota a la revolución en su misma cancha? Mira —prosiguió—, nunca creí que pudiese sentir odio por alguien, pero los comunistas... ¡los comunistas merecen que los despellejen vivos!

—¿Y por qué se ensañaron contigo de esa forma si dices que no eras un preso político?

—Una cosa es no ser un preso político y otra es ser un estúpido, vaya. Mi abuelo y mi padre me enseñaron que el peor defecto que puede tener un hombre es ser un cobarde y permitir que no lo respeten a uno. No tener dignidad. Pues bien: un carcelero me mentó la madre y yo le rompí todos los huesos de su socialista nariz.

—Sí. Sé de lo que me hablas.

—Sin embargo, la verdad es que ahora necesito algún tiempo libre para mí —afirmó Héctor cambiando de tema—. En Miami no tengo familia, así que lo primero será buscar un empleo y valerme por mí mismo. Después quiero una vida normal durante algún tiempo. Tengo el cerebro triturado y necesito algo de descanso. Pensar. Ordenar mis ideas, recuperarme. ¿Entiendes?

—Claro. Claro que te entiendo. Has sufrido mucho. Después de lo que te ocurrió, es un milagro que aún quieras saber algo de política.

—¿Y tú, Marta? ¿Qué piensas hacer? —dijo de pronto Héctor.

—¿Yo? —respondió sorprendida ante la pregunta, como si no hubiera pensado participar en la conversación.

—Sí. Tú —insistió Héctor.

—Bueno, aún no sé muy bien lo que quiero —susurró con timidez—. Sólo sé lo que no quiero: volver a Cuba.

—A una Cuba libre, sí. ¿No?

—¡No! Para mí, ese ya no es mi país. He sufrido tanto en Cuba que creo que, aún sin el comunismo allí, nunca podría regresar. Mis recuerdos son demasiado malos, tanto por lo que le han hecho a mi familia como a mí misma. ¡Prefiero ahogarme y fallecer aquí antes que vivir de nuevo en Cuba!

—Eres una persona de fuertes opiniones.

—¿Y quién no lo es en Cuba? He llegado a un punto de tal desesperación y agotamiento mental que ya no me importa para nada mi país. Me asusta ver en lo que se ha convertido la gente allí.

—Jamás hubiera podido imaginar lo que de verdad ocurre y se siente en la cárcel. Allí vi el lado más oscuro de las personas. La maldad personificada y frente a mí. Monstruos con uniforme cuya única función en la vida era golpearnos, rompernos los huesos y humillarnos. ¿Y por qué? ¡Por tener una opinión diferente a la suya! —exclamó Héctor—. ¿Puede haber alguien más ruin que el que encarcela a otro por simplemente pensar de otra forma? —agregó con rabia.

—La cárcel... —reflexionó la balsera como perdiéndose en el tiempo—. La verdad es que hay que haber sufrido en carne propia lo que es una celda para comprender bien el valor de la libertad. No hay nada más importante que vivir libre.

—Tienes razón. ¿Perdiste un amor? Puedes enamorarte otra vez. ¿Te quedaste sin salud? Muchas veces se recupera. ¿Te arruinaste? El dinero se puede conseguir de nuevo. Sin embargo, nadie podrá devolverte jamás el tiempo que robaron de tu vida. ¿No es cierto? —dijo Héctor.

—Y no sólo el tiempo —afirmó Marta—, sino también las cicatrices que te deja esa experiencia, ese dolor. Te conviertes en otro ser, en un extraño para ti mismo, cuando, a diario, te ves obligado a presenciar tanto odio, crueldad y sufrimiento.

—Tienes que ser muy fuerte para no acabar loco.

—Héctor, por lo que dices, imagino que tú has visto cosas mucho peores, pero escucha esta pequeña historia —se animó Marta a seguir hablando—. Un día un coronel vino a ver a una de las compañeras de mi celda. Ambos habían combatido juntos en la Sierra Maestra, pero ella, tras el triunfo de la revolución, se reviró contra los comunistas acusándoles de traidores a la verdadera causa de la libertad. Como te puedes imaginar, la encerraron. Él, no sé por qué, disfrutaba visitando a sus viejos amigos de vez en cuando. Quizás para ridiculizarlos por haberlo abandonado. ¡Quién sabe lo que había en su cabeza!

—¿Y qué ocurrió?

—Ese día se pasó hablando con ella dos horas. En el tono más amable que te puedas imaginar. Como si, en el fondo, la respetase y no hubiera ningún resentimiento. Después se despidió cortésmente y se fue, pero, justo antes de salir de la galería, se giró y, con el peor cinismo que jamás vi en nadie, le dijo en voz alta... «Oye, por cierto, me olvidé de decirte que he ordenado que te incomuniquen en una celda de castigo durante dos meses. Quiero que reflexiones sobre tu gusanería. Quizás, con un poco de paciencia, todavía podamos convertirte en una buena compañera y camarada. Adiós». ¿Tú puedes creer eso? —prosiguió Marta—. ¿Cómo puede una persona convertirse en semejante animal? ¿Qué clase de sistema es ese?

—A lo mejor cambian las cosas... —dijo Héctor.

—Ya han cambiado en casi todo lo que antes era el mundo socialista menos en Cuba. De todas formas, yo me iría de aquí aunque el régimen se cayera mañana mismo —puntualizó la joven—. ¡Quiero olvidarlo todo! ¡Todo!

Héctor tragó con suavidad otro pequeño sorbo de ron y ofreció un vaso a Marta.

—¿Quieres ahora un poco?

—Bueno, gracias —aceptó esta.

—¿Por qué fuiste a prisión? —preguntó después Héctor Lara.

—Un vecino del CDR nos denunció porque escuchábamos Radio Martí.

Marta se refería a la radio del exilio que, financiada por el gobierno estadounidense, emitía su programación a Cuba desde Miami. Su estación hermana era TV Martí.

—Hacía tiempo que estaba tras de mí y sólo quería encontrar una buena excusa para mandarme a la cárcel —prosiguió la cubana—. Un día nos tendieron una trampa y, claro, caímos en ella. Yo era la única en el edificio que tenía una radio marca Selena. Tú sabes, una de esas que venden ahora y que pueden captar Radio Martí. Las únicas con onda corta.

—¿Cuánto tiempo de condena?

—Un año y medio. Más de un año en prisión por escuchar Radio Martí. ¡Vamos! —estalló furiosa—. ¿Qué le pasa a este país? ¿Es que alguien me lo puede explicar?

—¿Cuáles fueron los cargos?

—Peligrosidad social y apoyo a actos contrarrevolucionarios. ¡Qué te parece! ¡Sólo se puede escuchar, ver y leer lo que ellos quieran! ¡Si viene de los Estados Unidos, te conviertes en el enemigo!

—¿Adónde te enviaron?

—Al castillo de San Severino, en Matanzas. Pero, oye, yo tuve suerte. A otras les han pasado cosas horribles en prisión. Ya sabes a qué me refiero... —dijo bajando su mirada—. En ese sentido me respetaron. No obstante, la humillación personal fue constante. ¡Terrible! Nos trataban como auténticas bestias. ¡No quiero ni pensar en eso!

—Comprendo. ¿Y en Miami? ¿Qué planes tienes?

—Yo soy maestra. Me gustaría dedicarme a eso.

—Ojalá que todos podamos regresar algún día a Cuba y vivir como verdaderas personas. ¡A una Cuba sin cárceles ni comunistas que nos metan en ellas! —sentenció Ricardo.

—¡Que así sea! —dijo Héctor chocando enérgicamente su vaso de ron contra el de Ricardo y el de Marta.

10. EL PRECIO DE LA LIBERTAD

—¡HIJOS DE LA GRAN puta! —gritó Ricardo, ya de día, despertando súbitamente a Héctor y a Marta—. ¡Hijos de la gran puta! —repitió después con aún más ira.

Héctor se levantó con rapidez intentando ver a qué se refería Ricardo y enseguida comprobó que, en el horizonte, se apreciaba la silueta de un helicóptero dirigiéndose hacia ellos.

—¿Es cubano o americano? —preguntó Héctor mientras se remangaba su camisa roja.

—¡Mierda! ¡Es cubano! Los helicópteros del servicio de guardacostas de los Estados Unidos son blancos y rojos. Este es gris. ¡Es un helicóptero militar cubano! ¡Su madre!

Ricardo ordenó a Marta que se recostara sobre la balsa y después le echó una manta encima para que no pudiesen verla desde la nave. Acto seguido, se hizo con su revólver 44 Magnum plateado y lo ocultó bajo la camisa, entre la barriga y el cinturón. El arma procedía del floreciente mercado negro del país. Concretamente, de un ex militar de las fuerzas especiales cubanas que había peleado en diversas guerras en África.

—¿No estamos ya en aguas internacionales? —dijo nervioso Héctor.

—Coño, no sé, chico, pero ¿tú crees que eso les importe algo?

El helicóptero pasó a baja altura sobre sus cabezas haciendo que las dos balsas zozobrasen violentamente debido al intenso viento generado por las hélices de la nave. Uno de los hombres de la balsa-neumático no pudo evitar caerse al agua, pero fue recogido con premura por sus compañeros. El mar estaba infestado de tiburones que, curiosos, emergían a la superficie de vez en cuando atraídos por el intenso movimiento de las balsas.

—¿Están bien? —gritó Ricardo a los otros balseros.

—¡Sí! —respondieron estos asustados.

Tanto Ricardo como Héctor se giraron después hacia donde estaba el helicóptero para prever cuál sería su próxima acción. La nave se situó entonces por encima de los cubanos y comenzó a descender en vertical. El efecto anterior de fuertes olas chocando contra las precarias balsas empezó a producirse de nuevo, pero, esta vez, con mucha más fuerza, ya que el helicóptero bajaba y bajaba aproximándose más y más hacia las embarcaciones sin parecer querer detenerse hasta impactar contra las mismas.

El helicóptero, un MI-8 de fabricación soviética y habilitado para patrullaje marítimo, tenía una ametralladora pesada en cada lado de su fuselaje y otra más de doce milímetros en la nariz de la nave. Aparte del piloto y del copiloto, también podían verse dentro del aparato los cuerpos de dos artilleros y otros dos soldados.

El MI-8, en misiones de paz, era utilizado por los cubanos para labores de vigilancia o de entrenamiento militar. El aparato tenía un radio de alcance de cuatrocientos veinticinco kilómetros y una fuerte estructura blindada de titanio y aluminio de veinte milímetros de espesor.

Ese helicóptero, capaz de volar a ciento cincuenta y cinco kilómetros por hora, generalmente transportaba a dos pilotos y un técnico que también ejercía las funciones de artillero. No obstante, a este se le había asignado más personal para ampliar su capacidad de ataque.

Uno de los pilotos, mientras proseguía con la maniobra para asustar a los tripulantes de las balsas, hablaba con alguien en su base de La Habana.

—Afirmativo. Puedo ver perfectamente a la persona a la que se refiere. No hay duda. Es él. Está en una de las balsas —dijo por radio.

El piloto escuchó con atención las órdenes de sus superiores desde la isla. Después, el militar cubano interrumpió la señal.

—Entendido. Cambio y corto —concluyó lacónicamente.

Más tarde, el militar cubano quedó adosado a los mandos de su helicóptero, pensativo y sin decir una palabra durante varios e interminables segundos.

—¿Y bien, capitán? —preguntó el teniente que pilotaba

junto a él el MI-8.

A pesar de la solicitud de órdenes por parte del oficial, el capitán Muñoz permaneció callado, absorto en sus pensamientos. Finalmente, pudo escuchársele un resentido y prolongado «c... o... ñ... o» antes de dirigirse a sus compañeros de vuelo.

—Teniente, siga la maniobra de descenso e impacte contra la balsa neumática hasta que esta se hunda. A la de madera no la toque. Esa tiene que llegar hasta Miami —dijo el oficial—. Ustedes, los artilleros —prosiguió—, disparen contra el tripulante de la balsa de madera que lleva la camisa blanca. Al de la camisa roja déjenlo tranquilo. Ni lo rocen. En esa balsa también tiene que haber otra persona, una muchacha. Seguramente está escondida bajo las lonas. Tampoco tiren hacia ahí. ¿Entendido?

El Ejército cubano era un cuerpo muy disciplinado y donde las órdenes siempre se acataban con extremo rigor. Sin embargo, en esta ocasión, algunos soldados no pudieron dejar de cuestionar las instrucciones que estaban recibiendo.

—Disparar... ¿a matar? —intentó aclarar uno de los artilleros.

—Sí. A matar —sentenció Muñoz—. Esas son las órdenes, no mis órdenes. Las órdenes de La Habana, ¿entiende, soldado? Aunque nosotros no podamos comprenderlo ahora, tiene que haber un motivo de mucho peso para que estemos haciendo esto.

—Pero, mi capitán, esa gente está desarmada. Son simples balseros... —dijo sorprendido el militar.

El oficial estuvo a punto de estallar, pero se contuvo.

—Oiga, soldado, ¿cuánto tiempo lleva usted en el Ejército cubano?

—Dos años, mi capitán.

—Ese es tiempo suficiente para saber que no obedecer una orden significa consejo de guerra sumario.

—...pero... están indefensos... —intercedió de nuevo el soldado.

—Vamos a ver —prosiguió Muñoz dirigiéndose a su subordinado—. ¿Cómo podría yo explicárselo para que no haga de esto algo aún más difícil de lo que ya es?

—Mi capitán... —susurró otra vez el soldado confundido ante los acontecimientos.

—¿Tiene usted familia? —le interrumpió bruscamente el oficial.

—Sí, mi capitán. Mujer y un hijo.

—Me alegro. Así razonará más rápido. No tenemos mucho tiempo. Dígame, ¿a quién prefiere ver muerto? ¿A esos pobres desgraciados de la balsa o a usted frente a un pelotón de fusilamiento? ¿Quiere acaso convertir a su mujer en una viuda y a su hijo en huérfano?

—¡No, mi capitán! ¡A sus órdenes, mi capitán! —concluyó aterrorizado el soldado mientras armaba su ametralladora para abrir fuego.

Cuando el helicóptero llegó a la altura de la balsa de goma, todos sus tripulantes tuvieron que echarse al agua para evitar que la nave les golpeara con su fuerte estructura. El oleaje se hizo en ese momento tan intenso que Ricardo incluso se vio obligado a cortar con un cuchillo la cuerda que unía a ambas balsas para impedir que el inminente hundimiento de una de ellas provocara el mismo fin a la otra.

En apenas algunos segundos, y debido a la fuerza del viento y a la de las corrientes marinas, tanto los restos de la balsa de goma como sus tripulantes se distanciaron decenas de metros de la embarcación de madera.

Después, el helicóptero recuperó algo de altura y el artillero comenzó a disparar contra el cuerpo de Ricardo.

—¡Ta, ta, ta, ta, ta, ta! —tronaron las balas.

Algunos instantes después, el soldado repitió la misma operación.

—¡Ta, ta, ta, ta, ta, ta!

Ricardo pudo esquivar la primera ráfaga, pero no la segunda, recibiendo dos tiros en pleno estómago.

—¡Cingaos! ¡Cobardes! ¡Cabrones! —gritó lleno de dolor a los del helicóptero mientras sentía cómo se desgarraban sus entrañas.

Entonces, aprovechando la cercanía del helicóptero, Ricardo sacó repentinamente su revólver y descargó el tambor de proyectiles explosivos tipo dum dum sobre el aparato. La sorpresa fue absoluta para los tripulantes del MI-8, que, hasta el momento, habían tenido una sensación de completa superioridad sobre los balseros.

Marta, al escuchar los disparos, quedó paralizada por el miedo. La cubana quiso zafarse la manta de encima y ver qué estaba ocurriendo, pero el escalofriante silbido de los proyectiles y el intenso ruido que estos hicieron al chocar contra la balsa y el helicóptero bloquearon por completo tanto su cuerpo como su cerebro.

Dos balas impactaron contra uno de los artilleros en pleno pecho, otras dos en uno de los depósitos de combustible de la nave y la quinta en el vidrio de la cabina de los pilotos. El sexto proyectil se lo tragó el cielo.

El MI-8 no tenía cristales blindados, así que la bala hizo añicos el vidrio protector de la cabina y provocó una intensa y repentina corriente de aire dentro del helicóptero. La confusión motivó que el aparato quedara prácticamente inoperativo en el aire.

El depósito de combustible blindado del MI-8 no pudo rechazar las potentes balas. Sin embargo, una malla antiexplosiva instalada dentro del mismo neutralizó su trayectoria. Eso evitó que la nave estallara por los aires debido a cualquier chispa. Por otro lado, los mecanismos electrónicos del helicóptero cerraron de forma automática el depósito afectado, quedándose así el MI-8 tan sólo con el de reserva.

La aeronave, seriamente averiada, con su visibilidad muy reducida y un miembro de su tripulación muerto, hizo un par de círculos concéntricos sobre la balsa y emprendió con rapidez el camino de vuelta hacia La Habana. El combustible del depósito de reserva era escaso, de forma que los militares debían darse prisa en alcanzar tierra si no querían acabar estrellándose contra las aguas del mar Caribe.

—¡Jodidos comunistas! ¡Partía de comemierdas! ¡Fájense y no huyan! Eso les ocurre por menospreciar a la gente —masculló Ricardo mientras se arrodillaba en la balsa preso de un agudo dolor.

La tensión del tiroteo casi le había hecho olvidar su herida, pero ahora, con el helicóptero ya lejos, el dolor se volvió insoportable.

Marta, aún sin entender completamente qué había ocurrido, salió de la esquina donde la habían escondido y se abalanzó sobre su moribundo hermano.

—¡Ricardo! ¿Qué te han hecho?

—Nada, pequeña —dijo este—. ¿Tú estás bien?

—Sí.

—Eso es lo importante... Lo importante es que tú estés bien, ¿sabes?

—¿Qué tienes? —preguntó ella intentando quitarle la camisa y observar mejor el origen de toda aquella sangre que se extendía anárquicamente por el cuerpo de Ricardo.

—¡Ah...! —gritó este atormentado por el dolor y sacando las manos de Marta de su estómago—. Ese cabrón artillero tenía buena puntería. ¡Jodida buena puntería! Pero la mía es mejor. ¡Así aprenderán esos degenerados!

—¡Déjame ver! —repitió Marta intentando de nuevo abrir la camisa de su hermano.

—No, pequeña. Déjalo...

—¿Te duele mucho?

—No, Marta... No te preocupes... No hay nada que hacer... Es una herida profunda.

—¡No digas tonterías, Ricardo! —exclamó ella abrazándolo—. ¡Te vas a curar! —dijo después entre lágrimas ofreciendo su mano a Ricardo y sin poder creer todavía la brutalidad de los medios empleados por el helicóptero.

—No. No me voy a curar y, además, no me queda mucho... No hay que perder tiempo... ¡Eh, Héctor! —gritó Ricardo dolorido.

—Sí, Ricardo. Aquí estoy.

—Sólo me quedan algunos minutos. Lo sé. He visto heridas así antes. ¿Me entiendes?

—Sí. Te entiendo —dijo Héctor procurando mantener la calma en medio de todo aquel caos.

—Quiero que me prometas que llevarás a Marta a Miami y que cuidarás de ella hasta que esté a salvo. Allí tenemos algo de familia.

—Te lo prometo. Tranquilo.

—¡Ricardo! ¡Te vas a curar! ¿Qué estás diciendo? ¿Cómo te vas a morir tú? —les interrumpió Marta pegándose al cuerpo de su hermano y rehusando aceptar que Ricardo fuera a morirse—. ¡No te vayas! ¡Eres lo que más quiero! ¡Por favor, no me dejes sola! ¿Qué va a ser de mí?

—Héctor —continuó Ricardo—. Te la confío. No me falles.

—No lo haré. Cuidaré de ella y llegará hasta Miami —afirmó tajante Héctor.

—Lo importante es que no caiga en manos de los comunistas. Cualquier cosa menos eso. ¿Entiendes lo que te digo?

—Sí.

—Tengo otras seis balas en el bolsillo de mi chaqueta —dijo Ricardo ya casi sin respiración—. Úsalas si hace falta, pero ella no puede volver a Cuba. No lo resistiría. ¿Me sigues?

—Te sigo.

—Ya sabes lo que hacen con los disidentes, con los gusanos.

—Marta está segura. Sólo descansa. La herida te dolerá menos si lo haces.

—¡Al carajo con la herida! —exclamó Ricardo—. ¿Sabes? No te sientas mal si has de apretar el gatillo. Es como si fuera yo quien se encarga de ella. Prefiero que lo hagas tú y no los sapingudos de los comunistas. A saber qué le harían antes de matarla. ¿Me entiendes, Héctor?

—Claro.

—Yo me la llevaría conmigo ahora mismo si creyese que ese jodido helicóptero piensa regresar para acabar con nosotros o hacernos prisioneros... —dijo Ricardo tocando su revólver y ya casi sin voz en la garganta—, pero ustedes tienen que llegar a Miami. Ella tiene que ser libre. ¡Libre! —repitió sin apenas fuerzas.

—Llegaremos, Ricardo, pero no hables más. Ella no sufrirá. Pase lo que pase.

En ese momento, el cubano escupió un río de sangre y sus ojos se cerraron al tiempo que profirió un último y fuerte espasmo.

—¡Ricardo! ¡Hermanito! ¡No te puedes ir! ¡Dios mío! —lloró entrecortadamente su hermana sintiéndose morir también.

Héctor la separó entonces del cuerpo inerte de Ricardo y la abrazó con fuerza mientras Marta estallaba en un profundo llanto que duró horas.

11. UN CEMENTERIO LLAMADO EL CARIBE

ARMANDO, HORACIO Y MANOLO jamás pudieron ver cumplidos sus sueños. Su balsa-neumático desapareció rápidamente bajo las aguas y todos los esfuerzos por acercar las dos naves resultaron en vano. Las corrientes marinas eran demasiado intensas en esa zona y se encargaron de poner cada vez más distancia entre ambas embarcaciones.

Para desgracia de los tripulantes de la balsa, esta había sido perforada por los duros embistes del helicóptero. La nave, sin que nadie pudiera evitarlo, fue así deshinchándose poco a poco hasta que los tres cubanos que iban en ella acabaron nadando en alta mar. No por demasiado tiempo, ya que los tiburones se encargaron muy pronto de sesgar sus vidas.

En principio, los tiburones, conscientes de alguna extraña manera de lo irreversible de la situación para los balseros, no atacaron la balsa, sino que esperaron pacientemente a que sus ocupantes estuvieran indefensos en las aguas. Su territorio.

Entonces un par de furiosos tiburones tigre, de unos diez pies cada uno, destrozaron los cuerpos de los cubanos con sus enormes y poderosas mandíbulas, mordiéndolos una y otra vez hasta saciar por completo su hambre.

Decenas de tiburones más pequeños, de unos cuatro o cinco pies, aparecieron después de los primeros ataques atraídos por la sangre desprendida por los cuerpos de los cubanos. Barracudas, peces cantero, peces cabeza batea y peces aguja fueron los últimos invitados al tétrico festín.

Los desesperados gritos de socorro de los balseros no fueron escuchados por nadie. Ni siquiera por Héctor o Marta, que, para entonces, ya estaban a varias millas de distancia de sus desafortunados compañeros.

Por su parte, la balsa de Héctor y Marta también resultó casi destruida por los impactos de las balas del helicóptero. Varias partes de la misma habían desaparecido y la embarcación amenazaba con partirse en trozos en cualquier momento. La vela estaba rota por la mitad y el timón era ya sólo un pequeño e inservible tablón de madera en el que Héctor tuvo que trabajar durante horas para conseguir semihabilitar de nuevo.

12. EL DEBER DE SOBREVIVIR

PASADOS CASI DOS DÍAS desde que Ricardo muriera, ya era necesario deshacerse de su cadáver. El tiempo transcurrido y el extremo calor lo estaban descomponiendo de forma peligrosa. Sin embargo, Héctor, temeroso de la reacción de Marta, no se decidía a comentarle nada al respecto.

La mañana siguiente, Héctor se despertó al escuchar que algo se estrellaba contra el agua. Era el cuerpo de Ricardo. Su misma hermana se había encargado de echarlo por la borda, perdiéndose después en el horizonte antes de hundirse definitivamente.

—No importa... —se adelantó Marta consciente de la incómoda situación—. Su cuerpo es sólo algo material. Lo importante es su recuerdo. Sus ideales. Esos siempre estarán conmigo. Su causa no se hundirá jamás.

—Marta... —dijo Héctor.

—Sí.

—Yo siempre cumplo mis promesas. Prometí a tu hermano que te llevaría hasta Miami y así lo haré. Allí podrás buscar un lugar decente, un cementerio, que honre la memoria de Ricardo.

—Sí. Estás en lo cierto. Llegaré a Miami. Mi hermano no ha dado su vida en vano. No puedo defraudarle ni traicionar su sacrificio. Aunque ahora sienta querer morirme; aunque ahora también desease ser devorada por el océano junto a él, he de sobrevivir. Se lo debo.

13. LA CHISPA

A DURAS PENAS, Héctor y Marta repararon la balsa mínimamente para que esta pudiera continuar a flote. Sin embargo, pasada una semana desde su salida de la playa de Cojímar, la situación se volvió desesperada para los dos cubanos. El ataque del helicóptero les había hecho perder una buena parte de sus provisiones y las que les quedaban apenas durarían un par de días más.

Por otro lado, el viento ya no soplaba del sur, sino del este. De separarse la balsa de la corriente del golfo, ambos se alejarían más y más de las costas de los Estados Unidos en dirección a México.

Tanto Marta como Héctor se habían cubierto con algunas toallas para proteger sus cuerpos del intenso sol.

—Al menos en estos días de luna nueva los peces pican. También hay más pescadores entre Miami y las Bahamas. Eso podría ayudarnos mucho. Es ahí donde deberían llevarnos las corrientes. Lo dijo Alberto, ¿te acuerdas? —preguntó Héctor procurando ignorar el constante y nauseabundo olor a vómitos producto del vivo oleaje.

Alberto les había dicho que primero se comieran los alimentos que se descomponían y que dejaran las latas para lo último. Las provisiones eran pocas, así que tenían que comer poco y masticar lentamente. Al beber, sólo tomaban un buche de agua y después le daban bastantes vueltas en la boca antes de tragarla. El agua era escasa. No podía malgastarse. Tenía que tomarse trago a trago. Alberto también les enseñó a convertir el agua del mar en potable, pero ese era el último recurso. Ambos sabían muy bien que el agua salada sólo enferma y da aún más sed.

Marta se secó el abundante sudor de la cara pasando sus manos a través de todo su rostro.

—¿Crees que cambie el viento y nos lleguen brisas del norte? —preguntó esta.

—Espero que no. Eso nos devolvería a Cuba.

—¡Yo a Cuba no regreso! ¡Ya te lo dije! —afirmó tajante Marta.

—Yo tampoco. No he llegado hasta aquí para ahora volver atrás. Este es un viaje en una sola dirección y su destino es Miami. Sólo Miami. ¿Me escuchas?

—Sí. Te escucho, pero ¿qué harías si soplase viento del norte?

—No hables de eso. Vamos a llegar a Miami.

—No. Eso no es una respuesta. ¿Qué harías? —insistió—. ¡Respóndeme! Prometiste a mi hermano que cumplirías con tu deber.

—Ya te dije que siempre cumplo con mi palabra. Haré lo que sea necesario. No tengas miedo por eso.

Al escucharlo, Marta sonrió y se sintió mucho más tranquila.

—Gracias. Lo sabía.

—¿Cómo lo sabías?

—Simplemente lo sé.

—No te comprendo.

—No hay una razón lógica. Apenas te conozco, pero intuyo que eres alguien en quien puedo confiar.

—Marta, no es que quiera que desconfíes de mí, pero, ¿cómo puedes estar tan segura de eso?

—Por pequeñeces. Son las que mejor hablan de una persona.

—¿De qué pequeñeces me hablas? Chica, dime...

—Vi la expresión de tu cara cuando el helicóptero disparó contra Ricardo —dijo Marta sin sospechar que pudiera existir alguna razón oculta que explicase por qué el ataque del MI-8 no los había matado también a ellos. La cubana, al ver escapar el helicóptero tras los disparos de su hermano, simplemente creyó que Ricardo los había salvado de una muerte segura—. Observé tu rostro durante unas décimas de segundo mientras intentaba quitarme la lona de encima y eso me tranquiliza —continuó.

—¿Y qué viste en esa expresión, Marta?

—Vi a alguien indignado, dispuesto a protestar ante una injusticia. Vi a alguien que está con los que sufren y no con los que hacen sufrir. No eres un cobarde ni un vendido. Se te nota.

—Ven acá, para apenas conocerme, ya tienes bastantes opiniones sobre mí.

—Quizás tenga pocas virtudes, pero intuición me sobra. Nací con ella y supongo que también moriré con ella.

—Ojalá yo también tuviera esa capacidad para saber en quién poder confiar y en quién no. Todo me hubiera ido mucho mejor en la vida. ¡Créeme!

Ambos se rieron durante algunos segundos.

—Pocas veces me equivoco con la gente —dijo convencida la cubana.

—¿De veras?

—Sí. Algo muy dentro de mí siempre me dice si puedo confiar o no en alguien. Raramente falla. A veces la gente a quien he dado mi confianza me decepciona, pero en detalles tontos. En lo que de verdad importa, la cosa cambia. Se comportan como es debido. Es su propia naturaleza, ¿entiendes?

—Bueno, pues gracias por tu confianza, pero ahora descansa. Vas a necesitar todas tus fuerzas en los próximos días —afirmó Héctor recostándose en un lado de la balsa para dormir un rato.

—Que descanses... —dijo Marta con una entrecortada y tímida sonrisa.

—Tú también —respondió él acariciándole la mejilla.

Héctor y Marta se abrazaron entonces para sentirse más cómodos. Sin embargo, al acercar sus cuerpos entre sí, ninguno pudo evitar que los labios de ambos casi se rozaran. Cuando eso ocurrió, los dos se miraron durante algunos instantes más hasta que, por fin, Héctor aproximó de nuevo su cara a la de Marta y besó sus carnosos y atractivos labios.

El cubano desabrochó entonces el chaleco blanco de algodón de Marta y lo retiró con delicadeza de su cuerpo. Sus jóvenes y firmes senos quedaron así al descubierto, acariciados sólo por las manos del balsero y los rayos solares que acompañaban constantemente a la nave en su travesía. Marta, semidesnuda, ayudó después a Héctor para que también se quitara la camisa.

El pelo de ella era castaño y largo. Algo rizado. Sus ojos, de un explosivo color marrón. Héctor, descendiente de inmigrantes españoles, tenía el cabello negro y lacio mientras que sus ojos eran verdes, intensos y profundos.

Marta se sentó sobre la cintura de Héctor y el cubano, preso de pasión, subió decididamente la falda a la joven y ambos comenzaron a amarse con toda su energía sobre la balsa.

Los cabellos de Marta quedaron extendidos de manera desordenada sobre su piel desnuda, cubriendo también parte del pecho y del cuello de Héctor. La cubana tenía una piel rebosante de vida. Un cuerpo fuerte, esbelto y muy bien formado.

De repente, los dos perdieron cualquier noción de dónde se hallaban y de las difíciles circunstancias que les estaba tocando vivir. Simplemente, se dejaron transportar por una incontenible fuerza a un mundo donde no existía nada ni nadie más allá de ellos mismos y la imperiosa y casi irracional necesidad del uno por el otro. Un mundo sublime que, en tan sólo algunas horas, logró unir sus almas hasta convertirlas en sólo una.

Al albor de la tarde, Marta y Héctor yacían sigilosos y desnudos sobre la embarcación. Los dos estaban exhaustos, con sus cuerpos empapados en sudor y enroscados entre sí mientras las manos de ambos no cesaban de acariciarse mutuamente.

—Tú eres el segundo hombre de mi vida. No te hagas una idea equivocada sobre mí —dijo ella sintiendo la inmisericordia del asfixiante calor.

—Marta, no digas tonterías —sonrió Héctor con una expresión de cariño—. Qué importa con quién hayas estado antes. Ahora eres más importante para mí que cualquier otra persona en todo el mundo.

—¿Por qué?

Héctor hizo un intento por reflexionar, pero enseguida desistió de su empeño.

—No podría decirte. Sólo sé que es así.

—¿Qué nos ha pasado, Héctor?

—Quizás sea que nos necesitamos mucho.

—¿Tú me necesitas a mí? —preguntó Marta extrañada.

—Sí.

—Es difícil de creer...

—Por favor, créeme. No puedo explicarlo, pero te necesito mucho. Me infundes una fuerza muy especial —afirmó él dejando deslizar con suavidad la palma de su mano por el rostro de Marta.

—¿De verdad? ¿No me estás engañando? —cuestionó de nuevo la cubana de forma espontánea y abriendo vivamente sus ojos.

—De verdad.

—Eso me hace sentir muy bien. ¿Sabes por qué?

—¿Por qué?

—Porque a mí me pasa lo mismo. Me encuentro muy a gusto contigo. En paz. Además, ¿sabes qué?

—Dime, Martica.

—Estoy segura de que no se trata sólo de que estemos en una situación extrema y que eso nos lleve a comportarnos así. No es únicamente eso. Hay algo más, ¿no te parece?

—Sí... —afirmó Héctor.

—¿Y qué es?

—No sé, pequeña. No sé. El tiempo lo dirá.

—Yo sí sé lo que es.

—¿Qué es?

—Amor.

—Chica, ¿cómo puedes decir eso? —sonrió sorprendido el balsero.

—¿Por qué? ¿Acaso te molesta? —dijo ella algo irritada.

—No, Marta. Claro que no. No es eso. Es que apenas nos conocemos.

—No importa. Es amor. Estoy segura. ¿Me quieres?

—Marta... —se rió Héctor sintiéndose casi acorralado

por aquellas inquisidoras preguntas.

—¿Me quieres o no? —insistió la joven antes de que él pudiera responder.

—Sí, Marta. No sé de qué forma, pero te quiero.

—Lo sabía.

—¿Por qué?

—Ya te lo dije. Sé cosas sobre la gente. La forma en que me acaricias sólo puede ser la de alguien que me quiere. Tus caricias son caricias de amor.

—Siempre sabes más que yo, ¿eh?

—En esas cosas, sí.

—Y no sólo eso.

—¿Qué más, chica?

—Cuando tu cuerpo estuvo dentro del mío sentí algo especial. Nunca había sentido nada así. ¿Y tú?

—Tampoco —respondió Héctor seguro de lo que decía.

—Abrázame. Abrázame fuerte, Héctor. Necesito tanto que me abraces en estos momentos... Por favor, abrázame mucho...

—Anda, vamos a dormirnos —afirmó él mientras la abrazaba aún con más fuerza—. Mañana va a ser un día muy duro y hemos de estar preparados.

—Buenas noches —dijo ella aplastándose contra el cuerpo de Héctor.

—Buenas noches —respondió él dándole un beso mientras cubría a Marta y a sí mismo con dos mantas para combatir el creciente frío de la recién entrada noche.

14. DISIDENCIA CON GALONES

EL CORONEL DEL EJÉRCITO cubano Martín Robles entró en la celda número ciento cuarenta y seis de la prisión de Holguín estrellando después la puerta del pequeño cubículo tras de sí como si pretendiera hacerla añicos. Robles acababa de asistir a un desfile militar en La Habana y aún lucía su ostentoso uniforme de gala de corte soviético.

Dentro de la celda había dos capitanes del cuerpo de infantería esposados y amarrados con una cadena a una barra de metal adosada a la pared. Varios soldados del Ministerio del Interior se encargaban de su vigilancia. Las caras y los cuerpos de los dos oficiales habían sido golpeados con dureza y estaban manchados de abundante sangre. Ambos estaban tendidos en el suelo.

—¡Hijo de puta! ¡Despierta! —gritó Robles a uno de los dos capitanes nada más entrar pretendiendo intimidarle de inmediato—. Mi nombre es Martín Robles.

Robles se autocalificaba con orgullo como un experto en tortura física y psicológica. Para él, esa actividad merecía tanto respeto como cualquier otra dentro del Ejército cubano.

Ese isleño natural de Santiago de Cuba era un auténtico déspota que carecía de cualquier tipo de escrúpulos y dominaba a la perfección todas las técnicas existentes para infundir verdadero terror a quienes tenían la desgracia de caer en sus manos.

Robles encarnaba el perfecto ejemplo de militar que había escalado rangos en las Fuerzas Armadas de Cuba no debido a su inteligencia, preparación o liderazgo, sino gracias a su innata habilidad para amilanar a la gente.

—¡Cingao! ¡Parásito! —exclamó segundos después Robles, pero, esta vez, mirando a los ojos del otro capitán—. ¿Es así como pagan a nuestro comandante? ¿Es así como le agradecen que haya hecho de ustedes lo que son hoy en día? ¿En qué esquina estarían ustedes ahora mendigando por un mísero trozo de pan si no hubiera habido una revolución? ¿Eh?

Los dos arrestados, ya de pie, no se atrevieron a decir nada. El dolor y el miedo eran demasiado intensos.

—Escuchen, gusanos. Tienen ustedes dos opciones: confesar y vivir o callarse y morir. Así de fácil. Díganme, ¿cuál de las dos va a ser?

Los detenidos sabían muy bien que jamás se les perdonaría haber planeado un atentado contra la vida de Fidel Castro, el comandante en jefe de la revolución.

—Vaya, hombre..., con que los señores no se dignan a

hablar conmigo... —dijo irónico el coronel ante la total falta de respuesta.

Robles recogió entonces del suelo un bate de béisbol que ya había sido utilizado por los otros militares para golpear a los presos y, con un movimiento enérgico, seco y preciso, se lo hincó a uno de los capitanes en la misma boca de su estómago.

—¡Ah...! —gimió Pedro Castellanos.

El gesto de dolor fue instantáneo y se prolongó durante varios segundos.

—Miren, traidores —apuntó con desprecio Robles mientras tiraba al suelo el bate, que había sido envuelto en trapos para no dejar marcas—. Ya sé que mis muchachos les han dado un buen repaso antes. Yo no estoy aquí para malgastar mi tiempo encargándome personalmente de ustedes. ¿Me escuchan? El general Hernández quiere toda la información sobre el atentado y la quiere ya. Los dos saben muy bien que, como todos, ustedes también acabarán hablando y que eliminar su resistencia es sólo cuestión de golpes. ¿Por qué no nos ahorramos toda la tragedia y la sangre? ¿Me explico?

—Sí... se explica —dijo uno de los militares, Joaquín Villamizar—. No le haga más daño. Se lo suplico...

—¡Cállate, imbécil! —apuntó con rapidez Castellanos—. ¿No ves que vamos a morir igual?

—¡Cierra el pico! —intervino Robles propinando otro golpe a Castellanos en el mismo lugar que antes—. Veo que usted comprende mejor la situación... —añadió con amabilidad y cortesía dirigiéndose a Villamizar.

Robles tenía una muy elaborada teoría personal sobre los diferentes aspectos de la técnica a utilizar durante un interrogatorio. Su experiencia le indicaba que, en cualquier grupo, siempre había un reo más débil que el resto y que la dificultad sólo radicaba en identificarlo. Después de eso, el trabajo de obtener la información era, prácticamente, simple rutina.

—¡No le haga más daño...! —repitió Villamizar, ya roto psicológicamente por la presión a la que había estado sometido.

—¡Estúpido! —exclamó otra vez Castellanos.

—¡Ya está bien! —les interrumpió furioso Robles—. ¡Maricón! ¡Ahora vas a ver lo que les ocurre a quienes no colaboran conmigo!

Robles, sin pérdida de tiempo, se situó frente a Castellanos y colocó el bate de béisbol sobre la cabeza de este, como queriendo ensayar el que sería su próximo golpe.

—Mire bien esto, Villamizar —anunció Robles.

Más tarde, Robles estiró el bate hacia un lado y, con gran fuerza, lo propulsó hacia la cabeza de Castellanos. El impacto contra su cráneo fue demoledor e hizo que el capitán perdiera el conocimiento de inmediato, desplomándose después contra el suelo de la celda.

El militar no emitió ningún grito y pareció dejar de respirar. Castellanos enmudeció por completo hasta el punto de que todos pensaron que había fallecido. Con ese brutal golpe, Robles probó claramente a Villamizar que, sin importar las consecuencias de sus acciones, tenía carta blanca para manejar el interrogatorio como considerara oportuno.

—¿Está muerto? —preguntó nervioso Villamizar.

—No —dijo Robles tomándole el pulso—. Todavía no, pero si le vuelvo a pegar, sí lo estará. Y pronto. ¿Ve usted cómo no estaba bromeando, Villamizar?

—Sí... —respondió este sin poder articular una respuesta más elaborada—. Déjele vivir. Hablaré. Se lo diré todo.

Robles hizo un gesto de satisfacción.

—Así me gusta. No se haga el héroe. Ya ve lo que le ocurrió a Castellanos.

—Traigan a un médico para él.

—Está bien. Lo haremos, pero antes dígame: ¿quién planeó el atentado contra Fidel?

—Castellanos y yo.

—¡No me tome por estúpido, Villamizar! —gritó Robles hundiendo su puño en el hígado del capitán.

—¡Ah...! —espetó el militar.

—No voy a hacer de nuevo la pregunta. O me responde ahora mismo o acabará aún peor que Castellanos.

Los labios de Villamizar permanecieron lacrados durante algunos segundos, pero, finalmente, el militar inició su confesión.

—Un grupo de oficiales y jefes. Castellanos, yo y cuatro más.

—Eso suena mejor. ¿Quiénes?

Villamizar casi no podía hablar debido a que la sangre brotaba de forma continua por varias partes de su boca. Su hígado también parecía destrozado y le provocaba tanto dolor que el militar se palpaba constantemente el costado derecho de su cuerpo en un intento por evaluar el daño producido por Robles.

—El coronel Pita, el coronel Arnáez, el teniente coronel Álvarez y el general Vega... —dijo Villamizar renunciando ya a ocultar las claves más profundas de la trama.

—¿El general Vega? —preguntó extrañado su interrogador.

Robles esperó ansiosamente la respuesta de Villamizar, pero no se produjo. Por un momento, el coronel pensó que el castigo infringido al prisionero había sido demasiado severo y que Villamizar ya no estaba con él. Sin embargo, el capitán recuperó la consciencia tras echarle Robles un cubo de agua fría en pleno rostro.

—¿Me decía que el general Vega también estaba en el complot?

—¿El general Vega, dice? —preguntó Villamizar con una mirada ausente.

—Mire, no se haga el listo conmigo. Ya me estoy hartando de jugar al gato y al ratón.

Martín Robles dio un fuerte puntapié al bate de béisbol que estaba en el suelo y lo lanzó por los aires.

—Quizás no le importe qué pueda ocurrirle a usted, pero sé que tiene una bella esposa y dos hijos. No querrá que les suceda nada malo, ¿verdad?

De pronto, Villamizar abrió sus ojos completamente.

—¿De qué me habla?

El coronel cubano sonrió y después se secó los labios con los dedos de su mano izquierda.

—¿Se imagina ver a su esposa ultrajada frente a usted?

¿Eh? ¿Se lo imagina? —dijo Robles sin rodeos.

—Cabrón... —murmuró Villamizar.

—Conozco, en esta misma cárcel, a varios presos comunes que no han visto a ninguna mujer en muchos años y que estarían encantados de poder disfrutar de su agradable compañía. Estoy seguro de que también sería una experiencia inolvidable para su señora. Permítame decirle que esos tipos son tan asquerosos, tan feos y huelen tan mal que ni pagando se les acercaría alguien... —afirmó Robles con una repugnante sonrisa en sus labios y a apenas centímetros de la oreja derecha de Villamizar, pero sin que este pudiese verle bien—. ¿Qué le parece? ¿Cree usted que disfrutarían con una mujer tan atractiva como la suya?

—Es usted un verdadero animal. Un salvaje —dijo Villamizar con un nudo en su estómago.

—Tal vez, compañero... —admitió sin pudor Robles—, pero en una cruel y larga guerra como esta, la guerra contra el imperialismo, la piedad es un lujo que hace tiempo dejó de existir para nosotros. La causa necesita personas como yo, que ganen muchas e importantes batallas para la revolución. Que consigan resultados.

—Comprendo. Siempre hay alguien que tiene que hacer el trabajo sucio, ¿no?

—Exacto. A veces no es agradable cumplir con lo que le mandan a uno, pero le aseguro que nunca vacilaré en obedecer una orden. Nunca. Por su propio bien, espero que entienda lo que le estoy diciendo.

Villamizar se restregó los ojos y miró a Robles. Cuando vio su expresión no dudó ni por un instante en que cumpliría con su amenaza, así que decidió seguir confesando. Entretanto, rogaba en su interior el perdón de sus compañeros por haberlos delatado.

—Sí. Vega también estaba en esto.

Robles, al escucharlo, realizó una nueva mueca de sorpresa.

—¿Cuál era su plan? —preguntó enseguida el coronel.

—Asesinar a Fidel el mes que viene durante una visita que tiene programada a nuestro cuartel de Punta Movida.

—¿Con qué objetivo?

—¡Vamos! ¿Qué clase de pregunta es esa? —pareció no comprender Villamizar.

—Hable. Quiero saber qué piensa usted —prosiguió el coronel con absoluta tranquilidad.

El capitán Villamizar se sentó en el suelo y puso sus manos sobre su cabeza.

—Todo el mundo lo sabe. Fidel tiene los días contados en el poder. La situación en la isla es ya insostenible y cada vez hay más descontento. Antes teníamos el apoyo soviético, pero ahora la cosa es distinta. Sin el dinero del Kremlin, el futuro de Cuba está muy claro. Las limosnas de Chávez no serán suficientes. A este ritmo, pronto regresaremos a la época de las cavernas. No podremos sobrevivir. Los Castro son ya piezas de museo. ¡El sistema se derriba y con él su dictador! —explotó.

—¿Y cuál es ese futuro? —preguntó Robles animando a Villamizar a que prosiguiera.

—Alguien, tarde o temprano, derrocará a Fidel. Usted lo sabe muy bien. Quizás no lo quiera admitir aquí porque en esta cárcel hasta las paredes tienen oídos, pero sabe eso tan bien como yo. ¿Para qué quiere que siga contándole algo que ya ha escuchado miles de veces por la calle y en los mismos cuarteles?

—Continúe, Villamizar —ordenó Robles sin inmutarse.

El capitán escupió algo de sangre y se limpió la boca.

—Muchos quieren un cambio. Nosotros hemos viajado a otros países y podemos comparar. Sabemos que Cuba está al borde del precipicio. Queremos que la isla siga adelante y que la población deje de sufrir. Nosotros amamos esta tierra y sólo deseamos lo mejor para Cuba. Los Castro son ya un lastre para el progreso de esta nación. Necesitamos democracia. Seguir el ejemplo de Rusia. De hecho, sabemos que Fidel ya ha sufrido varios intentos de golpe.

—¿Qué información tiene de eso? —mostró enseguida curiosidad el coronel.

Villamizar miró hacia el techo y suspiró. Después se secó las lágrimas, que ya no sabía si eran de dolor o bien de vergüenza por estar confesando todo lo que sabía.

—Todos saben que hace unos cuatro meses otro alto mando, el general Rubio, intentó organizar un alzamiento militar y que después fue ejecutado por órdenes directas del general Carlos Hernández. Es un secreto a voces. Los medios oficiales dijeron que Rubio fue acusado de corrupción y tráfico de drogas, pero, amigo, nadie se traga esa historia. Rubio era un líder entre su tropa y una persona íntegra. ¡Un verdadero ejemplo! La verdad, la única verdad, es que se estaba convirtiendo en alguien demasiado popular y crítico con los dirigentes del Partido, así que lo sacaron de en medio... ¡y ya!

—Vaya, así que eso es lo que se dice a espaldas del comandante.

—Y dígame, ¿quién va a atreverse a decírselo en su cara? —rió Villamizar—. Sólo quien no tema a la cárcel o a la misma muerte. Lo cierto es que la máxima condena en Cuba por narcotráfico es de quince años. Sin embargo, Rubio fue condenado al paredón. El mensaje está muy claro. Hay que acabar con este régimen cuanto antes...

—Siga.

—Ah... —gimió de repente el oficial quejándose del dolor provocado por los golpes.

—¡Venga, siga! —le apresuró Robles con impaciencia temiendo que Villamizar pereciese antes de contarle todos los entresijos de su complot.

—Los militares de escala intermedia como yo también tememos por nuestro futuro.

—Explíquese.

—Si Fidel es derrocado, él no va a tener ningún problema para encontrar asilo en alguna parte. Tiene cientos de millones de dólares escondidos en bancos de varios países y muchos simpatizantes alrededor de todo el mundo. Tendría un retiro muy cómodo, pero ese no sería precisamente nuestro caso. Ni tampoco el suyo, Robles. ¿Comprende? —dijo Villamizar intentando, en una osada maniobra, adoctrinar al otro militar para conseguir su simpatía.

—¿Qué cree usted que pasaría? —le siguió la corriente

Robles para obtener más datos.

—Que correrá mucha sangre en Cuba. Hay demasiado odio acumulado. Mucha sed de venganza. La población ha sufrido demasiado. Eso hará que muchos mueran. ¡Quién sabe! Quizás incluso una guerra civil.

—¿Y bien?

—Muchos centrarán su odio en nosotros, los militares, ya que somos quienes en verdad hemos perpetuado a Fidel en el poder. El ejército siempre ha sido el ancla de este barco que ahora navega a la deriva. La única forma de salvar nuestras vidas es derrocarlo nosotros mismos y demostrarles que los militares también queremos cambios. Que somos unos patriotas. Además, nosotros no tenemos ni el dinero ni los recursos de Fidel para desaparecer del mapa cuando las cosas se pongan feas. Sólo el comandante y unos cuantos generales más cercanos a él podrán ponerse a salvo fuera de la isla.

Robles emitió una carcajada.

—Decídase, Villamizar. ¿Qué son ustedes, pues? ¿Unos patriotas o bien quieren jugar a hacerse los arrepentidos porque no saben cómo salir de Cuba si tumban a Fidel? —preguntó cínicamente.

—Quizás no seamos unos héroes, pero tampoco somos ningunos cobardes. Es el momento de actuar, tanto por nosotros como por Cuba.

—Así que, según usted, el pueblo nos la tiene jurada —se burló el coronel.

—Pero, ¿es que lo duda? —dijo extrañado Villamizar—. ¿En qué agujero ha estado metido, Robles? ¿Es que no camina usted por las calles? ¿No escucha lo que dice la gente? Si nosotros no dejamos claro que también estamos luchando por la libertad de Cuba, quemarán nuestros cuerpos en plena calle como escarmiento público. El fin del comunismo en Cuba ya está muy cerca. Hay que estar ciego para no verlo... —afirmó con desprecio—. Nadie sabe cuándo ocurrirá, pero todos tenemos la certeza de que no va a tardar mucho. Fidel no puede ir contra el mundo. ¿Con quién se va a aliar? ¿Eh? ¡Dígamelo! ¿Cree acaso que Chávez va a enviar el mismo dinero que mandaba el Kremlin?

—No tendrían que tener tanto miedo si su conciencia estuviera tranquila —apuntó con prepotencia Robles.

—¿Conciencia tranquila? ¡No diga tonterías! ¿Qué militar la tiene? ¡Por favor! ¡Mírese al espejo! ¿Qué cree que le haría la familia de Castellanos tras la caída del régimen? ¿Eh? ¿Y las familias de todos los otros muertos y encarcelados? ¿Felicitarlo quizás por su ardor revolucionario y su lealtad al socialismo? —sonrió escupiendo sangre—. Casi todos hemos sido forzados a mancharnos las manos con sangre y represión —continuó Villamizar—. Esta es la oportunidad de oro para recuperar la confianza que perdimos frente al pueblo y para que nos perdonen. La ocasión perfecta para limpiar nuestra conciencia y devolver a Cuba algo que le robamos hace mucho tiempo: la libertad.

—Ya veo... —murmuró Robles—. ¿Y organizaron todo esto solos?

—No. Claro que no —reconoció casi automáticamente Villamizar.

Esa parte del interrogatorio era la más importante para el Ministerio del Interior, de forma que Robles comenzó a prestar especial atención. Descubrir cualquier intento de Washington por desestabilizar Cuba era siempre una de las máximas obsesiones del general Hernández.

—¿Quiénes les apoyaron?

—Un grupo de ocho coroneles cubanoamericanos se puso en contacto con nosotros desde Florida mediante diversos canales secretos animándonos a que diéramos este paso.

—¿Cuándo?

—Hará unos seis meses.

—¿Qué les dijeron exactamente?

—Que los Estados Unidos no tienen ningún problema con nosotros, sino sólo con Fidel. Que comprenden que Castro nos ha obligado a hacer muchas cosas y que prometen defendernos si colaboramos en la tarea de derrocarlo. Que al llegar el cambio, ellos nos protegerán diciendo que les ayudamos y que no sólo respetarán nuestras vidas, sino también nuestros rangos militares cuando se forme un nuevo ejército en la isla. Que no van a cometer el mismo error que en Irak.

Que las fuerzas armadas no serán desmanteladas.

Aquel comentario molestó especialmente a Robles.

—Así que son ahora ocho coroneles yanquis los que dirigen la política exterior de Washington, ¿eh? Y por lo visto, si la revolución fuese aniquilada, también serían ellos los que decidirían a quién degradar, promover o aniquilar dentro del Ejército cubano, ¿no...? ¡Muy bonito! ¡Igual que cuando tenían a la marioneta de Batista en La Habana! —exclamó de pronto con rabia el coronel—. Chico, ¿es que esa gente no ha aprendido nada de la Historia? ¿Es que todavía no se dan cuenta de que Cuba no es ni será nunca una extensión de la Florida? ¿Es que nadie les ha dicho aún que nosotros no somos otro estado más de los Estados Unidos, como Arizona o Alabama? ¿Es que nadie les ha explicado que hemos decidido «Patria o muerte»? S-o-b-e-r-a-n-o-s... I-n-d-e-p-e-n-d-i-e-n-t-e-s... —enfatizó sus palabras el irascible Robles.

Villamizar se intimidó al ver la reacción del otro militar. El cubano parecía un volcán a punto de estallar.

—Esos coroneles dijeron que no eran unos enviados de la Administración, pero que sí estaban hablando en nombre de varios influyentes políticos de su país. Políticos que, por razones de seguridad, todavía no podían ponerse en contacto con nosotros. Que lo harían a su debido tiempo —afirmó Villamizar con aparente tranquilidad procurando no irritar más al coronel.

—¿Y qué más les dijeron?

—Que debíamos actuar como patriotas y zafarnos del yugo comunista. Que querían que nosotros formásemos parte de ese proyecto y no que pereciéramos asesinados por turbas incontroladas cuando Fidel fuera derrocado o bien muriese de forma natural.

—¿Vieron ustedes a esas personas?

—A uno de ellos.

—¿Quién le vio?

—Yo.

—¿Dónde y cuándo?

—Durante una de mis visitas de reconocimiento a las bases de la guerrilla en Colombia. Hace un año. Nos pusimos en contacto y nos encontramos después en un pequeño pueblo cerca de la capital.

—¿Cuál era su nombre?

—Hidalgo. El coronel Julio Hidalgo, de las Fuerzas Especiales y destinado en la base aérea de McDill, en Tampa, Florida.

Tras obtener lo que buscaba, es decir, una confesión completa y en toda regla, Robles adoptó una actitud algo más relajada.

—Villamizar, mi amigo, hoy ha vuelto usted a nacer... —dijo paternalmente dándole varias palmaditas en la cara con su mano derecha—. El general Hernández, que, por cierto, ya conocía sus planes desde hace semanas, me ordenó que le perdonara la vida si usted lo confesaba todo.

—¿Sabían lo que estábamos preparando? —se sorprendió el militar.

—Por supuesto. Tenemos espías en todas partes. ¿Nunca sospechó de nadie de su grupo?

—¿De mi grupo? —reaccionó incrédulo el oficial.

—Sí.

—¡No diga tonterías!

—¿Cómo cree acaso que recibimos la información?

—No sé. Cómo quiere que lo sepa.

—Estimado Villamizar, a quien usted considera uno de sus amigos más leales dentro del grupo conspirador no es más que un infiltrado del general Hernández. Después de cada una de las reuniones que ustedes creían tan secretas, este iba directa y personalmente al despacho del general a contarle todo lo ocurrido. T-o-d-i-t-o —enfatizó con lentitud.

—¡Hijo de puta!

—No, Villamizar. A eso los revolucionarios le llamamos ser patriota. No hijo de puta, sino patriota. Los hijos de puta son ustedes, que querían destruir más de cuatro décadas de lucha por la dignidad de un pueblo frente al imperialismo y convertirnos de nuevo en una simple colonia. En una república bananera como hay ya tantas en Latinoamérica y en todo el mundo.

—Eso es ridículo. Si fuera verdad, usted no necesitaría

mi confesión. Ya lo sabría todo.

—En mi trabajo, la regla número uno es que nunca se obtiene demasiada información. Nunca. Siempre es mejor escuchar a dos que no a uno. Además, eso me permite comparar lo que dicen ambos para ver si alguno no es completamente sincero conmigo, ¿me entiende? —se burló el coronel.

—¿Quién es? —preguntó después Villamizar irradiando asco en todo su rostro.

—¡Ja! ¡Ja! —se carcajeó Robles.

—¿De qué se ríe?

—¡De usted! ¿De quién sino? ¿De verdad piensa que voy a decirle quién es? No, hermano, nunca lo sabrá, como tampoco sabrá a partir de ahora en quién confiar y en quién no. No lo olvide.

En ese momento, Villamizar comenzó a sentir un enorme alivio. Parecía que sí le iba a perdonar la vida.

—¿Significa eso que voy a seguir vivo? —preguntó todavía con escepticismo.

—Como puede suponer, Hernández está enfurecido con todo esto.

—No me importa lo que me ocurra a mí. Sólo quiero que dejen en paz a mi familia.

—Si coopera, tanto usted como su familia estarán a salvo.

—¿Y Castellanos?

—Dudo que se recupere de esa contusión —afirmó Robles mirando con desprecio el cuerpo del otro capitán—. Si muere, le simularemos un accidente.

—¡No sea ridículo! Nadie creerá eso.

—Créame. Entiendo mucho de accidentes. No ha sido fácil mantener viva la revolución durante tanto tiempo.

Villamizar apoyó su cuerpo contra la pared y respiró hondo en un par de ocasiones.

—¿Y yo? ¿Qué pasará ahora conmigo?

—Diremos que fue enviado a Venezuela en una misión de emergencia hasta que se le curen las heridas. Después, quiero que siga infiltrado en el grupo que conspira contra el comandante en jefe y que nos mantenga al corriente de todo cuanto ocurra. ¿Me escucha?

—Creía que ya tenían a sus chivatos.

Al escucharlo, Robles sintió la tentación de golpear de nuevo a Villamizar, pero decidió no hacerlo. No por pena, sino porque no quería poner en peligro la vida de su nuevo espía.

—Cuatro orejas y cuatro ojos ven y escuchan más que dos. ¿No es cierto?

—Me imagino... —dijo Villamizar con repugnancia.

—Mire, yo no estoy aquí para conseguir su respeto, convertirme en su amigo o para ganar un concurso de popularidad entre los golpistas de este país. Esta es la última vez que se lo repito. He venido para obtener su colaboración o bien aplastarle los cojones. O una o la otra. Respóndame otra vez. ¿Cuál de las dos va a ser?

—Ya se lo dije.

—Repítamelo. Quiero escucharlo. Necesito que las cosas estén bien claras.

—Colaboraré.

—Quiero saber todo lo que hacen. A quiénes ven, qué piensan, cuáles son sus planes... ¡Todo! Quiero que me diga hasta a qué hora van a mear por la mañana sus amiguitos golpistas. ¿Entendido?

—Sí —dijo el militar avergonzándose cada vez un poco más de la traición que estaba cometiendo.

—De producirse algún cambio, cualquier cambio, debemos saberlo de inmediato. Actúe como si no hubiera ocurrido nada. Por ahora no queremos arrestar a nadie más. Necesitamos más información para llegar al fondo de todo esto. ¿Comprende? No queremos a los pececitos que, como usted, juegan a hacerse los héroes, sino al verdadero tiburón que los ha enviado.

—¿Cuántas veces he de decírselo? ¡Nadie nos envió! ¡Esta fue una idea nuestra! ¿Entiende? ¡Nuestra!

—¡Cállese la boca, estúpido! ¡No sabe la suerte que tiene! ¡Si fuera por mí, ya lo habría fusilado!

—¡De acuerdo! ¡De acuerdo! —gritó Villamizar, frustrado consigo mismo.

—Villamizar, si nos falla o traiciona, la forma en que golpeé a Castellanos será un chiste comparado con lo que le pase a usted.

—Déjeme solo por favor. Entiendo muy bien la situación.

—Piense también en su familia. Comprende, ¿no? —amenazó Robles sin demasiada sutileza.

—Sí.

—¿Estamos claros en todo?

—Robles, ya tiene lo que quiere. ¿Cuánto más va a durar este suplicio? ¿No me ha humillado ya suficientemente?

—Sí, ya es hora de que me vaya, pero, antes de marcharme permítame compartir con usted un par de cosas —afirmó Robles utilizando un marcado tono paternalista en sus palabras—. Al comandante no hay quien lo tumbe, así que le aconsejo que se limite a disfrutar de la vida con tranquilidad junto a su familia. Hoy ha tenido usted mucha suerte. Nunca lo olvide y aprovéchela. Los que sueñan con derrocar a Fidel están eso, soñando. Fidel no se cae ni de la cama. Lo único que acabará con él será su muerte natural y le advierto que, a pesar de lo que dice la gusanera de Miami, está más sano que un muchacho de veinte años. Además, aquí no hay ninguna otra alternativa —continuó—. En Cuba no van a permitirse grietas a los principios de la revolución. No nos hemos sacrificado tanto para desfallecer ahora.

—Robles, no se engañe. Estamos en los últimos momentos del comunismo en Cuba.

—Hace más de cuarenta años que, según la contrarrevolución, estamos en los últimos momentos del comunismo en Cuba, pero todavía no veo que el régimen haya sido derrocado —afirmó Robles riéndose de los pronósticos del otro militar.

—La cuenta atrás se inició hace rato —insistió Villamizar adoptando, una vez más, un tono desafiante.

—Francamente, Villamizar, me importa un carajo lo que piense usted, pero sí le diré que a Cuba el capitalismo no regresa. El Partido Comunista de Cuba es el único que va a seguir dirigiendo a esta nación. La democracia esa de sus compinches de los Estados Unidos no es más que politiquería barata, injusticias, abusos, demagogia y promesas incumplidas para los más pobres. Aquí no queremos ese sistema. Que no se engañe nadie. Nosotros vamos a encargarnos de defender la independencia de nuestro país y su socialismo. Quienes, como usted, traten de destruir la revolución, serán aplastados como simples cucarachas.

—De eso no me cabe ninguna duda.

—Exacto, que no le quepa ninguna duda. Y que tampoco le quepa ninguna duda sobre los setecientos mil militantes del Partido Comunista Cubano, los quinientos mil de la Unión de Jóvenes Comunistas y los cientos de miles de militantes de los sindicatos, de los centros de trabajo y de los Comités de Defensa de la Revolución. Que no le quepa ninguna duda de que todas esas personas, junto al ejército revolucionario, se pondrán en pie sin dudarlo para defender a su patria ante cualquier injerencia yanqui. A pesar de lo que usted dice, la inmensa mayoría del pueblo de este país está junto a Fidel. Si no fuera así, ya no estaría en el poder. Hubiera sido derrocado hace mucho tiempo.

Castellanos por fin pareció cobrar vida y lo hizo para mover la cabeza de un lado a otro en señal de negación.

—Cuando se refiere a patria, imagino que habla de socialismo y de revolución —dijo Villamizar.

—En efecto —afirmó convencido Robles—. Quien traiciona a la revolución, también traiciona a su país. Usted se olvidó de eso y ese fallo podría haberle costado la vida.

—En mi diccionario, revolución no es sinónimo de patriotismo. Son dos cosas distintas. Muy distintas. Yo soy un patriota y, sin embargo, ya hace tiempo que dejé de ser revolucionario.

Robles se quedó entonces mirando fijamente a Villamizar, sin comprender su actitud de constante enfrentamiento. Era como si el capitán no se diera cuenta de que, en aquellos momentos, su vida pendía de un hilo y que cuanto más hablaba, más honda se hacía su tumba.

—No se caliente más la cabeza y déjese ya de frases bonitas. Es usted un idealista confundido. Como le dije, me trae sin cuidado lo que piense, pero si agota mi paciencia, tendré que replantearme seriamente si merece o no la pena dejarlo vivo. Necesito colaboración. Nada más. Punto.

—Ya le dije que tendrá esa colaboración. Mi familia es lo más importante —moderó finalmente su retórica el militar.

—Está bien. Veo que ha hecho lo correcto. Sí señor.

—¿Qué pasará conmigo cuando desarticulen el complot?

—Veremos. Por el momento, no cometa ninguna tontería. Le estaré vigilando. ¿Escuchó?

—¡Sí! ¡Sí! ¡Sí! —repitió colérico Villamizar.

—Muy bien. Adiós. Nos veremos pronto —se despidió Robles tras limpiar de su zapato derecho una mancha de sangre aún fresca procedente del cuerpo de Castellanos.

15. NI UN PASO ATRÁS

FIDEL CASTRO TENÍA esparcidas por toda Cuba más de treinta casas listas para hospedarlo en cualquier momento y casi sin aviso previo. No obstante, ese fin de semana había decidido pasarlo descansando en una de sus mansiones habituales de La Habana.

La escolta personal del carismático gobernante era de trescientas personas. Sin embargo, si el político cubano viajaba al interior de la isla, los guardias dedicados única y exclusivamente a su seguridad nunca eran menos de mil quinientos o dos mil. Realizar un atentado contra él suponía un complicado desafío. No pocos lo habían intentado durante décadas sin ningún resultado positivo.

El general Carlos Hernández era el principal responsable de la seguridad de Fidel Castro y tomaba la protección del máximo líder revolucionario como un verdadero reto personal, algo que le obligaba muchas veces a desplazarse junto a su comandante en jefe adonde quiera que este fuese.

Hernández tenía en aquella mansión, situada no lejos del barrio de Alturas de Miramar, un despacho muy cercano al de Fidel. El general estaba en su oficina repasando diversos documentos cuando decidió subir el volumen de la radio para escuchar un discurso que Castro estaba dando en aquel preciso momento.

El comandante se había desplazado durante un par de horas a la escuela primaria Julio Hidalgo Díaz, en la barriada Lawton de La Habana. Allí se congregaron un par de centenares de los llamados pioneros, o jóvenes comunistas, ansiosos por oír sus palabras. Los niños, junto a muchos de sus familiares, rendían un homenaje a Fidel para, según sus propias palabras, agradecerle sus esfuerzos por mantener viva la llama de la revolución.

«Este es un momento difícil... —comenzó Castro de forma solemne—, pero si nos enfrentamos con inconmovible espíritu a la agresión, si estamos dispuestos a resistir en todos los terrenos, saldremos victoriosos de la batalla contra el corrupto capitalismo. Sí —dijo Fidel—. Parece que ha llegado el momento de demostrar otra vez nuestro espíritu de lucha, ese parque revolucionario que todos llevamos dentro... Lo hemos hecho antes y, que no se engañe nadie, podremos hacerlo de nuevo. ¡Que no lo olviden quienes nos quieren ver de rodillas pidiendo perdón por haber osado defender apasionadamente a los más pobres!» —exclamó desafiante.

Fidel, tras apenas pronunciar las primeras palabras de su discurso, ya había logrado cautivar a su público en la escuela. Todos escuchaban fascinados al legendario líder caribeño. Su intenso magnetismo personal era una cualidad que admitían incluso sus más acérrimos enemigos.

«Compañeros —retomó Castro el hilo de sus pensamientos—, nuestro valeroso pueblo ya ha escrito una página imborrable en la Historia, pero Cuba todavía tiene agallas de sobra para mantenerse firme y no ceder ante la arrogancia y la prepotencia yanquis... Somos revolucionarios de pies a cabeza y eso, compatriotas, ¡eso no nos lo quita nadie!» —afirmó tajantemente girando después su cabeza hacia un lado.

«Amigos de lucha —prosiguió—, todavía, tras tantos años, estamos luchando por lo mismo que luchamos en el Moncada, en el Granma, en la sierra, en el Escambray... Estamos defendiendo lo mismo que defendimos en nuestras gloriosas y victoriosas misiones internacionalistas... Estamos defendiendo los principios por los cuales nunca nos hemos rendido cuando, por contra, tantos otros se doblegaron ante el poder del imperialismo yanqui. Estamos defendiendo, mis camaradas, las mismas ideas por las cuales incluso seguimos dispuestos a sacrificar nuestro más preciado bien... ¡Nuestras propias vidas!» —gritó exaltado hacia la multitud.

De pronto, muchos de los asistentes al acto comenzaron a gritar al unísono.

—¡Fidel, seguro, a los yanquis dales duro! ¡Fidel, seguro, a los yanquis dales duro! ¡Pin, pon, fuera! ¡Abajo la gusanera! ¡Pin, pon, fuera! ¡Abajo la gusanera!

Más tarde, siguieron estruendosos aplausos hasta que Castro hizo ademán de querer comenzar a hablar de nuevo.

«¿Qué pueblo ha sido capaz de hacer lo que nosotros hemos hecho a tan sólo noventa millas de la costa de los Estados Unidos? —preguntó al público—. Compañeros, cuando el campo socialista se derrumbó y se desmerengó, nosotros supimos mantenernos firmes y seguir adelante. ¡No plegamos entonces nuestras banderas! ¡No! ¿Recuerdan? ¿Recuerdan qué hicimos? ¡Las enarbolamos a los cuatro vientos con todavía más orgullo! No las rendimos cuando cayó la Unión Soviética y ahora estamos aún mucho más dispuestos que antes a seguir luchando hasta la victoria o bien hasta el mismo final. ¡Hasta el mismo final!» —repitió el comandante antes de escuchar más aplausos.

—¡Fidel, aprieta, que los yanquis te respetan! ¡Fidel, aprieta, que los yanquis te respetan! ¡Arriba, abajo, los yanquis p'al carajo! ¡Arriba, abajo, los yanquis p'al carajo! ¡Si Fidel es comunista, que me apunten en la lista! ¡Si Fidel es comunista, que me apunten en la lista! —continuaron las voces a coro.

«Esos principios... los de la igualdad, justicia, independencia, soberanía... —regresaron las palabras de Castro mezclándose con los vítores a su favor—. Esos son los principios que estamos defendiendo. El honor de nuestra patria, el honor de nuestro pueblo, el honor de los revolucionarios... Y si es necesario —advirtió—, regresaremos al campo de batalla con ese noble espíritu de solidaridad que nos mueve de manera que nuestro héroe nacional José Martí se sienta orgulloso de nosotros... Él luchó por la independencia contra los españoles y nosotros lo hacemos por la independencia de la patria contra el imperialismo yanqui... ¡Pero que todos lo sepan! ¡Que no haya ninguna duda! —gritó de pronto—. ¡Somos muchos más revolucionarios que contrarrevolucionarios en este país! ¡Por cada gusano, hay decenas de revolucionarios dispuestos a morir por el socialismo y la justicia...!» —afirmó antes de que explotaran de nuevo las ovaciones.

En ese momento, uno de los teléfonos instalados en el despacho del general Carlos Hernández comenzó a sonar con insistencia.

—¡Ring! ¡Ring! ¡Ring!

—¿Sí...? —respondió el militar bajando el volumen de la radio hasta que la voz de Fidel desapareció por completo.

Hernández se quedó entonces durante algunos minutos escuchando con atención lo que alguien le decía desde el otro lado de la línea.

—De forma que era verdad... —susurró el general—. ¿Les interrogó Robles?

Al escuchar la respuesta afirmativa, Hernández colgó con enojo el auricular levantándose después ágilmente de su sillón.

Robles gozaba de la máxima confianza de Hernández. El general cubano creía casi a ciegas en el contenido de las confesiones que surgían de sus crueles e infalibles interrogatorios.

—¡Ese bastardo haría hablar hasta a un mudo! —pensó.

El general, ya de pie, caminó unos pasos alrededor de su oficina para acabar, tan sólo instantes después, sentado de nuevo en la misma butaca.

—¡Pretender matar a Fidel! ¡Sus propios militares deseando su muerte! ¡Los mismos hijos de la revolución conspirando para destruirla! Esto ya ha llegado demasiado lejos —reflexionó el militar mientras acariciaba su mejilla.

Tras recapacitar meticulosamente sobre lo que estaba ocurriendo, Hernández golpeó con su mano izquierda la superficie de la mesa ubicada frente a él. Después se quitó la gorra de color caqui y la lanzó junto a su chaqueta militar, que descansaba sobre una silla a la entrada del despacho.

—¡Oficial! —gritó dirigiéndose a los militares que hacían guardia al otro lado de la puerta de su estancia—. ¡Oficial! —repitió con impaciencia.

Al cabo de algunos segundos, un circunspecto y bigotudo teniente entró en la oficina saludándole de forma marcial.

—¡A sus órdenes, mi general!

—Envíe un mensaje de urgencia a los generales Miranda, Lezcano y al teniente coronel Pardo. Dígales que se presenten en mi despacho del Ministerio del Interior mañana por la mañana.

—Mi general —dijo el teniente casi con temor—, el general Lezcano está de viaje en Guantánamo y el teniente coronel Pardo salió hace quince minutos hacia Moscú en avión. ¿Deben regresar?

—¡Me importa un carajo donde estén! ¿Es que no me oyó? ¡Que vengan todos! —reaccionó Hernández con furia.

—¡A sus órdenes, mi general! Cuando Hernández organizaba una reunión urgente con su personal militar de mayor rango y confianza, había que ir sin pérdida de tiempo. De todos era sabido que no existían excusas que justificasen el incumplimiento de cualquiera de sus órdenes. Algo que aquel joven oficial pareció olvidar momentáneamente y que le costó una de las habituales descargas del jefe de la Dirección General de la Inteligencia.

Una vez que el teniente se fue de la sala, Hernández volvió a sentarse frente a su mesa de caoba, colocando después sus pies sobre la misma. El general lucía unas impecables y relucientes botas de cuero negro y su habitual traje militar verde olivo.

Frente al militar había una gran ventana desde la cual podía divisarse la mayor parte de La Habana y también cómo la capital de la isla se unía en el horizonte junto al mar Caribe. Una suave y fresca brisa marina entraba incesantemente a través de la misma aterrizando después con delicadeza sobre el cuerpo del cubano.

En la habitación había desplegadas varias fotos del general durante su juventud. En una de ellas se le veía eufórico hablando frente a un verdadero nido de micrófonos radiofónicos y cámaras de televisión tras su triunfal entrada en La Habana junto a Fidel, el ocho de enero de 1959. El día en que Castro, él y cinco mil milicianos más, después de haber sostenido duros años de lucha en las montañas de la isla, materializaron la caída del régimen de Fulgencio Batista.

—¡Qué días tan gloriosos! ¡Entonces sí existía una unidad y una causa comunes! Aquellos eran tiempos de luz. Ahora, en cambio, nos rodea la oscuridad, la ignorancia y la confusión. ¿Cómo puede la gente olvidar tan rápido los sacrificios que Fidel hizo por ellos? ¿Cómo pudieron olvidar la miseria y la represión de las que fueron tan valientemente rescatados? —recapacitó con nostalgia.

El general estaba rodeado en la fotografía de numerosos, despeinados y sonrientes soldados que no se habían afeitado ni comido caliente en muchas semanas.

Hernández era todavía joven por aquel entonces y su cabello no insinuaba ni siquiera una sola cana. El ahora viceprimer ministro del Interior, un comunista convencido que seguía estando dispuesto a dar su vida en cualquier momento por la revolución, había seguido fielmente a Castro desde el mismo inicio de la insurgencia.

El entusiasmo, la energía, el arrebatador carisma y la brillantez intelectual del militar no habían disminuido durante los años. Sin embargo, su aspecto físico y reflejos mentales ya no podían compararse a los de antes. Algo que no sólo no pasaba desapercibido para sus ayudantes más cercanos, sino incluso para él mismo. Su pelo casi completamente blanco y sus marcadas arrugas revelaban con claridad que habían transcurrido ya casi cincuenta años desde que fueran tomadas aquellas históricas instantáneas.

La vejez era algo que siempre había obsesionado a Hernández. El general, de setenta años, no soportaba la idea de algún día no poder valerse físicamente por sí mismo y huía de ella realizando todos los actos, mítines y discursos posibles en un intento por autoconvencerse de que, de alguna forma, todavía era el de antes. El jefe del servicio de inteligencia de Cuba decía no temer a nada ni a nadie en este mundo, pero la edad era un enemigo al que no podía vencer y eso lograba asustarle como muy pocas cosas, ya que no sólo deterioraba su imagen, sino también su propio ego.

Uno de los aspectos más importantes del culto a su personalidad, política desarrollada por parte de los órganos de propaganda del Estado bajo las directrices del mismo comandante en jefe, era el de resaltar al máximo su gran energía. Era como si pretendieran enviar el mensaje de que los revolucionarios nunca tenían descanso, sino que siempre estaban trabajando por el bien de su país.

Durante años los dirigentes de la isla habían ofrecido una imagen de Hernández como la de alguien eternamente joven y capaz de afrontar cualquier reto debido, en gran parte, a esa misma vitalidad que irradiaba sin cesar. Si, de repente, el general aparecía ante sus compatriotas como un viejo incapaz de moverse sin la ayuda de otras personas o bien de un bastón, una parte esencial de su atractivo se habría evaporado por completo.

Sin embargo, las pruebas de su desmejoramiento físico eran cada vez más claras. En el pasado, Hernández nunca había necesitado ningún día libre durante la semana para recuperarse de su apretado calendario. Ahora, en cambio, los sábados y domingos se reservaban casi automáticamente para el reposo del militar. Su cuerpo ya no permitía abusos y cualquier exceso físico era pagado después con creces por el cubano.

A Hernández le complacía recordar la época en la que él y sus soldados eran aclamados con pasión por miles y miles de personas a través de las alegres y vivas calles de La Habana. Los lejanos tiempos en que la aplastante mayoría del país consideraba al «caballo», tal y como apodaban a Fidel, no sólo un héroe, sino un auténtico redentor. Casi un personaje sobrenatural enviado a Cuba con una misión semidivina. La única persona que había sido capaz de rescatarles del tiránico y corrupto régimen de Fulgencio Batista.

El día del triunfo de la revolución no sólo La Habana, sino toda la isla, fueron una auténtica fiesta. Hombres, mujeres, niños, ancianos... todos salieron a las calles a festejar el fin de una era y lo que algunos calificaron como el año cero de una nueva etapa para Cuba. No obstante, los tiempos habían cambiado mucho desde entonces y ahora se respiraba una atmósfera de creciente descontento entre diversos sectores del país.

Personas como Hernández insistían en manejar el timón de Cuba con mano de hierro, pero, al mismo tiempo, sabían que muchos querrían ver implantadas reformas significativas en el sistema político de la isla. Algo que él nunca permitiría, ya que, desde su punto de vista, eso significaría el principio del fin de la revolución.

—La situación económica no es fácil, pero algunos no comprenden los sacrificios necesarios para mantener viva la lucha y critican en privado al Partido. Nadie dijo que hacer una revolución fuera una tarea sencilla. A veces las personas no entienden las dificultades que se encuentran en el camino y se cansan, se desmoralizan, pero con el tiempo se darán cuenta de que estamos haciendo lo correcto. Sólo necesitan a alguien que los guíe y Fidel es ese líder. No importa si tenemos a todos contra nosotros. ¡Nosotros les demostraremos que están equivocados! —pensó.

Los tiempos en que los apasionados discursos de Fidel eran escuchados por las multitudes como si el comandante fuera un Dios ya habían quedado atrás. En el pasado, durante las fechas conmemorativas de su subida al poder, la Plaza de la Revolución de La Habana se abarrotaba con cientos de miles de sus simpatizantes. Los últimos años, en cambio, y a pesar de que la asistencia para muchos era obligatoria, cada vez se veía a menos gente. Sin embargo, el general Carlos Hernández, haciendo caso omiso de esas muestras de desencanto, todavía estaba convencido de que, a largo plazo, las líneas maestras trazadas por el comunismo eran las adecuadas y había jurado no renunciar jamás a sus principios revolucionarios.

Algunos de sus más encarnizados críticos sostenían la

teoría de que los máximos dirigentes de la isla, cada vez más aislados a nivel internacional, habían perdido el sentido de la realidad y que ya no tenían una idea clara de lo que verdaderamente ocurría en el país. Según estos, el círculo más íntimo y leal a Castro estaba convencido de que la aplastante mayoría de los cubanos todavía comprendía y justificaba su política de resistencia con ejemplar disciplina revolucionaria. No obstante, para el general el caso era otro muy distinto.

—Es un honor estar solos contra el mundo, pero no hay otra alternativa que el comunismo —pensó Hernández—. Empezamos solos esta revolución y, si es preciso, volveremos a hacer lo mismo. El mundo se ha rendido ante el poder del dinero. Nosotros no lo haremos.

El general, por otro lado, también era consciente de que el futuro no sería fácil. A pesar del balón de oxígeno económico que había supuesto para La Habana su alianza con Hugo Chávez, el régimen cubano seguía acosado por la escasez y la necesidad. Tras el drástico deterioro de las relaciones entre Cuba y sus en otros tiempos aliados de Europa del este, ahora la atención del liderazgo revolucionario estaba centrada en países como China, Irán y, claro, la providencial Venezuela.

La semana anterior, Hernández había recibido la visita de Viktor Denisov, jefe en Cuba durante la década de los ochenta del temido Pervoye Glavnoye Upravleniye, o PGU. La rama internacional, o Primer Directorio, del antiguo Comité para la Seguridad del Estado de la antigua Unión Soviética. Más conocido por sus siglas en ruso: KGB.

El agente todavía era un amigo íntimo de Hernández y gran defensor de Fidel en su país, algo que, en su momento, había aniquilado su carrera dentro del servicio de inteligencia del Kremlin. Cuando Moscú decidió que quería una nueva y más distante relación con La Habana, Denisov, precisamente por esa simpatía hacia la cúpula revolucionaria de la isla, fue reubicado en un irrelevante y burocrático puesto en la capital rusa.

—Camarada, los cubanos van a tener que darles las gracias por contribuir a la mejora de su estado físico —dijo Hernández al espía en tono de broma.

—¿Por qué? —pareció no comprender este, que estaba pasando unos días de vacaciones en Cuba.

—Porque como ya no nos envían ni una gota de gasolina, tendremos que seguir importando millones de bicicletas de China para que la gente pueda circular por las calles. El ejercicio les hará más sanos, ¿no?

—Carlos... Carlos... Nunca perderás tu sentido del humor —afirmó con sarcasmo el funcionario ruso.

—Falta me hace en estos tiempos, camarada. Si no fuera por Venezuela, en Cuba casi no se movería ningún vehículo.

A pesar de la broma inicial, Viktor Denisov adoptó paulatinamente un semblante de preocupación.

—Me parece que nuestra amistad no te ha beneficiado mucho —dijo Hernández mientras ambos daban un paseo por los largos pasillos del Capitolio de La Habana.

—Estás equivocado. ¡Ha sido y es un honor! —exclamó Denisov frunciendo sus pobladas cejas—. Sabes muy bien que me siento mucho más próximo a ti y a Fidel que a mis superiores. Ellos han perdido el norte. ¡La última trinchera de la revolución está ahora aquí! ¡En Cuba!

—Te agradezco estas palabras de aliento —afirmó el general acariciando el hombro del ruso.

Hernández, de repente, detuvo sus pasos y se giró hacia Viktor Denisov.

—¿Qué dicen tus jefes de Cuba?

El agente apretó los labios y se concentró en sus pensamientos.

—Creen que puede darse un golpe militar o una insurrección civil. Algo que origine un gran derramamiento de sangre. Piensan que personas como tú y Fidel, los que aún creen en la revolución, se están quedando solos.

—¡Solos! —comenzó a caminar de nuevo el general—. ¿Piensan acaso que hemos resistido más de cuatro décadas en el poder estando solos? ¿Puede alguien gobernar a once millones de personas contra la voluntad de la mayoría? Que me respondan: ¿cómo pudimos llegar a tantos años de lucha sin el apoyo de millones de cubanos en la isla? Amigo —afirmó Hernández con resentimiento—, nosotros no estamos solos, pero, aunque lo estuviéramos, el futuro de este país ya está decidido. Trazado. Antes de ceder a Cuba al capitalismo, la volaríamos por los aires.

—Carlos, a mí no me tienes que convencer. Yo sería el primero en coger un fusil para defender esta tierra. Lo sabes muy bien.

—Lo sé, pero tus jefes, camarada, a lo único que tienen miedo es a perder el dinero y la influencia que han invertido aquí y que, además, les obliguen a salir por la puerta de atrás. Que los miles y miles de millones de dólares que nos dieron no hayan servido para nada. Pavor a que los Estados Unidos recojan el fruto de lo que Moscú sembró con tanta sabiduría y paciencia durante décadas. Si hay un golpe y triunfa, temen que el crédito se lo lleven los yanquis y que Rusia sea desterrada de Cuba durante décadas. Por el apoyo que nos dieron.

—Exacto —asintió con pena el ruso—. Todo ha cambiado. Lo único que quieren ahora es venderles todo lo que puedan. Especialmente armas. Y al contado. Para ellos, sólo existe una ideología: la del dinero. ¡Ah! —exclamó molesto—. ¡Qué asco me da escuchar lo que yo mismo estoy diciendo!

—«Dinero», «dinero»… —apuntó Hernández ridiculizando esas palabras con una solemne voz—. ¿Es eso a lo que nos hemos reducido, hermano? ¿De qué estamos hablando? ¿De un país o de un simple negocio? ¿No fue ese precisamente el motivo por el que surgió la revolución? ¿Acaso no iniciamos esta lucha para no tener que someternos a las injusticias que provoca el capitalismo?

—Estás en lo cierto —concedió Denisov—. El capitalismo derrotó a mi país sin disparar un solo tiro. Sólo con el poder del dólar y su gran aliada, la avaricia. Construimos con gran sacrificio unas fuerzas armadas invencibles para defendernos del imperialismo, pero nuestras montañas de armas y disciplinados soldados nunca pudieron luchar por su pueblo en una batalla final. Nos vencieron con un simple soplido. Sin haber plantado cara. Únicamente sembrando entre los míos la semilla de lo que tanto habíamos criticado: la codicia, la insolidaridad, la lucha por la riqueza material. Para colmo —añadió con cinismo—, ahora parece que nosotros queremos ser más capitalistas que nadie. ¡Qué te parece!

—No hay vuelta de hoja, chico. Nos han abandonado —prosiguió decepcionado Hernández—. En verdad creí durante años que los rusos y nosotros éramos aliados. Compañeros no de circunstancias, sino de ideales.

—¡Lo somos, Carlos! ¡Lo somos! ¡No pierdas la esperanza! —le animó Denisov—. Moscú está ciego, pero en Rusia también hay mucha gente como yo, muy frustrada con las reformas. Esto no puede durar. ¡Es un caos! ¡Nadie está contento! Unos porque dicen que se están haciendo pocos cambios y otros porque piensan que las reformas son demasiado drásticas. El país se ha llenado de mafiosos, los ancianos no tienen qué comer, hay terrorismo, una corrupción espantosa, la delincuencia aumenta cada día, las antiguas repúblicas soviéticas son un auténtico caos, las masacres se suceden, hay una brutal guerra en Chechenia que nunca acaba y el fundamentalismo islámico que antes no existía en nuestro país, ahora se esté infiltrando por todas nuestras fronteras. Millones de personas añoran los tiempos de la Unión Soviética. Y no sólo en Rusia, sino en muchas de nuestras antiguas repúblicas. Antes se nos respetaba en el mundo. Ahora somos un simple país tercermundista, pero con armas nucleares. El derrumbe soviético ha sido uno de los mayores desastres en la Historia, pero la gente está perdiendo la paciencia. Créeme. Tanto con la situación en Rusia como con la prepotencia estadounidense. Algo va a Ocurrir. Lo presiento —afirmó el ruso tratando de excusar a su país ante lo que Hernández no dudaba en calificar como acto de alta traición revolucionaria.

El general cubano miró al ruso con incredulidad.

—¿Sí? ¿Qué? ¿Qué va a ocurrir?

Denisov percibió claramente la escéptica y desafiante actitud de Hernández y continuó su esfuerzo por animarlo a resistir.

—No lo olvides. Los rusos hemos sido criados pensando que somos la salvación del mundo. Antes éramos un imperio. El imperio soviético. Ahora, en cambio, tenemos que arrodillarnos frente a nuestros anteriores enemigos para que nos den un maldito trozo de pan. ¡Unos mendigos! ¡En eso nos ha convertido el capitalismo! —exclamó—. Tarde o temprano algún militar recogerá la profunda frustración del pueblo y las reformas caerán al piso tan rápido como surgieron. ¡Créeme! Conozco muy bien a mi país —le dijo convencido el agente de la antigua KGB.

El espía ruso siempre fue un leal comunista. Tanto sus padres como sus abuelos y dos de sus hermanos habían muerto defendiendo la bandera roja de la hoz y el martillo. Primero, con el nacimiento de la revolución rusa, después en la Segunda Guerra Mundial y más tarde durante la Guerra Fría.

—El capitalismo ya está enseñando en Rusia su verdadera cara —prosiguió Denisov—. Su avaricia no tiene límites. Políticos, mafiosos y oligarcas se las ingenian cada día para robar un poquito más mientras la miseria aumenta. Se están repartiendo vilmente Rusia como si fuera un pastel. Y en las antiguas repúblicas el saqueo de dinero y recursos naturales es vergonzoso. ¡Qué corrupción! Todo se vende al mejor postor. El abuso se ve en todas partes. Los rusos, Carlos, ya se están dando cuenta de que antes vivían mucho mejor. El Estado proporcionaba todo. Estábamos orgullosos de ser soviéticos. Se nos respetaba y temía. Ahora el pasaporte ruso no vale ni su peso en papel y nuestra sociedad se ha convertido en la ley del más fuerte. En una selva llena de delincuentes. Parecemos animales. No hay solidaridad. Cada vez vemos más pobres, mendigos, borrachos y prostitutas en las calles mientras unos pocos ladrones de cuello blanco acumulan miles de millones de dólares en Suiza. Sólo hay una preocupación: robar lo máximo posible. ¡Están violando a la Madre Rusia! Además —prosiguió con pasión el espía—, el pueblo ruso es un pueblo muy orgulloso y ya quiere un contrapeso en el mundo que ahora no existe. Los americanos son los amos del planeta y los más pobres necesitan que la Unión Soviética regrese para defenderlos. Nosotros volveremos a ser sus únicos representantes. Su esperanza. Sólo necesitamos tiempo. Caímos, es cierto. Nos desintegramos, pero volveremos a levantarnos. Hemos hecho historia antes y la haremos una vez más.

—Por desgracia, tiempo es un bien del que no disponemos en abundancia —se quejó el general—. Parece mentira, compañero. Que después de todo lo que hemos pasado juntos, ahora se hayan convertido en otra marioneta de Washington.

—Camarada, sólo hay que leer los libros de Historia. Los pueblos no aprenden de su pasado. Las nuevas generaciones han de caer en los mismos errores que cometieron sus padres y antes sus abuelos para darse cuenta del valor de los ideales. Pero te lo repito. El descontento crece. Algo se avecina.

—Parece que tu pueblo y el mío sufren de amnesia. A veces uno piensa que nuestra lucha no ha servido para nada, que ha sido en vano. Que a pesar de tantas batallas, cuando uno se muera los traidores a la patria abrirán las puertas de par en par a las hienas de Miami, que acechan esperando su oportunidad —dijo irritado el general.

—Lamentablemente, la memoria colectiva es tan frágil como una delicada pieza de porcelana. Revolucionarios como tú sacaron a Cuba de la represión más atroz y ahora hay quienes dicen que tú te has convertido en otra represión igual a la que existía. Quizás tus compatriotas necesiten otra sangrienta dictadura como la que había antes de tu llegada para recordarles el motivo por el que te subieron al poder. A ti, a Fidel, a Raúl...

A Hernández aún le costaba mucho trabajo aceptar la idea de que el antes temible imperio soviético hubiera desaparecido de manera tan simple e inesperada. De muerte súbita.

—Aún no puedo creer que Rusia nos esté dando la espalda.

—Carlos, te repito: mi país es una peligrosa bomba de tiempo. La gente va a exigir mano dura. Ya se ven muestras. Por eso eligieron a Putin, pero ahora ya quieren ir un paso más allá. Quienes piensan que los comunistas estamos derrotados no saben ni lo que dicen ni cómo funciona Rusia. Sólo estamos esperando disciplinadamente mientras vemos cómo el pueblo pierde cada día un poco más su paciencia. Y cuando percibamos que es el momento adecuado, actuaremos con decisión. Confía en mí. La izquierda regresará al poder. La gente se está hartando del capitalismo sin escrúpulos.

—¿De qué me estás hablando exactamente?

—Espero que los generales frenen la anarquía, el terrorismo, la violencia, la miseria y la delincuencia mafiosa que se está expandiendo por todo el país y que la Rusia grandiosa que todos conocíamos retome el papel que le corresponde en el mundo. Te repito. Va a haber un golpe de mano dura. Estamos situando nuestra gente tanto en Moscú como en las antiguas repúblicas. La Unión Soviética que se desintegró volverá a formarse. Y nadie podrá hacer nada para impedirlo porque tenemos suficientes armas nucleares como para destruir el mundo varias veces. Los americanos nos criticarán, pero no pasará de ahí. No creo que quieran ver su país convertido en cenizas. Hay que pararle los pies a los yanquis. Ahora, literalmente, hacen lo que les da la gana. ¡Eso no puede ser! Te lo repito: el golpe de mano dura viene. ¡Viene!

—¿Un golpe de estado? —preguntó intrigado el cubano.

—Golpe de estado... alzamiento popular... llámalo como quieras.

Hernández no pudo evitar una sorpresa ante las palabras de Denisov, pero, al mismo tiempo, sabía que el ruso tenía excelentes contactos dentro de la antigua KGB. Además, su seriedad estaba más que probada a través de los años. Nunca le había visto exagerar ninguna situación.

—¿Estás diciendo que ocurrirá algo no sólo en Rusia sino también en toda la antigua Unión Soviética?

El espía respiró hondo dos veces antes de proseguir.

—Mira —dijo Denisov bajando su tono de voz—, no puedo ofrecerte muchos detalles, pero esto no puede salir de tus labios. Te lo digo porque siempre he confiado en ti y nunca me has defraudado. El mensaje es: aguanta, resiste, no te rindas. El comunismo resplandecerá de nuevo. ¡Ánimo!

El general cubano asintió, pero permaneció callado.

—Sí, vamos a retomar lo que es nuestro y que nunca debimos permitir que se nos escapara de las manos —afirmó Denisov con rabia—. El país se dividió en quince y nadie hizo absolutamente nada por impedirlo, pero, camarada, ¿quieres que te diga algo? Nuestros agentes del servicio de inteligencia siguen estando en todos esos lugares. Nuestra estructura está intacta. Como te dije, sólo estamos esperando a que la gente se harte un poquito más y luego actuaremos. Sin contemplaciones. Correrá sangre. Sí. Morirá gente, pero ese será un sacrificio necesario. Volveremos a izar la bandera de la hoz y el martillo en el mástil del Kremlin.

Carlos Hernández fijó su mirada en el ruso, como queriéndose asegurar de que no malinterpretaba sus palabras.

—Camarada, ¿quién hubiera podido imaginar jamás que la poderosa Unión Soviética se derrumbaría...? pero sucedió —prosiguió Denisov—. Ahora quizás no entraría en la mente de nadie que los quince países podrían volver a unirse, pero lo harán. Una vez más, vamos a sacudir al mundo. Una mañana el planeta se levantó sorprendido con la noticia de que la Unión Soviética había desaparecido. Pues bien, un día no muy lejano se despertará con la noticia de que resucitamos —dijo con absoluta seguridad en sus palabras.

—Pero eso conllevaría protestas masivas en muchas antiguas repúblicas como Ucrania o Georgia.

El ruso hizo un gesto de asentimiento.

—Sí, pero estaremos preparados. Como te dije, Habrá violencia. Cientos, miles, quizás hasta decenas de miles de muertos... Lo sabemos muy bien, pero será necesario. Y cuando eso ocurra, nuestra mano no puede temblar. ¿Recuerdas cómo se disolvió una protesta de manifestantes musulmanes en Andizhán, Uzbekistán? A tiro limpio. Murieron cientos de personas, pero el orden fue reinstaurado. Nosotros haremos lo mismo. Uzbekistán, Kirguizistán, Tayikistán, Turkmenistán, Kazajistán... todas regresarán al lugar de donde jamás debieron haberse ido... nuestros agentes sólo esperan la orden.

—Pero, ¿cuándo? —preguntó Hernández—. ¿Cuándo?

—No lo sé, Carlos. No lo sé. Como te dije, cuando estemos seguros de que un golpe así sería bien recibido por una parte considerable del pueblo. En especial, en Rusia. Tendremos una sola oportunidad y no podremos fallar. Si fracasamos, las represalias serían brutales contra nosotros. Por eso hay que ser un poco pacientes.

El militar escuchó atentamente todo lo que decía Denisov, pero no pareció contentarse con sus palabras.

—Ojalá tengas suerte. Nadie te lo desea más que yo, pero

te enfrentarás a fuertes enemigos.

—Lo sé, pero los derrotaremos. Y cuando eso ocurra, regresaremos a Cuba. Entonces nadie se atreverá a poner un dedo sobre tu país.

El jefe del servicio de inteligencia de La Habana brindó una sonrisa a su amigo y le dio un cariñoso abrazo.

—Eres un amigo leal. Te lo agradezco mucho, pero, por ahora, la única realidad es la que tengo frente a mis ojos. Y, hermano, te soy sincero. ¡Estamos mal! Tengo preocupación por lo que puedan hacer los Estados Unidos contra Cuba. Después de lo que pasó en Irak, hay que mantenerse extremadamente atentos. No sólo no podemos bajar la guardia, sino que tenemos que hacer algo muy pronto o el monstruo se nos echa encima —dijo el general.

—No, no. Tienes que aguantar al precio que sea. Piensa que en el futuro ustedes serán recordados como los únicos que no fueron seducidos ni doblegados por los engaños y las patrañas capitalistas —sentenció Denisov recalcando, una vez más, su fe casi ciega en Hernández.

—Claro que resistiremos. Con la ayuda de Rusia o sin ella, seguiremos aplicando en la isla las ideas que tan bien aprendimos de ustedes. Si no nos envían gasolina, los cubanos viajaremos en bicicleta y si no hay café en los supermercados, los cubanos beberemos malta, pero la hoz y el martillo no se arriarán del asta de La Habana —finalizó diciendo el general.

Hernández comenzó entonces a creer que el destino le había deparado una labor casi mística: la de convertirse en el último miliciano leal que continuase portando con orgullo y decisión la bandera comunista.

—He estado dándole vueltas a esta idea durante mucho tiempo, pero ya es una decisión final. Será mi verdadera misión en la vida —reflexionó.

El general concluyó que tenía que impedir a cualquier precio que la revolución fuera vencida hasta que el mundo comprendiera otra vez el valor inmortal de los preceptos del comunismo. Él era, en otras palabras, el designado por la misma Historia para salvar al marxismo del más trágico fin imaginable: el del olvido.

Por un momento, el cubano pensó en acudir a su viejo amigo Fidel para compartir con él sus temores. Sin embargo, pronto desistió de esa idea.

—Tengo que infligir un golpe al imperialismo que no olvide jamás, pero he de hacer esto solo. En el más absoluto secreto. A espaldas de la dirigencia. No puedo arriesgarme a hablar y que Fidel no entienda la gravedad de la situación. Él intenta ganar tiempo prostituyendo temporalmente nuestra economía hacia el capitalismo, pero está equivocado. El comandante es un héroe, pero es demasiado práctico y realista y ahora lo que se necesita es actuar con firmeza y decisión. No podemos rendirnos en estos momentos tan difíciles. Si permitimos una fisura en nuestra ideología y abrimos las puertas al capitalismo, aunque sea mínimamente, acabarán por destruirnos. ¡Ya no hay vuelta atrás! ¡Ahora la revolución soy yo! —pensó.

Hernández concluyó que debía convertirse en el ejemplo viviente de lo que es un buen soldado y defender sus creencias hasta el final. Él, Carlos Hernández, tenía ahora entre sus manos la sagrada labor que el Kremlin había desempeñado durante décadas: frenar a los Estados Unidos de América.

—Ya no tenemos tiempo para más retórica. Hay que tomar algunas decisiones, aunque sean dolorosas. Sin Fidel en Cuba, la revolución se desintegraría en tan sólo horas —meditó Hernández—. En estos momentos, no hay nadie con el carisma suficiente para mantenerla viva. El comandante ya sufrió varios intentos de asesinato en los últimos años y, quizás, la próxima vez no tenga tanta suerte. No podemos esperar más —reflexionó fríamente el general.

Hernández decidió así que su misión histórica era dejar un legado que nadie fuera capaz de borrar. Convertirse en un mártir y lograr que las próximas generaciones le recordasen como a un héroe. Alguien a quien la juventud pudiera imitar cuando fracasase lo que él calificaba como la gran falacia capitalista y se iniciara otra vez la lucha revolucionaria.

De pronto, todo cobró forma y sentido en la mente del general: si moría enfrentándose al enemigo en un dramático y apocalíptico fin, después viviría para siempre en los corazones de millones de personas. Una oportunidad que no podía desperdiciar.

—No importan los sacrificios. Lo esencial es que el pueblo siempre tenga alguien en quien creer. Ayer, hoy y mañana. Una idea por la que luchar. ¡La revolución es buena, pero también tiene dientes y vamos a mostrárselos todos al imperialismo! ¡No vamos a perder esta batalla sin plantar lucha! —pensó.

El general tenía que actuar con rapidez. Si esperaba más tiempo, podría ser demasiado tarde. Fallecer de cualquier otra forma que no fuese en el campo de batalla y combatiendo contra su eterno enemigo, los Estados Unidos, no sería suficiente para lograr su anhelado sueño: consagrarse como un símbolo universal de la revolución. Erigirse en un nuevo Che Guevara. Si sus días acababan producto de un atentado como el que se había preparado contra Fidel Castro o bien por causas naturales, la respuesta de las masas nunca sería la misma.

—A mi edad, no tengo nada que perder. Quizás el único camino sea el de la muerte. Ninguna otra opción conseguiría el mismo efecto. ¡Prefiero ver a Cuba hundida en el océano antes que convertida al capitalismo! ¡No renunciaremos al marxismo-leninismo! ¡Tendrán que destruir toda Cuba y matar a todos los cubanos! Si la alternativa es hacer concesiones, prostituirnos al poder del dólar, mejor escojo el destino de la muerte. No importa si he de luchar solo contra el mundo. Voy a demostrarles que tengo razón. ¡Viva el socialismo! —finalizó Hernández golpeando la mesa una vez más.

16. MILAGRO EN ALTA MAR

EL DÉBIL VIENTO del este se detuvo y durante tres días la balsa vagó sin rumbo fijo, moviéndose sólo gracias al impulso de las corrientes marinas.

Para entonces, tanto la comida como el agua ya se

habían acabado, así que Héctor tuvo que comenzar a usar su sedal y su anzuelo para que ambos pudieran sobrevivir. La mayoría de veces pescaba sardinas, lisas o lebranchos. Sin embargo, la captura de peces voladores era lo que aseguraba que él y Marta pudieran comer algo cada día. Estos se estrellaban contra la balsa en sus constantes vuelos y morían casi instantáneamente después debido al fuerte impacto. Raro era el día en el que no se hacían con tres o cuatro de ellos sin ningún tipo de esfuerzo. Sólo esperando a que aterrizaran sobre sus manos.

Cuando se les acabó el fuego del mechero y los fósforos, Héctor y Marta utilizaron otro método para preparar el pescado: tras limpiarlo, lo depositaban sobre un listón de madera para dejar que fuese el punzante sol del Caribe el que lo cocinara.

Para conseguir agua, ponían agua salada del mar en un recipiente y lo calentaban de la misma forma, con el sol. La olla tenía una tapa que impedía que el agua se evaporase y forzaba a que las gotas se deslizaran por uno de sus extremos hasta caer en otro pequeño recipiente. La sal se quedaba en el fondo y el resto del agua ya era potable. Cuando dejaron de tener lumbre, empezaron a poner la cacerola al sol hasta que los rayos solares conseguían el mismo efecto que el fuego. Ese proceso, dependiendo de la intensidad del calor, podía durar cuatro o cinco horas. Si el oleaje era intenso, nada de todo eso era factible.

Las corrientes solían circular de oeste a este a una velocidad de unos ocho o nueve nudos por hora con olas de dos o tres pies de altura, pero aquel día la mar estaba plana.

—¡Ni una gota de viento! —exclamó angustiada Marta.

—No, pero aunque lo hubiera, tampoco sabría adónde dirigirme. Estamos perdidos.

—¡Si tuviéramos una brújula!

—Tenía una, pero se me perdió con los golpes del oleaje.

—¿La compraste en Cuba?

—No. Claro que no. Si tan siquiera hay café en Cuba, ¿cómo podría conseguir una brújula...?

—¿Dónde la conseguiste, pues?

—Mis compañeros de celda me enseñaron a fabricarla en prisión para que pudiera escaparme de la isla.

—¿Cómo? —preguntó con curiosidad Marta.

—Se hace imantando una aguja de metal. Primero envuelves la aguja con un alambre de cobre o aluminio y dejas en los extremos largos pedazos de cobre con las puntas peladas. Después, conectas una de las puntas a la terminal de la batería de cualquier carro y la rozas contra la salida de la otra terminal. Levemente, tan sólo para provocar una chispa. Tienes que tener cuidado que no se pegue. Al rozarla, la aguja se imanta y debe ser capaz de recoger del suelo cualquier objeto de hierro.

—¿Y funcionó?

—Sí. Una vez tienes la brújula, la pones en un recipiente de agua donde flote con libertad y una de las puntas siempre señalará hacia el norte. Luego marcas cuál de las dos puntas es esa y ya está.

—¿Así de fácil?

—Así de fácil, Marta.

—Bueno, al menos tenemos con nosotros a la estrella Polar —apuntó ella refiriéndose a la estrella por la cual se guían los marineros que no disponen de medios más sofisticados. Una estrella que brilla en el cielo con mucha más intensidad que las otras.

—Sí. Suerte.

—La estrella Polar siempre señala hacia el norte. Viniendo desde Cuba, si seguimos esa estrella, hemos de llegar a alguna parte de los Estados Unidos. No sé a cuál, pero a los Estados Unidos. Lo dijo Alberto, ¿recuerdas?

Ambos habían sido adiestrados para poder identificar esa estrella. Esta, situada sobre el Polo Norte, se ubicaba trazando una línea imaginaria desde una constelación de otras estrellas llamada Osa Mayor.

—Sí —afirmó Héctor—. Alberto sí sabe. Él hizo el trayecto Cuba-Cayo Hueso cientos de veces antes del triunfo de la revolución. Cuando todavía se podía navegar libremente entre ambos países.

—Él siempre decía que, desde Cojímar, sólo hay que navegar en dirección tres grados para llegar a Cayo Hueso. Siempre hacia el norte. Que eso, con viento favorable y una buena balsa, apenas nos llevaría unos cinco o seis días.

—Lo malo es que la única forma de mantener sin errores la posición de tres grados norte es teniendo un motor y cartas náuticas para poder rectificar la trayectoria.

—Quizás tardemos más, pero te aseguro que vamos a llegar —dijo convencida Marta.

Otra forma de guiarse para la cual también habían sido entrenados por Alberto era observando el llamado Lucero del Alba. Con este nombre se describía al planeta Venus, que, después del sol, es el que más luz despide. El Lucero sale por el este unas dos horas antes de que amanezca y también se ve en el oeste alrededor de dos horas después del anochecer. Es decir, siguiendo la trayectoria del sol.

Sin embargo, dado que muchas veces las nubes impedían apreciar las estrellas en el cielo y, además, gran cantidad de balseros desconocían cómo interpretarlas, el mejor método era dejarse guiar por el sol. Al salir por el este, los navegantes situados frente a él sabían que, al amanecer, el sur siempre estaba situado a su mano derecha y, por contra, el norte a la izquierda.

Tras dos días sin comida, Marta y Héctor tuvieron que enfrentarse a una dura tempestad. En el mar Caribe son tan o más violentas que las del ya mítico océano Atlántico, donde las aguas cobran una furia e intensidad capaces de destruir todo cuanto encuentran a su paso.

—Viene una tormenta muy fuerte —advirtió Héctor.

—¿Cómo lo sabes? —preguntó Marta.

—¿Ves aquellas nubes? —dijo apuntando con su dedo hacia el horizonte.

—Sí, claro.

—Son nubes oscuras de tormenta y vienen hacia nosotros. Además, ya puedo oler la tempestad desde aquí. De día ves y hueles las tormentas. De noche, debido a la oscuridad, sólo podremos olerla y, claro, sentirla. Únicamente veremos su cara con la fugaz luz de algún rayo. Nada más. Será como luchar contra un enemigo invisible.

—¡Qué terrible! ¡Dios mío! —se asustó ella al observar las negras y amenazantes nubes que se aproximaban hacia ellos.

—Bueno, no todo será malo, Marta. Al menos la lluvia nos dará nuevas reservas de agua potable. Recogeremos la lluvia con trapos, ropa e incluso la vela para verterla en los recipientes que tenemos —añadió Héctor, cuya afición al mar hacía que estuviese algo mejor informado que ella sobre los pequeños y útiles trucos de cómo subsistir en ese ambiente a veces tan hostil.

Al llegar la tempestad, ambos se ataron a la balsa esperando a que amainaran las enfurecidas aguas. Cuando, tras interminables horas de fuerte oleaje, volvió la tranquilidad, los jóvenes cubanos pudieron apreciar con estupor que habían perdido casi todo lo que tenían a bordo: los recipientes, el alcohol que les daba el calor durante las noches y el sedal y los anzuelos utilizados para pescar. Sin recipientes, no podían preparar agua potable, así que, de no ser rescatados pronto, su suerte parecía echada.

A la balsa le faltaba una buena parte de su estructura, algo que aumentó de forma peligrosa las posibilidades de naufragio. Además, hacerse con los cuerpos de los peces voladores se convirtió entonces en algo casi imposible dado que, prácticamente, ya no existía embarcación contra la que estos pudieran estrellarse.

La única fuente potencial de comida pasaron a ser los pájaros. Cuando las bandadas de aves se acercaban a la balsa, Héctor y Marta permanecían inmóviles en un intento por atrapar alguna por sorpresa para comérsela. Sin embargo, su escasa energía les impedía, una y otra vez, moverse más rápido que los pájaros y nunca fueron capaces de hacerse con ninguno.

Al tercer día de no comer ni beber, la sed se convirtió en insoportable e hizo que Héctor comenzara a beber agua salada, un error muy habitual entre balseros en esas circunstancias. El resultado, además de experimentar intensas alucinaciones, fue acelerar aún más su proceso de deshidratación.

Marta, por contra, aguantó con mucha más entereza la presión psicológica y física a la que ambos estaban siendo sometidos. Alberto ya había advertido al grupo que la experiencia demostraba que las mujeres resistían mucho mejor que los hombres situaciones límite de ese tipo.

—¡Vamos! ¡No te rindas, Héctor! —gritó Marta a su compañero cuando vio que este deslizaba la mano por la borda para hacerse con un poco de agua.

—¡No puedo más! ¡Necesito beber! ¡Este sol me va a matar! —exclamó Héctor destruido por la sed.

—¡Sí! ¡Sí puedes! ¡Resiste! Pronto nos rescatarán.

—¿Cómo lo sabes?

—Sólo lo sé. Confía en mí...

—Está bien, confiaré en ti... —dijo Héctor casi perdiendo el sentido.

—Sí...

—De acuerdo. Confiaré en ti... —repitió el cubano apretando la mano de Marta para infundirse ánimos.

—Ahorra tus fuerzas, Héctor. No te muevas, no hagas nada. Paremos también de remar con las manos. Espero que el viento, la vela y las corrientes se encarguen de llevarnos hasta la Florida. Lo único que debemos hacer es no malgastar energías y mantener rumbo norte a toda costa —continuó diciendo Marta mientras enderezaba un improvisado trozo de madera que pasó a hacer las funciones de timón.

—Sí, Marta...

Héctor pronto comprobó que Alberto tenía razón y que la fortaleza interior de la joven maestra era muy superior a la suya.

Marta, católica practicante, comenzó entonces a rezar mientras se abrazaba fuertemente a Héctor. Él, en principio, la miró incrédulo y se escudó en su declarado ateísmo. Sin embargo, casi sin darse cuenta y quizás en un último intento por olvidarse de lo que parecía el preludio de una muerte inevitable, sus débiles y temblorosos labios acabaron acompañando a los de Marta en sus oraciones.

—Coño, debo estar bien mal para ponerme a rezar ahora. ¿Estaré todavía vivo? —reflexionó Héctor.

Las alucinaciones del cubano le llevaron a recordar partes esporádicas de su pasado. Héctor se situó de pronto en la fábrica de azúcar donde estaba trabajando antes de ser detenido por primera vez por el Ministerio del Interior. Ese había sido su primer empleo siete años atrás.

El ahora balsero trabajaba en aquella época como cortador de caña para un ingenio azucarero de Sancti Spíritus. Allí estuvo destinado por el gobierno durante tres meses.

En esa ciudad comenzó sus cuestionamientos públicos contra la revolución. Al comprobar las deplorables condiciones de trabajo y de vida, no tardó en preguntarse junto a muchos de sus compañeros por qué lo peor de los alimentos y las comodidades quedaban siempre para los cubanos mientras que lo mejor se exportaba al extranjero o se cedía a los turistas que llegaban en masa a la isla cargados de divisas.

—Si esta es una revolución de y para el pueblo, ¿cómo es que el pueblo se queda con lo peor de sus frutos? —se cuestionaban a diario.

Al principio, Héctor no se inmiscuyó en reivindicaciones laborales, pero su descontento fue acumulándose más y más hasta convertirse en insoportable.

Un día, exhausto tras quince horas de trabajo ininterrumpido, su paciencia se agotó al comprobar la escasa comida que les esperaba en el comedor colectivo: tan sólo algunos vegetales fríos sin ningún otro tipo de condimento. Héctor estrelló entonces su plato contra la pared e insultó a los máximos dirigentes de la revolución. Las autoridades fueron informadas inmediatamente del suceso y el cubano resultó detenido la mañana siguiente frente a su fábrica.

Héctor Lara fue trasladado primero a la cárcel del Príncipe, un castillo de tipo colonial español rodeado por un foso de varios metros de profundidad. La prisión, que era totalmente de piedra, también tenía un muro de cinco metros de altura para evitar fugas.

El cubano permaneció recluido allí durante varios meses junto a otros quince mil presos. En su celda había doscientos reclusos y sólo dos baños para todos ellos. La mayoría dormía en pleno suelo y apenas se les proporcionaba algunos desgastados sacos de azúcar para protegerse del frío.

Posteriormente, Héctor fue enviado a la prisión de La

Cabaña, también situada en La Habana. Cada día de la semana, cada semana del mes y cada mes del año la comida era la misma en aquella penitenciaría: macarrones y espaguetis hervidos con calabazas, coles y lentejas.

—Si hubiera unido todos los espaguetis que me sirvieron durante esos años, habrían dado, como mínimo, dos veces la vuelta al mundo —se rió el balsero, todavía preso del cansancio y las alucinaciones.

En la cárcel, a los reclusos se les daba una vasija y una cuchara, utensilios que tenían que proteger a cualquier precio si querían comer. La comida se servía en grandes cacerolas y en apenas minutos. No moverse con rapidez o no disponer del recipiente necesario para depositar dentro la comida significaba automáticamente un día de ayuno. Por si fuera poco, jamás se les ofrecía agua. La única que obtenían era la que ellos mismos sacaban de las cañerías del lavabo.

Los carceleros, siempre vistiendo ropa militar caqui, casi nunca se preocupaban de ayudarles a mantener una mínima higiene personal. De hecho, cuando llovía, el contenido de las alcantarillas subía por unas viejas y oxidadas tuberías y permanecía después en las celdas durante días. La única obsesión de los guardias era aplastar cualquier protesta y asegurarse de que la población penal, sin excepciones, utilizaba a diario el uniforme oficial del código carcelario: jersey amarillo, pantalones azules de mecánico y zapatillas deportivas. Esa orden, decían los guardias, simbolizaba un mensaje básico que la revolución quería inculcar en todos los presos: que las expresiones colectivas lo eran todo y que, en cambio, las individuales no tenían lugar en ese país.

Durante su reclusión, Héctor también había pasado varios meses en una celda de castigo por insultar a los carceleros. Un tétrico lugar donde los presos ni siquiera podían extender completamente su cuerpo y que hervía por el día y se congelaba durante la noche.

La fuerte humedad de esa celda le había producido diversas enfermedades y sus pies, tras algunos días de cautiverio, comenzaron a picarle con furia debido a los hongos. Rascarlos continuamente en un esfuerzo por aliviar el intenso escozor se los dejó en carne viva durante varias semanas.

Debido a su clara y desafiante actitud contra el sistema, Héctor Lara se ganó la confianza casi inmediata de los disidentes de las prisiones en las que estuvo. Una de las cosas que mejor recordaba de esa época era una pequeña radio que tenían oculta los prisioneros políticos y que protegían incluso más que sus propias vidas. Esa suponía la única forma de burlar el constante aislamiento al que estaban sometidos y de enterarse de algo de lo que ocurría en el exterior. El cubano pronto descubrió que una de las peores consecuencias de estar en la cárcel no eran las torturas o el encierro físico, sino ver transcurrir el tiempo sin saber qué sucedía fuera de aquellos muros. Eso les provocaba un terrible sentimiento de vacío que todos combatían procurando mantener su mente ocupada de forma constante.

El día en que, por fin, se cumplió el tiempo de su condena, Héctor creyó haber resucitado. Sintió como si hubiera tenido la mente en blanco durante años y, de repente, esta volviese a funcionar. Alejarse de la cárcel fue para él como dejar atrás al mismo infierno.

De repente, una fuerte ola sacudió la balsa. El golpe hizo que el balsero recobrase cierto grado de consciencia y dejara atrás todos sus recuerdos. Sin embargo, su lucidez duró muy poco tiempo. A pesar de que luchó con todas sus fuerzas para no dejarse vencer, el agotamiento físico y mental pudieron con él y cayó en un profundo sueño.

Tras doce días de navegación, los débiles cuerpos de ambos cubanos ya estaban rozando la frontera entre la vida y la muerte.

—Ya estamos cerca, ya estamos cerca... —repitió aquel lunes Marta, la única aún consciente de los dos—. Vi luna llena ayer. Eso significa que va a cambiar el viento. Además, la corriente nos está ayudando —pensó la maestra al ver que la cuerda que Héctor había echado sobre el mar para observar la trayectoria de la corriente apuntaba en la dirección correcta.

En efecto, el viento había cambiado y pasó a soplar en dirección norte durante unas cuarenta y ocho horas. Al anochecer de la segunda jornada, y transcurridos ya cinco días desde que Héctor y Marta comieran o bebieran por última vez, la cubana divisó un yate en el horizonte.

Marta, al ver al barco en la distancia, recobró fuerzas y utilizó sus últimas energías para golpear un cucharón contra una plancha de metal que llevaban en la balsa con ese fin. El resultado, sin embargo, fue negativo. Los tripulantes del navío no pudieron escuchar el ruido y, por lo tanto, nadie acudió a socorrerlos.

Al comprobar el fracaso de su primera idea, la cubana puso en práctica otro de los trucos que les enseñara Alberto para hacerse oír por naves amigas. Se trataba de soplar con fuerza un agudo silbato que ella misma había guardado en uno de sus bolsillos. No obstante, la extrema debilidad le impidió utilizarlo con eficacia. Sus exhaustos pulmones eran ya incapaces de generar ni siquiera el mínimo aire necesario para producir cualquier sonido.

Una vez Marta dio la batalla casi por perdida, el barco, cambió repentinamente su rumbo para dirigirse hacia ellos. La nave, de manera casi providencial, logró divisarlos gracias al destello de un espejo que Héctor había colocado a tal efecto en un lado de la balsa. La odisea parecía haber concluido. Al menos, parte de ella.

17. PAQUETE RECIBIDO

ORLANDO ORTIZ, O DOBLE O, como le llamaban sus amigos, comía casi a diario en el restaurante cubano La Carreta, ubicado en una de las zonas más hispanas del sur de la Florida y, quizás, de todo el país: la popular calle Ocho de Miami.

De hecho, nada hacía pensar que la calle Ocho estuviera en los Estados Unidos. Los restaurantes y las distintas tiendas servían productos hispanos, el único idioma que se hablaba allí era el español y quienes paseaban por el área eran casi exclusivamente latinos, sobre todo cubanos y nicaragüenses. Y no sólo eso, sino que algunos de los comercios incluso tenían letreros en sus puertas que señalaban con ironía «se habla inglés».

Florida era uno de los pocos Estados de la nación que había implantado el inglés como idioma oficial, pero eso no parecía importar demasiado a los millones de hispanos que, sin prestar excesiva atención a lo que dijera la ley en ese sentido, continuaban comunicándose día tras día en su lengua materna.

Orlando aparcó su voluminoso automóvil Oldsmovile gris frente a La Carreta y se dispuso a entrar en el comedor.

En el exterior del restaurante había una pequeña tienda de cuya ventana colgaba un letrero que decía «beba guarapo», o jugo de caña de azúcar. El negocio era parte de La Carreta y allí se servía café cubano y pastelitos de guayaba y queso a quienes no disponían del tiempo necesario para comer sentados o el apetito suficiente para una comida completa. Algo muy típico de la mayoría de bares y restaurantes de Miami.

—¿Un cafecito, mi amor? —preguntó la dependienta antes de que Orlando entrase en el restaurante.

—A un café cubano nunca se le dice que no... —respondió él de forma amigable y guiñándole el ojo.

—¿Le cuento un chiste? —añadió la muchacha sonriendo mientras le preparaba un espumoso, fuerte y bien azucarado café.

—Dale, miijita.

—Un hispano se encuentra con otro y le dice: «Oye, a mí me gusta mucho Miami. ¿Sabes por qué?». El otro se le queda mirando y dice: «No. ¿Por qué?». «Muy fácil: porque está muy cerca de los Estados Unidos...».

—Ja, ja... —rió Orlando estirando al máximo su guayabera blanca con sus carcajadas—. Es verdad, chica. Aquí casi estamos como en nuestro propio país, Cuba. Bueno, claro, ya me entiendes, como en la Cuba de antes... —puntualizó Doble O.

—¡Me lo dices, viejo! Bueno, mi amor, hasta mañanita.

—Adiós, cariño —se despidió Orlando.

Un par de minutos más tarde, Doble O ya estaba sentado en su mesa habitual.

El restaurante tenía desplegadas fotos lumínicas de Cuba por todas sus paredes. Las instantáneas habían perdido buena parte del color original debido a su notoria antigüedad, pero aún reflejaban muy bien la exótica y peculiar belleza de ciudades como La Habana.

En ellas se veía el centro de la ciudad, el malecón, el Morro, las playas de la capital y también varias partes de La Habana vieja, de claro estilo colonial.

Todo en La Carreta era Cuba. La gente, las discusiones, los olores, la decoración, la comida, la bebida, los recuerdos. Todo. Cuba permanecía viva y eternamente presente en las mentes de todos quienes estaban allí y no importa de qué se comenzara hablando en el restaurante, el tema, de una forma u otra, siempre acababa teniendo algún tipo de relación con la isla.

Por supuesto, en La Carreta sólo se escuchaba música latina. Sobre todo salsa. Los tonos del compositor cubano Beny Moré invadían rítmicamente aquella tarde todos los rincones del local.

Los cubanos de Miami vivían con intensidad la política en todas las facetas de sus vidas. Era como si circulase por sus venas, en su misma sangre. Lo más importante sobre todas las cosas, al menos para muchos de ellos, era lo que calificaban como «la causa». En esencia, criticar de manera constante a la revolución y apoyar prácticamente cualquier medio dirigido a derrocar a Fidel Castro.

—¿Qué va a ser hoy? —preguntó una rolliza camarera.

—Ven acá, ponme por favor un plato de vaca frita con arroz y frijoles.

—¿Maduros también?

—Sí.

—¿Yuca?

—Pues también. ¡Al diablo con la dieta!

—¡Muchacho...! ¡Estás acabando! ¿Para beber?

—Tráeme un mojito, por favor. Mucho ron y azúcar. Poco limón.

—Muy bien.

Doble O siempre se sentaba en la misma mesa porque

desde ese ángulo podían verse con claridad las noticias en la pantalla televisiva del restaurante. En ese momento se mostraban imágenes del rescate de unos balseros.

La llegada de personas en balsa siempre era recogida con amplitud por los medios de comunicación de Miami, que los trataban como verdaderos héroes. Sin embargo, esta vez el rescate recibió un despliegue informativo especial, ya que estos balseros habían estado perdidos en alta mar durante casi medio mes y llegaron prácticamente en coma a las costas de los Estados Unidos.

Según la reportera que cubría la noticia, uno de los balseros casi había perdido su vida en la travesía debido a una intensa deshidratación. Los médicos añadieron después frente a las cámaras que el hombre se salvó de un ataque al corazón sólo por cuestión de horas. Un auténtico milagro. El dueño del yate que los había rescatado era cubano y dijo que los vio tendidos en la playa, junto a su balsa. Una mentira habitual entre los exiliados para que los balseros consiguieran el asilo político.

La determinación de los jóvenes y el posterior relato de su desgarradora historia convirtió a Marta y a Héctor en los personajes del momento entre la comunidad de exiliados del sur de Florida. La agresión del helicóptero había indignado profundamente a los miamenses. Un ataque que el gobierno cubano negó con rapidez, añadiendo que la aparición de cualquier prueba en ese sentido no sería más que una mentira organizada por los enemigos de la revolución para desprestigiar a La Habana.

Orlando escuchó atentamente todo el reportaje. Una vez concluido, Doble O se levantó y se dirigió hacia la calle.

—Regreso en unos minutos —dijo a la camarera.

Al llegar a la acera, el cubano buscó el teléfono público más cercano. Doble O sacó entonces de su bolsillo varias monedas y marcó después un número en Washington: el de la Sección de Intereses Cubanos en la capital.

—¿Está Juan?

—¿Qué Juan, señor?

—Juan, el «eléctrico».

—Sí. Soy yo. ¿En qué puedo ayudarle, compañero?

—Llamo desde Miami. De parte de su tío, el Fulgencio. Me dijo que le comunicara que el paquete ya está en Miami.

—¿Sin novedad?

—Según lo previsto.

—¿Llegaron los dos regalos dentro del paquete o sólo uno?

—Los dos.

—Muy bien.

—Adiós.

—Adiós.

Acto seguido, Orlando Ortiz regresó de inmediato al restaurante para seguir comiendo mientras compartía el mismo entusiasmo de quienes le rodeaban. Nadie sospechó que por motivos muy distintos.

—¡Bravo! ¡Dos cubanos libres más que antes! ¡Abajo Fidel! —gritó Orlando mientras movía ostensiblemente sus brazos como si fueran las aspas de un molino.

—¡Sí! A este ritmo, dentro de poco Fidel se queda solo en la isla. ¡Sus días están contados en Cuba! ¿No le parece, joven? —añadió eufórico un señor de avanzada edad situado junto a él.

—¡Cómo no! Ese degenerado... —dijo Doble O sin poder contener una sonrisa de satisfacción al comprobar que las autoridades revolucionarias habían logrado con éxito su difícil objetivo.

—¡Ese es un patriota! ¡Jugarse la vida de esa manera para llegar a la tierra de la libertad! ¡Vaya par de cojones! —agregó con admiración otro de los que veían las imágenes televisivas.

—¡Sí! ¡Un patriota! Un verdadero patriota... —sentenció Orlando mientras continuaba saboreando su gigantesco filete de vaca frita generosamente bañado en cebolla.

18. EL VERDUGO DEL CAPITALISMO

EL GENERAL CARLOS HERNÁNDEZ entró en un aislado hangar de la base de Varadero junto al capitán de la fuerza aérea cubana Javier Lewis. Dentro del recinto estaba uno de los aviones de combate MIG-29 Fulcrum de la última generación traídos a la isla por el barco soviético Yamal. Su estado era impecable.

A su lado, por contra, había un MIG-21 con abundante metal corroído, gomas gastadas y enormes manchas de aceite brotando de sus reactores. Una imagen habitual en Cuba debido a la falta de medios para mantener en buen estado la envejeciente Fuerza Aérea Revolucionaria. La flotilla de MIGs-29 era una clara excepción y a estos se les destinaba todo el dinero y recursos que fueran necesarios para mantenerlos operativos durante las veinticuatro horas del día.

El MIG-29 reposaba en medio del hangar rodeado de un par de atentos soldados dedicados exclusivamente a su vigilancia. La nave había sido provista de todo su armamento y estaba lista para despegar en cualquier instante.

Carlos Hernández dio una vuelta completa alrededor del aparato admirando la sensación de absoluto poder que desprendía el MIG. Después se detuvo en la parte trasera del jet, donde estaban situados sus dos gigantescos motores.

—¿Es este MIG realmente tan efectivo como dicen? —preguntó a Lewis, uno de los pilotos militares más experimentados de todo el país.

—Es lo mejor de lo mejor del actual arsenal ruso, mi general. Casi todo el resto de modelos de la flota de los MIGs están anticuados si los comparamos con los prototipos occidentales. La inmensa mayoría, excepto este.

—¿Lo ha volado usted alguna vez en combate real, capitán?

—Sí, mi general. Realicé varias misiones en Angola con los primeros modelos de estos aviones. Los resultados fueron impresionantes. Mi entrenamiento en la escuela del aire rusa también fue pilotando MIGs-29. Estoy muy familiarizado con ellos.

Hernández parecía querer averiguarlo todo sobre aquella impresionante máquina de guerra.

—¿Qué armamento tiene este aparato?

—El MIG-29 está dotado de una gran capacidad de destrucción, mi general —explicó Lewis—. Tiene seis misiles aire-tierra que, siendo disparados a diez millas de distancia del objetivo, son capaces de hacer diana con un margen de error de apenas metros. Un mecanismo «inteligente» de radar instalado en los proyectiles los dirige hasta impactar contra el blanco prefijado. Otros tipos de misiles pueden ser disparados incluso a decenas de millas del objetivo. También es capaz de atacar de día o de noche y en todo tipo de condiciones atmosféricas.

—¿Qué más tiene?

—También lleva misiles aire-aire y una ametralladora de gran calibre. Por lo general, de 30 milímetros. La ametralladora, guiada por rayos láser, aniquila cualquier objetivo a una distancia de hasta un kilómetro del MIG.

—¿Qué cantidad de bombas puede transportar?

—Unas tres toneladas, pero puede ser adaptado para más carga suplementaria. Hasta cuatro toneladas de bombas de alto poder explosivo.

—Traducido a lenguaje puro y simple que yo pueda entender, capitán, ¿qué capacidad de destrucción tiene esta nave en un bombardeo?

—Mi general, este armamento fijado contra un solo objetivo garantiza que no quede nadie con vida ni nada en pie en, por lo menos, un kilómetro a la redonda de la diana.

El general Hernández palpó entonces con delicadeza la afilada punta de uno de los misiles instalados en el avión. La plancha metálica del proyectil estaba fría y su superficie de acero endurecido apenas tenía altibajos.

—¿Es esta tecnología similar a la de los yanquis? —preguntó curioso Hernández.

—No tiene nada que envidiarles. La configuración y capacidad del MIG-29 son muy parecidas a las del F-18 norteamericano, pero sus motores tienen incluso mayor potencia. Es decir, son más rápidos. Para mí, este es el mejor avión de ataque que existe. Es casi imposible detenerlo.

—¿Cuál es el secreto de este avión? ¿Por qué los pilotos lo endiosan tanto, capitán?

—Mi general, la alta velocidad de este MIG, su extrema maniobrabilidad y moderno armamento hacen de él uno de los más sofisticados y temibles aviones de ataque rápido del mundo. Es muy difícil poder perseguirlo o detectarlo antes de que cumpla su misión. Su capacidad para volar a mucha altura también le permite evitar el combate con otros cazas. Incluso rompiendo la barrera del sonido, la facilidad con la que se controla este avión es increíble, igual que la visibilidad que tiene el piloto dentro de la cabina. Amplia y clara. En las versiones más modernas del MIG-29, como esta —dijo señalando al avión—, los misiles siguen la dirección en la que se mueve el casco del tripulante. O sea, que las bombas caen matemáticamente donde mira el piloto.

Hernández escuchaba con máxima atención las detalladas y casi académicas explicaciones del capitán Lewis. El general, mientras ambos proseguían conversando frente al aparato, vio impresas diversas palabras en alfabeto cirílico a lo largo de los proyectiles situados bajo las alas del MIG. Eran las instrucciones de los ingenieros rusos para los mecánicos cubanos sobre cómo instalar las bombas en los aviones.

—Este modelo es más grande que los otros MIGs, ¿no? —dijo Hernández, que había visto decenas de MIGs en el pasado, pero ninguno tan espectacular como esta última versión del mítico cazabombardero ruso.

—Sí, mi general. Eso es debido a que al MIG-29 Fulcrum le instalaron un avanzado sistema de radar y misiles que ocupan bastante espacio. El radar puede bloquear electrónicamente las defensas del enemigo. Este avión es mucho más grande que el F-16 y algo mayor que el F-18. Como verá, las alas son también muy extensas. El motivo, como le dije antes, es tener abierta la posibilidad de añadir cargas suplementarias de bombas para, de ser necesario, realizar misiones que requieran un mayor poder explosivo.

—¿Cuál es su radio de acción? ¿Hasta qué distancia puede atacar desde donde despegue?

—Con tanques de combustible suplementarios, unos tres mil kilómetros.

—¿Y su velocidad?

—Su velocidad máxima es Mach 2,3. Es decir, dos mil cuatrocientos cincuenta kilómetros por hora.

—¿Puede volar con efectividad a ras de agua para evitar ser detectado?

—Sin ningún problema, mi general. El Fulcrum es capaz de llevar a cabo misiones volando a tan sólo setenta y cinco metros sobre el nivel del mar a una velocidad de Mach 1,1. En otras palabras, mil trescientos cincuenta kilómetros por hora. Indetectable al ojo del radar.

Carlos Hernández estudió de nuevo con su vista el compacto cuerpo de aquel temible avión de dieciocho metros de largo y cinco de alto. Entonces vio con claridad que su plan era, en verdad, imparable.

—Capitán... —dijo Hernández dirigiéndose a Lewis—. ¿Es este el mejor avión de la flota rusa o podríamos conseguir incluso algo mejor?

—Bueno, mi general, hay otros modelos que tampoco perdonan a sus enemigos. Que no tienen piedad... —respondió el piloto.

—¿Cuál?

—Por ejemplo, el Sukhoi 27.

—¿Qué tiene ese que le falte al MIG-29?

—Puede transportar casi tres veces más cantidad de bombas. Alrededor de ocho toneladas y media. Por otro lado, tiene sistemas computarizados incluso más avanzados que los del MIG-29 que burlan muy fácilmente las defensas electrónicas del enemigo.

—Ya veo...

—No obstante, mi general, el MIG-29 está de sobra capacitado para afrontar cualquier desafío. No importa lo complicado que este sea o contra quién nos enfrentemos.

El general reflexionó brevemente y luego prosiguió la conversación.

—Capitán, olvídese por un momento de quién soy y hábleme con sinceridad... —dijo Hernández poniendo con confianza su mano derecha sobre el hombro izquierdo de Lewis—. ¿Diría usted que, hoy por hoy, disponemos en la fuerza aérea cubana de un escuadrón de pilotos de élite, leales por completo al régimen y listos para realizar una misión en la que podrían estar arriesgando sus propias vidas?

El otro militar no titubeó ni un segundo.

—¿Un escuadrón? ¿Veinticuatro pilotos? Por supuesto, mi general —respondió con energía el capitán—. No tan sólo los tenemos, sino que están ansiosos por demostrar su capacidad y valor. Para eso se han estado entrenando tan duramente durante años y años. Disponemos de los mejores pilotos. Oficiales patriotas y disciplinados que fueron adiestrados con la última tecnología de la antigua Unión Soviética y de la ahora Rusia.

—¿Cree que estarían dispuestos a matar y morir por su país sin flaquear en ningún momento?

Lewis sonrió y se encogió momentáneamente de hombros.

—En un barril de manzanas siempre podríamos encontrar alguna podrida, pero estoy seguro de que la inmensa mayoría de nuestros pilotos de élite son leales al alto mando y a los principios revolucionarios que juraron defender.

—¿Realmente piensa eso? —dijo mirándolo fijamente.

—Sí, mi general. Sólo tiene que ponernos a prueba para que podamos demostrárselo una vez más. Estaríamos honrados de volver a servir a la patria frente a cualquier peligro.

—Muchas gracias —dijo Hernández satisfecho con lo que había escuchado—. Estaremos en contacto. Ya es hora de que me vaya. No es necesario que me acompañe. Recuerdo el camino —se despidió el general dando un emotivo apretón de manos a Lewis en vez de utilizar algún otro saludo militar más frío y protocolario.

—¡Patria o muerte! —respondió el piloto en posición de firmes frente al MIG-29.

—Por cierto, capitán... —añadió el general Hernández antes de dirigirse hacia la salida del hangar.

—A sus órdenes —dijo Lewis.

—Esta ha sido una reunión secreta. Nadie debe enterarse de lo que hemos hablado.

—Entiendo.

—Cuando digo nadie, me refiero a eso: nadie. Ni siquiera puede hablar de esto en la cama con su mujer.

—Por supuesto, mi general.

El militar pareció complacido con el tono de las respuestas del piloto.

—Una última pregunta, Lewis... —apuntó ya más relajado el jefe del MININT confiando en la discreción del aviador—. Saliendo de Cuba, ¿cuánto tiempo le llevaría a un MIG-29 llegar hasta la Florida?

—Depende. ¿A qué parte de la Florida, mi general?

—No sé... —dudó el general pareciendo improvisar su respuesta—. Digamos... a Miami.

—Alrededor de nueve minutos.

—Nueve minutos para la destrucción... —susurró Hernández sin que Lewis pudiera escucharlo.

19. EL REENCUENTRO

HÉCTOR DESCANSABA tranquilamente en una habitación del hospital público Jackson Memorial de Miami recuperándose de las secuelas de su aventura marítima. Ya habían transcurrido siete días desde que llegara a las costas de los Estados Unidos, pero los restos de una fuerte insolación todavía le impedían abandonar la unidad de vigilancia intensiva del centro hospitalario.

A media tarde, Marta entró en el cuarto acompañada de un apacible hombre de unos sesenta años de edad.

—¡Hola! —exclamó contenta mientras se dirigía con rapidez hacia Héctor para darle un cariñoso y apasionado beso en la mejilla.

—¡Vaya! ¡Marta! ¿Cómo estás? —respondió él visiblemente emocionado ante la inesperada visita.

—Bien. Bastante bien —dijo la muchacha, rebosante de felicidad.

El cubano sintió un profundo placer ante la presencia de Marta. Resultaba obvio que la magia entre ambos era cada vez más intensa.

—Déjame verte mejor —continuó Héctor atrayendo a Marta un poco más hacia él—. ¡Qué bien te ves, chica!

—Tú también tienes buen aspecto —respondió ella con timidez—. ¿Cómo te encuentras ahora?

—Aún me molestan un poco las quemaduras, pero los médicos dicen que podrán darme de alta en una semana.

Héctor y Marta se miraron entonces durante algunos segundos. Sin decir nada y dedicándose únicamente a disfrutar de la enorme alegría de aquel reencuentro. Los ojos de ambos dejaron claro hasta qué punto se habían extrañado el uno al otro.

Marta soltó una pequeña lágrima y el cubano alzó enseguida su mano derecha para limpiársela con delicadeza.

—No hay motivo para llorar —dijo Héctor—. Hemos de dar gracias por estar vivos y poder habernos visto de nuevo.

La joven intentó contener su emoción, pero sin demasiado resultado.

—Ha sido una lágrima de felicidad, no de tristeza.

Al escucharla, Héctor se acercó a Marta para darle otro beso. El contacto de sus labios con la piel de la cubana hizo que su corazón comenzara a latir como sólo podía hacer cuando tenía a Marta cerca de él. Sin embargo, Héctor hizo después un esfuerzo por recordar que no estaban solos en el cuarto e intentó banalizar un poco la conversación.

—Veo que tú te recuperaste más rápido que yo —dijo él.

—Sí, pero sólo gracias a ti.

—No bromees —afirmó convencido Héctor—. Tú fuiste mi salvación.

—¡Vamos! ¿Quién protegió mi cuerpo de los rayos del sol cobijándome bajo el suyo? ¿Quién me dio sombra con la única lona que había en la balsa? —preguntó ella casi molesta.

—Olvídalo. Soy yo quien tiene que agradecer —dijo Héctor acariciando la mano de Marta—. De no ser por ti, nunca hubiera llegado aquí. Tu fortaleza fue más importante para mí que mi propio instinto de supervivencia. Yo tiré la toalla. Tú, no. ¿Es que no lo recuerdas?

—¿Qué te pasa? —exclamó Marta sorprendida ante aquellas palabras—. ¡Jamás hubiera podido superar aquello sola! Fue Dios quien te puso a mi lado para que pudiera sobrevivir —afirmó después taladrando con sus ojos los ojos de Héctor.

Ambos sonrieron y apretaron aún más sus manos entre sí.

—Bueno, chica, no nos pongamos más medallas —añadió el cubano casi riendo—. Lo importante es que estamos aquí, ¿no?

—Por supuesto. Mira —prosiguió ella buscando con su mirada al hombre que la había acompañado hasta allí—, quiero presentarte a mi tío. Mi familia de Cuba ni sabía exactamente dónde estaba Ernesto... temían que quizás se hubiera muerto, pero no... por fortuna, no... se mudó de casa y con todo ese lío perdimos el contacto con él durante unos meses... me vio por televisión y vino a buscarme... —dijo Marta sonriendo—. También tengo unos primos. Ellos son mi única familia en Miami. Ernesto me ha dicho que puedo quedarme a vivir con él mientras quiera —dijo la joven señalando a su tío, un espigado cubano de pelo y bigote canosos.

—Encantado —extendió su mano Héctor para saludarlo.

—El placer es mío —dijo solemnemente Ernesto.

Héctor se movió un poco en la cama para buscar una posición algo más cómoda.

—Oye, ¿no es un verdadero milagro que hayamos llegado a Miami? —afirmó Marta inyectando más energía a sus ya intensos ojos.

—Sí. Si los milagros existen, este, desde luego, fue uno. Al final harás que acabe replanteándome mi ateísmo —bromeó Héctor.

—Me alegro mucho de haberte conocido, Héctor. No me gustaría que ahora perdamos el contacto.

—No. Claro que no. ¿Cómo puedes decir eso? —se extrañó él.

—Bueno, tú sabes. Ya estamos en Miami. Ya cumpliste la promesa que hiciste a mi hermano. Lo que ocurrió y nos dijimos en la balsa no debe hacer que te creas obligado a nada. No quiero que te sientas forzado a llamarme cuando salgas del hospital. Sólo deseo que lo hagas si realmente quieres... —susurró sus palabras Marta sin que Ernesto pudiera escucharla—. Si no lo haces, lo comprenderé perfectamente. ¿Entiendes?

—No seas loca. ¿Cómo no voy a querer? El único motivo para no llamarte sería que tú no quisieras.

—¡Por supuesto que quiero! —exclamó ella sin ningún rubor mientras seguía apretando con fuerza la mano de Héctor.

—Perdonen que me inmiscuya en la conversación, pero ¿desean que me retire durante algunos minutos? —preguntó de pronto Ernesto pensando que, quizás, ambos querrían algo de privacidad.

—No, no... —dijo Héctor casi interrumpiéndole—. Muchas gracias por haber venido y, por favor, perdónenos usted a nosotros. Espero que comprenda. Ha sido una gran sorpresa ver de nuevo a Marta —añadió sin poder dejar de admirar la belleza de la cubana.

—Claro que les entiendo. Aunque no lo parezca, tras estas canas también ha habido alguna que otra apasionada historia de amor —apuntó en tono jocoso el tío de Marta escuchando después las risas tanto de su sobrina como de Héctor—. Y si me permites la pregunta, Héctor, ¿qué planes tienes ahora? —preguntó Ernesto cambiando de tema.

—Bueno, tan pronto como salga de aquí, buscar un trabajo. Esa es mi prioridad número uno.

—Escuché por televisión que te habían ofrecido algo de dinero —dijo Marta.

—Sí. Es cierto. Algunas organizaciones del exilio me dieron dinero para poder rehacer mi vida, pero no pienso utilizarlo a menos que sea estrictamente necesario. Sé que lo hacen con la mejor de las intenciones. Sin embargo, no me siento cómodo aceptándolo. ¿Comprendes, Marta?

—Por supuesto. Yo haría lo mismo. Por suerte, yo tengo a mi familia.

—Héctor... —regresó a la conversación Ernesto—, sé lo que hiciste por mi sobrina y sólo deseo que sepas que siempre te estaré agradecido. Para mí no hay nada más importante que mi familia y tú conseguiste que pudiera ver de nuevo a la pequeña Marta.

—Como ya le dije a ella, la suerte fue mía.

—Sé por lo que estás pasando ahora —continuó Ernesto—. Todos los exiliados hemos estado en una situación parecida. La mayoría de nosotros llegamos aquí con una mano delante y otra detrás. Sin nada. Y tuvimos que esforzarnos más que nadie para salir adelante. No fue fácil.

—Lo supongo.

—Mira. Mi casa no es grande, pero me sentiría muy honrado si también te quedaras en ella hasta que encuentres algún lugar donde vivir. Sé que estás en una posición incómoda, pero este no es un buen momento para orgullos inútiles. Como te dije, a todos nos han ayudado tras nuestra llegada de Cuba. No tomes esta oferta como una obra de caridad, sino como algo temporal. Si quieres, incluso me puedes pagar cuando estés mejor económicamente.

—Gracias por su ofrecimiento, pero me temo que no podré aceptarlo.

—Héctor, yo soy abogado de profesión y tuve que limpiar pisos cuando llegué a los Estados Unidos. Sé lo que es tener que adaptarse a nuevas circunstancias. Los cubanos tenemos que ayudarnos los unos a los otros. Somos una gran familia que sólo podrá sobrevivir si se mantiene unida. Ya sabes: hoy por ti, mañana por mí. Ese es el motivo por el cual nuestro exilio es fuerte. Porque estamos unidos y no abandonamos a los nuestros. Porque siempre hay una mano amiga dispuesta a apoyar a los que llegan de la isla. La adversidad nos ha unido los unos a los otros. Los cubanos nunca habíamos sido tan solidarios entre nosotros. Yo soy viejo, Héctor. Sé lo que digo.

—Le agradezco su generosidad, pero no puedo aceptar su oferta.

—¿Por qué? —preguntó Marta decepcionada.

—Porque no me parece correcto —le dijo Héctor—. Tu tío, como él mismo dijo, tuvo que fregar suelos y yo he de pasar por lo mismo. No quiero privilegios. ¿Acaso alguien le ofreció a usted una cama donde dormir cuando llegó a Miami? —preguntó a Ernesto.

—No, pero aquellos eran otros tiempos. Ahora es distinto. Ya somos una comunidad influyente. Organizada. Ahora hay una red de ayuda muy importante.

—Pues yo pasaré por lo mismo. Así es como tiene que ser. No es cuestión de orgullo, pero no quiero deber nada a nadie. Espero que entienda, señor Ernesto. No es nada personal y mucho menos un desprecio a su bondad.

—Pero Héctor... —intercedió Marta.

—Sí, comprendo perfectamente —dijo Ernesto interrumpiendo a su sobrina consciente de que estaban poniendo a Héctor en una posición incómoda—. En todo caso, ya sabes adónde puedes acudir en un momento de necesidad. Sólo prométeme que, si las cosas se te ponen feas, no cometerás ninguna tontería. Algunos, ante ciertas dificultades, siguieron el camino erróneo. Tú eres ambicioso e inteligente y no tendrás problemas, pero nunca intentes ganar dinero por la vía rápida. ¿Me entiendes?

—Sí. Gracias por el consejo, pero robar nunca ha sido mi fuerte.

—No tomes esto como un insulto —afirmó Ernesto en tono de disculpa—. Sólo comparto contigo los temores de una persona que ha visto a muchos jóvenes desgraciar sus vidas. No es fácil adaptarse a esto viniendo de Cuba. Son dos sistemas muy diferentes. Este va a ser un mundo completamente nuevo para ti, casi otro planeta. Muy distinto a lo que estás acostumbrado. No te engañes, será una continua carrera de obstáculos, sobre todo psicológicos. Muchos piensan que aquí el dinero llueve del cielo y cuando se dan cuenta de que eso no es así, se malogran.

—Comprendo. Gracias. De verdad se lo agradezco. Sé que lo hace por pura bondad.

—Sólo recuerda eso. Que el exilio debe ser una gran familia. Que lo que yo pueda hacer hoy por ti, ayer lo hicieron por mí y tú lo harás por otro mañana. Es un acto de solidaridad entre compatriotas. Recuerda que sabemos por lo que estás pasando y que es normal. No eres una excepción, sino la regla.

—No quiero ser pesada ni presionarte a nada, pero, ¿vendrás a visitarnos pronto? —preguntó Marta.

—Naturalmente. Me encantaría.

—Aquí está nuestra dirección —dijo ella depositando una nota de papel en las manos de Héctor—. Ven cuando quieras.

—De acuerdo.

—¿Necesitas algo?

—No. Gracias por haberme visitado. Me alegro mucho de que estés bien.

—Lo sé. Sé que estás cansado y no queremos entretenerte más, pero ¡te esperamos! —se despidió Marta dando un beso a Héctor.

—Adiós.

—Adiós, Héctor —dijo Ernesto acariciando con suavidad el hombro del joven.

20. LA CAUSA

MIGUEL CARDOSO SE ARRODILLÓ frente a una tumba del cementerio Graceland Memorial Park de Miami. Después, depositó sobre ella un ramo de rosas color salmón aún bañadas por el húmedo rocío del amanecer. Un rito que, junto a su madre Lisandra, había repetido cada sábado durante los últimos treinta y cinco años de su vida.

El cubano no pudo evitar que sus ojos vertieran algunas lágrimas al postrarse ante aquella lápida. Tras algunos minutos rezando, Miguel se levantó y, mientras su madre continuaba con sus oraciones, dio un breve paseo por el cementerio.

A Miguel le encantaban los cementerios. Siempre le habían fascinado. La tranquilidad y el sosiego que uno podía disfrutar allí eran únicos para él. Incomparables a los de cualquier otro lugar.

La calma, el mágico y hechizante silencio y la belleza de la mayoría de los cementerios lograban infundir en Miguel una sensación de casi total paz espiritual. De hecho, podía vagar durante horas por esos místicos recintos sin cansarse o aburrirse en absoluto. Una afición que muy pocos comprendían, pero que él disfrutaba a plenitud.

Durante su paseo por los jardines del Graceland Memorial Park, Miguel no pudo evitar reproducir en su cerebro, una y otra vez, las rasgantes imágenes de la muerte de su querido padre. Una profunda herida que, a pesar de los años transcurridos, aún no había cicatrizado.

Su mente se situó entonces de nuevo en Cuba, donde unos agitados milicianos castristas empujaban con rabia a Juan Cardoso frente a una pared radiantemente blanca en las afueras de La Habana. Más tarde, los soldados le ataron las manos e hicieron también un intento por vendarle los ojos, algo a lo que Juan se resistió.

—¡Perros! ¡Al menos déjenme ver las caras de quienes me asesinan! —exclamó.

Un teniente de nombre Manuel Ballesteros accedió al pedido de Cardoso y ordenó a la tropa que regresara junto a él. Una vez allí, eligió a cinco soldados para formar parte del pelotón de fusilamiento y después los situó a unos quince metros del prisionero.

Antes de la ejecución, el militar preguntó al reo si tenía alguna cosa que decir. Este le miró de frente a los ojos y gritó: «¡Viva la revolución! ¡La verdadera revolución, no esta pantomima!». Acto seguido, el oficial ordenó a sus hombres que se preparasen, que apuntaran y, finalmente, que abriesen fuego. Tras cinco detonaciones y cuatro impactos, el cuerpo de Juan se empotró con furia contra la pared. Más tarde, pegado de espaldas al muro, Cardoso se deslizó con lentitud hasta impactar de lleno contra el suelo, donde quedó sentado con la barbilla pegada al pecho. La sangre había salido despedida en todas direcciones y la pared quedó completamente salpicada de rojo alrededor del punto donde estaba ubicado el padre de Miguel.

Una vez el oficial comprobó que Juan había fallecido, otros milicianos colocados cerca del lugar de la ejecución soltaron a los familiares del fusilado, que corrieron después desesperadamente hacia su cuerpo inerte. Entre ellos estaba Miguel, que, a su corta edad, fue incapaz de comprender por qué habían asesinado a su amado padre. Y mucho menos de aquella forma tan brutal: a sangre fría y frente a los suyos. Sin vacilaciones.

El mismo llanto de dolor que brotó de su corazón aquella mañana se repetía cada vez que el cubano visitaba la tumba de Juan Cardoso en el cementerio Graceland. Un llanto que le había perseguido durante años. Despierto o dormido. Lúcido u ofuscado. Sobrio o ebrio.

Antes de que la madre de Miguel pudiera abrazar a su marido, el teniente Ballesteros la detuvo con su recia mano de campesino y la atrajo para sí.

—Señora, su marido era un espía de la CIA. ¡Un traidor! Un enemigo de la revolución.

—¡Son ustedes unos asesinos! ¡Peores que Batista! —dijo ella con unos ojos inundados de lágrimas.

—Él confesó haber trabajado para los yanquis. ¡Era un infiltrado!

—¡Déjeme en paz! —añadió la mujer zafándose con brusquedad del miliciano para dirigirse hasta donde yacía su marido.

Lisandra y Miguel se quedaron entonces junto al cuerpo de Juan durante horas, cuidándolo cariñosamente como si todavía estuviera vivo.

Entrada la noche, el cadáver fue llevado al pabellón Hijos de Ortigueira del cementerio de La Habana. Eso, dado que sus padres procedían de la lejana Galicia.

Miguel y su madre abandonaron Cuba unos años después de aquella sangrienta y traumática jornada, viéndose obligados a dejar tras de sí el cuerpo de Juan. Sin embargo, una vez transcurridos cinco años en el exilio, los Cardoso, finalmente, recibieron en Miami las cenizas de su ser amado a través de una funeraria cubana. Desde entonces, sus restos reposaban en el cementerio Graceland Memorial Park, situado entre la calle Ocho y la avenida 44 del suroeste de la ciudad.

A media mañana, Miguel recogió a su madre y ambos se sentaron en un banco de piedra cercano a la tumba que visitaban cada semana.

—Madre, ¿puedo preguntarte algo?

—Claro.

—Te parecerá extraño que te hable ahora de esto, pero no puedo parar de pensar en ciertas cosas.

—No seas tonto. Pregúntame lo que quieras. Te escucho —dijo ella cariñosamente.

Miguel le acarició el rostro y le dio un beso en la mejilla.

—A pesar de todo el tiempo que ha pasado, aún no tengo respuestas para algunas preguntas. Papá era un simple periodista que no simpatizaba con el castrismo. Nunca fue un espía de la CIA. Eso lo saben todos.

—Sí, mi niño. Lo asesinaron para dar ejemplo. Para difundir el terror. Fue una cacería de brujas contra los opositores —dijo Lisandra.

—Su único delito fue el de criticar a la revolución.

—Hijo, eso era sinónimo de una sentencia de muerte. Poner al comunismo en tela de juicio en Cuba era, y todavía es, un delito de alta traición al Estado.

—¡Asesinos!

Las palabras de su hijo hicieron que Lisandra se hundiera en sus recuerdos.

—Recuerdo como si fuera hoy lo que dijo el jurado cuando los tribunales populares condenaron a tu padre al paredón: «Es usted responsable de realizar actos delictivos contra la seguridad del Estado. Actividades con vistas a la toma del poder político, el derrocamiento del sistema socialista y la instauración de un régimen burgués en Cuba. Responsable también de querer salir ilegalmente de la isla, de imprimir documentos clandestinos y de tomar parte en manifestaciones antirrevolucionarias». Ya ves, escribir en el periódico contra la revolución fue suficiente para provocar su fusilamiento.

—Le tenían miedo.

—Él no escribía con un bolígrafo en sus manos, sino con una verdadera y sangrante cuchilla de afeitar. Sus comentarios eran devastadores y decir la verdad acabó con su vida —dijo con rabia la mujer.

—Madre, tú sabes que para mí lo más importante es mi país: Cuba. Tú sabes que, a pesar de haberme criado en los Estados Unidos, mi corazón todavía está allí.

—Sí. Lo sé. Claro que lo sé.

—Sabes que siempre he estado con la causa. Que he ayudado en todo lo posible.

—¿Y bien, Miguel? ¿Qué te preocupa, miijito? —preguntó inquieta Lisandra.

—Tú perdiste a tu marido porque él, en un momento determinado, decidió defender sus opiniones. No venderse y protestar ante la represión política. Eso marcó el resto de tus días. Destrozó tu familia y tu felicidad.

—En efecto.

—Yo he estado y, la verdad, sigo estando obsesionado con Cuba, pero eso me ha impedido ser una persona normal, con una vida como cualquier otro hombre de mi edad. Cuba siempre ha sido lo más importante. Nuestra eterna aspiración. Eso fue lo que se me inculcó desde joven con el ejemplo de la muerte de mi padre. No importa qué sacrificio requiriese «la causa», nosotros siempre hemos estado ahí. Dispuestos a ofrecerlo.

—Lo sé.

—Cuando entré a trabajar como agente del FBI juré lealtad a este país y nunca traicioné a los Estados Unidos. ¿Recuerdas? Sin embargo, con el tiempo, la agencia decidió despedirme alegando que estaba demasiado involucrado en el tema de Cuba. Que no podían tener un agente tan politizado como yo. Después acabé como un agente de policía de la ciudad de Miami.

—Eso fue una gran injusticia.

—Sí. Claro que lo fue. Mis ideas sobre Cuba nunca influyeron en mi comportamiento como agente del FBI ni en mi lealtad hacia este país, pero lo cierto es que perdí el empleo debido a «la causa».

—¿Adónde quieres llegar, Miguel? Dime... —preguntó su madre con impaciencia.

—Muy sencillo... ¿vale la pena todo esto? ¿Ha valido la pena perder a mi padre, sacrificar mi vida de esta forma y renunciar a una carrera tan prometedora como la que tenía por algo tan lejano como Cuba? Yo apenas estuve en el país que me vio nacer. ¿No somos acaso un grupo de idealistas sin sentido? ¿Va alguien a agradecernos las horas de sueño perdidas? ¿Va alguien a apreciar el haber sacrificado una parte tan importante de nuestras vidas por la lucha contra el comunismo en Cuba? ¿Va alguien acaso a devolverte a tu marido vivo? ¿Y a mí? ¿Quién va a devolverme a mí a mi padre, a quien apenas pude conocer? ¿Cómo pueden recompensarnos por todas las preocupaciones y sufrimiento que hemos padecido por el problema de Cuba? ¿Entiendes?

—Sé lo que sientes, Miguel. Lo sé muy bien.

—¿Me entiendes? ¿Vale la pena todo esto?

Lisandra suspiró y miró al cielo, como buscando fuerzas.

—Yo también me he preguntado muchas veces lo que ahora tú me estás diciendo. No es fácil, ¿verdad?

—¿Entonces, madre?

—Recuerda a tu tío Osorio. Él murió hace tres años. Estaba ciego y loco. ¿Te acuerdas?

—Claro. Cómo no.

—¿Recuerdas cómo se volvió ciego y dónde perdió su cordura, Miguel?

—Sí. En la cárcel.

—Efectivamente. Él era un profesor de Derecho en la universidad de La Habana antes de la revolución. Doctor en Derecho internacional. Un intelectual. Felizmente casado y con dos hijos. Lo tenía todo. Una profesión, dinero y una familia que lo adoraba.

—Sí.

—Bueno, Osorio también cayó preso por participar en una manifestación anticastrista e inicialmente fue internado en la cárcel durante dos años. Sin embargo, esa pena se extendió hasta veinte años debido a su constante enfrentamiento contra las autoridades. Su negativa a dejarse tratar como un preso común y no político le llevaron a estar quince años consecutivos en una celda de castigo. Una mazmorra completamente a oscuras y donde nunca pudo estirar su cuerpo al completo. ¡Quince años, Miguel! ¡Quince años en la oscuridad, aislado del mundo y de los suyos! ¿Comprendes? Quince años sin ni siquiera poder verse a sí mismo ante un espejo. Quince años viviendo como una rata en una alcantarilla. Ahí fue donde perdió la lucidez y también la vista. Se convirtió en un guiñapo humano. ¿Crees que eso es justo?

—No. ¡Claro que no, mamá! ¿Cómo puedes preguntar eso? ¡Es una salvajada!

—Cuando Osorio llegó a Miami y pude estrecharlo entre mis brazos tuve una sensación imposible de explicar con palabras, Miguel. Tenía ante mí a un hombre que había sacrificado todo por una causa, por un ideal. ¡Todo! No por intereses propios, sino por la libertad de su pueblo: Cuba. ¿Entiendes? Su vida hubiera podido ser muy cómoda, sin preocupaciones de ningún tipo. Sólo tenía que haberse doblegado, pero, ¿sabes qué?, él prefirió ser consecuente y no traicionar sus principios. Tu padre fue incluso más allá y llegó al sacrificio supremo: renunciar a su propia vida por nosotros, por nuestro futuro... ¡Esos fueron verdaderos hombres!

—Aún puedo escuchar los disparos del pelotón... Retumban y retumban en mi mente casi a diario...

—A mí me despiertan cada noche, mi niño. Los oigo en cada esquina, a cada paso que doy...

—A veces siento que no puedo seguir adelante con esto, mamá. Es demasiado duro.

Lisandra abrazó a Miguel con mucha fuerza y después le acarició el pelo.

—Miguel, sé perfectamente a qué te refieres, pero el respeto que siento por personas como Osorio o tu padre es demasiado grande —prosiguió la mujer acariciando ahora el brazo de su hijo—. Nada puede compararse a lo que ellos hicieron. Un buen sueldo, un buen carro y un buen trabajo jamás te darán la satisfacción de luchar por algo que de verdad importa, como es la lucha por la libertad. La lucha por los que aún están tras los barrotes. Es como si tu padre todavía estuviera en la cárcel junto a Osorio y nosotros decidiésemos abandonarlos. ¿Cómo podemos olvidarnos de esa gente que lo dio todo por nosotros? ¿Cómo? ¡Seríamos unos verdaderos desalmados! Aún hay demasiadas personas en las prisiones cubanas que luchan por lo mismo que luchó tu padre. Mirar en otra dirección y, por comodidad, olvidarnos de que sufren y existen sería una verdadera inmoralidad.

—Estás en lo cierto —recapacitó Miguel.

—Todos somos seres humanos y tenemos momentos de debilidad, pero tú no necesitas que te diga estas cosas. Las sabes muy bien porque las sientes en tu corazón.

—Madre. ¡Abrázame! ¡Qué tonto he sido!

—¡Miguel! ¡Estoy tan orgullosa de ti! ¡Si tu padre pudiera verte!

—¡Madre! ¡Perdóname por haberte hablado así! —exclamó Miguel estrechando a Lisandra con fuerza entre sus brazos.

—No hay nada que perdonar, mijito. Ojalá que algún día podamos ver los frutos de nuestra lucha.

—Sí. ¡Está escrito!

—Miguel, volveremos a enterrar a tu padre en otro cementerio. Este no es su sitio. Lo enterraremos en el cementerio de donde vino: el de La Habana, pero cuando el comunismo se haya ido de la isla.

—Te lo juro por la memoria de mi padre —afirmó Miguel santiguándose—. Mi padre descansará en su tierra. En Cuba. En ningún otro lugar. Sólo en Cuba.

21. CLODOMIRO CALLEJA

DOS DÍAS DESPUÉS de haber visto a Marta en el hospital, Héctor tuvo que ingerir algunos calmantes debido a que las quemaduras aún le provocaban intensos dolores. Tras catorce horas de sueño ininterrumpido, el cubano se despertó en la misma habitación, pero con distinta compañía.

En su cuarto habían ingresado a tres personas más, todos ellos indigentes sin otra posesión material que la ropa que llevaban puesta. Vagabundos sin ningún tipo de recursos que se veían obligados a solicitar ayuda pública.

Los nuevos compañeros de habitación de Héctor eran de raza negra. El cubano, que no sabía hablar inglés, renunció a intentar comunicarse con ellos pensando que todos serían norteamericanos. Sin embargo, uno de los mendigos se dirigió a él tan pronto como le escuchó pedir un vaso de agua en español a la enfermera.

—Tú eres cubiche, ¿no? —le preguntó.

—Sí. ¿Tú también?

—Sí. Me llamo Clodomiro. Clodomiro Calleja.

—Yo Héctor.

El tal Clodomiro parecía incapaz de estar quieto.

—¿Por qué estás aquí?

—Vine en balsa hace unas dos semanas.

—¡Pues ya te podías haber quedado, chico! —le regañó Clodomiro.

Aquellas palabras sorprendieron a Héctor, haciendo que se interesase más en lo que tuviera que decir aquel extrovertido cubano.

—¿Por qué? —dijo extrañado Héctor Lara.

—Esto es un engaño, mi socio.

—¿A qué te refieres?

—¡Libertad! ¡Libertad! ¿Libertad, para qué? Tanto sermón respecto a la libertad en este país y luego todo resulta ser una tremenda mentira. ¡Mojón!

—Bueno, tú te fuiste de Cuba buscando libertad, ¿no? —dijo Héctor recriminándole su actitud.

—Yo vine en el ochenta, por el Puente del Mariel. Esperanzado en que aquí podría iniciar una nueva vida.

—¿Y...?

—¿Nueva vida? —se burló Clodomiro—. Tan pronto bajé del barco que me trajo de Cuba, las autoridades me metieron directamente en una prisión durante dos años. Dos años en una cárcel de Alabama sin ningún tipo de acusación. Sólo porque alguien les dijo que yo había robado algo en Cuba. ¿Es eso libertad? ¿Es esta la democracia a la que tanto se refieren las radios de Miami que emiten su propaganda hacia Cuba? ¡Tremendo paraíso este!

—¡De madre! ¿Y qué pasó después? —le animó Héctor a seguir hablando.

—Al cabo de dos años me dejaron en libertad y vine para Miami. Aquí no tenía familia, pero pensaba que, al menos entre los cubanos, recibiría algo más de apoyo. Una oportunidad para poder demostrar que no quería ser ninguna carga para nadie, sino convertirme en alguien positivo para la sociedad. ¡De verdad quería salir adelante! ¿Me oíste?

—Sigue, hermano.

—¡Qué ingenuo! Nadie me ayudó. Todos me miraban como si fuera un proscrito.

—No entiendo. Miami está llena de cubanos.

Clodomiro realizó un gesto de desprecio.

—Yo, a estas alturas, aquí ya no sé quiénes son cubanos y quiénes no lo son —prosiguió—. A veces pienso que los cubanos de Miami sólo lo son porque saben hablar español, pero su corazón es ya tan gringo como el de alguien de Oklahoma. Piensan en inglés y su personalidad no es para nada cubana. Son unos mutantes. ¡Fíjate bien en lo que te digo! ¡Creo que ni ellos mismos saben lo que son! Tienen una tremenda crisis de identidad entre lo que eran, lo que son y lo que les gustaría ser.

—No puedo creer que nadie te ayudara aquí.

—Nada, chico. ¡Me tuvieron comiéndome un cable! Fueron precisamente los cubanos de Miami quienes más me discriminaron. Yo nunca esperé que los americanos me tendieran la mano, pero sí tenía esperanzas en mis hermanos de la isla. Sin embargo, ¿crees que las personas como tú o como yo les importamos algo?

—No sé. Acabo de llegar. No sé nada.

—Cantidad de cubanos de Miami no respetan a los marielitos. Dicen que somos la escoria de la sociedad de Cuba. Delincuentes, criminales o drogadictos que deben ser deportados cuanto antes...

Clodomiro se refería a las ciento veinticinco mil personas que en 1980 se fueron de Cuba usando todo tipo de embarcaciones. El éxodo masivo hacia las costas de la Florida duró varios meses y fue permitido por las autoridades de La Habana. El fenómeno fue llamado «El Puente del Mariel» y quienes llegaron de esa forma recibieron el nombre de «marielitos».

—Vaya embarque... —se solidarizó Héctor.

—Nunca se me dio una oportunidad. ¡Nunca! Ni a mí ni a miles de los que vinieron conmigo. Jamás pudimos acogernos a eso que la propaganda yanqui llama «sueño americano». ¿Entiendes? Aquí no hay lugar para nosotros. No sólo somos ciudadanos de quinta categoría para los gringos, sino incluso para nuestros mismos compatriotas. Miami es para cubanos de plata, no para gente corriente. Todo son clases, chico. Como en Cuba entre quienes tienen posiciones en el Partido y quienes no las tienen. ¡Será nuestra personalidad! —exclamó resignado.

—Siento oír todo eso.

—Mira, a los cubanos de plata de aquí sólo les interesa el dinero. La lucha por la libertad de Cuba, al menos para muchos, no es más que una inmensa farsa para hacerse notar. Para darse publicidad. Para relacionarse y ganar dinero. ¡Cuba les importa un carajo, vaya! Sólo se sacrifican por los ceros de su cuenta corriente. ¡Por nada más! No te olvides de eso —le advirtió—. Yo sé de lo que estoy hablando. No dejes que te engañen con su retórica, mi hermano. Son muy buenos hablando mierda, pero fíjate sólo en los hechos. ¡Mírame a mí, coño! Tienen una cartera por corazón. ¿Es que acaso yo no soy cubano? ¿Por qué entonces no me ayudaron también a mí?

Héctor Lara, fascinado por las experiencias de Clodomiro, le siguió la corriente, pero, en principio, negándose a generalizar nada sobre la actitud del exilio. En especial, tras haber conocido a Ernesto, el tío de Marta, y comprobar su generosa actitud hacia los recién llegados. Quizás —pensó—, el caso de Clodomiro podría ser una desafortunada excepción.

—¿Y cómo llegaste hasta aquí? —prosiguió Héctor.

—Cuando me vi en la calle y sin posibilidad alguna de

encontrar un empleo, comencé a robar automóviles. ¡Tenía hambre! ¿Qué quieres? —dijo enfadado intentando justificarse.

—Oye, tranquilo, socio. Yo no te he acusado de nada...

—La policía, claro, acabó por arrestarme y enviarme de nuevo a prisión. Y así he estado, dentro y fuera de las cárceles hasta hoy.

—No has tenido mucha suerte.

—¿Suerte? Tengo amigos del puente del Mariel que ni siquiera han podido pisar suelo norteamericano una sola vez en libertad. Rodolfo Pérez, compañero mío de celda en la penitenciaría de Atlanta, estuvo seis años encerrado hasta que lo deportaron a Cuba. Rodolfo bajó del bote que lo trajo a Cayo Hueso e inmediatamente después fue arrestado por la policía sin ningún cargo. Como a mí. De ahí lo llevaron a prisión durante dos mil ciento noventa días de su vida hasta que aterrizó otra vez en el mismo lugar del que había salido. Muy bonito, ¿no?

—¿Y cómo pudieron hacer eso, chico? —se sorprendió Héctor.

—Lo mismo que conmigo. Alguien les dijo que él había estado en la cárcel en Cuba y eso fue todo. ¡Suficiente!

—Parece increíble.

—Tú lo dirás jugando, pero es la pura realidad.

—¡Le ronca el mango!

—Este país no vale la pena, amigo. ¡No sabes cómo extraño Cuba! ¡Ojalá nunca me hubiera ido! Entiéndeme bien —gesticuló Clodomiro—: yo no soy comunista ni nada por el estilo. Es más, precisamente por eso me fui de allí, pero ese es mi país. Mi Cubita linda...

—Hermano, Cuba parece cada día más un sueño imposible.

—Mira, chico, no me tomes por ñángara, pero, no comamos mierda: allí uno vive tranquilo. Entre los suyos. Hay respeto. Nadie se muere de hambre. ¿Ves acaso a alguien en los huesos en la calle? Las escuelas y los hospitales son gratuitos. Aquí los hispanos no tienen ningún respeto. Son demasiados los que nos consideran como unos vagos y unos estúpidos.

Hay mucho racismo. Y si eres hispano y negro como yo... entonces ¡olvídate, mi socio! Nunca podrás llegar a nada. Esta tierra no es para nosotros. Nosotros todavía nos movemos por sentimientos y no tanto por intereses. Somos personas. ¡Seres humanos! ¡Nunca debí haberme ido de Cuba! ¡Mierda! ¿En qué estaría yo pensando? —se recriminó Clodomiro.

—Bueno, Cuba tampoco es perfecta, ¿no?

—No. Ni mucho menos, pero es mi país. Allí está mi gente. Será mejor o peor, pero es mi tierra. Yo pertenezco a Cuba y Cuba me pertenece a mí. Ahora sólo soy un pobre desgraciado. Un miserable errante. Un adicto que no puede pasar ni un día sin fumar crack para intentar olvidar. No tengo ningún futuro ni ninguna razón para vivir. Ahora sí que me he convertido en lo que los americanos me acusaban de ser cuando llegué aquí. Una lacra social. Ellos crearon este despojo humano que estás viendo y eso, hermano, ¿sabes qué?, eso jamás se lo perdonaré. ¡Nunca!

22. LA GUARDIA PRETORIANA

CUANDO CARLOS HERNÁNDEZ entró en su despacho del Ministerio del Interior en la plaza de la Revolución, los generales Miranda y Lezcano y el teniente coronel Pardo se levantaron de forma automática para ofrecerle los saludos militares de rigor. Sin embargo, Hernández enseguida les dijo con confianza que se sentaran de nuevo.

El teniente coronel Pardo, con su avión adentrándose ya en el Atlántico, había tenido que regresar a la isla cancelando de forma indefinida su largamente planeado viaje a Moscú. El general Lezcano, por su parte, subió en Guantánamo al primer transporte aéreo disponible para dirigirse de nuevo a La Habana.

Miranda y Lezcano, al igual que Hernández, también eran generales, pero los cargos oficiales de este último le convertían en el jefe inmediato de todos los reunidos en la sala.

—Señores, ha llegado el momento más importante de su carrera militar y revolucionaria —dijo solemnemente Hernández.

—¿Qué ha ocurrido, mi general? —preguntó intrigado Pardo.

—El Ministerio del Interior ha desarticulado otro intento de asesinato contra el comandante en jefe.

Los rostros de todos los invitados al encuentro se endurecieron con un claro signo de reprobación.

—¿Quién estaba involucrado? —intervino otra vez Pardo sin pérdida de tiempo, deseoso por conocer más detalles del fallido atentado.

—No puedo dar muchos datos por motivos de seguridad. Ya saben cómo es eso...

—Pero... ¿estamos hablando de militares? —intervino el general Miranda.

—Sí.

—¡Del carajo! —estalló Pardo.

—Aún hay que realizar más detenciones y es vital que esta información no salga de aquí. Sin embargo, en realidad, eso es ya casi lo de menos. Lo importante es que el movimiento revolucionario, una vez más, está gravemente amenazado.

—¡Estamos a sus órdenes, mi general! ¡Para lo que sea! —apuntó con resolución el general Miranda.

—Este es un momento crucial —continuó Hernández—. Los peligros que acechan a nuestra lucha son muchos. Les he llamado aquí para decirles que el futuro de la revolución dependerá en gran medida de ustedes.

Hernández se dirigió entonces hacia un archivo que tenía en una esquina de la pared, lo abrió y sacó varias carpetas del mismo. Después, las repartió entre cada uno de los presentes.

Miranda, Lezcano y Pardo se consideraban a sí mismos como absolutamente fieles a Hernández. Una especie de guardia pretoriana siempre dispuesta a cumplir cualquier orden que emanara de sus labios. Algo que el viceprimer ministro del Interior, tras haberlos sometido a muchas y delicadas pruebas de lealtad, sabía muy bien.

Los tres, al igual que el coronel Martín Robles, habían llegado a los más altos escalafones en la jerarquía castrense de la isla gracias a continuos favoritismos. Hernández los protegía y promocionaba sin tener en cuenta las normas establecidas, ganándose así su respeto y una fidelidad no sólo ideológica, sino también personal. El jefe de la inteligencia cubana, con una frialdad casi matemática, había cultivado pacientemente durante años esa relación y ahora, por fin, llegaba la hora de recoger sus frutos más importantes.

Ninguno de ellos ignoraba que debían a Hernández las estrellas de sus respectivos uniformes y eso les obligaba a profesar un culto casi ilimitado a su superior. Por otro lado, eran perfectamente conscientes de que, así como ganaron su apoyo y sus galones, también podrían perderlos con una sola orden y en cualquier momento. Caer en gracia o desgracia dentro del aparato de la seguridad del Estado cubano suponía a veces un juego separado por una muy estrecha, frágil y caprichosa línea divisoria.

La verdad era que, de no haber sido por Hernández, ninguno de los tres hubiera tenido otro futuro que el de cosechar caña de azúcar en sus pueblos natales o convertirse en oficiales de bajo o medio rango. Sin embargo, el general los había enviado a las mejores academias soviéticas y rusas, brindándoles después todo tipo de lujos y privilegios en la isla.

Hernández podía haber escogido a militares más cualificados y capaces que ellos para llevar a cabo su plan, pero lo importante no era sólo la preparación técnica de quienes le ayudaran, sino, sobre todo, que los elegidos fueran de total y absoluta confianza.

El general Miranda trabajaba en el departamento Q-2 del servicio de inteligencia de La Habana. Ese departamento se encargaba de todo lo que tuviera que ver con acciones contra el exilio cubano en los Estados Unidos. El teniente coronel Pardo estaba destinado a la sección MZ, también llamada de «ilegales». Es decir, los oficiales de la inteligencia encargados de falsificar documentos para las misiones de sus agentes en todo el mundo. Por último, el general Lezcano era uno de los jefes de la Dirección de Operaciones Especiales, o DOE. Un pequeño grupo de militares de élite encargados de ejecutar acciones violentas contra enemigos del régimen en el extranjero. Mayormente, asesinatos políticos.

Todas las carpetas que repartió Hernández estaban selladas y en su exterior podía leerse con grandes letras: «Secreto de Estado».

—Abran la documentación —ordenó Hernández.

Al rasgar las carpetas de color rojo, los militares se encontraron con un montoncito de folios pegados entre sí. El primero de todos ellos decía «Plan Hatuey».

—Como ustedes saben, Hatuey fue un indio asesinado por los españoles. Los gallegos lo enviaron a la hoguera. Todo ocurrió cuando Hatuey les dijo que si en el cielo que le prometían los conquistadores había españoles, prefería morir. Los españoles cumplieron su deseo y lo quemaron vivo. Ha llegado el momento de la venganza del indio contra el imperialismo. Esta vez, contra el imperialismo más poderoso que jamás haya existido: el yanqui —afirmó Hernández.

La sala enmudeció al escuchar las palabras iniciales, pero las preguntas llegaron rápidamente después.

—¿De qué se trata? —preguntó Miranda.

—Esta será la misión más importante de sus vidas. Lean con detenimiento el plan. Se ha estado elaborando durante años y ustedes son los únicos dentro del actual Ejército cubano en quienes confío plenamente para llevarlo a cabo. Es triste reconocerlo, pero estamos rodeados de traidores. ¡De jodidos gusanos!

—¡Deberíamos fusilar en público a todos los perros traidores que atentan contra la revolución! ¡Ya está bien de paños tibios! —dijo convencido Lezcano.

—Señores —siguió Hernández—, voy a pedirles que sean totalmente fieles a los principios de la revolución que juraron respetar al convertirse en militares. Voy a pedirles que honren la bandera cubana, la de su país, y que estén dispuestos a llegar donde haga falta para defenderla.

—Una palabra suya es una orden para nosotros, mi general —afirmó tajante Pardo.

—Les he hecho venir para que cumplan con su deber: luchar por la revolución. Algo que no sólo les pido como amigo y compañero de armas suyo que soy, sino que también les ordeno y exijo en base a mi puesto de viceministro del Interior y jefe del servicio de inteligencia.

Los militares, al intuir la magnitud de la operación, se concentraron aún más en las palabras de Hernández.

—No sólo estoy hablando de profesionalismo. Esto es mucho más importante. Se trata de que demostremos al mundo que nuestro espíritu revolucionario no tiene pies de barro y que no mentimos al afirmar que la única alternativa es socialismo o muerte. Que no nos vamos a doblegar como tampoco lo hizo el indio Hatuey. ¡Que tenemos la misma dignidad y valentía y que preferimos morir antes que caer derrotados!

—¡Socialismo o muerte! —gritó Pardo, repitiendo después al unísono la misma arenga el resto de los subordinados de Hernández.

—¡Socialismo o muerte!

El jefe del MININT aspiró aire hasta llenar sus pulmones y después movió los músculos de su barbilla con satisfacción.

—Me alegro de comprobar su actitud. No esperaba menos —dijo el general orgulloso de sus soldados—. Este plan —prosiguió— está ideado para crear una supuesta agresión militar limitada de los Estados Unidos contra Cuba y que, de esa forma, la población se una en su nacionalismo frente al yanqui imperialista. Algo que haga recordar a los habitantes de este país la verdadera cara del monstruo del norte. Eso hará que la población se olvide de diálogos y acercamientos como los que insinúan hoy en día algunos ingenuos o traidores.

—¿Cuál es, básicamente, el plan, mi general? —intervino Miranda.

—Como les dije, crearemos una agresión militar imaginaria de los Estados Unidos contra nosotros. A ella vamos a responder con nuestra amenaza aérea y también neutralizando algunos objetivos en Miami a través de operaciones comando. Con eso conseguiremos dos cosas: unir al pueblo nacionalista en torno a la revolución y, además, recordar a los yanquis que estamos demasiado cerca de ellos como para que

osen atentar contra Cuba. Hay que hacerles ver muy claramente que si alguna vez libramos una guerra, las balas no sólo
volarán en la isla, sino también en su propio territorio. Así nos
dejarán en paz y se olvidarán de sus continuos intentos de
desestabilización. Sólo hay un camino para que nos respeten
y ese es que nos teman.

—¿Qué pasará después con los comandos de Miami?
—preguntó el general Miranda.

—Nada. Serán retirados de allí clandestinamente. En el
peor de los casos, se dispersarán entre la población cubana de
Florida hasta que los podamos ir sacando del país por vías
secretas ya establecidas. Como les adelanté, este plan lleva
elaborándose mucho tiempo y se han estudiado todos los detalles. Todos —repitió con énfasis—. Hasta los más insignificantes. No vamos a dejar atrás a ninguno de los nuestros.

El teniente coronel Pardo, mientras escuchaba los pormenores del operativo, no pudo evitar hacer la pregunta que
también rondaba en la mente del resto de sus compañeros.

—Permítame, mi general, ¿vamos, en verdad, a golpear
a los yanquis en su mismo territorio?

—Sólo algunas y muy limitadas acciones con fuerzas de
élite en Miami. La verdadera intención es simplemente asustarlos con la amenaza de lo que hubiéramos podido hacer ante
una agresión real. En especial, con nuestros MIGs-29.

—¿Y cómo piensa que reaccionarán ellos? ¿No podría
eso desencadenar una guerra?

Hernández miró a los tres y prosiguió hablando con absoluta tranquilidad.

—Recuerden: serán acciones limitadas y quirúrgicas.
Los americanos mentirán al público de su país para no alarmar a nadie y después no tomarán ninguna represalia por temor a que algún día este plan pueda desencadenarse en todas
sus fases.

La seguridad de Hernández pareció convencer a los
otros militares.

—¿Está alguien más al tanto de este plan, mi general?
—indagó de nuevo Pardo.

—Este plan ha sido aprobado por las más altas instancias de la revolución —dijo el general con firmeza dando a entender que la cúpula del Partido y el mismo Fidel Castro le habían dado su visto bueno.

El viceministro del Interior se cayó durante unos segundos para comprobar si alguien ponía en duda lo que acababa de decir, ya fuera verbalmente o con algún gesto de desaprobación. El silencio fue total y nadie pareció cuestionar las palabras de Hernández, que eran falsas. Finalmente, Pardo volvió a hablar, pero sólo interesándose en el aspecto operativo del plan.

—¿Quiénes nos ayudarán en La Habana a dirigir el operativo?

—Un muy selecto y restringido grupo de oficiales de las Fuerzas Armadas Revolucionarias de Cuba, las FAR, y del Ministerio del Interior. Sin embargo —prosiguió el militar—, ahora lo más importante es que recuerden que no pueden hablar con nadie sobre el Plan Hatuey. No comenten nada en ninguna parte y mucho menos dentro del ejército. Debe haber absoluta confidencialidad. Este es un operativo del máximo secreto.

—¿Cuándo lo llevaremos a cabo? —preguntó Miranda.

—Pronto, pero únicamente cuando sepamos que será un éxito total. Nunca antes.

—¿Hay que infiltrar a agentes en Miami? —regresó a la conversación Lezcano.

—Ya hay varias unidades trabajando en esa ciudad desde hace meses.

—¿Quién será nuestro contacto allí?

—El nuevo jefe de los comandos llegó a Miami hace unos días. Ustedes deberán estar en contacto permanente con él y dirigirle hasta que cumpla con todos sus objetivos. Como verán en sus documentos, su nombre es Héctor Lara. Capitán del servicio de inteligencia cubano y alias «agente Barbarroja». Esta persona, por motivos que entenderán mejor cuando estén más familiarizados con el proyecto, será clave en la operación. Vital. Lean detenidamente los informes. Cuando todo esté listo, yo daré la orden final.

—¡A la orden! —exclamó Pardo.

—Señores, dedíquense exclusivamente a esto. Ya les he relevado de todas sus funciones habituales. Esta es ahora nuestra misión más importante. Nos reuniremos cada día en este mismo despacho y a esta misma hora para comprobar nuestro progreso. Además, hoy será acondicionada una nave especial en el MININT para llevar a cabo el plan.

Hernández se situó de pronto frente a sus tres compañeros y comenzó a hablar con un tono más grave.

—Lo más importante es que se graben en la cabeza que esta operación es del máximo secreto. Nadie puede enterarse de lo que estamos haciendo. Ni siquiera nuestros propios compañeros del servicio de inteligencia. Aquí hay mucho chivatiente y cualquier filtración podría arruinarlo todo. Demasiados guarapitos. Como les dije, los más altos mandos de la revolución aprobaron este plan, pero incluso ellos mismos podrían poner a prueba su lealtad preguntándoles algo para ver si revelan la existencia del operativo. Si dicen algo, ya nunca más confiarán en ustedes y podrían ser degradados de inmediato. Incluso ser acusados de traición. No se fíen de nadie. ¿Entendido? ¿Estamos claros en esto, señores?

Todos asintieron, casi molestándose por la insistencia del general.

—¿Alguna duda más?

—Sí —apuntó Miranda—. ¿Cómo vamos a justificar nuestro trabajo en la sede del MININT sin que nadie sospeche nada?

—No se preocupen. Yo me ocuparé de eso. Compañeros, no lo olviden. ¡Esta es la única salida! ¡Patria o muerte!

—¡Venceremos! —gritaron todos.

Acto seguido, los tres militares abandonaron el despacho del Ministerio del Interior donde se produjo el encuentro y dejaron solo a Hernández.

El general sacó entonces de su caja fuerte varios documentos adicionales del Plan Hatuey y los repasó con detenimiento. El militar sabía que ninguno de sus colaboradores podía conocer jamás la verdadera magnitud del proyecto. De lo contrario, las posibilidades de que sus superiores se enterasen de los objetivos reales de la operación crecerían con peligro y, por consiguiente, también el riesgo de ser cancelada de inmediato.

—¡Claro! ¡Esos cegatos pensarían que estoy loco! —pensó enojado el general.

Por otro lado, Hernández estaba seguro de que, a pesar de las promesas de lealtad, varios de sus más allegados confidentes se echarían atrás si tan sólo llegaran a sospechar las consecuencias últimas de lo que ya estaban ayudando a desencadenar.

El militar era consciente de lo complicado que sería ejecutar un proyecto como ese, pero si había alguien en Cuba con el poder necesario para llevarlo a cabo en secreto, además del mismo Fidel Castro, esa persona era Carlos Hernández.

Para su suerte, los organismos de la seguridad del Estado estaban casi totalmente orientados a proteger a la revolución de grietas ideológicas. Sobre todo, de influencias procedentes del exterior. Dado que este operativo se había enmarcado dentro de la categoría de acciones contra el exilio y los Estados Unidos, nadie sospecharía que el plan pudiera afectar de forma negativa al régimen.

Conspirar contra Washington nunca sería percibido como algo perjudicial para la revolución, sino todo lo contrario. La nomenclatura cubana jamás podría imaginar que alguien como Carlos Hernández, siempre dispuesto a sacrificar su vida por las ideas del comunismo, pudiera ejecutar un plan que amenazase no sólo con destruir el proceso revolucionario, sino a la misma Cuba.

—No creo que nadie desconfíe. La dirigencia siempre pensó que la mayor amenaza contra el sistema vendría de fuera o bien mediante la disidencia interna. Nunca a través de uno de sus más acérrimos defensores. Sin embargo —continuó—, cada vez está más claro que hay que sacrificar esta revolución para construir otra mejor y más fuerte. ¡Una que nunca muera! —razonó Hernández consciente de las funestas consecuencias que tendría para la isla una acción militar a gran escala contra los Estados Unidos.

El general siguió entonces analizando los centenares de folios que había esparcido sobre la mesa con los últimos detalles de la operación.

—He de revelar el menor número de datos posible a cada uno de los que van a participar en esto. Sólo lo necesario para que puedan realizar su parte del plan. Cuanto menos sepan, mejor. La mano derecha nunca puede saber lo que está haciendo la mano izquierda. No obstante, si algo sospechoso llega a los oídos del comandante en jefe, le diré que se trata de un simple ejercicio de disposición combativa. Los tenemos por docenas y Fidel es incluso el primero en animarnos a desarrollarlos por temor a alguna agresión inesperada por parte de los yanquis para derrocar al régimen —prosiguió elucubrando el militar—. El comandante conoce muy bien el Plan Hatuey. Incluso lo hemos ensayado varias veces en sus fases iniciales para comprobar su eficacia. Si llega el caso de tener que justificar cualquier movimiento de tropas, diré que estamos asegurándonos de que el plan sigue operativo. Es decir, que lo que se realiza es un mero ejercicio más para mantener bien alta nuestra capacidad de defensa y respuesta militar, así como la moral de la tropa. Una maniobra claramente teórica que, en tiempos de paz, nadie pensaría ver jamás materializada en el terreno de la realidad. Nadie. Ni siquiera el propio Fidel.

23. GREAT MIAMI AIR

TRAS DOS SEMANAS internado en el hospital Jackson Memorial, Héctor fue dado de alta. Su último desayuno allí lo realizó en la amplia e impersonal cafetería del centro hospitalario.

Cerca de su café con leche había un ejemplar abandonado del Diario de las Américas. El cubano se hizo con el periódico y buscó la sección de anuncios. Después de leerla detalladamente, sus ojos se concentraron en una de las notas.

«Compañía aérea Great Miami Air busca personal de limpieza para el mantenimiento de sus aviones. Jornada laboral de ocho horas. Sueldo negociable. Conectar con Edwin Pedraza en oficinas centrales de la empresa». El anuncio también detallaba el teléfono a llamar así como la extensión de Pedraza: la 457.

Héctor subrayó ese anuncio, pagó su desayuno con algunos dólares que le regaló un enfermero y fue hacia uno de los teléfonos públicos instalados en el comedor. Después, marcó el número que se mencionaba en el diario.

—Great Miami Air, good morning. How can I help you?

—Extension number 457 —dijo Héctor en un precario inglés.

—One moment, please...

Tras esperar algunos segundos, otra persona respondió desde el otro lado de la línea.

—Hello...

—Mister Edwin Pedraza?

—Speaking.

—Buenos días —apuntó Héctor cambiando ya de inglés a español—. Mi nombre es Héctor Lara y llamo por el anuncio en el periódico.

En ese momento, el aspecto de la cara de Pedraza cambió por completo. Su rostro se volvió tenso y el cubano, obviamente nervioso, miró varias veces a su alrededor para asegurarse de que nadie estuviera escuchando su conversación.

—Por favor, deme un segundo... —dijo Pedraza para después levantarse, cerrar la puerta del despacho y regresar a su silla.

—¿Héctor... Lara? —preguntó ya más relajado.

—Sí.

—Héctor, su nombre me suena familiar. ¿Nos conocemos?

—No sé. Quizás sí. ¿Ha estado usted alguna vez en Varadero?

—Sí, cómo no...

—¿El hotel «Playa Varadero»?

—Sí.

—Yo trabajaba allí.

—Ya veo. ¿En qué departamento?

—Camarero del tercer piso.

—Creo que ya me acuerdo de usted...

—Fantástico.

—Bien. ¿Cuándo puede venir aquí a entrevistarse?

—Ahora mismo. No hay tiempo que perder.

—Le espero.

Media hora más tarde, Héctor llegó al despacho de Edwin Pedraza. El taxi no había tenido que recorrer demasiada distancia, ya que las oficinas de la Great Miami Air estaban ubicadas relativamente cerca del hospital Jackson Memorial.

Tan pronto como Héctor entró en la habitación y cerró la puerta tras de sí, Pedraza lo saludó marcialmente.

—¡A sus órdenes, mi capitán! ¡Patria o muerte!

—Siéntese, no sea loco —ordenó enseguida Héctor.

—Bienvenido. Hacía días que le esperábamos...

—Sí, lo sé, pero aún tengo el cuerpo lleno de quemaduras. No pude llegar antes.

—El exilio le tiene por un héroe. Casi pierde la vida en la travesía. ¡Ha sido una jugada maestra! —expresó con júbilo.

—Bueno, esa era la idea. Había que arriesgarse para ganar credibilidad. Necesito estar completamente libre de toda sospecha. Sé que muchos en el exilio desconfían de algunos de los que llegan pensando que pueden ser agentes cubanos infiltrados. Por supuesto, yo no soy el más indicado para culparles por eso, ¿verdad...? —afirmó sonriendo.

—Desconfían hasta de su propia sombra, pero usted se los ha metido en el bolsillo. ¡Qué bárbaro! ¡Se la comió!

—Será que no somos tan tontos como algunos piensan.

—Sobrevivió otro en la travesía, ¿no?

—Sí. Una chica. Me hacía falta un testigo del ataque —afirmó el espía mostrando cierta incomodidad.

—Claro.

—La seguridad del Estado sabía que Ricardo Quesada llevaba una pistola y que yo iría en esa balsa. Los disparos contra el helicóptero fueron la excusa perfecta para que el MI-8 averiado se fuera con rapidez sin haber podido matar al resto de los tripulantes, incluido yo. Sobrevivir sin más a algo así hubiera sido demasiado sospechoso.

—¡Vaya! —exclamó impresionado Pedraza.

Héctor miró su reloj y después estudió visualmente la oficina durante algunos segundos.

—Bien, vayamos al grano. ¿Cuál será mi trabajo aquí?

—Mi capitán, usted ayudará a limpiar los aviones que la compañía alquila para que los cubanos de Miami visiten la isla. Cada uno de esos aparatos tiene una pequeña placa exterior en su fuselaje que se puede abrir con un simple destornillador eléctrico. En ese lugar enviamos algunos de los mensajes cifrados a la comandancia en La Habana detallando nuestras actividades aquí. Pequeñas notas de papel. También es uno de los medios que ellos utilizan para transmitirnos sus órdenes.

—¿Hay alguien más destinado a esas labores de limpieza?

—Yo organizo los horarios y usted siempre estará solo cuando tenga que acceder al buzón —dijo Pedraza usando el lenguaje empleado por los espías para referirse al lugar donde se depositan y recogen los mensajes.

—De acuerdo. ¿Y el resto de los integrantes del comando?

—Estábamos esperando su llegada para organizar una reunión general.

—Ocá.

—Mi capitán, ¿puedo hacerle una pregunta? —preguntó intrigado Edwin Pedraza.

—Sí. Adelante.

—¿Está La Habana preparando algo especial, mi capitán?

—En primer lugar, Edwin, no me llame más capitán. Eso es peligroso. Un día podría escapársele en público. Llámeme Héctor.

—De acuerdo. ¿Hay algo especial preparándose, Héctor? —insistió sin rodeos.

—¿Por qué lo dice?

—Por su llegada. Por la forma tan arriesgada en que se realizó, evitando cualquier tipo de sospechas. No es algo normal.

El capitán del MININT pareció ni inmutarse ante la pregunta.

—No. Yo sólo vengo a reforzar este comando y sustituir al compañero Sergio Pérez que, como sabe usted, regresó a La Habana por motivos familiares.

—Entiendo.

—Sin embargo, tenga por seguro que si en la isla están preparando alguna operación encubierta, sólo sabremos algo al respecto cuando sea necesario. Nunca antes. Es el procedimiento habitual.

—Claro.

—Como le dije, mis órdenes son únicamente apoyar al comando. Nada más. La Habana sólo quiere asegurarse de que su maquinaria en Miami está bien engrasada. Tenemos los mejores informes de ustedes, pero ya sabe que operaciones como esta son simple rutina.

—Sí, por supuesto —afirmó Pedraza con una extraña expresión en su cara. Una mezcla entre obvia incredulidad y un intenso deseo por no exteriorizar su claro escepticismo ante las explicaciones de Héctor.

—¿Cuándo empiezo en mi nuevo trabajo? —cambió de tema el agente Barbarroja.

—Mañana. Sabíamos que estaba a punto de llegar, así que ya le hemos alquilado un apartamento en la ciudad de Hialeah. Al lado del aeropuerto. Aquí está la dirección —dijo Pedraza dándole un papel y un sobre—. En el sobre hay dinero para que no tenga problemas de gastos y también está una identificación temporal que le dará acceso a los recintos de la Great Miami Air. Mañana le daremos la permanente, con foto.

—Muy bien. ¿A qué hora mañana?

—A las siete de la mañana. El autobús que le traerá hasta aquí sale justo enfrente de su edificio. El trayecto es de unos quince minutos. Todo está indicado con claridad en los documentos que le he dado.

Héctor repasó con rapidez el contenido del sobre y después lo cerró de nuevo.

—Primero he de ponerme en contacto con el delegado político del comando. Cuando eso ocurra, avisaremos a todos para conocernos personalmente y dar un repaso al status de las misiones que tienen asignadas.

—Entendido.

—Adiós —se despidió Héctor traspasando la puerta de salida y perdiéndose después entre los pasillos de la compañía.

Pedraza, tras cerrar la puerta, se sentó en su mullido sillón y reflexionó durante algunos segundos.

—Esto no me huele bien —pensó—. Nada bien. Este cabrón sabe mucho más de lo que dice.

24. LOS MEJORES ENTRE LOS MEJORES

LAS VENTANAS DEL BARRACÓN militar estaban abiertas y a través de ellas sólo podía escucharse el lejano canto de un grillo inmerso en la calurosa noche.

La nave del Ministerio del Interior permanecía tranquila. Únicamente los pasos de un centinela, apostado a la entrada, entorpecían el casi total silencio que había invadido el interior de aquella estancia abarrotada de soldados. Todos descansaban con tranquilidad tendidos sobre sus literas.

En las paredes podían verse colgadas gran cantidad de insignias militares y banderas del Ejército cubano, así como varias máximas revolucionarias pintadas sobre el blanco de los muros.

De pronto, un coronel llegó apresuradamente al barracón, prendió las luces del recinto e hizo sonar la campana de alarma general o zafarrancho.

—¡De pie! ¡Arriba! ¡De pie! ¡Arriba todo el mundo! ¡A formar! —gritó una y otra vez—. ¡Prepárense para el combate! ¡Alístense! ¡Alinéense en las literas!

Al despertarse, los sesenta hombres que dormían en la barraca saltaron inmediatamente de sus camas y comenzaron a vestirse sin perder un solo segundo. Los soldados formaban parte del célebre Cuerpo de Tropas Especiales del Ministerio del Interior. El cuerpo militar de élite más selecto de todo el país y que había sido entrenado para las misiones más difíciles y arriesgadas. Todos eran expertos en artes marciales y su preparación física resultaba tan exigente que tan sólo su fornido y atlético aspecto era capaz de impresionar a cualquiera.

—¡Vamos! ¡Muévanse! ¡La patria está en peligro! —continuó vociferando el coronel.

Los soldados corrían de un lado a otro moviéndose en un aparente y constante caos, pero, en realidad, sus calculadas acciones seguían un protocolo de combate largamente estudiado. Todos sabían a la perfección qué hacer en situaciones de ese tipo.

Estos militares del MININT, debido a que su preparación era incesante, ya habían realizado en los últimos meses varios ejercicios simulando defender a Cuba de supuestos ataques, pero siempre estaban obligados a dar lo máximo de sí mismos en todos y cada uno de ellos. Esa noche, sin embargo, muchos de los soldados intuyeron que, en verdad, aquello podría ser algo distinto a lo habitual. El motivo: la extraña e intensa energía que su coronel irradiaba constantemente.

En el barracón había dos pelotones de treinta hombres cada uno. Todos ellos se pusieron sus uniformes de camuflaje, boinas y botas en menos de tres minutos y después corrieron hasta la armería del edificio, donde comenzaron a repartírseles sus fusiles de asalto AK-47 plegables de fabricación china o norcoreana. Un arma distintiva de los cuerpos de élite de la isla.

—¿Qué armamento llevamos, mi coronel? —preguntó un teniente.

—Acción de comando. Respuesta rápida —respondió el coronel.

Eso significaba lanzacohetes RPG-7 rusos, así como minas antipersonales y misiles antiaéreos SAM-7.

—¿Balas reales o de fogueo?

—Munición real.

—¡A la orden! —dijo el teniente, yéndose a la armería para proveer del material a sus soldados.

Los militares del MININT, confirmando su fama de disciplina, rapidez y efectividad, apenas necesitaron cinco minutos más para colocarse en formación en el patio. Preparados para combatir y con su armamento reglamentario en perfecto estado.

El pequeño arsenal de cada miembro del comando también incluía ocho magazines para el AK-47, una pistola rusa Makarov de 9 milímetros con un cargador de repuesto, un cuchillo de supervivencia, una radio portátil para escuchar las instrucciones de sus superiores, un aparato de visión nocturna y varias granadas ofensivas.

Tras pasar una fugaz revista a la tropa, el coronel ordenó a todos que bajaran a la carrera hasta la calle. Los sesenta soldados y dos tenientes salieron entonces a toda velocidad hacia la puerta principal del Ministerio, situado justo frente a la estatua de José Martí en la Plaza de la Revolución. La estatua, postrada frente a un alto monumento de hormigón en forma de obelisco, descansaba sobre un podio donde había un gigantesco cartel con la máxima revolucionaria «Venceremos».

La guardia del Ministerio del Interior quedó perpleja ante lo imprevisto y espectacular de la acción de los comandos del Cuerpo de Tropas Especiales. Sin embargo, la rapidez de sus movimientos provocó que estos pasaran casi completamente desapercibidos dentro del cuartel, que consistía en un par de edificios rectangulares grises unidos a otros del área por pasadizos subterráneos y secretos.

La sede del MININT tenía una apariencia misteriosa propia de la naturaleza del trabajo que se realizaba allí. Eso, junto a la sobriedad del edificio y de sus guardias, hacía que el complejo irradiase una atmósfera de clara intimidación. Toda la parte derecha de la fachada del inmueble estaba cubierta con un retrato del Che Guevara y sus palabras «Hasta la victoria, siempre».

Dos camiones aguardaban a la salida con sus motores ya encendidos. Un Zil 131 y un K-66 cubiertos por gruesas lonas de color verde olivo. Cada uno podía transportar un pelotón, con lo cual todos cupieron dentro sin ningún problema.

Una vez la tropa estuvo acomodada en los vehículos, el

coronel y los dos tenientes subieron a un jeep que lideró el camino.

—¿Adónde vamos, mi coronel? —dijo el conductor.

—¡Al aeropuerto! ¡Rápido!

Al escuchar la orden, el militar partió hacia su destino hundiendo el acelerador contra el piso del camión. Era de noche y no había tráfico, así que el convoy llegó en apenas veinte minutos. Allí se dirigieron a una pista aislada, donde les esperaban seis helicópteros MI-25 de fabricación rusa.

—¡A formar! —gritó el coronel.

Entonces, los militares bajaron ágilmente de los vehículos para colocarse en hileras de a cuatro frente a las naves. Durante el corto camino hacia el aeropuerto, y siguiendo las órdenes prefijadas para este tipo de operativos, todos se habían untado crema de camuflaje sobre sus caras y manos. El camuflaje era tan efectivo que, en ocasiones, incluso los mismos soldados tenían dificultades para reconocer la identidad de algunos de sus propios compañeros.

Tres focos de gran intensidad iluminaban el terreno donde habían sido ubicados los helicópteros, frente a los cuales permanecían concentrados los soldados. De repente, uno de los tenientes gritó «¡Firmes!» y el coronel se enderezó para dirigirse a su tropa.

—Un grupo de contrarrevolucionarios se ha apoderado de una pequeña pista de aterrizaje en las afueras del pueblo de Canasí, a unas setenta millas de La Habana. Antes de Matanzas. Creemos que están intentando penetrar comandos hostiles para realizar acciones de sabotaje en Cuba. Podrían ser miembros de la organización paramilitar de Miami Alpha 66.

Mientras el coronel hablaba, todos permanecían completamente atentos a cuanto este les decía. Las tropas de élite nunca discutían órdenes, sólo las ejecutaban. Aquellos hombres, a pesar del alto riesgo de muchas de sus misiones, habían sido entrenados para actuar sin ningún tipo de vacilación.

—Nuestro trabajo será el de neutralizarlos —añadió el militar.

—¿Hemos de coger prisioneros? —preguntó uno de los tenientes.

—Sí. ¡Por todos los medios! Necesitamos que alguno hable para probar al mundo este nuevo ataque contra la revolución, pero tampoco pongan en peligro sus vidas para salvar la de un maldito gusano —dijo el coronel—. Únicamente asegúrense de que estos terroristas no consigan sus objetivos y que, al menos, arrestemos vivo a uno de ellos.

—¿Cuál es el plan, mi coronel? —intervino el otro teniente.

—Aterrizaremos fuera del pueblo para evitar el pánico entre la población y también para no ser detectados por los intrusos. El primer pelotón se encargará de establecer un perímetro de seguridad alrededor de la pista y evitar que nadie entre o salga de ahí.

—¿Y el segundo? —preguntó de nuevo el mismo teniente.

— Neutralizará a cualquier centinela que puedan haber apostado en los alrededores y después tomará sus posiciones de ataque frente al enemigo. Son las dos de la madrugada —dijo mirando su reloj—. A las tres en punto realizaremos el asalto. Sincronicen sus relojes. Quiero que los francotiradores eliminen a los soldados que sean visibles y que la caseta del miniaeropuerto sea destruida antes de que accedamos a la misma. No podemos perder a nadie en esta misión. No es complicada. Sólo necesitamos ser precisos.

—¿A cuántos nos enfrentamos?

—Según los informes de la inteligencia, no son más de una docena, pero podrían estar bien armados. Si tenemos problemas, los helicópteros artillados nos asistirán de inmediato para aniquilar cualquier foco de resistencia. ¡Adelante! —exclamó enérgico el coronel a su tropa.

—¡A la orden! —gritaron todos.

Sin pérdida de tiempo, los dos pelotones y sus oficiales subieron a los helicópteros y emprendieron vuelo hacia Canasí.

El MI-25, así como el MI-24 y el MI-26, eran los helicópteros generalmente utilizados por el Cuerpo de Tropas Especiales para sus acciones tipo comando. Su gran radio de acción le permitía desarrollar operativos a largas distancias. Por ejemplo, un MI-25 con tanques extra de reserva, saliendo desde la base cubana de Varadero, podría incluso llegar hasta Miami y regresar a su punto de origen sin repostar combustible.

Este tipo de helicóptero tenía dos cañones de 23 milímetros con magazines de doscientos proyectiles cada uno, así como una ametralladora rápida de calibre 12,7 milímetros capaz de generar hasta dos mil disparos por minuto. El MI-25 también podía transportar cuarenta y ocho cohetes de cinco pulgadas aire-tierra. De la misma forma, y si fuera necesario, estaba habilitado para cambiar su carga de misiles por otra de doscientas bombas de fragmentación de cinco libras cada una. Estas eran devastadoras, ya que estallaban en el aire para dividirse después en otras más pequeñas que volvían a hacer explosión antes de chocar contra el suelo. El resultado: aniquilación absoluta en cientos de metros alrededor del objetivo.

Las bombas de fragmentación podían matar debido a sus fuertes explosiones, por el inaguantable y repentino desprendimiento de calor o bien producto del vacío generado por los estallidos. Algo que destruía los pulmones de las víctimas situadas en tierra. Estas armas desintegraban todo a su paso provocando un efecto similar a las bombas de napalm, fabricadas a base de gasolina gelatinosa.

Al cabo de unos treinta minutos, los helicópteros aterrizaron cerca de Canasí y los soldados se dispersaron con premura para cumplir con sus diferentes misiones. A las dos y cuarenta y cinco de la madrugada, los comandos ya habían tomado sus diferentes posiciones y estaban listos para el asalto final. A las tres en punto, el coronel dio por radio y en clave la luz verde a sus hombres y todos se lanzaron al ataque.

Inexplicablemente, quienes habían tomado el aeropuerto no tenían centinelas apostados en las cercanías. Algo que extrañó mucho a los militares del MININT y que permitió a los comandos acercarse hasta el objetivo sin ningún obstáculo o demora. Su deducción fue que se trataba de personas muy mal preparadas en las tácticas militares más elementales o que estaban ridículamente seguros de no haber sido detectados por los radares de la Fuerza Aérea Revolucionaria de Cuba.

A través de sus aparatos de visión nocturna, los soldados cubanos contaron diez personas. Dos dentro de la caseta, visibles por el reflejo de sus siluetas a través de las ventanas, y ocho fuera. Estos últimos permanecían estáticos sobre la estrecha pista de tierra del pequeño aeródromo.

En apenas segundos, la pequeña torre de control saltó dinamitada por los aires y tres de los hombres que custodiaban la pista cayeron fulminados producto de los certeros disparos de los francotiradores del MININT. Los militares habían usado el fusil cubano modelo Alejandro, de extrema precisión y que penetraba sin dificultad las placas de los mejores chalecos antibalas. Otro de los infiltrados recibió el impacto de un cuchillo que se le clavó en pleno pecho y los restantes cuatro fueron tirados al suelo e inmovilizados por ocho soldados en apenas segundos. Todo había concluido en menos de un minuto.

Para sorpresa general, los integrantes del Cuerpo de Tropas Especiales vieron enseguida que los presuntos miembros de Alpha 66 no eran más que simples muñecos disfrazados de atacantes. La conclusión fue inmediata: aquello no había sido más que una maniobra como otra cualquiera. Algo que nadie acabó de comprender muy bien debido a la frenética e inusual actitud del coronel desde el inicio de la misión.

Sin embargo, la respuesta que explicaría su tenso comportamiento estaba a punto de llegar. Tan pronto como hubo finalizado el asalto, los comandos, ya más relajados y lejos de la presión anterior, se reunieron en la pista del aeropuerto para escuchar las nuevas órdenes del coronel. En ese momento, y pareciendo salir de la nada, llegó caminando hasta ellos el general Hernández.

—¡Impresionante! ¡Magnífico! —exclamó eufórico.

—Mi general, este cuerpo siempre está listo para cualquier desafío —dijo satisfecho el coronel con el trabajo de sus soldados.

Los militares comprendieron entonces el celo del coronel. Su máximo jefe en el Ministerio del Interior había estado presenciando en persona los resultados del ejercicio.

—¡Les felicito! —dijo Hernández dirigiéndose a los integrantes de los dos pelotones—. Han actuado con una valentía admirable. ¡Como unos leones! Lo presencié todo desde un puesto de observación situado a unos doscientos metros de aquí. Jamás dudaron ustedes a la hora de ejecutar las órdenes que les dieron. Nunca. Ahora, claro —continuó—, todos saben que quienes estaban postrados aquí son simples muñecos, pero, de haber sido enemigos reales, les habrían recibido a tiro limpio. A pesar de eso, nada les detuvo ni se dejaron intimidar. ¡Coronel, tremendos muchachos tiene usted a su mando! ¡Tremendos!

—¡A sus órdenes! —gritaron todos complacidos por los elogios del general.

—Sigan así. Hoy fue un ensayo, pero si mañana se produce un enfrentamiento verdadero quiero que respondan con la misma determinación que esta noche —dijo después.

—¡Patria o muerte! —se escuchó entre los miembros de los pelotones, que permanecían en posición de firmes.

Mientras los soldados recibían la orden de regresar a La Habana en los mismos MI-25, Hernández abandonó el lugar muy satisfecho con lo que había visto. El general sabía que el Cuerpo de Tropas Especiales jugaría un papel vital en el Plan Hatuey y, una vez más, acababa de comprobar que esos comandos siempre obedecían sus órdenes. También, que tenían la determinación necesaria para enfrentarse a cualquier enemigo sin ni siquiera pestañear.

El viceprimer ministro del Interior era consciente de que aunque hubiera ideado un plan teóricamente perfecto para atacar a los Estados Unidos, este no valdría para nada si en el momento decisivo los responsables de ejecutarlo no lo hacían por miedo o falta de lealtad.

25. EL NACIMIENTO DE LA LUCHA

EL TAXI QUE TRANSPORTABA a Héctor Lara se detuvo en la avenida Ocean Drive de Miami Beach. Frente al bar El Cactus, especializado en cócteles tropicales.

El conductor del taxi, Alexis, era un ruso natural de Moscú que, a pesar de ya llevar diez años viviendo en los Estados Unidos, aún tenía grandes problemas para entenderse bien en inglés.

—Yo me defienda mucho mejor en español que en inglés. ¿Cómo posible aprender inglés en Miami, eh? —dijo Alexis en un precario español y realizando grandes gesticulaciones con sus brazos.

Alexis estaba casado con Berta, una cubana residente en Miami. Antes de su matrimonio, el ruso había vivido un tiempo en Nueva York, pero el duro invierno de esa ciudad le animó a buscar otra zona con un tiempo más apacible.

—Moscú muy frío. ¡Mucho frío! ¿Para qué querer yo pasar más frío en Nueva York? ¡No! Miami mejor. ¡Mucho mejor! Miami playa todo el año. ¡Sol! ¿Entiende? —preguntó después el expresivo Alexis intentando justificar su decisión de haber abandonado Nueva York.

—Sí. Hace mucho calor en Miami —respondió Héctor secándose las gruesas gotas de sudor que surcaban su tez, ya que ese día el taxi tenía estropeado el aire acondicionado—. Y dígame, ¿tan mal se está en Rusia? —cambió de tema el agente del MININT.

—¿Mal? ¡Peor que mal! No hay nada. Sólo pobreza. Nada que repartir. No futuro. ¿Usted es cubano?

—Sí.

—¡Entonces usted saber muy bien! Rusia necesita mucho tiempo antes de ver fruto de democracia. Cuba es lo mismo que antes mi país, ¿no? —preguntó Alexis.

—Sí, claro —respondió Héctor usando su habilidad natural para seguir la corriente a sus interlocutores haciendo, además, que estos se encontraran extremadamente cómodos hablando con él—. ¿Y qué tal se lleva con su familia cubana?

—¡Oh! Cuando yo casé con Berta, yo creer que yo casar sólo con Bertica, pero no. ¡Mucho distinto! Yo no casar sólo con Berta. ¡Yo casar con Berta y toda la familia de Berta! Amigo, tú casar cubana, tú casar al mismo tiempo toda familia de cubana. Suegro, suegra, abuelo, abuelita, tío, primos, sobrinos. ¡Todos! ¡Vaya! —exclamó Alexis con un peculiar acento, mitad ruso, mitad caribeño.

—Sí —rió Héctor—. Algunas cosas no cambian ni dentro ni fuera de la isla —añadió con ironía antes de bajar del taxi y pagar la carrera al ruso emigrado.

El joven cubano, con el tiempo, comprobó que encontrar un taxista norteamericano en Miami era una tarea poco menos que imposible. Alexis no pasaba de ser una excepción en esa ciudad de profundo carácter hispano, donde la mayoría de taxistas eran latinos o bien haitianos.

Héctor permaneció en el bar El Cactus durante algunos minutos y pidió al camarero que le sirviera una cerveza bien fría. El calor era asfixiante.

Mientras esperaba su bebida, el espía observó el anochecer en Miami Beach. El cielo parecía una espesa manta de intenso color azul que se extendía sobre toda la ciudad. Tan sólo algunas rayas de vivo color rojizo, desplegadas en el horizonte como si estuvieran arañando las mismas estrellas, rompían la profunda oscuridad que, minuto a minuto, iba aterrizando sobre la costa.

Tras beber la cerveza y refrescar su garganta, el agente salió de El Cactus y comenzó a caminar hacia donde tenía que encontrarse con Orlando Ortiz.

Miami Beach, entre otras cosas, era conocida por ser uno de los lugares más representativos del llamado Arte Déco en todo el mundo. Ese estilo arquitectónico se basaba en el triunfo de la fantasía y la imaginación. Ningún edificio era igual a otro y en todas las construcciones podía apreciarse un continuo e irrenunciable juego de formas y colores.

La clave del Arte Déco era experimentar. Probar alternativas. Nunca quedarse contento con ningún resultado, algo que había permitido la creación de obras de gran originalidad.

Los tonos y colores utilizados en los edificios eran en extremo suaves a la vista. Tipo pastel. Eso, junto a las apacibles y caprichosas formas de la arquitectura del área de la playa, daban un tono de delicadeza y eterna armonía al llamado South Beach.

Al anochecer, esa zona también comenzaba a adornarse

con otro de sus elementos básicos: las luces de neón. La combinación entre el intenso color del neón y las fantásticas construcciones del Arte Déco producían un aspecto casi mágico en esa parte de la ciudad. Héctor pronto comprobó que caminar por algunos rincones de Miami Beach era como desligarse un poco de la realidad diaria para zambullirse en un extraño y poco convencional mundo de calma y armonía. Otras calles, en cambio, eran un verdadero hormiguero de personas constantemente salpicadas por la música y el bullicio procedentes de bares, restaurantes y discotecas de la zona.

Los ojos del cubano, por otro lado, continuaban deslumbrándose por la abundancia material que viera desde su llegada. El oficial, a pesar de conocer diversos continentes, nunca había estado expuesto a una nación como los Estados Unidos. Un mundo muy distinto a cualquiera de los países comunistas en los que había estado destinado como militar. Sus únicos puntos de referencia eran Angola, Bielorrusia, Ucrania, la antigua Yugoslavia, Corea del Norte, la zona fronteriza entre la República Dominicana y Haití y varias remotas selvas en Latinoamérica.

El éxito económico de muchos de los cubanos del exilio, a pesar de las dificultades de haber tenido que comenzar una nueva vida desde cero, sólo podía describirse como espectacular. Era como si tuvieran la imperiosa necesidad de triunfar para huir de su pasado de carestías y, de paso, demostrar a los líderes de La Habana que, mientras la isla continuaba acosada por la pobreza, ellos habían llegado hasta lo más alto.

Por si fuera poco, Miami Beach era constantemente visitada por las clases más pudientes tanto del país como del extranjero. Autos deportivos, artistas famosos, ropa de marca, clubes nocturnos y restaurantes de facturas prohibitivas eran el paisaje habitual en las calles de South Beach. Para muchos allí, el acto de ostentar no era ningún lujo, sino una verdadera necesidad. Casi una profesión en sí misma.

Al llegar a la esquina de la avenida Ocean Drive y la calle Cinco, Héctor entró en un gran supermercado. Para la inmensa mayoría de personas, la actividad de observar productos expuestos en tiendas de alimentación era una simple rutina, pero para el cubano la experiencia supuso una auténtica bofetada visual. Nunca había visto tanta comida junta. Una apabullante sensación de sobra conocida por prácticamente cada cubano recién llegado a Miami.

Héctor comprobó enseguida que en aquel establecimiento podía encontrarse de todo. Cualquier detalle gastronómico imaginable para satisfacer hasta al más exigente de los paladares. Un panorama sin duda muy distinto al de las precarias bodegas cubanas que, con sus estanterías casi vacías, apenas vendían lo necesario para que la población pudiera subsistir. Ni siquiera las llamadas diplotiendas para extranjeros de la isla, donde sólo era posible comprar con divisas, tenían tal cantidad y variedad de mercancías.

El agente dedicó algunos minutos a disfrutar de aquella inesperada y para él poco familiar sensación de superabundancia, pero cuando salió del supermercado se encontró de cara con una estampa radicalmente distinta a la anterior: varios vagabundos tirados sobre la acera y con aspecto de no haber ingerido una comida caliente en varios días. Todos nadaban en suciedad y algunos incluso parecían estar enfermos, pero la gente pasaba por su lado sin prestarles la mas mínima atención. Héctor pensó entonces que eso simbolizaba a la perfección el vivo ejemplo de su idea del capitalismo: lujos y riqueza por un lado y miseria y abandono por otro. Algo que él odiaba y jamás aceptaría.

Tras una media hora caminando, el espía llegó al hotel Cardozo, donde tenía que encontrarse con Doble O.

La terraza del hotel tenía varias mesas y en una de ellas estaba sentado Orlando Ortiz. Frente a su plato, Doble O había depositado varias postales turísticas de Miami.

Héctor Lara pasó por uno de los lados de su mesa y, tras colocarse de espaldas a Doble O, le dio tres delicados golpes en la espalda con su mano izquierda.

—¿Sí...? —dijo Orlando Ortiz, girando su cuerpo.

—Perdone, esas postales son muy bonitas —afirmó Héctor adelantándose un poco hasta situarse frente a la mesa—. ¿Me podría decir dónde las compró? Tengo que enviar algunas a mi país y las suyas me encantan.

—Claro, mire... dos calles más abajo por esta misma acera. Ahí las encuentra. Están expuestas afuera del negocio.

—Gracias... ya veo que usted compró bastantes.

—Sí, veintiséis. Concretamente veintiséis —dijo Doble O en alusión a la fecha revolucionaria cubana del veintiséis de julio—. Son muy bonitas y ese número me da suerte.

—Gracias. Hasta la vista —se despidió el capitán de la seguridad del Estado.

Héctor continuó caminando por la avenida Ocean Drive y se detuvo en la siguiente esquina. Casi inmediatamente después, Doble O apareció en el mismo lugar.

—He escuchado cosas muy buenas de usted —se adelantó diciendo Orlando Ortiz, sin ningún tipo de rodeos.

—Gracias, pero sólo cumplo con mi deber. Como cualquier otro.

—Su travesía para llegar aquí fue bastante arriesgada.

El capitán procuró mantener contacto visual en todo momento con los ojos del otro cubano. Sin embargo, también permaneció muy atento a cuanto ocurría a su alrededor.

—Como le dije, únicamente obedezco órdenes. Hago lo que me dicen. Como usted. Lo importante es nuestra misión. Los sacrificios personales son lo de menos.

—Vamos a la playa. No quiero curiosos merodeando cerca. Nunca sabes junto a quién podrías estar hablando —dijo Doble O mirando con desconfianza hacia quienes pasaban cerca de ellos.

—Muy bien.

Al alcanzar la orilla, ambos agentes comenzaron a caminar uno al lado del otro hasta que sus cuerpos se confundieron con las sombras de la noche.

—¿Cuál es tu verdadero nombre? La Habana sólo me dio uno en clave: «Barbarroja». También se refirieron a ti como Héctor Lara, pero imagino que ese será falso, ¿no? —preguntó Orlando tuteando directamente a Héctor.

—Héctor Lara. Ese es mi nombre. Tengo un amplio historial antirrevolucionario en Cuba y eso es precisamente lo que estoy explotando aquí. Hay decenas de presos que podrían testificar sobre mi lucha contra el comunismo. Por eso no han mantenido mi nombre en secreto.

—Ya veo.

—¿Y el tuyo? —dijo Héctor con la misma familiaridad empleada hacia él.

—Orlando Ortiz, pero los muchachos me llaman Doble O.

—Encantado, pues —le extendió la mano Héctor.

Doble O estrechó la mano de Héctor con energía y después se rascó suavemente la nariz.

—Según los informes que recibí, eres capitán y estás especializado en operaciones encubiertas —fue al grano de nuevo Doble O.

—En efecto.

—Yo soy comandante del servicio de inteligencia.

—Sí. Ya me habían informado. ¿Hace tiempo que estás aquí?

—Tres años. Como ya sabes, soy el delegado político del grupo. Yo soy quien rinde los informes a Cuba. El último responsable de cualquier operación.

—Claro. Estoy al corriente de todo.

—¿Sabes por qué te han enviado aquí? —preguntó con curiosidad y sospecha Doble O.

—¿Por qué todos me hacen la misma pregunta? —respondió riéndose Héctor.

—¿Lo sabes? —insistió el cubano desplegando escasas muestras de buen humor.

—Para sustituir a un compañero del comando que regresó a Cuba. Sólo estaré unos meses. Es algo provisional.

—¿No te dieron más detalles?

—No. ¿Por qué?

—Es extraño.

—¿Qué es extraño?

—Es extraño que hayan enviado a un militar de tu rango. Un capitán. Normalmente sólo mandan a simples agentes. Nadie de tu graduación.

—No tengo una respuesta para eso.

—Supongo que te han comunicado que estás bajo mis órdenes y que respondes únicamente a mí.

—Correcto.

Doble O se calló durante unos instantes para reflexionar sobre lo que Héctor le había contado. Después, inició de nuevo aquella charla con claros tintes de interrogatorio.

—Cuéntame cómo fue tu proceso de selección. Si vamos a operar juntos, quiero estar más familiarizado con tu trabajo —afirmó el comandante del MININT sentándose en la playa y dando a entender que tenía todo el tiempo del mundo para escuchar a su nuevo agente.

—Bueno, no sé muy bien qué decirte... —titubeó Héctor acomodándose también sobre la arena.

—¿Cuándo comenzaste a trabajar para la revolución?

—Yo siempre he sido un defensor de la revolución. Ya de muy joven entré en contacto con diversas organizaciones de la isla para ofrecer mi ayuda. Desde un principio, las autoridades me ordenaron mantener ocultas mis ideas. Incluso entre los miembros de mi propia familia. El plan era infiltrarme en distintos barrios de La Habana y denunciar a los opositores al sistema.

—¿Y les obedeciste?

—Por supuesto —apuntó Héctor extrañado por la pregunta.

—Algunos te odiarían por estar chivateando. Te tacharían de traidor. ¿No te trajo eso problemas de conciencia?

—Mi compromiso es con la revolución. Con nadie más. Mi conciencia es el bienestar de mi pueblo y su independencia. No con cuatro o quince personas, sino con once millones.

—Sigue...

—Ya desde los dieciséis años estuve proporcionando información. También colaboré localizando a los gusanos que había infiltrados en la universidad.

—¿Con éxito?

—Sí. Mucho éxito. Después, mis superiores decidieron que me mezclara entre los prisioneros políticos para estar al corriente de sus actividades y poder controlarlos más de cerca.

—¿Cómo lo hiciste?

—Provoqué un arresto y estuve en diversas prisiones durante dos años para ganar la confianza de los reclusos. Fui torturado y maltratado con especial saña y crueldad para conseguir ese objetivo. Resultó necesario...

—Eres muy disciplinado.

—Mis jefes ordenan y yo obedezco. Esa es la idea. Disciplina revolucionaria.

Doble O se cayó durante algunos segundos, tiró una piedra hacia el mar y se acomodó de nuevo sobre la arena.

—¿Y después de la cárcel?

—Cuando se cumplió mi condena, fui enviado a estudiar espionaje a varios países de la antigua Unión Soviética. Allí alcancé el grado de oficial. Después, La Habana me destinó a misiones secretas en Angola, Colombia, Venezuela y Nicaragua. Desde entonces no he parado.

—¿Y tú familia sabe algo de todo esto?

—No. Claro que no. Para ellos soy tan sólo un enfermero destinado en un barco mercante de la flota cubana que antes de huir de la isla trabajaba circunstancialmente en una fábrica de tabaco de La Habana. El trabajo de enfermero naval fue una buena excusa para estar varios años fuera del país sin levantar ninguna sospecha.

—¿Nunca intuyeron nada? —preguntó con desconfianza Doble O.

—En absoluto. Tras mi estancia en prisión, todos, incluida mi familia, me creyeron un opositor sistemático a Castro.

—¿Tu familia simpatiza con la revolución?

—Hay de todo. Algunos sí, otros no. Es una familia como cualquier otra en Cuba. Lo cierto es que ninguno de ellos quiere problemas y tampoco arman bulla. Sólo se quejan entre sí. En voz baja. No constituyen ningún peligro. No son una amenaza para nadie. Harán lo que se les diga.

—¿No los estarás protegiendo?

Héctor se giró molesto hacia Doble O, pero siempre manteniendo un férreo control sobre sus palabras y sus emociones.

—Mi comandante, con todos mis respetos, creo que he probado con creces que mi lealtad a la revolución es absoluta. He sacrificado mucho por la causa. Años de mi vida, prisión, torturas... Cuando digo que son puras críticas sin importancia, es que es así. Están descontentos por la carestía. Nada más.

—Hablas como si estuvieras arrepentido de lo que has hecho por tu país.

—Nada más lejos de la realidad, pero no quiero dudas sobre lo que he tenido que hacer para ganar la confianza de mis superiores. Si no estuviese conforme, hubiera pedido asilo político nada más llegar aquí. He tenido muchas oportunidades para desertar.

Otros segundos de silencio y una nueva piedra hacia el mar.

—La Habana debe estar muy orgullosa de ti. Tu historial es impecable.

—Eso espero. Cada día lucho con todas mis fuerzas con ese objetivo.

Doble O hincó entonces su mano en el suelo y cogió un puñado de arena. Después fue abriendo poco a poco sus dedos hasta que su mano quedó de nuevo completamente vacía.

—Pareces un ejemplar extraño en estos tiempos.

—No entiendo...

—Tú sabes... Mucha gente está criticando al sistema en Cuba y aquí vienes tú, un joven que lo ha arriesgado todo por la revolución. Como antes.

—Sí.

—¿Por qué?

—Simple. Porque no quiero a otro Batista en Cuba.

—Pero si tú ni siquiera viviste la época de Batista... —dijo Doble O esbozando una expresión de incredulidad.

—No hace falta poner la mano sobre una llama para saber que vas a quemarte, ¿no?

Doble O parecía impresionado ante lo que escuchaba de Héctor Lara.

—Si tuviéramos a más gente como tú en Cuba no habría ningún problema para seguir adelante. Créeme. ¡No sé lo que le pasa a esta maldita juventud!

—Gracias.

—Bien. Dentro de algunos días organizaré una asamblea con todos los miembros del comando. Quiero que los conozcas.

—Sí. Ya me encontré con Pedraza. Cuanto antes lo hagamos, mejor.

—Entonces te daré los datos básicos de nuestra misión en Miami. Me pondré en contacto. Hasta entonces pasa completamente desapercibido.

—De acuerdo.

—Creo que ya llegó el momento de despedirnos. Tengo que solucionar un par de asuntos pendientes.

—Muy bien.

—Adiós —dijo Orlando Ortiz dándole la mano después de haberse levantado de la arena—. Espera aquí algunos minutos. Será mejor que nadie nos vea juntos en lugares públicos —añadió Doble O dejando después solo a Héctor en la playa.

—Hasta pronto —concluyó el agente Barbarroja.

Cuando el comandante llegó a su automóvil, salió de Miami Beach sin mayor pérdida de tiempo.

—La Habana tiene algo entre manos que no nos está diciendo. Ese Héctor Lara es un diamante en bruto que nunca desaprovecharían para realizar misiones rutinarias. Están preparando algo grande y necesitan aquí a alguien como él, de total confianza. Alguien que, de ser necesario, le meta un tiro entre ceja y ceja a quien sea sin ningún tipo de remordimiento de conciencia. Conozco a los de su clase. Son unos fanáticos y siempre harán lo que se les ordene. Probablemente Héctor aún no lo sepa, pero está en Miami para algo sonado —pensó Orlando Ortiz mientras se perdía entre las calles de la ciudad preso de un sentimiento de abierta desconfianza hacia Héctor muy similar al de Edwin Pedraza.

Entre tanto, el otro cubano continuó su paseo por la orilla de la playa reflexionando sobre la conversación con Doble O.

Hacía tiempo que el cubano no se sumergía en su pasado, pero Orlando Ortiz había conseguido que lo hiciera con plenitud.

El agente retrocedió entonces en el tiempo hasta llegar a su época de estudiante en la escuela secundaria. El siempre había sido una persona tímida e introvertida. Con muchas dificultades para sentirse cómodo en público, motivo por el cual apenas hizo un puñado de amigos. Sin embargo, Héctor mantuvo profundas amistades con los pocos compañeros con quienes se había relacionado.

Su mejor amigo en esa época fue Ernesto Araluce, un joven que vivía en el barrio habanero del Vedado. Ambos pasaban incontables horas juntos cada día compartiendo todo tipo de actividades. No obstante, uno de los pasatiempos favoritos de Héctor era oír las historias del abuelo de Ernesto.

El entonces estudiante siempre había sentido una especial atracción por las personas mayores. La experiencia acumulada de los viejos le fascinaba y podía pasar horas y horas a su lado tan sólo oyendo lo que estos tenían que decir. En vez de distraerse jugando con los niños de su edad, Héctor prefería sentarse junto a gente de sesenta o setenta años y, simplemente, escucharles hablar.

El ahora espía recordaba muy bien aquella época, cuando miles de colegiales uniformados se paseaban por toda La Habana después de la salida de sus institutos. Algunos de ellos aborrecían el uniforme blanco y azul que debían llevar puesto obligatoriamente, pero Héctor se encontraba muy a gusto con él. Vestirse como los demás le proporcionaba un agradable sentimiento de identidad común al que no quería renunciar.

Sus profesores siempre insistían en que los individuos no eran lo importante en una sociedad y que el futuro de la Cuba revolucionaria radicaba en el éxito de la colectividad y no en la acción de personas concretas. El uniforme era una táctica pedagógica premeditada de las autoridades de la isla. El objetivo: que los jóvenes se acostumbraran a no resaltar por sí mismos.

Esa maniobra había surtido un hondo efecto psicológico en adolescentes como Héctor. Su vestimenta común les provocaba una orgullosa idea de pertenencia al grupo de los calificados como «hijos de la revolución». Los «nuevos hombres», tal y como los describían.

Por otro lado, el abuelo de Ernesto también marcó en gran medida la personalidad de Héctor. El viejo Román había luchado arduamente en las montañas junto a Castro para acabar con la dictadura de Batista. El entonces carismático líder estudiantil y alumno de la facultad de Filosofía y Letras se unió a las tropas de Castro tras verse forzado a abandonar La Habana debido a sus actividades políticas opositoras en la universidad.

El día en que Héctor cumplió diecisiete años, Román le llevó junto a Ernesto a tomar un helado en el famoso parque Copelia, situado en el centro de la ciudad. Más tarde, dieron un paseo hasta llegar a la Universidad de La Habana, donde se detuvieron durante algunos minutos para poder saborear con tranquilidad los helados.

—Este lugar debe traerle muchos recuerdos —dijo Héctor a Román, conocedor de algunas etapas de su pasado.

—Sí. Algunos muy buenos y otros muy malos.

—¿Cuáles buenos y cuáles malos, señor Román? —preguntó Héctor.

El anciano lo miró extrañado por la pregunta. Después, su vista se perdió en el horizonte.

—Los buenos, la lucha victoriosa contra la opresión. Los malos, el alto precio que tuvimos que pagar para sacar a Batista de la isla.

—¿Cómo fue esa lucha?

—Desigual, Héctor. Dura, triste, terrible...

—¿Cómo cuánto de dura?

—Muy dura. Infernal. Pasaron muchas cosas muy poco agradables.

—¿Cuáles? —continuó preguntando Héctor con la curiosidad típica e irrefrenable de su temprana edad.

—¿Por qué preguntas tanto, chico? —dijo Román alzando la voz, pero no molesto.

—¡Porque usted no me responde nada, señor Román! —se enfadó Héctor.

Román sonrió. Le hizo gracia la espontaneidad de Héctor.

—No creo que sea importante que escuches barbaridades como las que viví. No te va a aportar nada bueno.

—¿No es eso acaso parte de la historia de Cuba?

—¡Claro! Es el inicio de la verdadera historia de Cuba —afirmó el anciano orgulloso de haber formado parte de ella.

—¿Cómo voy a ignorar, pues, nuestra propia historia? Mis profesores en el instituto dicen que tenemos que estudiar muy a fondo las atrocidades que hizo Batista para no volver jamás a permitir que puedan repetirse —razonó Héctor, apuntando ya una clara e innata habilidad para manipular a la gente.

Román volvió a sonreír ante las palabras del muchacho y le acarició la cabeza cariñosamente.

—Quizás tengas razón. Al fin y al cabo, ya son ustedes dos hombrecitos —afirmó después dirigiéndose no sólo a Héctor, sino también a su nieto Ernesto, que permanecía junto a ellos, aunque más pasivo que su amigo en esos temas.

Tras probar un poco más de helado, el futuro espía volvió a ahondar en los recuerdos de Román.

—¿Qué fue lo peor de todo?

—La policía de Batista hizo cosas horribles. La represión era tremenda. ¡De madre!

—¿Le apresaron a usted?

—No. Sólo me asustaron. Yo era el presidente de una asociación estudiantil antibatistiana y decidieron darme una lección. Algo que no olvidara jamás. Una pesadilla que me decidiese a abandonar para siempre la política. Desgraciadamente, los perjudicados fueron otros.

—Y que los demás estudiantes se acobardaran, ¿no?

—Sí, pero menospreciaron nuestro ardor revolucionario. ¡La población no se apendejó!

—¿Qué pasó?

—En aquellos días era muy normal que desaparecieran estudiantes y nunca más se escuchara de ellos. Los raptaban de sus casas, los asesinaban y después se deshacían de sus cuerpos.

—¿A usted lo raptaron? —preguntó Ernesto, participando ya más en la conversación al escuchar por primera vez ese relato de su abuelo.

—Sí. En una ocasión. En compañía de algunos de mis mejores amigos y de la que entonces era mi novia.

—¿Qué sucedió? —dijo enseguida Héctor.

Román detuvo su narración durante algunos segundos para debatir mentalmente si debía o no seguir adelante con la misma. Finalmente, optó por dar rienda suelta a toda su catarata de recuerdos.

—Estábamos realizando una asamblea política clandestina en mi casa y, de pronto, la policía secreta de Batista irrumpió en el apartamento. Todos los agentes iban encapuchados para que nadie pudiera reconocerlos. Esa era una clara señal de que, al menos, no todos moriríamos. Se movieron con mucha rapidez y nos metieron a golpes en dos automóviles camuflados. Al cabo de media hora de viaje, llegamos a un edificio en las afueras de La Habana. Una de sus llamadas «casas de seguridad».

—¿Qué ocurrió allí? —siguió cuestionando Héctor, cada vez más imantado por la historia.

—Nos habían arrestado a seis. Dos mujeres y cuatro hombres. Una de las mujeres, Elena, estaba embarazada y era la esposa de otro de los allí presentes. Un estudiante de arquitectura llamado Roberto.

—¿Qué buscaba la policía?

—Creían que Elena poseía información sobre el lugar donde se imprimía propaganda clandestina contra Batista que después era repartida entre los turistas americanos.

—¿Era cierto?

—No. La verdad es que ninguno de los que participábamos en aquella reunión sabíamos dónde demonios estaba esa maldita imprenta.

—¿Les hicieron daño?

—¿Daño? —dijo Román con un triste gesto en su cara—. Los agentes se cebaron con ella —prosiguió el anciano—. Primero, al insistir Elena en que no podía ayudarles porque no sabía nada, sacaron los ojos a su marido con un cuchillo y se los metieron a ella en la boca. Una vez fallecido Roberto, la violaron, le pegaron un tiro en la cabeza y después le abrieron el vientre para sacarle al hijo de sus entrañas. «Un comunista menos», recuerdo perfectamente lo que dijo uno de los agentes antes de estampar el feto contra la pared.

—¡Qué salvajes! —exclamó Ernesto.

—Más tarde, decapitaron a Roberto y pusieron su cabeza en la barriga ya vacía de Elena para que todos lo viéramos.

—Qué monstruosidad... —susurró Héctor, igual de impresionado que el nieto de Román con la historia.

—Aberraciones similares ocurrieron muchos otros días. En otra ocasión, secuestraron a una estudiante que, escuchen bien esto, resultó violada por sesenta y siete policías. Sesenta y siete violaciones seguidas. Una tras otra. La pobre sobrevivió de puro milagro. La táctica era infundir terror para que la gente aislara a los revolucionarios y no les diesen ningún tipo de ayuda por miedo a las represalias. Terror, puro terror.

—¿Y después? ¿Qué ocurrió después? —continuó Héctor.

—A otro de los detenidos le quemaron completamente los pies con un soplete hasta dejárselos en carne viva. A Eduardo, también un estudiante opositor, lo asfixiaron envolviéndole la cabeza en una bolsa de plástico.

—¿Y a la otra mujer? La que dijo que era su novia... —preguntó Ernesto.

—Sí. Teresa... —dijo Román en voz baja, como queriendo olvidar lo ocurrido.

—¿Qué le sucedió a ella? —insistió su nieto.

—Los policías tenían un sable. Lo calentaron al rojo vivo y se lo introdujeron en la vagina hasta que Teresa murió del dolor.

—¿Y usted? —dijo Héctor—. ¿Qué le pasó a usted?

—¿A mí? —titubeó—. A mí me infringieron el peor de los castigos.

—¿Cuál?

—No me hicieron nada. No me tocaron ni un solo pelo del cuerpo. ¡Ojalá que también hubieran acabado conmigo! —exclamó con rabia.

—¿Por qué no le hicieron nada? —prosiguió Héctor.

—Sólo querían aterrorizarme. Si me mataban, sabían que habría protestas multitudinarias. Yo tenía un perfil público. A los otros en cambio, a ese nivel, no los conocía nadie.

—Vaya... —susurró Héctor.

—Únicamente querían eliminar a los estudiantes de segunda fila en el movimiento opositor. No a los líderes. Los batistianos eran unos asesinos sin escrúpulos, pero no se caracterizaban por su estupidez. Querían que yo dejase la política y, de paso, que llevara a los demás el mensaje de las barbaridades que podrían esperarles si continuaban con sus actividades contra Batista.

Román nunca había hablado con Héctor o Ernesto sobre esa traumática experiencia de su pasado y tampoco volvió a hacerlo después de aquel día. Sus charlas solían centrarse en la mística de la lucha revolucionaria y en la filosofía de su causa. El anciano quería borrar de su memoria aquellos tristes recuerdos y ventilarlos en público no parecía un buen método para lograrlo.

—Cuba estaba vendida a los Estados Unidos —continuó Román con marcado resentimiento en cada una de sus palabras y expresiones—. La isla era el lugar donde los yanquis venían a cometer las barbaridades que no podían hacer en su país. La corrupción no tenía límites. La mafia controlaba todo y Batista no era más que un simple y ridículo títere de los americanos. Un payaso que sacrificó el bienestar y el honor de su pueblo para complacer a los peores gángsters de Estados Unidos. Cuba no era un país, sino un gigantesco casino. Un burdel donde unos pocos nadaban en una insultante abundancia mientras la mayoría de la población se moría de hambre y enfermedades.

Héctor, a lo largo de los años, nunca pudo olvidar las detalladas descripciones de Román respecto a la Cuba de Batista. Unas palabras que quedaron grabadas en su mente como si hubieran sido esculpidas en piedra y que le resultaron esenciales para apuntalar su irreductible espíritu revolucionario.

—Los menos talentosos también tienen derecho a una vida digna. No podemos convertirnos en depredadores humanos y pisotear a los que no pueden correr a la misma velocidad que el resto. ¡No somos animales! Somos seres humanos y el capitalismo quiere convertirnos en buitres contra nuestra propia especie. ¡En pura carroña! Las personas son algo más que un simple instrumento para enriquecer a otros. Tienen que ser un fin en sí mismas —les decía Román repitiendo de forma literal la doctrina comunista que él tanto profesaba.

Para Héctor la realidad fue siempre una: el capitalismo era detestable y el comunismo suponía la única salvación política y social para defender al género humano. Unas creencias por las que, de ser necesario, arriesgaría hasta su propia vida. Tal y como le habían explicado miles de veces, él no era lo importante. No podía ser egoísta y pensar en su bienestar, sino en el de los otros. Lo único que importaba era el destino de la revolución. El grupo, la colectividad.

El general Hernández conocía muy bien la profundidad y solidez de las creencias de Héctor. Algo que no sólo aplaudía, sino que también pensaba aprovechar al máximo en su propio beneficio.

26. EL ESPÍRITU DE McBETH

CARLOS HERNÁNDEZ SE ENCERRÓ en una de las habitaciones de su mansión en el reparto Siboney de La Habana y ordenó a sus ayudantes no ser interrumpido por nadie. Después, abrió un ventanal que daba al mar para sentir, una vez más, la suave brisa procedente de la bahía de Centro Habana acariciando su rostro.

El general insertó un casete en una máquina de vídeo que tenía a su derecha. Al cabo de algunos segundos, se sentó y cerró sus ojos, como queriendo perderse en el más profundo de los sueños.

Hernández llevaba un uniforme militar de gala, ya que dos horas más tarde debería asistir a una recepción diplomática convocada por su gobierno. El militar tenía sobre sus hombros unos galones con las figuras de dos hojas de olivo verdes y doradas y dos estrellas. Los distintivos propios del Ejército cubano para identificar a los generales de división.

Entonces comenzaron a verse las primeras imágenes de

la grabación. Se trataba de la puesta en escena de la obra McBeth, de William Shakespeare, por parte de un grupo teatral cubano.

Hernández adoraba el teatro, disfrutando cada segundo de la combinación entre las únicas e irrepetibles actuaciones de los intérpretes y los muy a menudo espectaculares decorados y vestuarios de ese arte. Al ser en vivo, nunca había dos representaciones exactamente iguales. El militar había visto una larga lista de obras teatrales a lo largo de su vida, pero McBeth tenía un lugar muy especial dentro de su corazón de aficionado.

McBeth es la historia de la desmedida ambición de un hombre que, enloquecido por las fuerzas del infierno, lleva a todo un pueblo a la miseria y al destierro. Algo que sólo llega a su fin cuando se produce una sangrienta guerra civil. Al final, cuando las oscuras fuerzas que él mismo desatara amenazan con destruirlo, el tirano lanza a la muerte a sus seguidores con la apocalíptica frase de: «Victoria o muerte».

El jefe del MININT, como el protagonista de McBeth, también se sentía luchando solo contra el mundo, pero él disfrutaba plenamente de ese papel. El general había nacido para pelear. Era un auténtico guerrero y ahora, con la revolución amenazada, se encontraba en su ambiente natural: el de tener que defenderla por la vía que mejor conocía. La vía de las armas.

Por otro lado, las batallas en desventaja siempre le motivaron. La razón era fácil: tras la victoria, podría demostrar lo equivocados que habían estado todos y, por consiguiente, lo acertado de sus ideas, alimentando así de manera considerable su ilimitado ego.

—¡Nadie acabará con el socialismo! ¡Nadie! —pensó decidido—. El socialismo no es una moda, sino una meta. Algo que permanecerá a través de los años. Dentro de siglos, cuando el género humano haya madurado y la acumulación de bienes materiales ya no tenga ningún sentido, el socialismo aún estará tan vivo como siempre. En cambio, del capitalismo... del capitalismo —repitió con repugnancia—, ¡de eso no se acordará nadie!

Hernández bebió entonces un ligero sorbo de agua para humedecer sus labios y aplacar su creciente sed.

—Mañana será otro el designado, pero hoy me toca a mí resistir. No puedo dejarme vencer. Un auténtico revolucionario no puede permitir que le doblegen... ¡Jamás! —exclamó en voz alta y moviendo enérgicamente la mano, como queriendo golpear al mismo aire que le rodeaba.

A Hernández le fascinaba su cultura, la latina. Es por eso que le atraía tanto McBeth. Porque esas desgarradoras y melodramáticas tramas, esas mentalidades apasionadas, eran una calca de la historia de gracias y desdichas de su propio continente.

«...caigan de nuevo las bendiciones de Dios sobre esta tierra infeliz oprimida por un tirano...» —decía uno de los actores, mezclando en el cerebro del general el argumento de la representación con sus propias ideas.

McBeth también era la obra preferida de Hernández porque en ella se expresaba la lucha acérrima de una persona por dirigir a su pueblo en un rumbo contrario a la opinión de la mayoría.

—Ser revolucionario no es sencillo. Ser un líder, mucho menos. ¡Nunca lo fue! Uno no puede siempre esperar gratitud en este puesto, pero yo no estoy aquí para que me aplaudan, sino para dirigir a un país. ¡Ser fiel a una idea! A veces hay momentos duros que afrontar. Este, sin duda, es uno de ellos, pero no puedo dejarme influir por quienes quieren caer en la burda trampa del capitalismo. No puedo ceder ante quienes a lo único que aspiran es a destruir la revolución. ¡Esta isla jamás será esclavizada de nuevo! Debemos ser un ejemplo para la Historia —razonó Hernández mientras llevaba los dedos de su mano derecha hasta sus labios para después rozarlos lentamente.

«...si eres cruel, implacable y sin entrañas, ninguno de los humanos podrá vencerte... Sé fuerte como el león; que no desmaye un punto tu audacia; no cedas ante tus enemigos. Así, serás invencible...» —seguía escuchándose de fondo.

—No podemos cambiar nuestro nombre. ¡Somos comunistas! —reflexionó de nuevo el militar con orgullo mientras movía sus pobladas cejas y tocaba su barbilla—. No podemos plegar las banderas que durante tantos años hemos izado con orgullo en todo el mundo. El imperialismo no ha desaparecido. Está más vigente que nunca. ¿Es que no lo ven? —comenzó Hernández a excitarse debido al efecto que la trama de McBeth provocaba en él.

«...busquemos un sitio apartado donde poder llorar... Empuñemos el hierro de la venganza, en defensa de nuestra patria oprimida. Cada día suben al cielo nuevos clamores de viudas y huérfanos acompañando al duelo universal de Escocia...» —continuaba la representación, resonando con fuerza las intervenciones de los actores.

—Hay quienes ahora se sonrojan si les llaman comunistas o socialistas. Nosotros debemos sentirnos orgullosos de llamarnos socialistas y, más aún, comunistas. Por eso nuestro partido no cambiará jamás de nombre. Porque nosotros nunca renunciaremos a nuestros principios y aspiraciones sociales. Aunque muchos no los entiendan, son los más nobles. Los más humanos que jamás se hayan concebido... —dijo el militar concentrado en la obra, pero, al mismo tiempo, reflexionando sobre los eventos que se avecinaban.

«...mucho lo lamento... Remediaré lo que pueda... Tendrás razón en todo lo que dicen. Pero acuérdate de que ese tirano, cuyo nombre mancha la lengua al pronunciarlo, parecía bueno y tú mismo le tuviste como tal...».

—McBeth... —pensó Hernández—. ¿Será acaso necesario seguir tu trágico ejemplo para demostrar al planeta que todavía estamos vivos y dispuestos al mayor sacrificio imaginable? ¿Es que no existe otro camino? ¿Cómo es posible que todos estén tan ciegos y no se den cuenta del fondo de bondad que hay en esta incansable lucha? ¿Es que no ven la horripilante amenaza que se cierne sobre todos nosotros? Ya quisieron invadirnos una vez. ¿Por qué no habrían de intentarlo ahora de nuevo si son los amos del mundo?

«...¡Llora sin tregua, pobre Escocia! Horrible tiranía pesa sobre ti; los buenos se callan y nadie se atreve a resistirla. Has de sufrir en calma tus males ya que tu rey vacila y tiembla. Señor, me juzgas mal. No sería yo traidor ni aun a precio de toda la tierra que ese malvado señorea, ni por todas las riquezas del Oriente...».

La intensidad y la energía de las diferentes escenas continuaban sin descanso, pero el general cerró entonces sus ojos para caer absorto en sus propias elucubraciones. Mientras, las voces proseguían...

«...no he querido ofenderte ni desconfío de ti en absoluto. Sé que nuestra pobre Escocia suda llanto y sangra oprimida por ese bárbaro. Sé que cada día aumentan y se enconan sus heridas. Creo también que a mi voz muchos brazos se levantarían. Ahora mismo Inglaterra me ofrece miles de combatientes... pobre patria mía... ¡Vil despojo de un tirano que mancha de sangre el cetro que usurpó!...».

—Antes había que ser valiente para llamarse comunista... pero ahora hay que serlo incluso más... y si entonces fue un honor, ahora lo es mucho más... Nosotros, a los nuestros, no les pagamos con dinero, sino con admiración, cariño, aplauso... —pensó Hernández moviéndose sobre su silla—. No es nuevo que la revolución tenga principios, que no se doblegue ni se rinda. ¡Que rechace concesiones al imperialismo yanqui! Es tan viejo como Girón, como Moncada, como el Granma... Cuba es de los revolucionarios que la salvaron. ¡No de los que la quisieron vender!

«...te recuerdo... ¡Oh, Dios mío! Haz que no volvamos a mirarnos como extraños...».

«...Dios te oiga, señor...».

«...¿Sigue en el mismo estado nuestra patria?...».

«...¡Oh, desdichada Escocia! Ya no es nuestra madre, sino nuestro sepulcro. Sólo quien no tenga uso de razón puede sonreír allí. No se oyen más que suspiros y lamentos. El dolor se convierte en locura... Las almas se marchitan como las flores...».

—A los blandengues, a los cobardes, a los mercenarios, a los oportunistas, a los que critican a la revolución hay que preguntarles si nuestro país supo o no supo cumplir defendiendo a los más débiles contra la opresión... Pues bien, ¡cumplimos y seguiremos cumpliendo! ¡Siempre estaremos al lado de quienes no puedan defenderse por sí mismos! ¡Aunque eso nos cueste nuestra propia sangre! —afirmó para sí Hernández con enojo.

El general de división y miembro del Comité Central del Partido Comunista Cubano conocía muy bien el significado de la palabra guerra. Además de las batallas contra Batista, Hernández había sido el jefe militar del frente este en Angola, donde había visto de cerca la muerte en numerosas ocasiones.

—Sin firmeza, sin decisión, los revolucionarios nunca hubiéramos triunfado. Los que hacen concesiones, claudican o se ablandan no llegan a ninguna parte. Rusia nos abandonó y China es cada día más capitalista. Cuba es ahora el líder de esta batalla por la supervivencia de la idea socialista y el imperialismo está asustado porque sabe que volveremos a despertar la conciencia de las masas. ¡Que se atrevan a ponerle un dedo encima a esta revolución! ¡Que se atrevan! —siguió desafiante Hernández mientras su sangre comenzaba a hervir en sus venas.

«...cuando vine a traeros estas noticias, decíase que se habían levantado numerosas huestes contra el tirano y que este se aprestaba a combatirlas. La ocasión se presenta favorable. Si acudes pronto, hasta las mujeres se alzarán para romper las cadenas...».

«...pronto iremos a salvarlos. Inglaterra nos ayuda con diez mil hombres mandados por el valiente Estuardo, el mejor caudillo de la cristiandad...».

—¿Quién iba a decir que los Estados Unidos acabarían con la Unión Soviética como quien se come un caramelo? —se preguntó el militar abriendo de pronto sus ojos—. Esto ha tenido consecuencias inimaginables para nuestro país. Hoy no tenemos un solo bloqueo, sino dos: el del imperialismo yanqui y el de los antes países socialistas que ahora se arrodillan sin vergüenza ni dignidad ante los americanos. ¡Pero aquí no pasa nada! Si hubiéramos sido de barro, elaborados con clara de huevo, blandos, ¿qué quedaría de esta revolución y de este país? ¡Nada! No podemos permitirnos el lujo de traicionar nuestros principios ni de decepcionar al mundo que nos observa... ¡Resistiremos!

«...¿Y qué hace McBeth?...».

«...fortificar a Dunsinania. Dicen algunos que está loco, pero los que le quieren mejor afirman que está cegado por el furor de la pelea. No puede ya estrechar con el cinturón su imperio el cuerpo de su desesperada causa...».

«...ni borrar de sus manos las huellas de sangre de su oculto crimen. Cada día le abandonan sus partidarios y si alguno le obedece no es por cariño. Todo el mundo conoce que la púrpura real de su grandeza oculta un cuerpo raquítico y miserable...».

«...¿Y cómo no ha de temblar si en el fondo de su alma se siente ya condenado?...».

«...vamos a prestar homenaje al legítimo monarca y a ofrecer nuestra sangre para que sirva de medicina a la patria oprimida...».

«...¡Ofrezcámosla toda!...».

—Nuestro pueblo ha sufrido mucho, pero aún quedan muchas páginas amargas por escribir en la historia de esta revolución. Podremos perder una batalla, pero nunca la guerra. ¡Nunca! El pueblo sufre e incluso llegará el momento en que agonice, pero nunca se rendirá. ¡Jamás! Esos traidores que abogan por «soluciones inteligentes» a nuestros problemas no son más que esclavos, títeres de Washington. ¡Nuevos Batistas! ¡Jamás regresaremos al capitalismo! ¡Ninguna concesión! —exclamó alzando la voz, pero sin que nadie pudiera escucharlo.

«...¿Por qué he de morirme neciamente como el romano, arrojándome sobre mi espada? Mientras me quede un soplo de vida, no dejaré de amontonar cadáveres...».

«...nunca me rendiré. No quiero besar la tierra ni sufrir las maldiciones de la plebe. Moriré batallando, aunque la selva de Birnam se haya movido contra Dunsinania y aunque tú no seas nacido de mujer. Mira. Cubro mi pecho con el escudo. Hiéreme sin piedad... ¡Maldición sobre quien diga basta!...».

—Este país está haciendo un esfuerzo extraordinario, digno de admiración y respeto. Por eso quienes nos critican son unos miserables. No importa lo que digan. ¡Tomaremos la bandera del socialismo y nos dirigiremos a la batalla final! Estamos frente al enemigo más potente que jamás nadie haya conocido. Un enemigo que se cree el dueño del planeta y que, desgraciadamente, ahora lo es. ¡Pero no de todo el planeta! ¡De Cuba no es dueño!

Hernández respiró profundamente en un par de ocasiones para recuperar cierta tranquilidad. Sin embargo, enseguida volvió a sentirse cada vez más y más alterado, repitiendo así sus ciclos de continuos y radicales cambios de humor.

—¡A nosotros no nos compra nadie por un puñado de dólares! ¡No! ¡Nosotros no tenemos precio porque no estamos a la venta! Aquí no estamos asustados ni somos propiedad del desalmado capitalismo. No le teníamos miedo cuando nos respaldaban nuestros hermanos soviéticos y tampoco le tenemos miedo ahora. ¡Que se vayan al carajo los yanquis! ¡Al carajo! —repitió con ira mientras su rostro enrojecía y las venas de su cuello se dilataban ostensiblemente.

En ese instante, Hernández se levantó de la silla. Después, casi en posición de firmes, se situó frente al ventanal para disfrutar de la preciosa vista. Tras una breve pausa, y con sus pulmones ya repletos de aire fresco procedente del mar, volvió a dejarse caer en el asiento.

—Esto es lo que le hace falta a la revolución. ¡Aire fresco! Algo que nos reviva y nos recuerde la verdadera mística de la causa revolucionaria —prosiguió filosofando mientras su mirada adquiría un claro semblante de desesperación y desconfianza muy similar al de un animal herido y acorralado.

Entonces el militar estiró la mano hasta alcanzar la máquina de vídeo y subió aún más el volumen de la representación teatral.

—La URSS derrotó varias veces al fascismo, pero ahora el fascismo la ha derrotado a ella —meditó el general—. Un fascismo que nunca dudó en echar dos bombas atómicas sobre Japón para demostrar su poderío. Quizás tengan que beber un poco de su propia medicina para comprobar lo que sienten las víctimas y no los verdugos.

«...¡Salud al rey de Escocia!...».

—La URSS fue destruida dos veces en las guerras mundiales, pero nuestros antes camaradas se recuperaron porque su lucha salía de su misma alma. Como la nuestra. Eran sus propios corazones los que clamaban justicia, pero ahora parecen haber finalizado para siempre con ellos. Y eso significa que, en estos momentos, la tarea está sólo en nuestras manos. La Historia exige de este pequeño país, de esta minúscula isla, de Cuba, que dé una lección al capitalismo que nadie olvide. Un sacrificio que puede costar sangre, pero que no eludiremos porque somos personas de honor —pensó el militar consciente de que sus planes podrían provocar una verdadera masacre, tanto fuera de Cuba como en la misma isla.

«...no pasará el tiempo sin que yo pague a todos lo que a tal efecto a todos debo...».

—El imperialismo pretende dictar las leyes del mundo. ¡Prepotentes! —masculló enfadado Hernández moviendo sus labios con lentitud—. El socialismo se puede perfeccionar, sí, pero nunca será destruido. ¿Qué nos está ocurriendo? —pareció enfadarse consigo mismo—. El socialismo resultó asesinado en la URSS por los Estados Unidos. Fue una conspiración del capitalismo con el apoyo interno de algunos traidores. El socialismo no muere de muerte natural, de sus errores. Muere de asesinato por la espalda, por no defenderse. Muere por la falta de valentía y visión de los políticos, pero la última palabra aún no está dicha. ¡Eso no pasará aquí! —advirtió el general.

Hernández, ya algo falto de aire debido tanto al calor como a su propia excitación, se desabrochó algunos de los botones de su chaqueta verde olivo para respirar mejor y bebió después algunos sorbos más de agua.

—Sí. Es cierto. El comunismo está moribundo, herido de gravedad. A pesar de eso, este pequeño país seguirá siendo, una vez más, la valiente trinchera que frene al imperialismo. El capitalismo y el imperialismo son indefendibles. El socialismo, a pesar de todos los errores humanos que nosotros podamos cometer al desarrollarlo, es la causa más justa, la más digna. Pocos vemos la luz hoy en día, pero ya prediqué en el desierto hace años junto a un pequeño puñado de elegidos y estoy dispuesto a volver a hacerlo de nuevo ahora. Ya vendrán tiempos mejores. Cuando el pueblo comprenda la horrorosa venda que llevaba puesta sobre sus ojos cuando nos criticaba.

«...nobles caballeros, parientes míos... desde hoy seréis condes... los primeros que en Escocia ha habido... Luego haré que vuelvan a sus casas los que huyeron del hierro de los asesinos y de la tiranía de McBeth... Estas cosas y cuantas sean justas haré con la ayuda de Dios... Os invito a asistir a mi coronación en Escocia...».

—Quienes hoy nos dan por vencidos están muy equivocados. Yo voy a ofrecer la batalla que debió haber liderado la URSS. Aquí nadie asesinará al socialismo ni se quedará de brazos cruzados ante los ataques al comunismo. ¡El capitalismo jamás regresará a Cuba! ¡Victoria o muerte! ¡Victoria o muerte! —repitió rabioso Hernández antes de levantarse y abandonar la habitación con paso acelerado en otro de sus habituales arranques de ira.

El único sonido que pudo apreciarse entonces fue el de la representación de McBeth, que todavía se escuchaba hasta en el último rincón de la estancia.

El viento procedente de la bahía movía delicadamente las cortinas instaladas a ambos lados del ventanal, así como los diversos documentos que Hernández había dejado encima de su mesa.

Las voces de la obra comenzaron entonces a aliarse con el viento y a dejarse llevar hacia la ventana. Después, atravesaron el cuarto para, finalmente, perderse entre las calles de la ciudad.

La trama de McBeth fue de esa forma trasladada, casi mágicamente, a toda La Habana, impregnándose en los mismos edificios y en la gente, como queriendo presagiar el futuro de aquel convulso país.

El espíritu de McBeth había contagiado al de Hernández y parecía ya sólo cuestión de tiempo que el genocidio ideado por la imaginativa mente de un escritor fuera traspasado ahora a la realidad por la fría espada de un militar obsesionado con su papel en la Historia.

27. TERROR A TREINTA MIL PIES

—¿CUÁNTO FALTA PARA llegar a Miami? —preguntó el capitán Sirik, un delgado y alto egipcio con pobladas cejas negras.

—Alrededor de treinta minutos —respondió el californiano Martin Newhart, copiloto de la nave.

—¿Todo en orden?

—Eso parece, capitán.

—¿Qué es todo ese escándalo? —añadió de pronto Sirik al escuchar un fuerte ruido procedente del interior del avión.

—¡Esos malditos perros! —exclamó enfadado Abuti, el operador de radio—. ¡Se han estado peleando desde que despegamos de El Cairo! ¡Es la última vez que me subo a un avión con veinte galgos a bordo! ¿Es que no pueden estar tranquilos?

—Creo que han tirado algo al suelo —afirmó Sirik—. Por favor, Abuti, ¿podrías ir a asegurarte de que no haya pasado nada raro?

—OK... —murmuró el técnico de radio con resignación mientras se levantaba para dirigirse hacia el departamento de carga del aparato.

Cuando Abuti llegó a la sección del Boeing 757 donde habían sido colocados los perros, pudo comprobar que todos ellos continuaban recluidos en sus respectivas jaulas. Sin embargo, las violentas peleas entre los animales habían provocado que otros bultos cercanos perdieran el equilibrio y cayeran al suelo.

Una de las cajas, de poco más de un metro treinta de diámetro y fabricada con cartón, tenía la superficie completamente mojada. Abuti, intentando no romperla, la arrimó como pudo a una esquina y rasgó el exterior de la misma para comprobar de dónde procedía el líquido.

El operador se dio cuenta de que dentro de la caja había otra más pequeña de espuma plástica que, a modo de pecera temporal, conservaba decenas de peces multicolores destinados a coleccionistas de Miami.

Abuti vio entonces que la tapa de la pecera, debido a algún golpe, se había separado y que la filtración de agua procedía de ahí, así que procedió a ajustarla de nuevo. No obstante, al comenzar a hacerlo, el egipcio observó que, casi semiescondida, había una gran bolsa de plástico depositada al fondo de la caja.

En principio, Abuti fue incapaz de distinguir el contenido de la misma, pero, al hundir su mano en el agua, sus dedos palparon una compacta estructura de acero de aproximadamente un metro de tamaño.

—¿Qué demonios será esto? —se preguntó el radiofonista en voz baja mientras intentaba llevar hasta la superficie de la pecera el objeto que dormía oculto dentro del plástico.

Al salir una parte del pesado paquete fuera del agua, Abuti no logró evitar que sus asustadas manos lo soltaran de inmediato al ver de qué se trataba.

—¡Una bomba! ¡Sirik! ¡Newhart! ¡Nos han colocado una maldita bomba a bordo!

28. ALARMA EN MIAMI

MIGUEL CARDOSO SE DISPONÍA a hundir su afilado cuchillo en el gigantesco filete empanizado que le habían servido en el restaurante cubano Versailles cuando su beeper comenzó a sonar desenfrenadamente.

—¡Bip, bip, bip! ¡Bip, bip, bip! ¡Bip, bip, bip! —repitió el aparato sin descanso.

El policía frunció el ceño y miró después con desgana a su compañero de patrulla, el agente Luis Tejada.

—¡Adiós comida! —predijo con lucidez.

—¿Quién es? —preguntó Tejada.

—No sé. A ver... —respondió Miguel apretando el botón del aparato que revela la procedencia de la llamada—. ¡Su madre! —exclamó después levantándose de la silla sin pérdida de tiempo.

—¿Qué? —se sorprendió Luis por la reacción de su amigo.

—Es la unidad antiterrorista. Han marcado un 911. Máxima urgencia. ¡Vámonos!

Apenas algunos minutos después, el patrullero encubierto de los dos agentes salía catapultado del aparcamiento del restaurante. Tras los ataques del once de septiembre, la palabra terrorismo era la prioridad de todas las agencias de seguridad del país.

—El código de la llamada es 3789 —añadió Miguel mientras manejaba el automóvil a toda velocidad—. Tres es sinónimo de aeropuerto. Por favor, mira qué significan los otros números en el libro de códigos. Yo ya no me acuerdo —prosiguió el policía al tiempo que enfilaba el vehículo hacia el aeropuerto de la ciudad de Miami.

—Siete es peligro inminente de bomba. Ocho es explosivo en un avión en vuelo. Nueve es potencial desgracia colectiva. ¡Socio! ¡Esta va en serio!

—Cardoso a central... Cardoso a central... —dijo Miguel utilizando la radio del patrullero en una frecuencia reservada.

—Adelante... —le contestaron de inmediato.

—Estamos respondiendo a una llamada 911 con código especial 3789. Roger.

—Correcto. Diez, cuatro.

—¿Hay alguna instrucción especial? Roger.

—Negativo —prosiguió la voz de la operadora—. Sólo acudan urgentemente a la sección de carga A-37 del aeropuerto y eviten cualquier contacto con la prensa. Diez, cuatro.

—¿Es grave el asunto? Roger.

—Así parece, pero, a pesar de que esta es una línea segura, será mejor que no continúen usando la radio. Si desean algo más, utilicen un teléfono no celular que no pueda ser interferido. Tomen todas las precauciones. Diez, cuatro.

—Entendido. Roger.

Al llegar a la terminal de carga A-37, Miguel Cardoso y Luis Tejada se encontraron con el personal en pleno de la unidad antiterrorista de la policía de Miami. Ambos estaban asignados circunstancialmente a ese departamento cuando se producía algún tipo de amenaza o acto terrorista en la ciudad. De lo contrario, la pareja siempre operaba en la unidad de homicidios.

El capitán Julio Menéndez era el jefe de ese grupo. Menéndez, observando el cielo con unos potentes prismáticos, estaba pegado a una de las vallas que impedían el acceso a la pista de aterrizaje. Junto a él, varios agentes del FBI y del Departamento de Seguridad Nacional. Todos ellos fuertemente armados.

—¿Qué ocurre? —preguntó Miguel.

Al escucharlo, Menéndez le miró con rapidez por el rabillo de su ojo izquierdo, pero sin abandonar la posición que tenía con los binoculares. Después siguió concentrado en lo que veía a través de aquellas potentes lentes.

—Tenemos una buena papa caliente en las manos —afirmó el capitán, también de origen cubano.

—¿Cuál es el problema?

—La compañía de carga egipcia Faraón Cargo International se ha puesto en contacto con la torre de control del aeropuerto para advertirnos de que tienen una bomba a bordo de uno de sus aviones. Podría estar programada para estallar sobre la ciudad. ¿Te imaginas lo que eso provocaría?

—¿Dónde está ahora el aparato?

—A punto de llegar.

—¿De dónde viene?

—De El Cairo vía Montreal.

—¿No es posible deshacerse de la bomba en alta mar?

—Nadie de la tripulación se atreve a tocarla. No les culpo. Eso podría ser incluso más peligroso. Manipular una bomba así quizás la haga detonar antes de lo previsto. Es trabajo de especialistas. Ya hay dos cazas F-16 cerca del avión, pero, por ahora, las autoridades no han dado orden de derribar el aparato egipcio. Ya está sobre el área metropolitana y tumbarlo causaría una tragedia segura. Los F-16 fueron movilizados muy rápido, pero, aun así, tardaron demasiado en alcanzarlo. Sería como si la bomba hubiera hecho explosión. No tenemos nada que perder si esperamos unos minutos más.

—¿Seguro que es una bomba?

—Ese es otro problema. La tripulación cree que sí, pero podrían estar equivocados. Imagínate si derribamos el aparato y en realidad no había ninguna bomba a bordo.

Los gestos faciales del capitán demostraban claramente la tensión del momento, algo que fue contagiando poco a poco al mismo Miguel Cardoso.

—¿Por qué no nos han avisado antes? ¿Por qué no se ha desviado el avión a otro aeropuerto más pequeño? ¿Estamos todavía a tiempo de hacerlo?

—Ya no es posible. Todo ha ocurrido muy deprisa. Ha habido bastante confusión. Se han perdido unos minutos muy valiosos y la tripulación ya quiere aterrizar cuanto antes. Ahora este es el aeropuerto más cercano. Están muy nerviosos. Y aunque vaya contra las normas de aviación, aparentemente vuelan sin demasiado combustible.

—¿No podemos entonces hacer nada?

—Me temo que no. También es inútil avisar a la población. No serviría de nada y sólo crearíamos una ola de pánico. No queda tiempo. Lo único que podemos hacer es rezar para que el avión aterrice antes de que la bomba estalle o que todo haya sido una simple falsa alarma. ¡Mira! —exclamó de pronto Menéndez señalando con su mano derecha un punto en el horizonte—. ¡Allí está!

29. LA PRIMERA FICHA DEL ROMPECABEZAS

TAN PRONTO ATERRIZÓ la nave en el aeropuerto de Miami, la tripulación del Boeing 757 abandonó el aparato a la carrera utilizando las rampas inflables de emergencia.

Una vez todos estuvieron a salvo, los artificieros de la policía, aguardando una posible explosión, rodearon el jet con sus camiones blindados. Sin embargo, esta nunca se produjo.

Tras quince minutos de tensa espera, el capitán Menéndez, finalmente, decidió que sus hombres subieran al avión para inspeccionar el estado de la supuesta bomba.

A las dos y cuarenta y siete de la tarde, uno de los especialistas llamó por radio a Menéndez.

—¿Capitán?

—Adelante.

—No hay peligro.

—¿Y bien?

—En efecto, hay una bomba a bordo, pero no es una bomba preparada por terroristas. Lo que se escondió en esta caja es una de las partes de un misil convencional. Pertenece al armamento básico de un avión de combate y, además, está desarmado. Quienes lo depositaron aquí jamás pensaron en hacer volar el Boeing con él.

—¿Qué?

—Creo que lo que tenemos frente a nosotros es simple contrabando ilegal de armas. Nada más. Puro mercado negro.

—OK. Capitán Menéndez a todas las unidades... —prosiguió el policía utilizando la radio—. Vamos a reunirnos en la terminal de seguridad del aeropuerto dentro de veinte minutos. Entre tanto, que el resto de los artificieros acceda al interior de la nave para asegurarse de que no hay ningún otro explosivo escondido dentro del avión. QSL —dijo usando uno de los códigos utilizados para finalizar la conversación.

30. MUCHAS PREGUNTAS, POCAS RESPUESTAS

—AHORA NO HAY NADA que podamos hacer —dijo el mexicoamericano José Fernandes al resto de policías reunidos en una sala del aeropuerto.

Fernandes era el agente encargado de investigar la procedencia de la caja donde había sido escondido el misil. Un especialista en este tipo de casos.

—¿Por qué? —preguntó uno de ellos.

—La gente con la que estamos tratando es muy inteligente. Son profesionales, no aficionados. No existe manera humana de localizar la procedencia de la carga. El nombre del remitente es ficticio, así como su dirección. Por otro lado, pagaron en efectivo el importe para que la Faraón Cargo International transportase la caja desde El Cairo hasta Miami.

—Ya veo —le interrumpió Menéndez—. No se pueden rastrear cuentas bancarias.

—Exacto. Como ya dije —prosiguió Fernandes—, estamos tratando con profesionales que no improvisan absolutamente nada. En caso de ser descubiertos, saben muy bien cuáles serían los pasos de la policía para intentar rastrearlos. Les aseguro que esta no es la primera vez que hacen algo así.

—Perdone mi ignorancia al respecto —añadió Menéndez—, pero ¿no es un poco extraño que se realice ese tipo de contrabando de armas en este país?

—En efecto —respondió Fernandes de inmediato y también algo confundido por la situación—. Esta clase de mercado negro va siempre dirigido hacia grupos armados del tercer mundo que no pueden hacerse con semejante arsenal de forma legal. Sí. Tiene razón. Es muy raro. Yo también me pregunto para qué demonios querría alguien aquí un misil para un caza de combate.

—¿Podría ser usada como una bomba convencional?

—¿Para qué complicarse de esa forma? Si ese fuera el objetivo, sería mucho más fácil fabricarla aquí mismo. Recuerde el atentado en la ciudad de Oklahoma. Fabricaron explosivos con simples fertilizantes.

—¿Entonces? —insistió el capitán.

—Lo único que se me ocurre es que el misil viniera a Miami de paso hacia alguna otra parte.

Todos permanecieron muy atentos a las explicaciones de Fernandes, pero nadie pudo comprender muy bien qué es lo que tenían exactamente entre manos.

—Bueno, ¿y ahora, qué? ¿Qué podemos hacer? —dijo de pronto Miguel Cardoso.

—Pues habrá que armarse de paciencia —afirmó Menéndez mientras se levantaba de su asiento—. Mantener una estrecha vigilancia sobre la caja en la terminal de carga y esperar a que alguien venga a recogerla. Por suerte, el avión aterrizó en un lugar muy remoto del aeropuerto y la prensa no se enteró de nada, así que los contrabandistas no tienen por qué sospechar que estamos tras su pista —concluyó Menéndez.

31. ESCAPAR O MORIR

—ÁGUILA UNO A águila dos. Águila uno a águila dos... —dijo Luis Tejada por radio a su compañero, que había abandonado el automóvil encubierto para ir al baño.

Miguel Cardoso, que en aquellos momentos estaba orinando cara a la pared, tardó, por motivos obvios, algunos segundos en responder a la llamada.

—Aquí águila dos... —se escuchó finalmente.

—¡Apúrate! ¡Dale! ¡Ya están aquí! ¡Avanza!

—¡Voy para allá! —exclamó Miguel corriendo ya por los pasillos del aeropuerto en dirección a la terminal de carga mientras desenfundaba su pistola austríaca marca Glock de plástico. La pistola oficial de la policía de Miami.

—¡Mi madre! —pensó—. Cinco días seguidos sentado en ese apestoso automóvil sin levantarme para nada hasta acabar mi turno y ahora, la primera vez que vengo a estirar las piernas, aparecen esos desgraciados. ¡Cooññoo...!

—Águila uno a águila dos... —repitió Tejada.

—Adelante.

—Amigo, esta gente opera muy rápido. Ya están firmando el recibo y les están colocando la caja en una furgoneta... ¿Estás muy lejos?

—A unos cinco minutos. ¡Aguanta, Luis! ¡Aguanta que ya llego! —afirmó Miguel jadeante—. ¿Hay alguien contigo ahora?

—Negativo. Estoy solo.

—Pide una unidad de apoyo inmediatamente.

—OK, pero voy a tener que actuar, mi socio. Si espero por ti para seguirlos, vamos a perderlos.

—¡No! ¡Negativo! Eso es peligroso. No sabes qué tipo de

gente es esa. Estoy sólo a algunos minutos de ahí, pero si se van antes de que yo llegue, vete tras ellos y mantén contacto por radio... ¿copiaste, Luis?

—Oye, chico, ¿qué te piensas? ¿Que soy un novato recién salido de la academia o una hermanita de la caridad? ¿Quieres insinuar que no soy capaz de entretener a dos simples ladronzuelos por dos minutos hasta que vengas en mi rescate? ¡Eres de madre! ¡Qué ego tienes!

—¡Luis, déjate de estupideces! ¡Eso puede ser peligroso!

—No creo. Esos tipos no tienen aspecto de asustar ni a mi abuelita.

—¿Cuántos son? —preguntó Miguel mientras atravesaba el aeropuerto a toda velocidad ante el asombro de los pasajeros que esperaban por sus vuelos.

—Dos. Tipo latino. Podrían ser cubanos. Unos cuarenta años. Uno tiene bigote y una gorra roja y el otro un traje de mecánico azul... ¡Oye...! ¡Se están marchando...! ¡P'al carajo! ¡Ahí voy!

En ese momento, Luis Tejada salió de su automóvil y, dejando la radio portátil conectada para que Miguel pudiera saber qué ocurría, se dirigió hacia las dos personas que estaban en la furgoneta.

—¡Alto! ¡Policía! —gritó al aire mientras les apuntaba con su pistola.

La sorpresa había sido total y los hombres quedaron paralizados.

—¿Qué pasa, hermano? —preguntó uno de los individuos con una forzada sonrisa al ver que el policía se acercaba más y más.

—¡Fuera de la furgoneta! ¡Ahora!

—Pero, ¿qué ocurre? —insistió la misma persona, al que Luis había descrito como el que llevaba una gorra roja.

—¡Abajo! —repitió en voz alta Tejada.

—Tranquilo... tranquilo... ¿Se puede saber qué hemos hecho? —dijo el detenido en tono pausado.

—En este país se castiga el contrabando de armas, ¿no lo sabía?

—¿Armas? —pareció extrañarse—. Oiga, nosotros somos simples mensajeros. Recogemos carga de un lado y la llevamos para otro... No sabemos qué hay dentro de las cajas...

—¡Contra el vehículo! ¡Están bajo arresto! —gritó enérgico Tejada mientras colocaba a los dos hombres frente la furgoneta y con las manos tras sus cabezas.

Tejada los cacheó después, pero sin encontrarles ningún arma.

—Águila uno... águila uno... ¿dónde estás? —preguntó por radio el agente sin atreverse a abandonar su pistola para esposar a los sospechosos.

—Estoy entrando al almacén... Ya te veo a lo lejos... a unos quinientos metros... —respondió Miguel casi sin respiración debido al cansancio.

A pesar de ser de noche, el policía vio con claridad a su amigo porque esa zona estaba muy bien iluminada con potentes reflectores.

Tejada se giró entonces para localizar visualmente a su compañero y, al hacerlo, dio la espalda a los dos arrestados durante tan sólo algunas décimas de segundo. Un error letal que fue aprovechado por uno de ellos para, con un rápido movimiento, rescatar del asiento de la furgoneta un afilado destornillador y clavárselo con fuerza al agente en el cuello.

El largo trozo de metal semioxidado entró por un lado del cuello de Tejada y salió inmediatamente después por el otro provocando un río de sangre y la muerte casi instantánea del policía.

Miguel Cardoso, a pesar de todos sus esfuerzos, no pudo evitar que su amigo fuera asesinado prácticamente frente a él. Esa frustración hizo que sus casi desfallecidas piernas ganaran fuerza de repente y comenzasen de nuevo a correr a toda velocidad.

—¡Hijos de puta! —gritó.

Los dos atacantes intentaron huir en la furgoneta, pero el policía, ya a escasos metros de ellos, descargó su peine de diecisiete balas nueve milímetros parabellum sobre el vehículo, logrando inutilizarlo.

Cinco de los mortíferos proyectiles impactaron contra uno de los hombres y lo hirieron de muerte. El otro, con un tiro en su pierna izquierda, optó por iniciar una desorganizada huida hacia las terminales. El cubano sabía perfectamente que su única posibilidad para escapar era confundirse entre los miles de pasajeros que inundaban el aeropuerto.

El hombre de la gorra roja, que llevaba una ventaja de unos cincuenta metros sobre Miguel Cardoso, pero cuya pierna herida le impedía correr con agilidad, vio que el policía estaba acortando terreno peligrosamente, de forma que comenzó a cruzar la pista de aterrizaje número dos en un intento por atajar su largo recorrido.

Sin embargo, su desesperada maniobra coincidió justo en el momento en que un Boeing 727 iniciaba su aterrizaje sobre esa misma pista. La falta de luz y el constante y ensordecedor ruido de los motores de otros aviones cercanos impidieron que el fugitivo se diera cuenta del gran riesgo de su acción.

El sorprendido piloto del Boeing, temiendo poner en peligro la seguridad de la nave y sus más de cien pasajeros a bordo, no pudo hacer nada por modificar su maniobra de descenso y prosiguió adelante con la misma.

El traficante de armas, incapaz de controlar los movimientos de su adolorida pierna, acabó tropezando y sólo fue consciente de la gravedad del momento cuando, postrado sobre el asfalto, pudo ver con claridad al avión aproximándose hacia él.

El estridente ruido de las turbinas del aparato y la súbita aparición de la nave hicieron que el hombre no supiera cómo reaccionar. Cuando quiso hacerlo, ya fue demasiado tarde.

Cuando el Boeing llegó a la terminal, lo único que encontró la policía fue una gran mancha de sangre en el tren de aterrizaje del reactor. Los restos del cubano habían quedado esparcidos por toda la pista.

32. DESAPARECIDOS

—¡AHORA! —ORDENÓ el capitán Menéndez por radio a las dos docenas de policías que aguardaban impacientemente sus instrucciones.

En ese momento, los agentes, provistos de cascos acorazados, ametralladoras, escopetas de perdigones, chalecos antibalas y aparatos infrarrojos de visión nocturna, destrozaron con una gigantesca barra de metal la puerta de una casa situada en la hasta entonces apacible calle Loquat del barrio de Coconut Grove.

A pesar de que todos se habían preparado para encarar una feroz resistencia, no ocurrió nada porque la vivienda estaba vacía.

Según los datos de su licencia de manejar, esa era la residencia de uno de los dos hombres muertos en el aeropuerto. La del otro aún era una incógnita.

—¿Alguna cosa interesante, Miguel? —preguntó Menéndez tras el minucioso registro realizado por los policías.

—No. Sólo que quienes vivían aquí se marcharon con lo puesto y muy rápidamente.

—Es probable que esta tarde tuvieran a alguien cerca de la terminal de carga que viese lo que ocurrió allí. Eso les habría dado tiempo suficiente para desaparecer.

—Los vecinos dicen que aquí vivían varias personas. No sólo dos, sino cuatro o cinco, pero que apenas se relacionaban con nadie y que por eso ninguno sabe muy bien quiénes eran o a qué se dedicaban.

—¿Eran cubanos, como los del aeropuerto?

—Sí. ¿Es importante eso?

—No lo sé, pero esto no me gusta. Aunque podrían haber sido contratados por grupos como Al Qaeda, no creo que se trate de terrorismo fundamentalista islámico. Como dijo Fernandes, no tendría sentido... pero tengo una mala corazonada. Todo es demasiado extraño. Sin sentido.

—¿Qué piensas?

—Eso es lo que me asusta. Que no tengo ni la menor

idea. Lo único que sé es que dos personas estuvieron dispuestas a morir por ocultarlo y eso quiere decir que es algo de peso. ¿Algún rastro de drogas?

—Cero.

—¡Peor! ¿Qué demonios haría que estas personas prefiriesen morir antes que pasar un par de años en la cárcel por contrabando de armas? ¿Qué sería tan importante como para no dudar en asesinar a un policía, aún sabiendo que eso puede llevarles directamente a la silla eléctrica?

—Atención... atención... —sonó de pronto la radio.

—Sí —respondió Menéndez.

—Aquí Bryan. Estoy en el patio trasero de la casa. A unos diez metros de la piscina mirando hacia el oeste. Creo que le gustaría echar un vistazo a esto, capitán.

—Vamos para allá. Diez, cuatro —finalizó Menéndez saliendo de su automóvil.

33. REGRESO A LOS 60

—¿Y BIEN? —PREGUNTÓ Menéndez al sargento Bryan, que estaba rodeado de varios agentes en un recóndito lugar del jardín.

—¿Ve algo anormal? —respondió este.

Menéndez dirigió la luz de su linterna a su alrededor hasta completar un giro de trescientos sesenta grados. Después miró a Bryan.

—Está bien. Me rindo.

—Nada por aquí, nada por allí y... ¡sorpresa! —dijo Bryan agachándose de repente para después hundir su mano en el césped hasta topar con una pequeña asa de hierro.

El agente estiró entonces su brazo hacia arriba y levantó una especie de escotilla adosada al suelo. La hierba del jardín había sido pegada a la tapa metálica, de manera que el orificio, a menos que su ubicación fuera conocida de antemano, pasaba completamente desapercibido.

Al abrir la escotilla, Menéndez pudo ver un oscuro y estrecho túnel que se hundía en las entrañas del jardín.

—¿Qué demonios es esto? —preguntó Miguel.

—Véanlo ustedes mismos —dijo Bryan invitándoles a que lo siguieran—. El policía se introdujo en el túnel y comenzó a bajar las escalerillas adosadas al mismo.

Julio Menéndez y Miguel Cardoso fueron tras él y también descendieron por el agujero, de unos diez metros de largo, hasta llegar a una gran puerta acorazada. La puerta parecía la entrada de uno de esos enormes congeladores de supermercado con fuertes cerrojos para impedir la entrada o salida de aire frío.

El sargento Bryan, que ya había estado allí, empujó la puerta hasta abrirla por completo. La oscuridad era casi total, pero Bryan, finalmente, encontró los interruptores de la luz, los accionó y la habitación se iluminó poco a poco al encenderse varios fluorescentes instalados en el techo de la cámara.

De repente, tanto Miguel como el capitán Menéndez vieron una gran habitación repleta de latas de comida, ropa, medicinas, trajes aislantes de plástico, mascarillas antigás, armas y enormes bidones de agua.

Junto a esa cámara había otra más pequeña con diez literas, tres cuartos de baño y varias duchas instaladas en su interior.

—¿Puede alguien explicarme qué es todo esto? —dijo confundido Menéndez.

—Yo no soy ningún especialista en estos temas —respondió Bryan—, pero vea el tipo de medicinas que hay aquí. La mayoría son para quemaduras e intoxicaciones en la piel y en el sistema respiratorio y nervioso. La acumulación de agua potable y comida también indican que quienes construyeron esto querían poder aislarse del mundo durante cierto tiempo.

—No entiendo lo que me quieres decir, Bryan. ¿De qué me estás hablando?

—Capitán, creo que esto es un refugio nuclear. Esta gente se estaba preparando para resistir varias semanas bajo tierra debido a la contaminación que causase un desastre o bien un ataque nuclear.

—¿Qué? —exclamó Miguel.

—No se me ocurre ninguna otra posibilidad —prosiguió Bryan—. Si su intención hubiera sido sólo la de esconderse, no tendrían este tipo de medicinas ni tampoco toda esta clase de material. Este refugio es similar al que miles de familias de Florida fabricaron durante la década de los sesenta temiendo una confrontación nuclear con la Unión Soviética. ¿No se acuerdan acaso del pánico que generó la llamada crisis de octubre, la de los misiles con Cuba?

—Sí. Claro que me acuerdo. Estuvimos a punto de sufrir un holocausto nuclear —dijo Menéndez.

—Exacto.

—¿Cómo es posible construir un túnel aquí, si estamos rodeados de agua y la tierra apenas tiene profundidad?

— Son estructuras compactas de acero. Impermeables y muy resistentes —dijo Bryan dando un fuerte golpe con su mano a la pared de la cámara para demostrarlo.

—Señores, esto cada vez me gusta menos.

—Pero eso no es todo, capitán —añadió Bryan.

—¿Cómo? ¿Aún hay más?

—Fíjese en los frascos de las medicinas. Son cubanas. Vienen de la isla. Es imposible comprarlas aquí.

—Miguel —concluyó el capitán—, la unidad antiterrorista debe concentrarse en esto hasta que averigüemos de qué diantres se trata. Tú sabes mucho del tema cubano. Necesitamos tu ayuda. Vuelve a llamar al FBI. Vamos a precisar toda la ayuda que pueda ofrecernos. ¡Ah! —exclamó de pronto—. Muy importante. No quiero ver a ningún periodista merodeando por aquí. Ya tenemos bastantes problemas. No necesitamos ninguno más. Cero comentarios a la prensa sobre este tema. ¡Cero! —recalcó con énfasis.

34. RADIOGRAFÍA DEL G-2

EL GENERAL MIRANDA entró en uno de los edificios del Ministerio del Interior instalados en la plaza de la Revolución de La

Habana. En el denominado «A».

Esos edificios, antes de la subida de Castro al poder, eran simples residencias de apartamentos. Después, los rebeldes los convirtieron en las oficinas centrales del temido MININT.

En ese complejo se encontraban la Dirección General de la Inteligencia, la DGI, y la Dirección General de la Contrainteligencia, la DGCI. El conjunto de esos dos organismos era lo que se conocía popularmente como el G-2. El servicio de inteligencia y espionaje cubano. Uno de los mejores entrenados y con más experiencia en todo el mundo.

Casi todos los oficiales del G-2 habían sido adiestrados no sólo en Cuba, sino también en numerosos países del antiguo bloque soviético e incluso en el mismo cuartel general de la KGB en Yasenevo, a unos treinta kilómetros al sur de Moscú.

La DGI, que tenía en plantilla a unos tres mil oficiales, se encargaba de espiar fuera de Cuba. Penetraba a sus agentes en gobiernos extranjeros, hacía lo posible para influir en la política y en la estrategia de esos países hacia la isla y organizaba operaciones contra el exilio.

La DGCI, con alrededor de cien mil agentes, básicamente, se encargaba de vigilar al pueblo cubano, tanto en la calle como en sus hogares o trabajos. Su misión: neutralizar cualquier crítica, disidencia interna o acciones hostiles contra el régimen.

El general Miranda, un veterano del MININT, salió del ascensor en el sexto piso y se dirigió a la sala número diez. A la entrada había dos soldados armados que, tras saludar al militar, le abrieron la puerta.

Esa sala era uno de los llamados «recintos de seguridad» del edificio. Una oficina protegida contra cualquier medio de espionaje electrónico y dedicada exclusivamente al seguimiento de las operaciones de inteligencia más delicadas.

Al entrar, Miranda se encontró con alrededor de una docena de oficiales estudiando con atención algunos mapas colgados sobre la pared. Otros militares, en cambio, permanecían sentados frente a diversos escritorios esparcidos por toda la sala haciendo llamadas telefónicas y transmisiones por radio. Algunos también recibían mensajes cifrados procedentes de los agentes dedicados al Plan Hatuey.

La presencia del general fue inmediatamente percibida por todos. No obstante, nadie se levantó para saludarlo. En ese recinto el personal estaba excusado de tener que hacerlo, ya que el trabajo requería demasiada concentración como para distraerse con ese tipo de formalismos.

La «sala de guerra», tal y como también la llamaban, bullía en actividad, pero, en ese momento, no estaban presentes ni el teniente coronel Pardo ni el general Lezcano. Ambos, junto al general Miranda, se rotaban para que al menos uno de ellos siempre estuviera presente en la toma diaria de decisiones del Plan Hatuey. Miranda venía a reemplazar a Pardo, que acababa de finalizar su turno.

El general Miranda, por órdenes directas de Carlos Hernández, había tenido que desplazarse a la base aérea de Holguín para, entre otras cosas, inspeccionar el estado de algunos helicópteros y aviones que serían utilizados en el operativo. Ahora, tras dos semanas de ausencia, el militar se había quedado desfasado en algunos aspectos del plan y su intención era la de ponerse al día cuanto antes. La llegada de nuevos datos relacionados con el proyecto era incesante y la situación cambiaba minuto a minuto.

—¿Qué pasó con el envío? ¿Es cierto que nos reventaron? —preguntó sin rodeos Miranda a un oficial de la Dirección de Operaciones Especiales, los encargados de materializar las entregas de armas.

—Una de las partes de un misil que enviamos a Miami fue apresada por la policía. Hubo un tiroteo. Perdimos a dos agentes.

—¿Y el resto?

—Los demás lograron huir, pero la policía descubrió uno de nuestros escondites en la ciudad.

—¿Dejaron alguna pista que indique lo que estamos haciendo?

—Negativo. Nuestros informes indican que la policía

está confundida. Lo más probable es que no puedan llegar a ninguna conclusión y acaben archivando el caso.

—¿Han solicitado ayuda federal al FBI?

—Sí, pero, afortunadamente para nosotros, el FBI tiene muy poca experiencia en el tema de Cuba. Además, su propia arrogancia les impedirá sospechar que La Habana pueda estar preparando alguna operación de gran magnitud en su propio territorio, los Estados Unidos. No anticipo que nos den ninguna sorpresa. Por supuesto, primero pensaron que podría ser algún grupo terrorista islámico, pero ya abandonaron esa idea. Creen que se trata de delincuentes comunes. Traficantes de armas.

—Parece usted muy confiado.

—Mi general, hablo por experiencia. Tenemos a Miami completamente infiltrado desde hace décadas y el FBI nunca ha sido un problema para nosotros. Sobre todo tras los atentados de Al Qaeda en Washington y Nueva York. Cuando se menciona la palabra terrorismo, siguen imaginándose inmediatamente a un árabe. Nunca a un latinoamericano.

Tras escuchar al agente y dar un gesto de aprobación a lo que había dicho, Miranda caminó hasta otra mesa de la sala número diez.

—¿Cómo vamos a conseguir la parte del misil que nunca llegó a su destino? —preguntó a otro agente, este del departamento MC, la sección encargada de burlar el bloqueo estadounidense obteniendo todo tipo de productos en el mercado internacional.

—Nuestro comando en Miami recibirá mañana todo lo que no llegó ayer —respondió el espía.

—¿Cómo? —dijo extrañado el general por la rapidez empleada.

—Lo estamos enviando a través de una barcaza que entrará por el río Miami procedente de la República Dominicana. Sabíamos que algo así podría ocurrir y, como siempre, realizamos planes de contingencia.

Miranda aplaudió aquel reemplazo tan rápido, pero, por otro lado, dejó claro a sus subordinados que los fallos no serían tolerados en aquella operación.

—No quiero más errores. ¿Entendido? —puntualizó desafiante.

—¡A sus órdenes! —respondieron los militares.

El general se dirigió entonces a un capitán de la Dirección de Operaciones Especiales, la DOE, que servía de enlace con los soldados de esa sección destinados en Miami.

Ese departamento tenía quizás la labor más tenebrosa dentro del MININT. Su cometido, en esencia, era el de ejercer de verdugos profesionales y, de recibir la orden, aniquilar a los enemigos del régimen en cualquier lugar del planeta donde se encontrasen. Su rutina: asesinatos, operaciones violentas a toda escala y secuestros. Es decir, cualquier operativo que involucrara actos de sangre era automáticamente designado a la DOE. Esa sección también supervisaba la labor de todos los movimientos subversivos entrenados y financiados por Cuba en Latinoamérica, tarea que se dirigía en coordinación con distintos departamentos del Comité Central del Partido Comunista Cubano.

—¿Cómo está el tema de los dos aviones Harrier?

—Los tendremos físicamente en nuestro poder en unos tres o cuatro días.

—¿Dónde se compraron por fin los cazas?

—Estamos cerrando tratos con la India. Tienen varios aviones de ese tipo procedentes de Gran Bretaña que están a la venta para ser sustituidos por otros nuevos. Todo está en marcha. Sólo faltan algunos formalismos.

—¿A quién cree la India que se los está vendiendo?

—Acudimos a un traficante de armas de confianza que ya trabajó con nosotros en otros proyectos. Los indios creen que el destino final de los aparatos es Brasil.

—¿Y si preguntan a Brasil?

— Hemos sobornado con mucho dinero a distintos militares y funcionarios tanto de la India como de Brasil para que eso no ocurra.

—Asuma lo peor —insistió Miranda.

—El intermediario diría que, al ver una buena oportunidad, actuó por iniciativa propia pensando que conseguiría vendérselos a Brasilia. Lo importante es que nadie pueda asociarnos con esos aviones.

La sala seguía con su constante actividad, que se extendía durante las veinticuatro horas del día. Los turnos nunca eran de más de ocho horas. Los altos mandos querían ver siempre frescos y descansados a sus militares. El plan requería gran concentración.

—¿Cuándo calcula que podrían estar listos los Harriers para despegar? —preguntó el general.

—Eso va a llevar un par de semanas más. Quizás tres. Primero hemos de finalizar la compra. Después, desmontarlos, transportarlos hasta Florida y, allí, volverlos a ensamblar. Recuerde, mi general, que no podemos precipitarnos. Tenemos que dejar que transcurra cierto tiempo entre operación y operación para no despertar ningún tipo de sospechas. Especialmente, tras lo que ocurrió en Miami con la parte del misil que perdimos.

—¿Y el armamento de los cazas? Si ya está llegando a la Florida, ¿de dónde procede entonces?

—El departamento MC ha actuado con mucha eficacia y nos están dando partes de repuesto y armamento a través de diversas fuentes. Ese material ya se está ensamblando en Miami. De esa forma, los ingenieros adelantan su trabajo y, además, cuentan con piezas extra en caso de necesidad. Ahora sólo falta que comiencen a llegar los aviones.

—Ya veo que se están tomando su tiempo.

—Es verdad, todo se hace poco a poco. Con cuentagotas, pero es la única manera de pasar desapercibidos.

—Sí, estoy de acuerdo —asintió el cubano.

—Sin embargo, mi general, también es cierto que tenemos mucho personal dedicado exclusivamente a penetrar ese armamento en la Florida, así que, aunque sea un proceso lento, se mueve de forma incesante.

—¿Cómo están respondiendo los ingenieros que enviamos desde La Habana?

—Bueno —sonrió el oficial en tono paternalista—, ya sabe que los ingenieros no están acostumbrados a presiones de este tipo, pero, por ahora, todo va bien. Tal y como habíamos planeado. El grupo sigue ensamblando, tornillo a tornillo, todo lo que les llega.

—¿Dónde estarán exactamente los Harriers?

—En una granja cerca de los pantanos de los Everglades. A unas ochenta millas al sur de Miami.

—¿Hay alguna otra finca en los alrededores?

—Negativo, mi general. Nada en por lo menos diez millas a la redonda. Sólo pantanos, caimanes, serpientes y miles de mosquitos hambrientos. No precisamente el lugar ideal para que se pierda ningún curioso.

—¿Podrán despegar desde ahí los aviones?

—Según los pilotos, sin ningún problema. Los aparatos estarán escondidos bajo un gran cobertizo. Cuando tengan que emprender vuelo, se remolcarán fuera del edificio y los Harriers surcarán el cielo en apenas segundos.

Los cubanos habían estudiado hasta el más ínfimo detalle del Harrier británico. Ese avión, considerado por los expertos como uno de los mejores del mundo, estaba diseñado para un solo piloto y era capaz de alcanzar una velocidad de casi mil doscientos kilómetros por hora. El aparato, dotado de dos cañones de treinta milímetros, podía transportar hasta cuatro toneladas de bombas y destruir sus objetivos en un radio de acción de seiscientos setenta kilómetros. Sin embargo, para el MININT su valor esencial era que se trataba de una nave capaz de iniciar su vuelo desde cualquier lugar. Eso, debido a que sus motores habían sido adaptados para despegar completamente en vertical.

Miranda escuchaba con mucha atención las explicaciones del agente del Ministerio del Interior en un intento por detectar cualquier fallo en el operativo.

—¿Qué planes de contingencia hay si los aviones son descubiertos por la inteligencia yanqui?

—La granja está minada con cargas de enorme poder explosivo. Hasta el último centímetro. Si ese fuera el caso, lo volaríamos todo y no quedaría nada en pie. La destrucción sería absoluta y no podrían probar nada.

—¿Y si, por miedo a morir en la explosión, nuestro personal allí no detona las cargas?

—Mantenemos vigilancia permanente sobre la granja

desde tres distintos puestos de observación exterior. Esos agentes, igualmente, tienen acceso a los detonadores. Sin embargo, si en algún momento considerásemos que la misión está comprometida, también podríamos hacerla saltar por los aires desde La Habana. El mecanismo está preparado para accionarlo incluso desde esta misma sala.

—¡Fantástico! —exclamó el general—. Capitán —prosiguió Miranda— resúmame cómo está el teatro de operaciones —dijo mientras comenzaba a examinar distintos documentos que habían sido depositados sobre su escritorio.

—Nuestras principales preocupaciones siguen siendo Boca Chica y, sobre todo, Homestead...

El oficial se refería a que, en caso de ejecutarse un ataque aéreo cubano contra el sur de la Florida, los únicos obstáculos importantes para impedirlo serían las bases de la fuerza aérea en Boca Chica, situada en Cayo Hueso, y la de Homestead, aledaña a Miami.

—Homestead, debido a que dispone de más aviones, tendría la principal responsabilidad a la hora de defender esa zona ante cualquier incursión de las FAR —prosiguió el agente—. No obstante, nuestra inteligencia confirma que, tras el huracán Andrew de agosto de 1992, esta ha sido prácticamente desmantelada...

—Continúe...

—Antes del huracán, la base era la sede del Ala de Combate número 31. Un ala integrada por sesenta cazabombarderos F-16 último modelo y casi nueve mil militares. Sin embargo, después del huracán, esos aviones fueron transferidos a otras bases y ahora tan sólo disponen de entre quince y veinte aparatos del Ala de Combate número 482 de la reserva.

El general Miranda hizo una mueca de sorpresa.

—Nunca he entendido cómo los americanos, tan previsores y organizados para tantas cosas, pueden haber desatendido su defensa de la Florida de una forma tan... tan... —quiso buscar el calificativo adecuado— ...sí, eso es... de una forma tan irresponsable. ¡Dieciocho aviones! ¡Dieciocho aviones contra toda Cuba! ¡Qué majaderos!

El oficial de la Dirección de Operaciones Especiales no

pudo reprimir una leve sonrisa ante las palabras de Miranda.

—Será que piensan que la revolución sólo se atreve a pelear con países tercermundistas y no contra ellos, el gran imperio —afirmó el oficial con sarcasmo.

—Pues vamos a despertarles de ese sueño, pero ahora lo más importante es llevar esos dos Harriers cuanto antes a la Florida —regresó el general al plan sin querer dar más confianza al agente de la DOE—. Sin ellos, esta operación no existe.

El general Miranda, mientras hablaba, cogió algunos de los informes donde se indicaba el historial personal de todos los agentes que habían sido escogidos para llevar a cabo el ataque.

—¿Cuántos comandos tiene la DOE en Miami? —continuó preguntando.

—Dos. El primero, de veinte hombres, en la granja con los aviones y los ingenieros. Allí no sólo se dedican a proteger los aparatos, sino que también vigilan constantemente a los técnicos. Cualquier deserción sería fatal.

—¿Ha habido algún problema?

—No. Los ingenieros fueron seleccionados con cuidado. Todos están casados y tienen a sus esposas e hijos en Cuba. Ellos saben que la represalia, en el remoto caso de conseguir escapar y decir algo, sería inmediata. Tanto para ellos como para sus familias.

—¿Y el segundo comando de la DOE?

—Está en Miami con treinta hombres más. Ahora, tras descubrir su escondite la policía, se fueron a otra parte de la ciudad. Esos han sido los encargados de transportar las piezas de los Harriers desde diversos puntos de la Florida hasta la granja, así como de construir o mantener operativos los diversos refugios antinucleares del área de Miami. Mi general —interrumpió de forma abrupta el capitán su informe—, ¿me permite preguntarle algo respecto a esos refugios?

El militar miró extrañado al oficial. No obstante, volvió a centrarse después con rapidez en los documentos que estaba repasando, como queriendo restar importancia a cualquier pregunta que pudiera hacerle.

—Claro. Adelante.

—¿Para qué los queremos todavía?

La respuesta fue inmediata, casi refleja.

—Recuerde. Construimos los primeros con la crisis de los misiles en el año 1962 y hemos seguido manteniendo ese programa para proteger a nuestros agentes en Florida ante cualquier eventualidad. Es una política de Estado que, hasta el momento, aún no se ha modificado. Imagino que por simple precaución. Nunca sabe uno lo que puede ocurrir... —afirmó con vaguedad Miranda mostrando un aparente desinterés por el tema. Sin embargo, la verdad era que no quería profundizar en un asunto que, incluso a él, le producía una gran desconfianza.

—Entiendo —afirmó el capitán con un rostro tan frío e impersonal que fue completamente imposible para Miranda pretender adivinar si sus escuetas explicaciones habían convencido o no al otro militar.

—Por favor, prosiga usted.

—A sus órdenes, mi general... —dijo el oficial sin atreverse a mirar a los ojos a su superior—. Cuando el operativo esté a punto de activarse, la labor principal de los destacamentos de la DOE en Miami pasará a ser la de ponerse bajo las órdenes de Héctor Lara y asegurarse de que los otros comandos infiltrados en la ciudad también cumplan con sus instrucciones.

—Aparte de los agentes de la DOE, ¿con cuántas personas más cuenta Lara?

—Con otros treinta agentes del MININT.

—¿Están estos al tanto del Plan Hatuey?

—No. No por el momento.

—De acuerdo. Salvo el incidente en el aeropuerto, veo que todo marcha bien. ¿No es así? —prosiguió el militar.

—En efecto, mi general.

—Gracias. Puede retirarse.

—A la orden —saludó el agente antes de marcharse hacia otra dependencia de la «sala de guerra».

A pesar de ser un veterano de varias guerras, Miranda, en realidad, no estaba especializado en acciones violentas, sino de análisis e infiltración. El general tenía el carisma para, de ser necesario, dirigir las labores de la DOE, pero su campo preferido de trabajo era el del estudio analítico de los diferentes factores que podían afectar a cualquier operativo de espionaje. Miranda lideraba el departamento Q-2 del MININT, el más grande de la inteligencia cubana.

Comprender la laberíntica y misteriosa estructura de los servicios de inteligencia de Cuba no era una tarea fácil, ya que había sido celosamente guardada desde su concepción. Su organigrama secreto estaba copiado casi de forma idéntica al del aparato de espionaje de la antigua Unión Soviética: la implacable KGB.

El Plan Hatuey había movilizado a los mejores especialistas del MININT en lo que atañía a operaciones dentro del área del Miami. La experiencia de esos agentes sería de vital importancia para llevar a cabo con éxito la misión. El motivo era que tan sólo un fallo de peso podría resultar suficiente para arruinar todo lo que se había planeado durante años.

La sección de la DGI que actuaba contra el exilio era la llamada MQ. Esta se subdividía en Q-1, Q-2 y Q-3.

El Q-1 se encargaba de trabajar contra el servicio de inteligencia exterior estadounidense, la CIA, y contra la Agencia Federal de Investigaciones, el FBI, aunque también espiaba al resto de los servicios de inteligencia occidentales aliados de la Casa Blanca.

El departamento Q-2 tenía la misión de operar contra el exilio, no sólo en los Estados Unidos, sino en todo el mundo.

Por su parte, el Q-3 protegía a los oficiales de la inteligencia de Cuba en el extranjero y también se ocupaba de impedir que desertaran.

El Q-2, la sección con más personal de todo el aparato del servicio secreto cubano, se subdividía en Q-21, Q-22 y Q-23.

El Q-21 trabajaba contra las organizaciones paramilitares del exilio, a las que el G-2 describía como «terroristas». Su objetivo era neutralizar a cualquier grupo o individuo que planeara acciones violentas contra el régimen de La Habana. El Q-21 tenía sus principales centros de operaciones en Miami,

Caracas, ciudad de México, Madrid y París. Los oficiales de la inteligencia cubana, tras la fachada de diplomáticos de carrera, ejecutaban sus órdenes desde las embajadas de Cuba en esas capitales.

El departamento Q-22 se encargaba de penetrar los partidos y las organizaciones políticas anticastristas del exilio. También espiaban a personalidades que, en un momento determinado, pudieran influir en la comunidad de la diáspora cubana.

Los agentes destinados a este departamento debían saberlo todo sobre la vida de quienes vigilaban. Hasta el menor detalle. Qué marca de cigarrillos fumaban, quiénes eran los miembros de todas sus familias, si tenían amantes, dónde vivían ellos y sus amantes, qué vicios ocultaban, cuál era su comida favorita, sus orientaciones sexuales, a quiénes consideraban sus amigos y a quiénes sus enemigos, qué tendencias filosóficas tenían, cuál era su ropa preferida, qué tipo de zapatos compraban, a quiénes admiraban, a quiénes criticaban en privado, si eran corrompibles o no, cuáles eran los restaurantes que más frecuentaban, si les protegía alguna escolta y una innumerable cantidad más de datos respecto a sus vidas tanto públicas como privadas. Todo. Cuanto más supieran de esas figuras, más fácil sería vigilarlos, chantajearlos y, de ser necesario, hacerlos desaparecer en un momento determinado.

Desde 1981, la inteligencia cubana había creado los llamados «planes de contingencia en tiempo de guerra». Eso significaba que, en caso de conflicto armado contra los Estados Unidos o grave crisis internacional, el gobierno cubano daría la orden de asesinar a las principales figuras opuestas al régimen de Castro alrededor del planeta. Así, tanto podía eliminarse a una figura política en Japón como en Cuba o bien en el mismo exilio. Estos planes incluían además la voladura de embajadas estadounidenses y el secuestro y asesinato de funcionarios norteamericanos en los cinco continentes. La vida de los potenciales enemigos del régimen castrista debía ser, pues, estrechamente vigilada y conocer todos y cada uno de sus movimientos habituales.

Por último, el Q-23 tenía como objetivo maniobrar contra la iglesia, tanto en el exilio como en el resto del mundo. Es lo que la inteligencia cubana llamaba «diversionismo ideológico».

Ese departamento también intentaba reclutar a periodistas, intelectuales y sacerdotes para que hablaran veladamente a favor de su causa. Los métodos para lograrlo carecían de importancia. Cualquier táctica era admitida si conseguía su fin.

El Q-23, de igual forma, se encargaba de sembrar las campañas de desinformación en el exilio de Miami. Algo que dominaba casi como un arte tras más de tres décadas de ininterrumpidas iniciativas en ese campo.

Otro organismo importante era la Dirección General de Seguridad, que, con la espectacular cifra de once mil efectivos, tenía como único objetivo asegurar la protección física de Fidel Castro.

La Octava Dirección de Cifras, por su parte, garantizaba las comunicaciones secretas entre los miles de agentes castristas esparcidos por todo el mundo. Esos contactos se hacían por radio, computación, claves especiales y también con métodos más sofisticados como el micropunto o la llamada imagen latente. Es decir, mensajes microscópicos o bien escritos con tinta invisible.

Otro de los órganos vitales del servicio de inteligencia de La Habana era el MZ, cuya función consistía en obtener documentos falsos para que los oficiales del G-2 pudieran viajar o vivir clandestinamente sin ser detectados.

El general Miranda, ya más al tanto de los últimos datos del operativo, continuó repasando, punto por punto, todos los pasos que aún quedaban por ejecutar del Plan Hatuey. El día del ataque parecía estar cada vez más cerca y nada podía fallar. Lo que estaba en juego era, nada más y nada menos, que el futuro mismo de la revolución.

35. FAMILIA Y POLÍTICA

MARTA Y SU TÍO Ernesto vivían en las afueras de Coral Gables, una ciudad residencial colindante con Miami. Su casa era de estilo colonial español. Blanca, de delicados contornos y con un tejado compuesto por tejas de un llamativo color rojizo.

Ernesto había organizado una comida familiar y Marta aprovechó la ocasión para invitar a Héctor. Cuando llegó, la cubana lo acompañó hasta el comedor para que conociera a su familia. Allí, Miguel Cardoso y Francisco Ruiz, ambos primos de Marta, estaban comiendo un lechón con arroz, frijoles y maduros junto a su tío Ernesto. Todos los presentes interrumpieron durante unos instantes su apasionada conversación para saludar al recién llegado.

Francisco Ruiz había venido de Cuba hacía tan sólo dos años. Era ingeniero de profesión y no tuvo demasiados problemas para abrirse paso en Miami. Sin embargo, nunca logró llevarse bien con su familia del exilio, ya que, a pesar de haber huido de la isla, simpatizaba de forma abierta con muchas de las ideas de la revolución.

De hecho, Francisco, que adoraba debatir sobre política, no perdía oportunidad para atacar las tácticas de varios sectores del exilio con relación a Fidel Castro. Miguel Cardoso, siempre que coincidía con él, intentaba no discutir sobre Cuba. El policía era consciente de que el día en que ambos ventilaran abierta y sinceramente sus diferencias ideológicas podría producirse una ruptura personal irreversible.

No obstante, Miguel no pudo más en aquella ocasión y comenzó a enfrentarse a su primo con agresividad y sin ninguna diplomacia. El motivo era que Francisco no cesaba de mofarse de un ex preso político cubano que estaba siendo entrevistado en un canal televisivo local. El policía, que sentía haber aguantado ya demasiado y durante demasiado tiempo, veía a Francisco como un inconsecuente y un cobarde. Como un vendido.

Miguel no comprendía cómo alguien que había escapado de Cuba en balsa podía ahora defender al régimen de La

Habana. Para él, Francisco era un desalmado por burlarse de lo que el agente consideraba como el amargo sufrimiento del exilio.

La llegada de Héctor calmó de manera muy temporal los exacerbados ánimos y tan sólo algunos segundos después de que el amigo de Marta se sentara en la mesa, los dos prosiguieron con aquella acalorada discusión que se había iniciado hacía ya rato. Héctor y Marta no tuvieron otra alternativa que sentarse y observar la agria disputa entre ambos, que no apuntaba hacia ningún final feliz.

—Sí, chico, los líderes del exilio son unos trogloditas. Unos animales. Vamos, admítelo —dijo Francisco.

—¿Ah, sí? ¿Y por qué? —preguntó obviamente molesto Miguel Cardoso, alzando un poco su tono de voz.

—¿Por qué? ¿Qué pregunta es esa? ¿Es que no lo ves? —preguntó desafiante el otro cubano.

—Pues la verdad es que esos que tú llamas animales son los que han hecho de Miami lo que es hoy en día. La ciudad que, para empezar, te ha acogido para que inicies una nueva vida.

—¡Vaya! ¡Ya decía yo que tardabas mucho en salir con ese cuento, hermano!

—¿Cuento? ¿Qué cuento?

—Los capitalistas del exilio han hecho dinero para beneficiarse ellos, no para ayudar a nadie. ¿Crees tú acaso que se enriquecieron para darnos trabajo a ti y a mí cuando llegáramos aquí?

—¡Cuánta basura hablas! ¿Acaso no trabajas tú en una empresa cubana? ¿Es que no te ha ayudado el exilio a salir adelante? ¿Qué más da la razón por la cual crearon sus empresas? ¿No te ha beneficiado a ti?

—¡Muchacho! ¡Lo único que han hecho por mí estos cubanos es explotarme por un sueldo miserable!

—Claro. Nadie te ha ayudado. Por eso, con tan poco tiempo aquí, ya tienes una casa, dos automóviles y un trabajo. Porque el exilio no te ha apoyado, ¿no? Te pasaste más de treinta años en Cuba y ¿qué conseguiste allí? Sólo la desesperación suficiente como para subirte a una balsa y largarte de la isla arriesgando incluso tu propia vida.

—Si aquí me ayudó alguien, fue por puro interés. ¡Es el capitalismo! ¡Qué quieres! —exclamó Ruiz.

—¿El capitalismo? ¡Qué descarado eres! ¿Ahora vas a criticar al capitalismo?

—¿Ahora? No, hermano. Yo siempre lo he criticado. No ahora. ¡Siempre!

Miguel suspiró lleno de rabia.

—Sabes, chico, déjame decirte una cosa: tú eres la peor de las especies. Criticas al capitalismo y es el capitalismo el que te da de comer. Huyes de Cuba corriendo con el rabo entre las piernas para la yuma, para los Estados Unidos, y, sin embargo, en Miami te pasas la vida hablando de lo buena que es la revolución. ¡Quién te entiende!

Tanto Ernesto como Marta y Héctor se vieron sorprendidos ante el tono que estaba tomando la discusión entre los dos primos, pero poco pudieron hacer para apaciguar los caldeados ánimos. Miguel y Francisco parecían dos trenes circulando a toda velocidad, en dirección opuesta y a punto de colisionar frontalmente.

—¡Vamos, chicos! ¡Disfruten de la comida y olvídense de tanta política! —dijo Ernesto en un precario intento por cambiar de tema.

No obstante, nada parecía ya capaz de evitar que Miguel y Francisco acabaran desahogándose y, por fin, expresaran las opiniones que durante dos años habían reprimido el uno sobre el otro.

—Qué sabrás tú de la revolución... —prosiguió Francisco con una actitud de cierta superioridad.

—Si te gusta tanto, ¿por qué no regresas a Cuba? Anda, vuelve. Vete a pasar hambre, a sufrir colas, a pelearte para subir a una maldita guagua y a vivir en la miseria. Vete a disfrutar de tu paraíso socialista. ¿A qué esperas? ¡Lárgate ya! ¡Sí! ¡Sí! ¡Vete a comer soga con Fidel! ¡Péinate o date papelillo!

—¿Ves? —saltó enseguida el primo de Miguel—. Eres un fascista, hermano. Una copia de todo el exilio. Tanto hablar de democracia y, cuando uno da su opinión, le caen encima con todos los hierros. ¿Qué clase de democracia es esta? ¿Es que aquí no se puede tener una opinión distinta sin que le amenacen a uno? ¿No era esto el reino de la democracia? ¿En qué quedamos?

El policía levantó sus dos manos y después las juntó con fuerza frente a su pecho, como si fuera a rezar, mientras miraba a su primo cada vez con mayor desprecio.

—Oye, ¿tanto te cuesta admitir que la revolución ha sido un desastre para el pueblo cubano? Vaya... ¡que no funciona, chico...! —elevó de nuevo su tono de voz el agente.

—La revolución no ha sido ningún desastre, hermano —respondió rápidamente Francisco y casi sin dar tiempo a que Miguel concluyera su frase—. Fidel ha hecho más que nadie por Cuba en toda su historia, pero lo han dejado solo y, aún así, todavía resiste. Es un visionario. Y perdona por el lenguaje, Marta —añadió mientras se viraba momentáneamente hacia ella—, pero, además... ¡Tiene un par de cojones, coño! —añadió dirigiéndose de nuevo a Miguel.

El agente lo miró con desprecio. Tenía encarnadas y ante él todas las razones por las cuales había huido de su país, Cuba.

—¿Entonces se puede saber qué haces tú aquí si en Cuba es todo tan bueno? —dijo después.

—Yo estoy donde me apetece y critico a quien me da la gana. ¡Y ya! —gritó Francisco enojado—. El exilio está lleno de descarados y eso te lo diré siempre. Al menos Fidel construyó escuelas y hospitales para todos los cubanos. Aquí es el imperio del más fuerte. ¡Al débil que le den por las nalgas! No importa si son cubanos o yanquis. Es el poder del dólar.

—¡Qué descarado! Tú comes de ese dólar.

—Sí, pero soy de los que quieren cambiar las cosas. La revolución lucha por la justicia social.

—¿Justicia? ¡Ja! —se carcajeó Miguel—. ¿Qué justicia? ¿Por qué no le dices eso a los presos políticos? Además, ¿de qué te sirve la justicia de la que tanto hablas si tu pueblo se muere de hambre? ¿Es que no sabes que en Cuba la única carne que ve el pueblo es la carne de gato? Tu justicia social lo único que ha hecho es crear un país lleno de pobres, de presos y de jineteras de quince años prostituyéndose en las esquinas a cambio de un par de jeans.

—Sí, no lo niego... pasarán sacrificios... no tendrán de todo en las bodegas... pero es el precio que hay que pagar por mantenerse dignos y no arrodillarse. Eso es lo que no nos perdona el imperialismo. ¡No habernos rendido! Hasta con Vietnam se dan ya la mano los americanos. Un lugar donde murieron decenas de miles de sus soldados, pero no... ¡con Cuba no! ¡A Cuba la quieren ver vencida y derrotada! ¡De rodillas! ¡Implorando perdón!

—¡Ja! —se rió de nuevo Miguel Cardoso—. ¿Qué pretendes ahora? ¿Adoctrinarme también a mí? ¿Acaso quieres traer la revolución a Miami? —pregunto después con cinismo—. ¿Por qué no, más bien, vuelves a Cuba y cambias las cosas allí, que bastante falta les hace?

—¿Y si ustedes son tan valientes y odian tanto a Castro, por qué demonios no van y le pegan un tiro en la cabeza? ¿No hay pantalones, eh? Mucho hablar, pero nadie se ha atrevido a levantarle la tapa de los sesos. ¡Pandilla de cobardes!

—Veo que estás poco informado de lo que no te interesa saber. Los que lo han intentado están muertos o bien pudriéndose en las cárceles. Además, al menos aquí somos consecuentes. No nos gusta la revolución y vivimos fuera de Cuba. Tú, en cambio, adoras la revolución, pero vives en pleno capitalismo. Como a todos, no te gusta pasar hambre. Por eso estás aquí. Sin embargo, no puedes aceptar la realidad del fracaso de tu ídolo Fidel. Le aplaudes, sí, pero sólo mientras no tengas que sufrir en carne propia las consecuencias de su tiranía. Bien que saliste corriendo de Cuba cuando tuviste que soportar su yugo.

—Mira, prefiero mil veces a Fidel en el poder antes que a los impresentables del exilio. ¡Míralos! —exclamó irónicamente Francisco—. Quemando banderas mexicanas porque México comercia con Castro o porque conversan educadamente con él en cualquier reunión política internacional... Hablan de democracia y al primero que sugiere levantar el embargo contra Cuba le entran a golpes como una manada de perros rabiosos... ¿Qué democracia es esa? ¿Es eso lo que nos espera en Cuba? ¿Dónde se ha visto eso, chico? Se me pone la piel de gallina tan sólo pensar que algún día el exilio pueda llegar de nuevo al poder en mi país.

El ambiente era cada vez más tenso, pero ya nadie intentó detener aquella discusión. Hubiera sido inútil.

—Pero, ¿en qué planeta vives, viejo? —dijo Miguel mofándose de Francisco—. ¿Cuándo van ustedes a comprender que hace ya mucho tiempo que el pueblo ha dado la espalda a los comunistas? ¡Ya no soportan más las locuras de Fifo!

—¿Y dónde has leído tú eso? ¿En los folletines de propaganda del exilio? —se burló también el otro cubano—. ¿Y que más dicen? ¿No dicen también que Fidel le saca las uñas a los niños por las noches y sin anestesia? —dijo después carcajeándose—. Mira, nadie aguanta en el poder tanto tiempo sin el apoyo de su pueblo. ¡Anda! ¡Abre los ojos de una vez!

—Dirás con el apoyo de la minoría que dispone de las armas y que vive rodeada de lujos mientras el pueblo no tiene qué echarse a la boca. ¡Deberían sacarlos a todos a patadas de la isla! ¡Vaya cuadrilla de sinvergüenzas!

—¿Qué vas a hacer ahora? ¿Enviarme una turba de salvajes para que me pisoteen en la calle porque apoyo a Fidel? ¿No es eso lo que hacen normalmente aquí contra quienes expresan sus ideas si son distintas a las del exilio cavernícola y radical?

—¡Ah...! Ya veo... Ahora se trata de decir que todo el exilio es igual y que todos en Miami queremos solucionar los problemas a golpes... ¿Todavía dicen los comunistas en Cuba esas cosas sobre nosotros para meterles miedo? Aquí, amigo, las cárceles son para los delincuentes, no para opositores políticos. Lo de las turbas es en Cuba. ¿Recuerdas? Creo que te está fallando la memoria. Esto es una democracia y todo el mundo puede decir lo que piensa. La dictadura y las cárceles políticas están en Cuba, no en Miami.

—Aquí lo que hay hermano es pánico a hablar por temor a las represalias de los millonarios del exilio.

—¡No digas tonterías! —estalló Miguel una vez más—. Aquí la gente critica a quien le parece. Hasta la brigada comunista de los maceítos se pasea descaradamente delante de las radios cubanas para alabar a Castro y no les pasa nada. La policía los protege. En cambio, en Cuba, la policía es la que acosa, tortura, apaliza y encarcela a la oposición.

—Vamos... tú lo sabes bien... —dijo Francisco sonriendo—. El exilio sólo piensa en recuperar sus casas y sus fábricas para esclavizar de nuevo a su propio pueblo.

—Todos tienen derecho a protestar, ¿no? Sólo reclaman lo que se les robó. En Cuba los metían en la cárcel o los fusilaban por eso.

—Hace más de cuarenta años que la gente vive en esas casas. ¿Qué te pasa? ¿Te crees que quienes están ahí se van a ir ahora? Aunque yo odiara a Fidel, preferiría mil veces que él se quedara en Cuba antes que abrir las puertas a los gusanos de Miami. Eso sería regresar a los tiempos de Batista. Miami es la Cuba del 59. Están anclados en el pasado. Son los mismos de antes y piensan de la misma forma. Yo no creo en la democracia americana, pero, desde luego, sí te digo que el exilio ha aprendido muy poco de la democracia esa que tienen ustedes en este país. ¡Es como si no hubieran vivido aquí! ¡Parecen de la época de las cavernas, chico! Se roban las elecciones presidenciales, impiden que Elián regrese a casa con su padre y defienden al terrorista Posada Carriles, que voló por los aires un avión cubano con decenas de civiles inocentes a bordo. ¿Es que no se dan cuenta del ridículo que hacen frente al mundo?

Primero movió la cabeza hacia los lados, como negándose a creer lo que estaba escuchando. Después, simplemente, bajó su mirada. La repentina y aparente tranquilidad de Miguel Cardoso no era más que la calma antes de la tormenta.

—Es increíble la cantidad de tonterías que puedes llegar a decir en tan poco tiempo. Cuba es de todos. El amor a Cuba no es monopolio de nadie. Anda y díselo a tu amigo Fidel —dijo después.

—¡No jodas, hermano! —exclamó Francisco ya sin pedir disculpas a Marta—. ¡Son unos ridículos, coño! ¡Leones sin garra! ¡Lobos sin dientes! Hablan mucho y no hacen nada. Si tanto quieren a Cuba, que se hubieran quedado allí para solucionar los problemas. Ahora no tienen ningún derecho a protestar ni a reclamar nada.

—Nadie se fue voluntariamente. Los obligaron a irse.

¿Recuerdas?

—¡Vaya! Lo único que quiere el exilio es regresar para volver a vender el país a los yanquis. Nada más. ¡El resto les importa un rábano! ¡No seas ingenuo! —prosiguió Francisco comprobando que su comida ya estaba fría,

Miguel suspiró hondo una vez más, intentando tranquilizarse. Sin embargo, intuyó perfectamente que ambos habían traspasado ya el punto de no retorno.

—Es increíble. Sólo un país como este permite que llegue aquí gente de tu calaña. Democracia. Esa es la palabra. Comprendo que, viniendo de donde vienes, no la conozcas muy bien, pero no desistas y sigue repitiéndola. Quizás algún día llegues a comprender qué significa —dijo el policía subiendo ya cada vez más el nivel y el tono de sus críticas contra su primo.

—Ya te has contagiado de la soberbia de los americanos, ¿no? Estados Unidos es lo mejor, lo más grande del mundo, ¿verdad? ¡Qué arrogantes son ustedes!

—Al menos en Miami se vive mejor que en Cuba, sino tú no estarías aquí, ¿no? Oye, incluso los que combatieron con Fidel en el Escambray, y para quienes él antes era un Dios, le insultan ahora en todas las esquinas de la isla.

—No, mi hermano. A pesar del bloqueo, Cuba tiene más escuelas y hospitales que ningún país de los que tú llamas democráticos en América latina. Los que todavía tienen sobre su espalda la bota de los yanquis.

El agente, una vez más, se quedó mirando fijamente a su primo, incapaz de entenderlo.

—¿Por qué no te quedaste, socio? De verdad... Dímelo... No acabo de entenderlo...

—Mira, que yo no haya podido resistir no significa que lo que están haciendo allí esté mal. Van por el buen camino. Yo admiro a quienes se quedaron porque son los verdaderos defensores de la revolución. Yo hago lo que puedo. Nunca he sido un héroe.

—Si piensas así, eres un cómplice de sus crímenes.

—¿Crímenes? Crímenes los hizo Batista y los cometen los yanquis cada día en nuestros países y en todo el mundo.

—¿Ah, sí? ¿Y mi padre de qué murió? ¿De un resfriado? —dijo irónicamente Miguel.

—Él sabrá lo que hizo... —afirmó Francisco con un gesto de clara desaprobación hacia el pasado del padre de Miguel.

—¡Hijoesumadre! —gritó Cardoso abalanzándose sobre Francisco sin poder contener ya su ira y asestándole un puñetazo en pleno rostro.

—¡Quietos! —exclamó Ernesto intercediendo entre ambos con la ayuda de Héctor.

—¡Qué descarado eres! ¡Te voy a partir la cara! ¡Hijo de perra! —repitió Miguel indignado mientras continuaba golpeando a su primo.

—¡Vete p'al carajo! ¡Gusano! —respondió este, devolviéndole también los golpes.

—¡Mierda! —gritó Miguel—. ¡Qué clase de cabrón! ¡Le voy a romper todos los huesos!

—¡Eh! ¡Qué les pasa! ¡Son ustedes familia! ¡Paren ya...! —gritó Ernesto situando su cuerpo entre los dos y sin poder creer todavía que sus dos sobrinos hubieran llegado a las manos debido a sus diferencias políticas.

—¿Familia? ¡Ese lo que es un cingao! ¡Qué clase de degenerado! ¡Defiende a Fidel como si fuera un ángel! ¡La madre que lo parió!

—¡Que piense lo que quiera! —insistió Ernesto tratando de apaciguar los ánimos.

—¡No, chico! ¡No te equivoques conmigo! A mi padre lo fusilaron y no voy a permitir que este imbécil se burle de él. ¡Comemierda! —continuó vociferando Miguel para reemprender después el intercambio de golpes, empujones y puñetazos con Francisco.

—¡Tranquilo! ¡Ya pasó todo! ¡Sepárense! ¡Ya! —repitió con energía Ernesto.

Tras esquivar algunos piñazos y recibir otros, Héctor y Ernesto finalmente pudieron separar a Miguel y a Francisco. Héctor logró entonces llevar a trompicones a Miguel hasta otra habitación mientras Ernesto sacaba a Francisco al patio esperando a que los dos se calmasen un poco.

—¡Comemierda! —exclamó de nuevo Miguel.

—Tranquilo, coño —dijo Héctor.

—¡Desgraciado! ¿Qué se habrá pensado?

—Déjalo ya, hermano.

Héctor consiguió sentar a Miguel en un sofá. Después, le dio un vaso de agua para que se limpiara la sangre que brotaba de su labio inferior. Tras humedecerse la cara con una servilleta, el policía comenzó a respirar con más lentitud.

—Oye, perdona por el espectáculo —dijo Miguel, ya algo más relajado.

—Nada, nada. Olvídate.

—¡Tremenda discusión! ¿No?

—No te preocupes. Hasta yo tenía ganas de pasarle la mano por la cara —afirmó Héctor riéndose.

—¡Ja...! —se rió también Miguel—. ¿Por qué no le diste entonces, chico? No me hubiera ido nada mal una ayudita con aquel gigantón...

—Oye, consorte, ya me falta parte de una oreja. ¿Qué quieres? ¿Que además me quede sin dientes? —bromeó Héctor.

—¡Ja! ¡Ja! —rió a carcajadas otra vez Miguel—. Al menos hay una persona aquí que no pierde su sentido del humor...

Héctor, ganándose la simpatía de Miguel Cardoso con aquella broma, también se hizo con su confianza. Ambos se quedaron después hablando tranquilamente durante un rato hasta que Ernesto apareció para decirles que Francisco había preferido irse. Entonces todos fueron a la sala y siguieron conversando mientras recogían la comida que había sido desparramada por el suelo durante la pelea.

—Ya veo que no te llevas muy bien con tu primo —dijo Héctor.

—Es un falso. Yo odio a los comunistas, pero tengo que reconocer que, al menos, los comunistas son coherentes. Ese payaso de Francisco es un cobarde. Si no estás de acuerdo con Fidel, te vas de Cuba o luchas contra él allí. Si te gusta, te quedas y defiendes su gobierno, pero lo de Francisco no tiene nombre. Ya estoy harto de ver lo bien que vive aquí mientras se pasa todo el día criticando al exilio.

—Por lo visto, entre familia, es mejor no discutir de política.

—¡Me lo dices! —exclamó Miguel con una sonrisa todavía llena de sangre—. ¿Dónde trabajas? —le preguntó después a Héctor.

—En el aeropuerto.

—Marta me dijo que luchaste contra Fidel en Cuba.

—Hice lo que pude.

—Mira, siento que nos hayamos conocido en estas circunstancias. Creo que lo mejor es que yo también me vaya. Veámonos otro día y hablemos con tranquilidad. ¿De acuerdo?

—¡Hecho! —afirmó Héctor dando un fuerte y caluroso apretón de manos a Miguel para despedirse de él.

Tras la partida de Francisco Ruiz y de Miguel Cardoso, el silencio y la tranquilidad comenzaron a apoderarse de la casa. Héctor y Marta se quedaron entonces hablando en el patio mientras su tío Ernesto se fue a dormir una profunda siesta a su habitación.

Al quedarse solos, los dos se recostaron en un cómodo banco, uniendo con fuerza sus cuerpos entre sí. A ambos les encantaba sentir de cerca la respiración del otro y, en ocasiones, Marta colocaba su oreja sobre el pecho de Héctor para escuchar los latidos de su corazón.

—Ese corazón, ¿es mío? —preguntó ella.

—Por supuesto. Cada latido susurra tu nombre.

—¿Me extrañaste?

—Claro.

—Al principio nunca pensé que esto, lo nuestro, pudiera acabar así.

—¿Por qué? ¿Es que ya se ha acabado? —bromeó Héctor.

—¡No! ¡Claro que no! —exclamó Marta enfadada por el comentario—. Ya sabes a qué me refiero... Es demasiado bonito... Un sueño hecho realidad. ¿Cómo iba yo a pensar que mi amor por ti crecería de semejante manera? Todo esto es tan nuevo para mí...

—Yo tampoco lo pensé, pero donde manda el corazón parece que no lo hace la cabeza.

—¿Es eso bueno o malo?

—Tiene que ser bueno.

—Espero que Dios nos ayude a que nunca dejemos de sentir este amor.

—¿Estás a gusto?

—Mucho.

—Desearía no tener que separarme de ti ni un solo segundo durante el resto de mi vida.

—Yo tampoco.

—Héctor.

—¿Qué?

—¿Estarás siempre conmigo?

—Claro, Martica. Siempre.

36. EL PENTÁGONO SE DESPIERTA

EL TENIENTE SCOTT BLAIN observaba atentamente las fotografías aéreas enviadas al Pentágono a través de sus diversos satélites de espionaje. Estos circulaban alrededor de la órbita terrestre durante las veinticuatro horas del día, todos los días del año.

La Oficina Nacional de Reconocimiento era la encargada de lanzar y operar los satélites militares y de espionaje de los Estados Unidos. Esa agencia supersecreta estaba en la ciudad de Chantilly, a apenas cuarenta kilómetros del Pentágono. La ONR dependía del Departamento de Defensa, pero su personal era una mezcla de militares y analistas de la Agencia Central de Inteligencia, la CIA.

Blain estaba destinado en la sección del Pentágono dedicada a estudiar la información referente a Latinoamérica, pero hacía ya tres años que se había especializado en el Caribe. Para ser exactos, en Cuba. El oficial trabajaba examinando todos los pormenores militares relativos a ese país caribeño. Su misión específica era detectar cualquier anormalidad castrense dentro de la isla. Un trabajo que, desde la desmembración de la Unión Soviética, había pasado a convertirse casi en pura rutina.

Con una gigantesca lupa, el teniente de la fuerza aérea recorría todas y cada una de las instantáneas para apreciar mejor lo fotografiado en ellas.

Hacía muchos años que Moscú había cortado casi todas sus relaciones militares directas con La Habana y la antes constante presencia del Ejército Rojo en la isla no era más que un simple recuerdo del pasado. Ahora el Kremlin ya no tenía ninguna instalación militar en la nación caribeña.

Casi todo el material de espionaje fotográfico llegaba al Pentágono a través de modernas computadoras que reproducían con extrema precisión hasta el más mínimo detalle las imágenes enviadas por los satélites estadounidenses. No obstante, Blain siempre imprimía y ampliaba las fotografías extendiéndolas después sobre su escritorio para estudiarlas con más detenimiento.

La capacidad técnica de los satélites militares era cada día más impresionante. Muchos de esos aparatos podían, por ejemplo, leer desde el espacio los números de la placa de un automóvil estacionado en La Habana o incluso especificar la diferencia de temperatura en el agua de una piscina de Varadero después de que se echaran varios cubitos de hielo dentro de la misma.

Una gran cantidad de los satélites descritos por Washington como de uso civil tenían, en realidad, claras funciones de inteligencia. El conjunto de todos ellos ofrecían a analistas como Scott Blain las reproducciones más avanzadas del mundo en el campo del espionaje militar.

Hacia media mañana, Blain recibió un sobre procedente de una de las dependencias del Pentágono que reproducía gráficamente las señales enviadas por los satélites desde sus diversas órbitas. Un sello de «secreto» había sido estampado sobre el mismo.

Tras abrirlo, el oficial apenas necesitó algunos segundos para darse cuenta del importante contenido de las fotografías. El analista las revisó cuidadosamente durante algunos minutos y después llamó a su supervisor.

—Mayor, algo está pasando en Cuba.

—¿A qué te refieres? —dijo el mayor Matt Brodoric, su jefe inmediato.

—Observe. Tres fotografías distintas de tres lugares diferentes de Cuba: La Habana, Cienfuegos y Varadero. Todas ellas tomadas a la misma hora. Ayer a las cuatro de la tarde. ¿Ve los aviones? —preguntó Blain señalando con su dedo índice varios puntos en las instantáneas.

—Sí. Son MIGs cubanos. ¿No?

—En efecto. Ocho MIGs en cada una de las fotos. Veinticuatro aviones en misión de entrenamiento ante un supuesto ataque aéreo enemigo. Un ejercicio que Cuba realiza rutinariamente cada mes. Sin embargo, aquí hay algo especial —dijo el militar situando una gran lupa sobre las impresiones para que el mayor pudiera apreciar más de cerca los aparatos.

—¿MIGs-29? —dijo Brodoric todavía inseguro al estar varios de ellos parcialmente cubiertos por nubes.

—Correcto. MIGs-29 Fulcrum. No anticuados e inservibles MIGs-21 Fishbed o MIGs-23 Flogger, sino ultramodernos MIGs-29. Como mínimo, veinticuatro de ellos. Ya sabíamos que Cuba tenía algunos MIGs-29, pero modelos muy antiguos. No de este tipo. Además, nuestro estimado era que su inventario incluía tres o cuatro. No veinticuatro.

—Teniente, prepare inmediatamente un informe por escrito. Lo necesito para dentro de dos horas —concluyó el mayor al tiempo que marcaba por teléfono la extensión de sus superiores en el Departamento de Defensa.

A las tres de la tarde, el mayor Matt Brodoric se encontraba sentado frente a los generales de la Fuerza Aérea Everet Shea y Frank Bellinger. Ante ellos, y dispersas sobre una gran mesa, se habían colocado las fotografías de los cazas cubanos.

—Matt, ¿qué significa esto? —preguntó Everet Shea.

—Cualquier cosa, menos buenas noticias, general.

—Explíquese mejor —puntualizó Shea.

—Cuba está en bancarrota. No tiene dinero. Esos MIGs cuestan muchos millones de dólares. Tanto como nuestros

F-18. Los cubanos sin duda han realizado un tremendo esfuerzo económico para adquirirlos. Creo que los han comprado para darnos un claro mensaje: el de que su ejército todavía no está derrotado.

—¿Hace cuánto tiempo que tienen esos MIGs? —intervino Bellinger.

—Lo ignoro. Hasta ahora nunca habían volado todos juntos. De lo contrario, nuestros satélites los hubieran detectado. Puede que sean nuevos o adquiridos hace relativamente poco tiempo. En ese caso, podrían haberlos mantenido en secreto haciéndolos volar de dos en dos o bien de tres en tres para dar la impresión de que siempre se trataba de los mismos aviones. Recuerden que los MIG-29 Fulcrum deben ser usados como mínimo una vez a la semana para que sus motores no se averíen. Es una norma esencial de su mantenimiento básico. También existe la posibilidad de que, aunque ya los tuviesen en su inventario, sus ingenieros los ensamblaran hace poco y estos sean sus primeros vuelos. Por el momento no tenemos más información.

—¿Cree usted que proceden de Rusia? —intervino el general Shea.

—Es muy posible. Estamos hablando de la última tecnología en el mercado ruso.

—¿Piensa usted que Cuba podría estar preparando algo contra los Estados Unidos? —preguntó de pronto Bellinger, que, tras los atentados del once de septiembre, no dejaba ningún cabo sin atar.

—No. Claro que no —dijo Brodoric descartando de plano esa idea—. Fidel es muy astuto. Los MIGs-29 son sólo una demostración de poderío frente a los suyos y también ante Washington, pero nunca se atrevería a usarlos contra nosotros. Él sabe demasiado bien que eso significaría su fin. Sin embargo, creo que la información es importante para ajustar nuestras defensas en caso de crisis.

—Muchas gracias, mayor. Puede retirarse —afirmó Bellinger.

Una vez Brodoric hubo salido del despacho, el general Bellinger recogió las fotos y las depositó en un maletín.

—¿Qué te parece, Frank?

—Coincido con el mayor. ¿Y tú?

—Sí. Todo lo que dice tiene bastante sentido. Al Qaeda usó aviones comerciales para atacarnos porque no representaban a ningún país. Es un grupo terrorista internacional, con presencia en mas de sesenta naciones. Ningún ejército del mundo se atrevería a lanzar sus cazas de combate contra nosotros. La represalia sería devastadora. No obstante, voy a remitir estos documentos al Secretario de Defensa, a la Casa Blanca y también al Consejo de Seguridad Nacional. Quizás ellos vean algo que a nosotros se nos haya escapado. Además, hay que hablar con Moscú. Sencilla y llanamente, no podemos permitir que sigan vendiendo ese tipo de armas a Cuba.

37. COQUETEAR CON EL CAPITALISMO

EL GENERAL CARLOS HERNÁNDEZ extendió amigablemente una copa de ron cubano al coronel Marco Núñez, que estaba sentado junto a él. Después, ambos brindaron chocando con ligereza sus dos vasos y se bebieron el licor de un solo trago.

—¡Por Cuba! —exclamó Hernández.

—¡Por Cuba! —repitió el piloto de aviación de la Fuerza Aérea Revolucionaria Cubana.

El general se sentó entonces en un sofá de la oficina asignada para él en la Base Aérea de Varadero e indicó a Núñez que hiciera lo mismo.

—Marco —dijo Hernández tuteando al militar—. ¿Qué opinas tú de que se permita a algunos cubanos abrir pequeños negocios? —le preguntó refiriéndose, por ejemplo, a los restaurantes de barrio llamados paladares o a las tiendas de mecánica.

Algunos decían que esos negocios estaban creando un nuevo tipo de habitantes en la isla. El de los cubanos crecientemente capitalistas, algo que había enfurecido a muchos de los simpatizantes del régimen de Fidel Castro. Se quejaban de que, en una sociedad en teoría sin clases sociales, de repente, surgía un grupo de personas con más dinero en su poder que los demás y que podían comprar cosas que para el resto de la población eran lujos casi inalcanzables. Como, por ejemplo, comida fresca en un país donde los alimentos escaseaban a diario.

Muchos interpretaron eso como un claro fracaso de la revolución. Según ellos, el capitalismo ya había regresado a Cuba, aunque, por el momento, todavía de forma sutil y solapada. La conclusión, añadían, era obvia: quienes se aliaban con él, tenían dólares en sus bolsillos, mientras que los que, por principios ideológicos, se negaban a hacerlo, seguían sufriendo carestías de todo tipo y se convertían en ciudadanos de segunda categoría. O sea —repetían en las asambleas—, se premiaba a quienes querían explotar a sus vecinos y, en cambio, se penalizaba a los que se mantenían firmes en defensa de los principios revolucionarios.

Otro claro ejemplo eran los cubanos que recibían dinero de sus familiares en Miami, pudiendo vivir estos de una forma mucho más holgada que la mayoría de sus compatriotas. Unas divisas que el gobierno de La Habana necesitaba desesperadamente para que la oxidada maquinaria de la nación pudiera seguir funcionando, aunque fuera a niveles mínimos.

Los militantes comunistas más fervientes no podían soportar esa situación diciendo que, a efectos prácticos, Miami estaba comenzando a ganar la guerra a la revolución.

—Oye, ¿qué te parece? —preguntó Hernández—. El exilio, desde la distancia, ha conseguido volver a instaurar una sociedad de clases en Cuba. ¿Para eso hemos luchado tanto? ¿Para que ahora perdamos todo lo que habíamos ganado? ¿No estábamos esforzándonos para conseguir un país donde todos fuéramos iguales? ¿Cuál es ahora el siguiente paso? ¿Abrir bancos privados y que vuelvan a apoderarse de Cuba? ¿No fue la revolución la que derrotó a la contrarrevolución? ¿Eh? ¿Es que no fue así? ¿Acaso me falla la memoria y es aún Batista el que gobierna este país? —se enojó el jefe del aparato de la inteligencia cubana.

—Mi general —respondió Núñez sin atreverse a tutear a

Hernández—, yo no soy quién para dar una opinión sobre eso. El comandante sabrá lo que es bueno para Cuba... —afirmó el coronel respetuosamente.

—No, Marco. En confianza. Sé sincero. Estoy pidiendo tu punto de vista. Habla, chico.

El coronel de la fuerza aérea sabía muy bien que dar una respuesta política equivocada a un superior del nivel de Hernández podría traer como consecuencia inmediata desde una pérdida de galones hasta acabar en una prisión militar de por vida. Sin embargo, Núñez, en realidad, no se sentía demasiado inhibido a la hora de expresarle sus puntos de vista porque sabía que eran idénticos a los del general.

—Bueno, ya sabe como pienso. Autorizar ese tipo de negocios es coquetear con el capitalismo. Le repito que el comandante tendrá sus razones para permitirlo, pero creo que abrir las puertas al capital tras las mismas trincheras de la revolución es algo muy peligroso.

—...pero, Marco, tampoco hay que olvidar que el comandante sólo está tomando medidas de emergencia —matizó Hernández moderando de pronto el tono de sus críticas hacia lo que estaba ocurriendo en su país. Tanto el general como Núñez sabían muy bien que, en Cuba, había micrófonos ocultos hasta en los lugares más insospechados—. Sí, es frustrante, pero supongo que habrá que tener un poco de paciencia hasta que la cosa se tranquilice. Ahora lo importante es sobrevivir, pero estoy de acuerdo contigo. Debemos tener cero tolerancia con aquellos que, dentro de Cuba, viven y actúan como privilegiados capitalistas. Cero tolerancia para evitar que esas tendencias se conviertan en un cáncer devorador de la ética y del espíritu revolucionarios. Cero tolerancia para aquellos que piensan que el socialismo languidece en un mar de reformas. Fidel accedió a eso para aumentar la producción y conseguir capital de emergencia —continuó Hernández—, pero jamás va a permitir que toda esa escoria comience a pensar que son más que los otros únicamente porque están acumulando dinero en sus manos. Eso sería reírse de la revolución y también de todos nosotros, quienes la hemos defendido con nuestra propia sangre.

—Sí, mi general. Estamos en una situación muy difícil para nuestra patria. Este es un momento para el sacrificio, no para el egoísmo. No podemos permitir ahora un comportamiento tan miserable y ruin como ese.

—Habrá que ser implacables.

—Si nos doblegamos, ese virus materialista se extenderá por cada esquina de la nación.

—No. Nunca nos rendiremos —afirmó Hernández con rabia en sus ojos mientras depositaba sobre una mesa una de las copias del Plan Hatuey.

38. ¿NUNCA MÁS?

DAVID BLANK ERA uno de los miembros del Consejo de Seguridad Nacional, un exclusivo departamento de la Administración encargado de analizar cualquier amenaza presente o futura contra la seguridad de los Estados Unidos. Blank, diplomático de carrera y ex embajador en China, estaba considerado como un experto en Oriente Medio y Asia.

El funcionario tenía su despacho en el llamado Viejo Edificio Ejecutivo, un gran inmueble situado justo al costado de la Casa Blanca y que se mantenía reservado para el personal que trabajaba directamente en los asuntos diarios de la Presidencia. El vicepresidente también tenía ahí su oficina y todo su grupo de apoyo.

Blank había dedicado toda la mañana a estudiar el informe del Pentágono sobre los MIGs-29 cubanos y a conversar vía telefónica con el subsecretario de Defensa sobre el significado de los últimos eventos.

—Señor Blank, el teniente coronel José Montalvo acaba de llegar —le anunció su secretaria por el intercomunicador.

—Gracias. Hágale pasar.

Segundos después, se escucharon tres golpes en la puerta.

—Adelante.

PABLO GATO

Entonces apareció en el despacho la asistenta de David Blank acompañada por un hombre vestido de civil.

—Encantado de conocerlo y muchas gracias por haber venido, señor Montalvo —dijo el miembro del Consejo de Seguridad Nacional mientras lo acompañaba al interior del cuarto para quedarse a solas con él.

—El placer es mío —respondió el militar sentándose frente al escritorio instalado en la habitación.

El teniente coronel Montalvo, de sesenta y cinco años, mediana estatura, cuerpo atlético y pelo negro, había dedicado tres décadas de su vida a la Fuerza Aérea de los Estados Unidos. Su campo específico de trabajo era la inteligencia militar y el Pentágono lo consideraba como uno de los mejores expertos en Latinoamérica.

El Departamento de Defensa había solicitado el asesoramiento de este militar durante muchos años sobre prácticamente todos los temas castrenses que atañeran a Centroamérica, Sudamérica, México o el Caribe. No obstante, su verdadera especialidad era Cuba.

Montalvo, cubano de nacimiento, tenía un amplio historial de lucha contra el régimen de Fidel Castro que se remontaba a su más temprana juventud. Incluso había formado parte de la famosa Brigada 2506. Un grupo integrado por exiliados que intentó invadir la isla en 1961, pero que nunca pudo culminar su objetivo de derrocar a Castro. La famosa «Bahía de Cochinos».

Tras ese episodio, Montalvo fue arrestado y hecho prisionero en La Habana, pero salió en libertad después de dos años de cárcel. A su regreso a Miami, el cubano se alistó en las fuerzas armadas estadounidenses con el propósito de contribuir, de alguna manera, a la caída del comunismo, tanto en La Habana como en el resto del continente.

Montalvo era una persona brillante. Oficial y piloto de combate, también se le consideraba una reconocida autoridad en el área del espionaje. El cubano no sólo asistió a todos los cursos organizados por el Alto Estado Mayor relativos a esa especialidad, sino que, además, completó su formación como agente secreto en Gran Bretaña, Francia y Alemania. Por si fuera poco, tras finalizar la academia militar, acudió a la universidad de Harvard, donde añadió un doctorado en Psicología y una licenciatura en Historia a su impresionante currículum.

Sus superiores, una vez graduado, decidieron destinarlo al centro de operaciones del Comando Sur en Panamá. Más concretamente, en la base de Quarry Heights. Desde allí había realizado innumerables misiones alrededor de todo el hemisferio. Años después, el Comando Sur sería trasladado a Miami.

De una forma u otra, Montalvo estuvo involucrado en todos los conflictos bélicos del continente durante las últimas cinco décadas: desde la guerra de las Malvinas hasta la de El Salvador o Nicaragua, pasando por la invasión de Panamá, la de Haití y diversas operaciones encubiertas en Guatemala, Colombia, Perú y Bolivia. A pesar de todo, él insistía modestamente en que de lo único que podía hablar con cierta propiedad era sobre el tema cubano.

De haber permanecido en el ejército, el militar ya tendría cosida la estrella de general sobre sus hombros. No obstante, decidió retirarse para pasar más tiempo junto a su familia en Miami. Desde entonces trabajaba en el sector privado asesorando a diversas compañías especializadas en defensa, espionaje y construcción de armamento. Varios gobiernos del continente también lo habían contratado como asesor político. Eso le convirtió en uno de los consultores mejores pagados del país.

—Señor Montalvo, le he hecho llamar porque necesito la opinión de una persona como usted. Sé que ya está retirado, pero también estoy al corriente de que se mantiene tan o más informado que antes respecto a lo que ocurre en Cuba.

—Latinoamérica es mi profesión y Cuba mi pasión. Leo absolutamente todo lo que se publica en el mundo relacionado con esos temas, incluida información confidencial que todavía recibo y que no sale publicada en ninguna parte —añadió Montalvo con picardía dejando clara su aún estrecha relación con los servicios de espionaje de diversos países.

—Montalvo —prosiguió Blank— usted no es únicamente un militar, sino, asimismo, un psicólogo y un historiador. Alguien que comprende muy bien la mentalidad latina. El Pentágono siempre ha valorado mucho sus informes. No sólo como estratega, sino también como una persona capaz de predecir las reacciones de los líderes políticos del continente ante determinadas circunstancias. Ahora le necesitamos de nuevo.

—Estoy a su disposición. Como siempre.

—¿Leyó el informe secreto que le enviamos?

—Sí. Lo leí detenidamente.

—¿Qué opina?

—Oh, creo que está bastante claro —dijo Montalvo sin pestañear—. Cuba está preparando algún tipo de ataque sorpresa contra los Estados Unidos.

—¡Teniente coronel...! —exclamó Blank intentando recomponerse del impacto causado por las palabras del cubanoamericano—, ¿qué le hace pensar eso?

—¿Que qué me hace pensar eso? —se extrañó por la pregunta el militar retirado, pero sin perder la calma—. Pues la presencia de esos veinticuatro MIGs-29 Fulcrum de la última generación. ¿Para qué quiere La Habana esos cazas de combate? ¿Para atacar a Panamá? ¿O acaso para iniciar una guerra con Brasil? ¿Para qué se han gastado una verdadera fortuna en aparatos de ese tipo? No hace falta traer a los grandes analistas de la CIA para interpretar esto. Es de simple sentido común. Le repito: Cuba se está alistando para asestar un golpe a este país.

David Blank todavía no podía creer que una persona con las credenciales de Montalvo estuviera realizando una predicción tan grave sin mostrar la más mínima duda. Una predicción que, sin duda, muchos considerarían como irreal y alarmista.

—Perdone mi ignorancia, pero ¿no podría ser más bien que se preparan para defender a Cuba ante la posibilidad de un ataque?

—Señor Blank, los MIGs-29 Fulcrum no son aviones defensivos, sino de ataque. Además, ¿quién podría atacar a Cuba? Obviamente, sólo los Estados Unidos. Y si ese fuera el caso, ¿de qué les servirían veinticuatro MIGs ante la total superioridad militar del Pentágono? La respuesta es simple: de nada. Si La Habana temiera una invasión, utilizaría ese dinero para preparar una defensa tipo guerrilla, como en Irak. Emplearían de forma completamente distinta todos esos millones de dólares: más armas automáticas, munición, cañones de pequeño o mediano calibre, aparatos de visión nocturna, lanzacohetes, radares, artillería antiaérea, minas, misiles tierra-aire, misiles móviles, etc. Nunca comprarían más MIGs. Saben que en una campaña aérea esos aviones serían aniquilados por nuestros cazas en tan sólo cuestión de horas o, como máximo, de días.

David Blank miraba fijamente a Montalvo, pero no podía dejar de expresar un rostro de total consternación ante lo que estaba escuchando.

—Por favor, no se sienta incómodo con lo que le digo. Comprendo muy bien su sorpresa, señor Blank —continuó Montalvo sin perturbarse en lo más mínimo—. Además, le adelanto que la mayoría de analistas militares en Washington estarán en abierto desacuerdo con mis tesis. La respuesta oficial del Pentágono sin duda sería: «Los cubanos nunca se atreverían a hacer eso», «Cuba no es Al Qaeda», «Sólo una organización terrorista podría llevar a cabo ataques como los del once de septiembre, pero nunca un país» o «Si algo así sucediese, estamos preparados para defendernos». Pues bien, todas esas respuestas son incorrectas. Aunque usted piense que podría estar pecando de arrogancia, he de decirle que nadie en el engranaje militar de este país comprende mejor que yo la mentalidad del ejército de la isla y, sobre todo, la de sus dirigentes. Nadie. Un cubano no es un estadounidense. Tenemos una mentalidad y un temperamento muy distintos y hay que conocernos muy bien para poder entendernos. Le repito: sé muy bien de lo que estoy hablando cuando le expreso mi profunda preocupación sobre esos MIGs. Ya nos sorprendieron en Pearl Harbour y lo hicieron de nuevo el once de septiembre. No volvamos a ser tan ingenuos o arrogantes como para pensar que eso no podría ocurrir otra vez, pero de forma distinta. El enemigo más letal siempre está donde menos se lo espera. Me temo que los cubanos quieren darnos un golpe para el recuerdo.

El miembro del Consejo de Seguridad Nacional jamás hubiera podido anticipar la información que le estaba brindando este reconocido especialista en Cuba. Sin embargo, Montalvo era demasiado inteligente y había acertado demasiadas veces en el pasado como para ahora descartar sus teorías sin antes escucharlas de principio a fin.

—Pero, ¿cuál sería el motivo? ¿Por qué atacar a este país? —prosiguió obviamente confundido e intentando comprender mejor la base del razonamiento del teniente coronel.

El cubano se concedió algunos segundos para ordenar sus pensamientos.

—No es una respuesta simple. Hay que observar detenidamente lo ocurrido en Cuba durante los últimos años. La revolución está entre la espada y la pared. Mantiene un pulso filosófico consigo misma para comprobar cuánto tiempo es capaz de resistir sin perder su partida ante la Historia. La isla necesita desarrollar cambios económicos y políticos radicales para poder sobrevivir. Pues bien, hay muchas personas en Cuba que no están dispuestas a que se den esos cambios, incluidos muchos líderes de primera fila. Revolucionarios de la vieja guardia.

—Montalvo, ¿pero es usted consciente de lo que me dice?

—Señor Blank, en Cuba hay gente que odia la revolución, personas a quienes no les gusta, pero que disfrutan de sus privilegios y militantes que sí creen en ella. Militantes no sólo de base, sino funcionarios situados en los más altos puestos del gobierno, del Partido Comunista y del ejército. Yo llevo toda mi vida estudiando su comportamiento y leyendo sus discursos. Saben que cada día están más aislados del resto del mundo y, créame, no hay nadie más peligroso que una persona que ha jurado defender la revolución hasta la muerte y que la está viendo fallecer frente a sus propios ojos.

—Perdóneme, pero sigo sin entender... ¿Cuál sería el objetivo de un enfrentamiento? —dijo todavía incrédulo David Blank mientras, poco a poco, iba recuperándose del impacto inicial que los vaticinios de Montalvo habían causado en él.

—Algunos creen que tendrán que hacer algo espectacular para inmortalizar la revolución. Escribir con sangre un testamento que nadie pueda borrar. En su mente, opinan que, para superar la difícil encrucijada ante la que se encuentran, necesitan ahora la misma audacia, energía y decisión que utilizaron para subir al poder en 1959.

Por un momento, Montalvo se detuvo y miró fijamente a Blank, que trataba de asimilar lo más rápido posible el torrente de nueva información que se le estaba brindando. Sin embargo, esa no era una tarea fácil. En efecto, tal y como le adelantara el propio cubanoamericano, ninguno de los otros analistas consultados por él en el Pentágono había realizado una interpretación semejante de los mismos hechos.

Montalvo, ante el absoluto silencio del asesor del Consejo de Seguridad Nacional, dudó sobre si seguir o no hablando. Una interrogante que se deshizo muy pronto.

—Por favor, continúe, teniente coronel. No se detenga por mi silencio. Le ruego que me comprenda. Esta ha sido una verdadera sorpresa para mí. Sólo estoy tratando de seguir el ritmo de sus explicaciones —se adelantó el funcionario fascinado por el análisis del militar retirado.

—He de poner todo en su contexto.

—Le escucho.

—Mire, todo esto sólo puede entenderse si se sumerge uno en la historia de la revolución.

—Adelante... adelante... —dijo Blank educadamente, pero con impaciencia.

—Algunos de los actuales líderes cubanos, a pesar de declararse abiertamente ateos, están convencidos de que, en estos momentos, tienen ante sí una misión casi divina. Es la mística religiosa que ellos mismos crearon desde el inicio del castrismo. Sin ánimo de exagerar, creo que los líderes revolucionarios se creen ahora una especie de semidioses.

—Sé de qué me habla. El culto a la personalidad tan típico en los países comunistas.

—Sí, pero, en Cuba, incluso con características místicas y pseudorreligiosas que, durante años, ellos mismos promovieron entre una población mayoritariamente católica. ¿El objetivo? Manipular consciente o inconscientemente al mayor número posible de cubanos.

—No sé si le estoy siguiendo...

—Muy fácil. Retrocedamos en la Historia. ¿Cuántas de las personas que viajaban en la nave Granma desde México para combatir contra Batista sobrevivieron a los ataques del ejército del dictador cubano? La respuesta es doce. Doce en una clara referencia a los doce discípulos de Cristo. Un grupo de revolucionarios que simbolizó la lucha por el ideal común de libertad, no sólo para la isla, sino también para todos los pueblos oprimidos del planeta. Recuerde. Figuras como el Che Guevara o Camilo Cienfuegos se convirtieron de la noche a la mañana en verdaderos héroes internacionales al encabezar, junto a Fidel Castro, un ejército compuesto por todo tipo de personas, muchos de ellos simples campesinos hartos de la dictadura. El gobierno, muy hábilmente, se encargó de grabar esa cifra mágica de doce en la mente de todos los cubanos. Doce como los doce apóstoles de Cristo —repitió.

—Yo mismo viví ese momento por la televisión. Estaban considerados como unos auténticos libertadores.

—Todos ellos eran jóvenes barbudos que decían no importarles su aspecto físico, sino sólo el éxito de la lucha por sus ideales. De nuevo, igual que los discípulos de Cristo. ¡Vamos! ¡Hasta la suerte estuvo de su parte! ¿Sabe qué ocurrió durante el primer discurso televisado de Fidel al llegar a La Habana?

—No.

—Varias palomas se le posaron grácilmente sobre el hombro, dándole así un aspecto casi sobrenatural. La paloma de la libertad recibe al libertador. ¡Qué le parece! ¿Qué más se puede pedir, no?

—Vaya, desconocía esa anécdota.

—Los revolucionarios lo eran todo —retomó el relato Montalvo—. Omnipotentes, guerreros invencibles, jóvenes idealistas. Dioses de una nueva religión llamada el Partido Comunista Cubano. ¿Comprende, Blank? —preguntó después con una intensa mirada.

—Naturalmente. Prosiga, por favor —respondió el funcionario, cada vez más cautivado por el relato.

—Cuando los revolucionarios hablaban en contra de los ricos era difícil contradecirles porque muchos de ellos estaban podridos por la corrupción. Incluso algunos parafraseaban al mismo Jesucristo diciendo que este ya había afirmado que «era más fácil que un camello pasara por el agujero de una aguja que no que un rico entrase al reino de Dios». En definitiva, los milicianos aprovecharon de una forma muy clara el cristianismo imperante en la isla para justificar sus acciones cuando, paradójicamente no sólo menospreciaban a la iglesia, sino que eran anticlericales y la perseguían. ¡Ya ve! ¡Hasta convirtieron a Cristo en un revolucionario más! Sí, utilizaron todos los medios para ganarse la confianza del pueblo buscando cualquier paralelismo psicológico posible entre la revolución y la fe cristiana. El motivo era que sabían muy bien que la inmensa mayoría de los cubanos son extremadamente religiosos.

—La verdad, nunca había pensado en esa comparación.

—Decían que Cristo había sido el primer comunista en la Historia. ¡Imagínese! Hasta Fidel, que nunca antes tuvo barba, se la dejó para parecerse aún más a la imagen de Jesucristo que todos tenemos en nuestras mentes. La figura del Padre que guía al rebaño por el camino correcto. Algo que, aunque parezca ridículo, fue asimilado poco a poco por el subconsciente colectivo de millones de personas.

José Montalvo se detuvo entonces durante algunos instantes. Después, sacó un paquete de tabaco de su chaqueta y jugó con él, pero sin encender ninguno de los cigarrillos.

—Esa, insistían en sus mítines, era una nueva revolución donde los intereses personales siempre se supeditaban a los del país —prosiguió—. Y lo mejor, señor Blank, es que, además, todos los antiguos opresores podían ser perdonados por su pasado. Redimidos de sus años de maldades. La revolución era benévola, generosa, ¿comprende? Uno se bañaba en sus aguas y salía de ellas perdonado y purificado. Pureza y patriotismo era lo único que se exigía. Fuerza moral. Había que destruir el pasado. Empezar de nuevo.

—Sí. Su retórica cautivó al mundo.

—Decían lo que todos querían oír. Con la revolución, según ellos, ya no habría racismo ni injusticia económica y el capitalismo occidental fue ridiculizado, calificándolo como de aberración histórica. Ellos afirmaban que, desde la independencia de la isla, ningún gobierno cubano había defendido los intereses de la mayoría de la población, sino sólo los de los privilegiados. Ahora la alternativa era ellos y la justicia o su ausencia y el caos y la explotación. Prometían un futuro paradisíaco, una verdadera utopía. Sanidad gratis, escuelas gratis y riqueza compartida por todos sin egoísmos ni envidias. Amor, justicia y caridad para todos los cubanos. Imagínese la estampa: doce nuevos y vigorosos profetas llegados de la misma montaña liderando al país hacia un nuevo orden. ¿Entiende la jugada? ¿Quién era el que hablaba? ¿Fidel Castro o Jesucristo? La respuesta es los dos porque el primero, simplemente, manipuló con descaro el mensaje del segundo. Un mensaje de paz y justicia que cualquier cristiano está dispuesto a apoyar con todas sus fuerzas.

—Fascinante, Montalvo. Sencillamente fascinante.

—El revolucionario se vendió a la opinión pública como un monje devoto a su causa. Sin intereses privados o personales. Su vida estaba consagrada a una sola pasión: la de la llamada justicia revolucionaria. El capitalismo no era únicamente su enemigo, sino el enemigo de toda la Humanidad y, por lo tanto, se hacía necesario destruirlo.

Blank permanecía absorto ante la explicación de Montalvo y no dejaba escapar un solo detalle. El funcionario sabía que, tarde o temprano, sus palabras acabarían enlazando todos esos temas con el hecho que los había reunido allí: los MIGs cubanos. Sin embargo, en ningún momento pidió al militar que resumiese su teoría en menos tiempo. Quería escucharla completamente para entender mejor la idea que el cubanoamericano tenía sobre la mentalidad de los líderes de Habana.

—Como todos sabemos —continuó Montalvo—, el Partido Comunista pasó después a dominar de forma aplastante todas las facetas de la vida, promoviendo el nacionalismo antiamericano y atacando los llamados «prejuicios burgueses». La dirigencia convenció a la isla de que el mundo iba a ser socialista y que nada ni nadie podrían evitarlo. Que estaba escrito en la Historia. Posteriormente, llegó la intimidación, la disidencia, los fusilamientos, los abusos a los derechos humanos, la censura y las cárceles. Y así hasta nuestros días, donde cualquiera que se muestre en desacuerdo con ellos es catalogado como un fascista o un reaccionario sin escrúpulos.

—Sí, es obvio que el castrismo varió mucho a lo largo de los años. Ahora es una simple dictadura, pero su encanto inicial fue innegable.

—Sí, todos apoyamos a los revolucionarios cuando subieron al poder. Yo también les aplaudí con entusiasmo —afirmó con convicción Montalvo—. Sin embargo, luego todo cambió y hoy en día aquel respaldo mayoritario de antes ya no existe. Si los comunistas tuvieran el apoyo de la población, hace ya mucho tiempo que hubiesen organizado unas elecciones limpias y supervisadas por la comunidad internacional. Eso legitimaría el régimen y callaría para siempre a los Estados Unidos. Si no lo han hecho es porque saben que las perderían. Así de fácil.

—Claro. Es incuestionable. Lo que ellos llaman elecciones es una burla, un chiste. Sólo hay un partido, el comunista.

—Se preguntará cómo encaja todo esto con los MIGs, ¿no? —sonrió Montalvo.

—En efecto —le devolvió cortésmente la sonrisa Blank.

—¿Para qué más de cuarenta años de lucha contra los Estados Unidos? ¿Para rendirse ahora? ¿Para desfallecer en el último metro de esta larga carrera? No... —enfatizó el cubanoamericano—. Preferirían acabar con todo antes que dar su brazo a torcer. Desde su punto de vista, señor Blank, ahora sólo tienen un legado que dejar al mundo: el de su lucha. El del mensaje revolucionario. El resto es irrelevante, así como el sacrificio que eso requiera.

—Cuanto más habla, más me asusta.

—Le asusta porque, en el fondo, sabe que digo la verdad —afirmó con seguridad el militar—. Por otro lado, cuando muera Castro, ¿cuánto tiempo más podrá durar la revolución? La respuesta es fácil: nada. Se tambaleará en tan sólo días o incluso horas. La gente se tirará a la calle y nadie será capaz de silenciar el grito de... «¡Libertad!» —volvió a enfatizar el militar retirado—. ¿Y cree que eso, aunque no lo admitan en público, no lo saben también los líderes cubanos? ¿Cree que quienes derramaron su sangre por esa causa van a permitir ahora que muera su sueño?

—Los comunistas dicen que el socialismo va más allá de Castro.

—¡Vamos! ¡Qué pendejos! —se exaltó el militar—. Perdón, perdón... —se disculpó enseguida.

Blank no se molestó en absoluto y le hizo un gesto para que por favor continuara.

—¿Quién con dos dedos de cerebro piensa que en la actualidad hay alguien en Cuba con el suficiente carisma como para sustituir a Fidel y mantener vivo el comunismo? ¡Nadie! ¡No hay nadie! —se autorrespondió Montalvo con aún más de energía en sus palabras—. Los que dicen que el comunismo en Cuba sobrevivirá a la muerte de Castro están delirando.

—Pero cualquier ataque contra los Estados Unidos supondría su fin... Eso es lo que no entiendo... Una cosa son unos fundamentalistas islámicos que atacan y después se esconden en remotas grutas al otro lado del mundo y otra muy distinta el ejército de un país que después sería pulverizado.

—¿Se le ha ocurrido pensar que quizás eso es precisamente lo que quieren? —preguntó Montalvo alzando sus cejas—. El comunismo no puede mantenerse en la isla con el dinero que les da la caña de azúcar, el ron, el tabaco y el turismo. Cuba no es Irán, que genera miles de millones de dólares cada año por la venta de su petróleo.

—Es cierto. Su economía se desplomó brutalmente tras la caída del muro de Berlín.

—El antiguo bloque comunista se reconstruye hacia un futuro distinto, pero Cuba se niega a ello. No importa cuántos hoteles se abran en la isla, a largo plazo las características de Cuba la obligan a tener que elegir entre dos opciones: permitir el nacimiento de una auténtica democracia con una economía de mercado o bien morir luchando. No hay punto intermedio. La Habana no podrá sobrevivir sola. Las limosnas que ahora recibe de Venezuela son importantes, pero ni mucho menos suficientes.

—Bueno, Montalvo. En realidad, han sobrevivido durante más de cuatro décadas.

—Sólo gracias a la entonces ayuda soviética y al carisma y magnitud personales de Castro... Y, créame, le repito que ya no existen más Castros en Cuba. Sólo hay hambre, bodegas llenas de estanterías vacías y muchas ganas de que venga un cambio. No otra dictadura de derechas, sino un gobierno moderno, justo, democrático y civilizado. La desaparición de Castro traerá todo eso. La gente está harta. Ya no quieren más discursos, sino comida en la mesa y una vida tranquila.

—¿Y los comunistas?

—Dio en el clavo. Ahí está el problema. Los verdaderos comunistas no están dispuestos a dejarse vencer por el capitalismo contra el que tanto han combatido.

—¿Pero... por qué está usted tan convencido de que preparan un ataque?

—Tiene que ser así. Conozco la mentalidad de La Habana. Las fotos de los MIGs sólo confirman lo que yo temía desde hace mucho tiempo. Los dirigentes comunistas cubanos sólo están ganando tiempo para ver qué ocurre finalmente en Moscú. Ellos esperan que, debido al caos y al descontento que hay en Rusia, las fuerzas de izquierda produzcan un golpe de estado que vuelva a situarlos en el Kremlin. Un golpe de estado o que ganen el poder por la vía democrática. Si eso ocurriera, Cuba volvería a tener un aliado en el Kremlin que protegería a La Habana.

—En eso tiene razón. Es increíble, pero, con la llegada de la democracia, algunas de las antiguas repúblicas soviéticas eligieron de nuevo gobiernos comunistas. Primero lucharon con pasión contra ellos, pero después, paradójicamente, les devolvieron el poder en bandeja de plata. Ha habido cambios en lugares como Ucrania o Georgia, pero los comunistas siguen teniendo mucho peso en todos esos nuevos países. Están infiltrados en todo el aparato del Estado.

—La democracia requiere tiempo y la paciencia no existe en estómagos vacíos. Cuando tu hijo no tiene qué comer, ves las cosas desde otro punto de vista —dijo Montalvo.

—Si lo analiza bien, Cuba incluso podría ganar con el triunfo en Rusia de un gobierno autoritario de derechas. Todos sabemos que los rusos nunca renunciaron a seguir siendo un imperio y siempre verán a los Estados Unidos como sus contrincantes naturales. Y si uno de esos generales que aspira a convertirse en presidente subiera al poder, ¿por qué no enviar ayuda a un régimen comunista en el Caribe, aunque sólo fuera para incordiar a Washington? —afirmó Blank dando aún más munición a los argumentos de Montalvo.

—Exacto, pero lo único cierto es que si nada cambia drásticamente en Moscú, la actual Cuba sabe que se le está agotando el tiempo y eso la hace mucho más peligrosa que antes.

—No puedo creer que el Pentágono nunca me mencionara nada de todo esto...

—Además, permítame decirle que la posibilidad de un ataque con aviones no es nada nuevo.

—¿A qué se refiere?

—El general Rafael del Pino, ex jefe de la Fuerza Aérea Revolucionaria Cubana, ya advirtió sobre ese peligro cuando desertó a los Estados Unidos.

—Por favor, refrésqueme la memoria —dijo el funcionario dejando ver con claridad que Montalvo le aventajaba sustancialmente en temas militares y de política cubana.

Blank, que había obtenido su cargo en la Casa Blanca hacía sólo cuatro meses gracias a un favor político, estaba considerado como un hábil diplomático y negociador, pero no era un especialista en asuntos latinoamericanos. Algo que se volvía patente cuando el ex embajador demostraba desconocer datos considerados como básicos para la comunidad del espionaje y contraespionaje norteamericanos. Latinoamérica no era ninguna prioridad para el gobierno y eso se demostraba con nombramientos como el de David Blank, alguien muy poco familiarizado con la región.

—Del Pino afirmó que Cuba tenía un plan para atacar los Estados Unidos utilizando su aviación. El objetivo era la central nuclear de Turkey Point, al sur de Miami.

—¿Una central nuclear?

—Sí. Pregunte al personal del Pentágono y a la CIA. Del Pino fue entrevistado exhaustivamente y reveló todos los detalles. El plan está archivado en la misma Casa Blanca. Fue algo público. Incluso se filtró a la prensa, pero nadie pareció darle mucho crédito. En Miami se creó una verdadera controversia y yo mismo fui invitado a varios programas de radio y televisión para comentar sobre el tema. No obstante, ni siquiera los reporteros lo investigaron demasiado a fondo pensando que esa era una idea absurda y disparatada. Y ahora, a pesar de haber sufrido los atentados de Bin Laden, la gente sigue dormida. No entienden que la peor amenaza no está en Irak o Irán, sino al sur de la Florida.

—¿Cómo se llama ese plan?

Montalvo respiró hondo.

—Se llama el Plan Hatuey.

Blank movió la cabeza de un lado a otro, como un péndulo. Con lentitud.

—El Plan Hatuey... —repitió.

El funcionario norteamericano continuaba perplejo ante la exposición del teniente coronel. Por una parte, no podía dejar de pensar que, analizándolo fríamente, todo lo escuchado era casi ridículo. ¿Cómo un minúsculo país como Cuba podía pretender atacar a los Estados Unidos? ¿Cómo era posible que Cuba estuviera planeando destruir una central nuclear en Florida? ¿Y las miles, decenas de miles o centenares de miles de víctimas? ¿Y la represalia? ¿Cómo podría alguien en La Habana iniciar una agresión que sin duda ocasionaría un contraataque devastador contra su propio país? Además, un desastre nuclear a sólo noventa millas de la costa de la isla, ¿no afectaría tanto a los Estados Unidos como a la misma Cuba? Simplemente se escapaba a toda lógica. Pero, ¿y si la lógica, tal y como decía el cubanoamericano, no servía en este caso? ¿Y si los cubanos estuviesen dispuestos a morir matando? ¿Podía el Pentágono correr el riesgo de ignorar ese peligro? ¿Quién habría pensado antes de los ataques del once de septiembre que algo así hubiese podido ocurrir jamás? Blank permanecía deslumbrado por la casi descabellada, pero terriblemente sobrecogedora, teoría de Montalvo.

—Si el peligro es tan serio, ¿por qué no realizó el Departamento de Defensa un ataque preventivo contra las bases aéreas cubanas? —preguntó el funcionario—. Al fin y al cabo, ya había, aunque menos sofisticados, otros MIGs en la isla.

El militar movió ligeramente su cabeza en horizontal varias veces y después sonrió con cierta prepotencia.

—Eso sería lo peor. Atacarlos no sólo no conseguiría nada, sino que, paradójicamente podría desatar el operativo que tanto teme Washington. Si la Casa Blanca algún día ordena algo similar, sería un suicidio.

—Explíquese por favor.

—El motivo por el cual el Pentágono no realiza un ataque preventivo contra Cuba es que ellos saben muy bien que ese ataque jamás podría garantizar que todos los MIGs fueran destruidos. Jamás —repitió Montalvo con énfasis—. No existe ningún operativo militar que pueda garantizar un cien por cien de efectividad. Por muchos aviones que fueran destruidos con un ataque estadounidense, siempre uno, dos, tres o cuatro MIGs lograrían escaparse. Aunque fuese un golpe demoledor por tierra, mar y aire. Y si eso ocurre, si tan sólo un puñado de MIGs logra evadir el cerco, los cazas irían directamente a bombardear la central nuclear de Turkey Point. El ataque cubano sí sería realmente imparable y las consecuencias, apocalípticas. Recuerde que basta que llegue uno de los MIGs para hacer saltar la central por los aires. La clave es la distancia. Si Cuba estuviera, por ejemplo, en Nicaragua, hace tiempo que el Pentágono hubiese intentado destruir toda la fuerza aérea cubana. Sería casi imposible que cualquier MIG llegara hasta Florida en una acción de represalia. Estarían mucho más lejos. Tendríamos mucho tiempo y amplias oportunidades para derribarlos. Pero, recuerde, los MIGs-29 de la FAR están a tan sólo nueve minutos de Miami. ¡Nueve minutos! Los cubanos llevan décadas entrenándose para un ataque preventivo como ese. Están preparados para todo tipo de contingencias. Saben que tienen el as bajo la manga. No lo olvide. El motivo de que no ataquemos no es que desconozcamos cuantos MIGs tiene en realidad La Habana, ni que muchos de ellos estén protegidos en hangares subterráneos. Fidel los esconde para que no sepamos cuál es su auténtico poderío aéreo. No. El motivo es que están demasiado cerca de la Florida. Son imparables.

El militar se detuvo por un momento, como queriendo dar tiempo a que el político pudiera procesar toda la información.

—Le repito. Basta que sólo uno de esos MIGs-29 descargue sus tres toneladas de bombas sobre Turkey Point para que el estado de Florida desaparezca del mapa de los Estados Unidos. Ese ataque ocasionaría una contaminación nuclear sin precedentes en la Historia. Chernobyl se convertiría en una mera anécdota comparado con esto. Que no haya confusiones —advirtió Montalvo con un rostro rígido—. Estamos hablando de un número muy elevado de muertos y de una tierra inhabitable durante los próximos cien años.

El funcionario de la Casa Blanca parecía congelado.

—El Pentágono cree que cualquier ataque preventivo contra Cuba no haría sino desatar el plan que ellos tan desesperadamente intentan evitar —prosiguió Montalvo—. Están convencidos de que, de realizarse un ataque cubano, sería imparable. Por eso, básicamente, han decidido confiar en que se produzca un cambio político pacífico en la isla y que nada de todo eso ocurra. Están rezando para que los máximos líderes de la revolución se mueran de forma natural debido a su avanzada edad y que la amenaza desaparezca por sí misma. Lo último que recomiendan los militares estadounidenses es atacar Cuba. Nunca. Bajo ninguna circunstancia.

—Pero usted, ¿qué cree que hará Cuba?

—Ya se lo dije. Que atacarán —afirmó el militar con tranquilidad y sin mover una sola pestaña.

—¡Demonios! —gritó furioso Blank resistiéndose a admitir parte de los razonamientos de Montalvo—. ¿Cómo es posible que ese ataque sea imparable? Estados Unidos tiene dos millones de militares y alrededor de cuatrocientos mil millones de dólares de presupuesto anual dedicados a nuestra defensa. Cuba tan sólo dispone de doscientos mil soldados y de apenas cinco mil millones al año para su ejército —dijo después blandiendo documentos de la CIA en los que se analizaba el poderío militar de La Habana—. ¿Cómo es posible que no podamos detener una acción semejante? ¿En qué cabeza cabe eso? ¡Por favor!

Montalvo no perdió la paciencia. Había realizado ese mismo debate decenas de veces con compañeros suyos militares.

—Aunque parezca increíble, es más fácil defenderse contra un ataque aéreo masivo ruso que contra una acción de quince o veinte aviones cubanos en una misión suicida hacia la Florida.

—¿Por qué? ¿Por qué? —insistió el miembro del Consejo de Seguridad Nacional rehusando todavía a aceptar esa idea.

—Aunque nos avisaran con un mes de anticipación sobre el día y la hora exactos del ataque, seríamos incapaces de evitar que alguno de esos MIG lograra pasar. Incluso si pusiéramos una flota completa de portaaviones, destructores y fragatas entre Cuba y los Estados Unidos. Imposible. Recuerde: sólo están a nueve minutos de provocar una auténtica catástrofe.

—Pero, ¿qué tipo de defensas tenemos?

—Como ya le dije, hace años que el Pentágono llegó a la conclusión de que, de realizarse un ataque así, este sería imparable. Por lo tanto, las defensas del sur de la Florida no se fortalecieron demasiado. «Si es imparable, ¿para qué gastar allí dinero inútilmente?» dijeron los jefes del Departamento de Defensa. Apenas hay algunos aviones en Boca Chica y otros en la base aérea de Homestead, así como diversas baterías de misiles instalados en la costa, pero nada impresionante.

El funcionario intentaba encontrar agujeros en las teorías de Montalvo, pero esa no era una tarea fácil.

—¿No deberíamos entonces aumentar las defensas para reducir riesgos? —preguntó.

—Dio en el clavo, pero quizás usted tenga más suerte que yo. En su día, intenté convencer a mis superiores de eso. Las respuestas siempre fueron las mismas. La primera, ya se la dije. Creían que no valía la pena gastar dinero en algo que teóricamente sería imparable. Y si no era eso, blandían el argumento de que, en verdad, esa era una amenaza muy improbable, de forma que utilizaron sus recursos en otras partes del mundo, según ellos, más problemáticas. En especial, tras los ataques del once de septiembre. Por supuesto —añadió Montalvo—, si quienes tomaron esas decisiones vivieran en Miami y el peligro estuviera sobre sus cabezas, sospecho que el resultado hubiera sido muy distinto.

—Y con todo lo que me está diciendo, ¿a quién se le ocurrió autorizar la construcción de una central nuclear frente a Cuba?

—Eso es lo que todavía yo me estoy preguntando.

—¿No sería posible desmantelarla hasta que desaparezca la amenaza?

—No. Una vez que fue construida, hay que vivir con el error. Desmantelarla requeriría mucho tiempo. Además, de hacer eso, sí cundiría el pánico entre la población. ¿Qué se les diría? ¿Cómo se justificaría esa decisión? El gobierno se vería obligado a reconocer la gravedad de la amenaza.

—Claro. El secreto dejaría de serlo y se produciría una verdadera desbandada de gente huyendo del Estado. Significaría la ruina para Florida. El turismo y la industria serían aniquilados por completo hasta la desaparición de Castro.

—Con todo el respeto, mi principal preocupación es la vida de quienes viven allí y no el balance económico del estado —puntualizó el militar.

—Por supuesto... por supuesto... —asintió Blank.

—Además, si La Habana ha considerado en algún momento poner en marcha el plan, eso podría provocar el efecto de acelerarlo. Es de pura lógica: si no hay central para atacar, no hay ataque. Y si no hay posibilidad de ataque, La Habana deja de tener ese elemento de presión contra Washington. Algo que Cuba no quiere perder bajo ninguna circunstancia.

—¿Y no sería posible trasladar fuera de Florida el material radiactivo en una operación de alto secreto?

—Operar ese material es algo extremadamente delicado y requiere mucho tiempo. Una central nuclear no puede apagarse así, sin más. Eso implica muchas fases rodeadas de estrictas medidas de seguridad que dilatan largamente el proceso.

—¿Y...?

—Sería casi imposible que la información no llegara al público y al mismo servicio secreto cubano. Estamos seguros de que el G-2 de La Habana dispone de agentes o colaboradores trabajando en Turkey Point que les avisarían de inmediato ante un operativo semejante. Miami está repleto de espías cubanos.

David Blank detuvo sus preguntas durante varios segundos, cogió una pluma que había sobre su escritorio y escribió algunas notas en una gruesa libreta con páginas amarillas.

—Teniente coronel, yo no soy ningún experto en este tema, pero ¿no están hechas las centrales nucleares a prueba de grandes impactos?

—Efectivamente. Sus paredes de cemento concentrado pueden tener hasta tres o cuatro metros de grosor y se construyen para superar incluso el golpe de los huracanes más potentes, los de fuerza cinco. Y no sólo eso, sino que los bloques de seguridad que protegen el uranio incluso están ideados para resistir el impacto directo de un caza de combate volando a máxima velocidad.

—¿Entonces?

—Estamos hablando de situaciones catastróficas en tiempo de paz. De accidentes. Ninguna central nuclear del mundo está preparada para resistir un bombardeo de precisión con varias toneladas de misiles de alto poder explosivo.

—Parece ser que estamos atados de pies y manos —dijo preocupado el funcionario.

—Sí, pero deberíamos reforzar nuestras defensas. Eso reduciría mucho el riesgo.

—Pero usted mismo dijo que un ataque así es imposible de detener...

—Lo que no podemos hacer es cruzarnos de brazos —afirmó molesto Montalvo—. En Florida hay unos diecisiete millones de habitantes, entre ellos mi familia y mis amigos. Nuestra obligación es defenderlos. A cualquier costo. Para eso está el Pentágono y para eso pagan sus impuestos todas esas personas. Cuanto mejor preparados estemos, más difícil será que ese plan, de desatarse algún día, tenga éxito. Cuantos más misiles lancemos contra esos aviones, menos posibilidades tendrán de llegar hasta Miami, ¿no le parece?

Tras escuchar esa última frase de Montalvo, David Blank se levantó y se dirigió hacia el cubano. Una vez llegó junto al militar, le estrechó la mano con energía.

—Muchas gracias. Esta conversación ha sido extremadamente constructiva. Voy a tomar muy en cuenta todas sus opiniones.

—Escúcheme bien —dijo Montalvo acercándose todavía más a Blank—. Tanto la Casa Blanca como el Pentágono son conscientes del peligro que Cuba representa para este país. No crea a nadie en el Estado Mayor Conjunto que le diga lo contrario. Le estarían mintiendo o, simplemente, no sabrían de qué están hablando. No quieren tocar el tema para evitar que cunda el pánico. Hay informes inaccesibles excepto para el Presidente y muy pocas personas más que exponen la situación con mucha claridad. El gobierno tiene planes secretos para bregar con esa amenaza. Tengo fe de ello porque yo mismo ayudé a redactarlos, aunque los cambian constantemente. Sólo los conocen un puñado de personas.

—Estoy seguro de que el Pentágono se toma muy en serio la presencia de los MIGs-29.

—Señor Blank, yo he trabajado en el Departamento de Defensa durante muchos años y sé muy bien que allí se odia a Fidel. Si Cuba estuviera en Centroamérica, hace tiempo que Castro hubiera sido asesinado. Recuerde: difundió la revolución por todo el hemisferio, humilló a Washington aplastando la invasión de Bahía de Cochinos y, además, osó aconsejar a la Unión Soviética que atacara nuclearmente a los Estados Unidos durante la crisis de los misiles en 1962. No se engañe: este país jamás le perdonará todo eso. Es una verdadera espina clavada en el corazón del estamento militar norteamericano. Si no lo derrocaron como han hecho con tantos otros líderes políticos en otras partes de Latinoamérica y del mundo es, sencillamente, porque le tienen miedo. Tienen pavor a sus MIGs y al hecho de que Cuba esté tan cerca de la Florida. Tienen miedo a que un intento de asesinato contra Fidel, de

PABLO GATO

alguna forma, desencadene un ataque aéreo cubano de consecuencias catastróficas. Ese es el único motivo por el cual Castro sigue vivo. Si esto pasa al olvido —advirtió Montalvo—, los Estados Unidos se despertarán algún día con un nuevo Pearl Harbour, con otro once de septiembre. Una tragedia que nadie pensó podría ocurrir y que, sin embargo, bañó de sangre a este país. No cometan de nuevo los mismos errores. Menospreciar a un enemigo como Cuba puede costarles muy caro.

David Blank telefoneó de nuevo esa misma tarde al Pentágono. Esta vez, habló con el jefe del Estado Mayor Conjunto del Ejército norteamericano: el general Webster.

—Vamos, David. Claro que, teóricamente, ese ataque al que te refieres es posible, pero ¿en qué mente cabe que alguien decida hacerlo? Eso parece un guión de Hollywood y no la realidad a la que nos enfrentamos a diario —fue la respuesta inmediata del militar.

—Nadie en su sano juicio se pone una pistola en la sien para después dispararla. No obstante, la gente se suicida a diario. A veces las personas no hacen lo que se supone que tienen que hacer. A veces la lógica falla.

—Cuba tiene desde hace décadas MIGs-21 F y MIGs-23 Flogger. En total, alrededor de doscientos aparatos. Si su intención hubiera sido la que dices, el ataque ya se habría producido. ¿No crees?

—Quizás no lo hicieron porque todavía no era el momento adecuado. Además, hasta yo sé que los MIG-29 son infinitamente superiores. No pueden ni compararse a los MIGs-21 o a los MIGs-23. Ahora los cubanos saben que tienen en sus manos todos los ases de la baraja.

—Mira, hablemos claro —dijo Webster sin rodeos—: Montalvo es un exiliado cubano. Está obsesionado con el tema de Cuba. No niego su valía. Sus informes siempre han sido excelentes, pero, en este caso, su imaginación le está traicionando. Este país tiene amenazas potenciales de muchos tipos. Sin embargo, no podemos alarmar a la población con algo que tiene casi nulas posibilidades de ocurrir. ¿Qué quieres que hagamos? ¿Evacuar toda Florida hasta que Fidel Castro se muera? Hemos de actuar responsablemente. El gobierno cubano no es Al Qaeda y Fidel Castro tampoco es Osama Bin Laden.

—Es probable que estés en lo cierto —recapacitó el político—, pero creo que es necesario prestar más atención a la vigilancia sobre Cuba para reducir las posibilidades de cualquier sorpresa.

—David, tenemos satélites que espían constantemente la isla. ¿Cómo crees acaso que recibiste esas fotos? Además, también la vigilamos con los radares militares de nuestras bases en Florida, Puerto Rico y Guantánamo, así como con los de varios barcos de la Armada. Nos percataríamos enseguida de cualquier movimiento sospechoso.

—¿Y las defensas? ¿Es cierto lo que dijo Montalvo? ¿Son casi inexistentes?

—Las defensas desplegadas son más que razonables para la amenaza potencial de la que estamos hablando. Tú sabes perfectamente que no podemos derrochar dinero. Estamos en guerra. Yo duraría muy poco tiempo en este puesto si no supiera controlar el presupuesto que me dan. Tenemos que emplear nuestros recursos de manera racional y nada indica que Cuba vaya a cometer una estupidez semejante.

—¿Qué defensas hay?

—Tenemos aviones en diversos puntos de la Florida listos para despegar en cualquier momento ante la menor señal de peligro. Además, hemos instalado baterías de misiles en el sur del estado que actuarían de forma automática en caso de cualquier tipo de agresión.

—¿Y lo que dijo el general Rafael del Pino? ¿No refuerza eso las teorías de Montalvo?

—Mira, nosotros mismos, en el Pentágono, tenemos planes para invadir a todos y cada uno de los países del mundo. Nunca se sabe qué puede ocurrir. Sin embargo, ¿significa eso que lo vayamos a hacer? La respuesta es no. Claro que no. Los planes que mencionó Rafael del Pino son operativos de contingencia que probablemente duermen sellados dentro de alguna caja fuerte cubana, pero eso no significa que vayan a activarse.

El funcionario de la Casa Blanca escuchó con atención los argumentos del general, pero no le convencieron. Incluso se preguntó si el militar le estaba diciendo toda la verdad o sólo parte de ella. Blank recordó las palabras de Montalvo: «Tanto la Casa Blanca como el Pentágono son conscientes del peligro que Cuba representa para este país... No crea a nadie en el Alto Estado Mayor Conjunto que le diga lo contrario... Le estarían mintiendo o, simplemente, no sabrían de qué están hablando... El gobierno tiene planes secretos para bregar con esta amenaza... Sólo los conocen un puñado de personas...».

—Lo admito. Quizás no sepa nada de temas militares, pero sí sé una cosa: que esto no me gusta nada —dijo Blank sin poder sacar de su mente la sensación de temor que Montalvo había logrado infundirle durante su encuentro.

El político y el jefe del Estado Mayor Conjunto dedicaron dos horas más a conversar sobre el tema y después señalaron un día en sus respectivas agendas para volver a encontrarse y analizar los últimos informes de inteligencia respecto a la isla.

Blank, por su parte, envió a sus superiores en el Consejo de Seguridad Nacional un informe pormenorizado sobre los MIGs-29 donde se incluía un resumen de la conversación mantenida con el teniente coronel Montalvo. Sin embargo, una vez más, la Administración situó a La Habana en un segundo o tercer plano dentro de su lista de prioridades. El dossier fue rápidamente archivado cuando la oficina del jefe de gabinete, tras ojearlo de forma muy somera, se limitó a repetir la línea oficial de los últimos años. Es decir, que La Habana nunca se atrevería a cometer semejante osadía.

39. EL CORAZÓN EN SUS MANOS

LA LUZ DEL DÍA COMENZABA a desaparecer dando entrada a la penumbra que precede a la oscuridad de la noche.

Héctor Lara y Marta Quesada se habían postrado frente a la inmensidad del océano para escuchar el ruido de las olas estrellándose contra el litoral. Ambos permanecían abrazados sobre la arena de la playa acariciando mutuamente sus manos. Esa zona del norte de Miami Beach casi siempre estaba desierta y aquel día no era ninguna excepción.

El cubano ni quiso ni pudo poner freno a su relación con Marta. Algo en su interior le impedía dejar de verla. El responsable era un extraño, nuevo y genuino sentimiento que se había apoderado de él desde que conociera a la joven maestra.

—Marta...

—Dime, Héctor.

—Llevamos abrazados, sin hablar, durante más de una hora.

—Lo sé —dijo mientras sus ojos se iluminaban.

—Es una sensación extraña.

—Sí. Simplemente quiero estar a tu lado.

—Nunca pensé que fuera tan fácil enamorarse de alguien.

—Para mí no ha sido nada fácil. Siempre soñé con un momento como este. Sin embargo, muchas veces pensé que, en realidad, nunca podría llegar a amar a ningún hombre.

—¿Por qué?

—No sé... Jamás sentí la necesidad de amar de esta manera y, desde luego, tampoco había conocido a nadie como tú. Creía que la persona que yo buscaba no existía.

—Chica, si tienes veintidós años. Eres una niña. Apenas has comenzado a vivir.

—¿Una niña? He vivido más que muchas personas del doble de mi edad.

Héctor apartó el cabello de la cara de Marta y le dio un suave beso en los labios. Después, la acercó de nuevo hacia él y la abrazó con energía.

—Marta. ¿Estás segura de lo que haces conmigo?

—¿A qué te refieres? —dijo Marta girándose bruscamente para ver el rostro de Héctor.

—No sé... —titubeó el cubano—. No sé si soy la persona adecuada para ti...

—¿Por qué?

—Todavía no sé qué voy a hacer con mi vida. Estoy empezando de nuevo. Quizás deberías buscar a alguien sin tantas complicaciones como yo.

—No digas tonterías, Héctor —afirmó Marta sonriendo—. Sé muy bien lo que quiero. Te quiero a ti, pero... ¿por qué haces esa pregunta? —cambió de pronto Marta su expresión de alegría por otra de preocupación—. ¿No serás acaso tú el que tiene alguna duda?

—No, Marta. Sólo es que creo que esto ha ido muy rápido.

—¿Tú crees que hemos ido demasiado deprisa?

—Bueno... En realidad no —susurró Héctor corrigiéndose a sí mismo—. Quizás todo ha ocurrido tal y como tenía que ocurrir. Ha sido, no sé cómo explicarte, algo natural. Rápido, sí, pero natural. Nada forzado... como tenía que ser... pero si lo pienso fríamente, me asusta. Me da miedo.

—Sí. Yo también me asusto, pero estoy contenta de sentirme así. Nos hemos dejado llevar por nuestro corazón y creo que eso es lo correcto. Hablábamos de eso el otro día, ¿te acuerdas? No pienso que haya reglas para estas cosas. No se pueden planear, frenar o acelerar. Si eso ocurre, es que no es amor verdadero... —agregó mirándole a los ojos.

—¿Te acuerdas de aquella canción...? «Mi vida... Si el amor es auténtico, no se puede controlar... Es como un huracán que no te deja respirar...» —tarareó parte de la estrofa de una habanera.

Marta sujetó las manos de Héctor con más firmeza.

—Yo sí estoy asustada, pero no de lo que tú me dices... ¿Y sabes de qué...? Estoy aterrorizada de que algún día puedas no estar a mi lado... No sé lo que haría sin ti... —confesó con emoción—. Me aterra pensar que pueda depender tanto de alguien, pero, al mismo tiempo, soy tan feliz... Tan feliz... —repitió con énfasis—. Me encanta depender de ti, que tú dependas de mí y disfrutar de la sensación de amar y ser amada.

—Sí. Somos muy vulnerables, pero eso es hermoso. Significa que nos amamos. ¿Cómo no puedes ser vulnerable si tu corazón está en las manos de otra persona?

La muchacha sonrió y miró fijamente a Héctor.

—¿Soy yo la persona más importante en tu vida?

—Sí, Marta —dijo él acariciando el pelo de la joven—. Antes sólo quería ser libre. No estar atado a nadie. Ahora, sin embargo, veo que esa libertad es un sentimiento ínfimo, ridículo, comparado al de estar juntos los dos.

Héctor y Marta se besaron entonces con delicadeza y dulzura.

—Marta, sólo pido poder estar junto a tu piel. Sentirla pegada a la mía. Hacer el amor contigo. Besarte, mirarte, acariciarte, hundirme en la tranquilidad que me da tu presencia. Es como una fuente de energía que no podría encontrar de ninguna otra forma ni con ninguna otra persona.

—¿Tú también estás asustado?

El cubano reflexionó durante unos segundos.

—Sí y no. Sí porque todo ha sido como un torbellino que no puedo controlar. Y no porque no veo cómo una cosa tan bonita como nuestro amor pueda convertirse jamás en algo malo o hacer daño a alguien.

—Exacto. Algo tan bonito no puede hacer daño a nadie... —repitió Marta para después juntar de nuevo sus labios con los de Héctor.

Acto seguido, Marta se levantó y animó a Héctor para que hiciera lo mismo. Entonces, los dos cubanos se desnudaron y fueron a zambullirse al océano. Allí, amparados en la oscuridad de la noche, hicieron el amor hasta que sus cansados cuerpos regresaron de nuevo a la orilla de la playa.

Después, fuertemente abrazados y tapándose con una gran toalla, se quedaron dormidos durante horas. Un sueño que se prolongó hasta la llegada del amanecer.

Héctor sabía que sus sentimientos no le estaban engañando y que amaba con toda pasión a esa muchacha. Sin embargo, no pudo alejar de su cabeza el pensamiento de que ese amor podría estar condenado al fracaso. Se estaba enamorando de una exiliada. De una de las personas por las que tanto desprecio sentía y contra quienes había jurado luchar, de ser necesario, hasta la muerte para defender la revolución.

El cubano era muy consciente de su deber como militar.

Además, no se trataba de un compromiso impuesto por nadie. Todo lo contrario. Héctor creía con firmeza en los ideales por los cuales había sacrificado tanto durante su intensa vida como agente del servicio de inteligencia de la isla.

A pesar de su profundo y genuino amor por Marta, nada fue capaz de impedir que el capitán del MININT sintiese como si se le estuviera desgarrando el corazón al comprobar que se estaba entregando en cuerpo y alma a una de las personas a las que su vocabulario revolucionario sólo podía describir con dos palabras: el enemigo.

40. SILENCIAR UNA VOZ

MIGUEL CARDOSO RESIDÍA en Miami Beach. Cerca de la intersección de la avenida Collins con la calle 36.

Su edificio era pequeño, de sólo tres plantas, y estaba situado frente a la playa. Un hermoso paseo de madera construido junto a la costa permitía que los vecinos pudieran caminar con tranquilidad por esa zona para disfrutar de la majestuosidad del océano. Innumerables y altas palmeras, que se movían con delicadeza al ritmo marcado por el viento, adornaban profusamente esa parte de Miami Beach, convirtiéndola en un verdadero paraíso tropical.

El policía vivía en un modesto apartamento de dos habitaciones con su novia Blanca Machado. Blanca era de ascendencia colombiana, pero nacida en Nueva York. Esta, doctora de profesión, trabajaba para la oficina del forense de la ciudad de Miami.

Ambos estaban durmiendo cuando, a la una y veinticinco de la madrugada, comenzó a sonar el teléfono.

Miguel Cardoso, aún no recuperado de la pelea con su primo, dejó que fuera la máquina contestadora la que respondiese. Estaba demasiado cansado como para ponerse a conversar a aquellas horas.

—¿Miguel...? —dijo una sobria voz al otro lado de la línea—. ¿Miguel? Si estás ahí, responde por favor... Soy Juan Gutiérrez... Es importante...

Al oír la voz, el agente se levantó y descolgó el auricular. Gutiérrez había sido su compañero en el FBI durante varios años y, desde entonces, ambos siguieron manteniendo una excelente amistad. Hacía ya semanas que no se veían, así que el policía dedujo con facilidad que, en efecto, tenía que haber ocurrido algo importante para que Juan le telefoneara tan tarde.

—Juan... ¿cómo estás, chico? —preguntó el cubano interrumpiendo el mensaje automático.

—Bien. Bien. ¿Y tú?

—Aquí, en la lucha, compadre. ¿Qué hay de nuevo, viejo?

—Óyeme. Tengo malas noticias —anunció Gutiérrez sin rodeos.

—Dímelo —prosiguió Miguel restregándose los ojos para acabar de despertarse.

—Estoy en casa de Ángel.

—¿Qué Ángel?

—Ángel Rivas.

—¿Qué pasa? ¿Se ha metido en algún lío?

—Me temo que es algo peor que eso. Lo han asesinado.

—¿Cómo? —exclamó el policía.

—Sí. Lo que oyes. Sé que era casi familia para ti. Por eso te llamo. Para que no te enteres por la mañana escuchando la radio.

—¡Dios mío!

—Lo siento.

—¿Ángel? ¿Estás seguro de que es él? —dijo aún sorprendido Miguel.

—Claro.

—¿Qué pasó? ¿Cómo ocurrió?

—Será mejor que vengas para aquí.

—De acuerdo —afirmó lacónicamente el agente.

—OK. Te espero —añadió Gutiérrez colgando el teléfono.

Tras una fugaz ducha, Miguel salió del apartamento hacia la casa de Ángel Rivas, un guatemalteco emigrado a los Estados Unidos a quien siempre consideró uno de sus amigos más íntimos.

Cuando Cardoso y Rivas se conocieron en Miami muchos años atrás, este último vivía fascinado con todo lo referente a la vida militar. Después, ambos se alistaron en el cuerpo de los Infantes de Marina y, tras el entrenamiento básico, fueron enviados al mismo destino en Corea del Sur, algo que solidificó de forma definitiva su relación. Sin embargo, tras su experiencia como soldado, Rivas se volvió crecientemente antimilitarista. Hasta el punto de que al abandonar las fuerzas armadas, y en un cambio radical de personalidad, acabó dedicando el resto de su vida y todos sus esfuerzos a defender temas relativos al pacifismo, los derechos humanos y la protección del medio ambiente.

Ese drástico cambio se produjo debido a lo que le ocurrió en Corea. Allí, varios de sus superiores inmediatos, de claras tendencias racistas, le habían hecho la vida imposible debido a su origen étnico. Algo que nunca llegó a traducirse en agresiones físicas, pero sí en una constante falta de respeto y humillación que, poco a poco, subieron de tono hasta alcanzar niveles que acabaron por marcarlo psicológicamente. Una situación de rabia e impotencia que creó en él un rechazo cada vez más definido hacia cualquier uniforme militar.

Transcurridos varios meses desde su llegada a la base, Rivas, finalmente, denunció el hecho a los oficiales de su regimiento y los cabos y sargentos responsables de los acosos resultaron inmediatamente disciplinados. No obstante, después de aquella amarga experiencia, nada consiguió que Ángel fuera el mismo de antes.

Tras licenciarse, sus campañas contra industrias contaminantes fueron constantes, así como las denuncias a los atropellos a los derechos humanos cometidos por ejércitos o gobiernos en cualquier rincón del planeta, especialmente en Latinoamérica.

Ángel tenía muchos amigos que simpatizaban con su trabajo, como, por ejemplo, Miguel Cardoso, que seguía muy de cerca sus informes respecto a la situación de los presos políticos en Cuba. Sin embargo, su lista de enemigos era mucho mayor.

A las dos y cinco de la madrugada, el agente llegó a su destino. Una pequeña casa situada en el norte de Miami Beach. Allí le aguardaba Gutiérrez, que enseguida lo abrazó al encontrárselo en la puerta.

—Mi pésame, hermano.

—Gracias... Cuéntame... ¿Qué ocurrió? —no perdió tiempo Miguel, que ya se había mentalizado para la situación.

—Algo muy raro. Aparentemente, un atraco. Ángel fue asesinado por alguien que entró en su domicilio. En teoría, para robar —dijo Gutiérrez mientras veía como Cardoso se acercaba al cadáver de Rivas, todavía tendido en el suelo a la espera de que la policía acabara de recabar la evidencia de la escena del crimen.

Miguel levantó la tela blanca que había sido depositada sobre el cuerpo de su amigo y comprobó que, en efecto, se trataba de Ángel.

—Hijos de puta —susurró al observar los impactos de bala incrustados en su pecho.

El agente, tratando de controlar sus emociones, se quedó pensativo durante algunos instantes junto al cadáver. Ambos habían vivido demasiadas cosas juntos. Después, volvió a dirigirse a Gutiérrez.

—¿Por qué dices que «en teoría» fue un atraco? —preguntó intentado comprender qué había ocurrido allí.

—Creo que hubo algo más. Diversas patrullas acudieron a la casa tras la llamada telefónica de uno de los compañeros de Ángel. Alguien de su grupo pro derechos humanos. Tenían una reunión. Las luces estaban encendidas, pero nadie respondía a las llamadas a la puerta. El hombre, preocupado, acabó por avisar a la policía. Al entrar, se encontraron con el cadáver —dijo el agente del FBI.

—¿Por qué te llamó la policía? El FBI no se encarga de estas cosas. Sólo de ofensas federales.

—Nos contactaron porque enseguida sospecharon que podría ser algo político y no simplemente criminal.

—¿El motivo?

—Mira. El o los ladrones robaron el dinero que Ángel tenía en su cartera, así como sus tarjetas de crédito.

—¿Entonces? —siguió sin entender Miguel.

—Observa —dijo Gutiérrez abriendo uno de los cajones de la cocina—. Diez mil doscientos dólares en efectivo. Cash.

—¿Qué hacía ese dinero ahí?

—Por lo visto, era dinero recaudado por Ángel para una campaña pro derechos humanos en Guatemala. En la reunión de ayer se iba a discutir la estrategia de esa nueva campaña.

—Ya entiendo.

—Los ladrones ni siquiera revisaron la casa de forma superficial. Ese dinero estaba a la vista de cualquiera.

—¿Puede ser que los descubrieran, forzándolos a huir precipitadamente?

—No. Ningún vecino escuchó nada en la casa. Ningún ruido, ninguna pelea. Nada. Cuando el cadáver fue encontrado, Rivas ya llevaba muerto dos o tres horas. Los asaltantes tuvieron todo el tiempo del mundo para registrar la casa. Sin embargo, no lo hicieron. Más bien da la impresión de que simularon un robo como excusa para asesinar a Ángel. Obviamente, Miguel, estoy especulando —dijo el agente—, pero, de no ser así, y en mi modesto punto de vista, nada de todo esto tendría sentido.

41. LA BOMBA ATÓMICA CUBANA

EL GENERAL CARLOS HERNÁNDEZ estaba sentado en una dependencia privada de la «sala de guerra» del Ministerio del Interior en La Habana. Junto a él se encontraban el general Lezcano, de la Dirección de Operaciones Especiales, y el coronel de aviación Marco Núñez.

Hernández se levantó y caminó hasta la puerta para ordenar a los centinelas apostados fuera que nadie interrumpiera aquella reunión.

—Coronel —dijo Hernández.

—A la orden.

—Aquí tiene las nuevas órdenes para las personas que están ayudándonos a desarrollar el Plan Hatuey —añadió el general entregando un grupo de carpetas a Marco Núñez—. Repártalas entre los agentes. La mayoría de ellos están ahora en la sala de guerra.

—Entendido.

—Es importante que los agentes se concentren en sus partes específicas del plan. Recálqueles que está estrictamente prohibido que alguien intente averiguar información del operativo que no ataña a su área concreta de responsabilidad. Sólo deben preocuparse de llevar a cabo las instrucciones detalladas en las carpetas que se les entreguen a ellos. Nada más —insistió levantando levemente su voz—. Lo contrario, sería desobedecer órdenes directas del Estado Mayor y motivo más que suficiente para encarar un consejo de guerra sumario.

—Así se hará.

—Lezcano, por favor, acompáñalo. Hay una serie de militares que no están aquí ahora. Localícenlos en sus casas y llámenlos para que acudan al Ministerio a recoger sus respectivas misiones. Recuérdenles también que las carpetas no pueden abandonar esta dependencia en ningún momento y bajo ninguna circunstancia. Al finalizar sus turnos de trabajo, deberán encerrarlas bajo llave en sus cajas personales de seguridad. Esta es una operación del máximo secreto, así que nada que revele el más mínimo detalle sobre el Plan Hatuey puede filtrarse fuera de estas paredes. Ni notas, ni documentación, ni cintas, ni microfilms, ni fotocopias. Nada.

—No se preocupe. Todo está claro.

—Como es obvio, esto es un operativo que sólo se desarrollará en sus fases iniciales. Nada más —puntualizó el militar—, pero exijo que todos actúen como si fuera una misión real. Quiero el mayor nivel de eficacia y demostrar al Presidente y a la cúpula del Partido que, si la situación lo requiere, estamos listos para defender de inmediato a Cuba ante cualquier amenaza.

—Se están empleando los mejores recursos materiales

y humanos dentro de las FAR, mi general.

—Cuando se hayan asegurado de que todos tienen las carpetas en su poder, regresen y yo mismo les entregaré a ustedes dos las suyas —dijo Hernández a Núñez y Lezcano.

Una vez el coronel Núñez y el general Lezcano abandonaron la sala, Carlos Hernández sacó de su maletín uno de los dos únicos informes existentes en toda Cuba que explicaban completamente los auténticos fines del Plan Hatuey. La otra copia estaba en poder de Fidel Castro.

La carpeta del general y la del Presidente eran una suma de todas las repartidas entre el personal de la inteligencia cubana, pero con numerosos datos adicionales. El informe, dividido en diversos capítulos y redactado en el más sobrio estilo militar, comenzaba diciendo:

FINES DEL PLAN HATUEY Y PROTOCOLO DE ACCESO AL MISMO

El Plan Hatuey está ideado como una respuesta militar decisiva contra los Estados Unidos en tiempos de máxima crisis política entre Washington y La Habana. Únicamente se consideraría llevar a cabo ese operativo ante una situación de grave amenaza contra la soberanía y la independencia de Cuba, así como la integridad del proceso revolucionario.

Sólo hay dos personas con la suficiente autoridad para activar este operativo: el Presidente de la república y el máximo responsable de la Dirección General de Inteligencia, la DGI.

El operativo será revisado y puesto al día de manera constante. De eso se encargara el jefe de la DGI, que contará con la cooperación de todos los cuerpos de las fuerzas armadas y de los servicios de espionaje cubanos, a quienes sólo se informará de la parte del plan que ellos tengan que desempeñar.

El Plan Hatuey sólo se concibe dentro de una hipótesis de confrontación abierta contra Washington, de forma que es lógico asumir que una de las primeras decisiones del Pentágono sería la de eliminar físicamente al Presidente de Cuba para neutralizar así la cadena de mando en la isla. Por ese motivo es imprescindible delegar también en una segunda persona la autoridad militar para, en caso de ser necesario, poder activar el plan.

Este individuo tendría en sus manos una enorme responsabilidad. Por ello es esencial que haya probado sobradamente su absoluta lealtad al pueblo cubano y a la revolución. Las más altas esferas del Partido Comunista Cubano (PCC) y de las Fuerzas Armadas Revolucionarias de Cuba (FAR) han decidido que ese compañero sea el jefe de turno de las labores de inteligencia y contrainteligencia del país que, día tras día, defiende a nuestra nación ante la amenaza imperialista y contra la insurgencia interna. Es decir, aparte del Presidente, sólo el máximo responsable de la Dirección General de Inteligencia tendrá acceso completo a este plan y al código de claves militares secretas necesario para poder desencadenarlo.

El Plan Hatuey es la única opción importante que todavía dispone el Ejército de Cuba para asegurar la independencia del país ante la continua injerencia de los Estados Unidos en los asuntos internos de la patria. El operativo, de devastadoras consecuencias, se concibió como una hipótesis de respuesta ante una agresión militar previa y no como un arma de primer ataque no provocado. En caso de que ese supuesto se hiciera realidad algún día, los máximos dirigentes de la isla no pueden dudar en ningún momento en activar el plan. No hacerlo sería considerado como un alto delito contra la seguridad del Estado.

DISUASIÓN

Cuba no tiene una bomba atómica en su arsenal. A pesar de eso, sí puede realizar un ataque que desencadene consecuencias similares a la explosión que provocaría uno de esos artefactos. La bomba atómica de Cuba se llama la central nuclear de Turkey Point. Mientras nuestro ejército mantenga viva esa amenaza sobre Washington, la revolución nunca será destruida ni nuestros máximos líderes asesinados.

La CIA desistió hace ya muchos años de eliminar físicamente a la cúpula revolucionaria temerosa de que sus muertes pudiesen activar el Plan Hatuey. Informes de la DGI incluso indican que los servicios secretos de los Estados Unidos, paradójicamente, tienen órdenes directas y precisas de proteger a cualquier costo las vidas de los políticos cubanos de mayor nivel, sobre todo en sus desplazamientos internacionales. ¿Por que? Para evitar que un hipotético atentado procedente de cualquier grupo anticastrista pudiera ser interpretado como un operativo encubierto del gobierno estadounidense para asesinar a los líderes de La Habana. Washington cree que un escenario similar podría originar una represalia automática de gran nivel como, por ejemplo, la ejecución del Plan Hatuey.

MANIFIESTO DE ATAQUE

Cuba dispone de más de cien aviones de combate rusos tipo MIG capaces de alcanzar cualquier punto de la Florida, aunque, en verdad sólo un par de docenas de ellos están completamente listos para realizar misiones de combate de ese calibre. El motivo es la crónica falta de piezas de repuesto.

Anticipando cualquier enfrentamiento, las más altas autoridades revolucionarias de La Habana ordenaron, a mediados de la década de los noventa, que todas las computadoras de los MIGs supersónicos fueran programadas para atacar territorio norteamericano. En concreto, la central nuclear de Turkey Point.

Un proyecto de esta naturaleza sólo se realiza si existe alguna posibilidad de activarlo. Washington conoce muy bien la situación y esa es la mejor garantía de que continuaremos siendo un Estado independiente. Disuasión mediante la fuerza.

En caso de ataque, las bases de Homestead y Boca Chica serían las primeras en intentar repelerlo.Ese ataque se produciría de la siguiente manera...

El general Hernández continuó leyendo.

42. UNA PISTA INESPERADA

—¿QUÉ OCURRE? ¿Por qué me has llamado con tanta urgencia? —dijo Miguel Cardoso dirigiéndose a su novia, Blanca Machado.

—Ven aquí, chato —respondió ella.

Blanca acompañó entonces a Miguel hasta una de las salas de la morgue donde se conservaban los cadáveres pendientes de investigación policial. El cuarto tenía multitud de cámaras frigoríficas individuales que se abrían estirando de una pequeña arandela situada frente a la plancha de metal que hacía de puerta.

La forense extrajo entonces un cuerpo de dentro de uno de los frigoríficos. El cadáver, que yacía sobre una camilla metálica, estaba cubierto por una sábana blanca.

—Oíme. Esto, aunque no lo creas, son los restos de un hombre —afirmó ella al retirar la tela y dejar al descubierto una masa de carne chamuscada.

—¡Dios mío! ¡Blanca! ¿Para eso me has traído aquí? ¿Para enseñarme un cadáver putrefacto?

—No. No es sólo un cadáver putrefacto. Esta persona murió ayer. Le pegaron un tiro en la cara y otro en el pecho —señaló la doctora indicando con su mano derecha un orificio en el cráneo y después otro en la caja torácica del muerto—. Más tarde, lo calcinaron.

—¿Y bien? ¿Conozco yo acaso a este señor?

—Pues no lo sé, pero estoy segura que sí reconocerás esto —prosiguió Blanca poniendo en la mano de Miguel una chapa de identificación militar.

—Ángel Rivas... —susurró el policía mirando a su novia tras leer los datos grabados en ella.

—En efecto.

—Esta es la chapa militar que Ángel siempre tenía colgada en su cuello —dijo el cubano sin parecer entender nada—. ¿Qué hace aquí? ¿Dónde la encontraste?

—Estaba en el estómago del hombre calcinado.

—¿Qué?

—Inicié la autopsia del cuerpo esta mañana y al llegar al estómago me encontré con la chapa.

—¿Cómo vino a parar aquí?

—Sé tanto como tú, pero, obviamente, tuvo algo que ver con la muerte de Ángel. Mi teoría es que sabía que lo iban a matar y decidió tragarse la chapa para, de alguna forma, delatar a sus asesinos. También se tragó esta pequeña llave —añadió Blanca dándosela a Miguel.

—Motel Bahamas, en la calle Ocho. Habitación número 53 —afirmó el policía leyendo las inscripciones de la llave.

—Creo que esto es algo así como una confesión póstuma. ¿No te parece?

—¿Podrás identificar el cadáver?

—Lo dudo. Está completamente desfigurado. Además, sus huellas dactilares también fueron quemadas, pero de forma aún más intensa para evitar que fuera identificado. Quizás con un soplete. Y de la dentadura sólo quedan algunos pedazos.

—¿Por el fuego?

—Por el fuego y también debido a otros golpes recibidos con una barra de hierro. Los restos de óxido todavía están esparcidos por toda su boca. En definitiva: hicieron un muy buen trabajo destruyendo cualquier posibilidad de averiguar quién es este hombre. Muy profesional.

—Gracias, Blanca —se despidió Miguel dando un beso a su novia para dirigirse después al motel Bahamas sin pérdida de tiempo.

43. EL BUZÓN

HÉCTOR LARA, vestido con un traje de mecánico azul de una sola pieza, rociaba con una manguera el ala derecha de uno de los Boeing 727 de la compañía Great Miami Air. Esa empresa, además de viajar a otros puntos del Caribe, alquilaba sus aviones para que los cubanos exiliados de Miami pudieran ir a visitar a sus familiares en la isla.

La existencia de compañías como la Great Miami Air había provocado una gran polémica en el exilio. Los sectores más conservadores calificaban a esas empresas como de verdaderas traidoras a la causa de la libertad de Cuba. Según ellos, cualquier contacto con el régimen castrista, ya fuese diplomático o económico, no hacía más que perpetuar la revolución en el poder, disminuyendo así la posibilidad de un resquebrajamiento del sistema comunista cubano.

Estos grupos abogaban por un endurecimiento del embargo comercial contra la isla hasta que La Habana convocara unas elecciones libres. Para ellos, visitar a familiares en Cuba o enviarles dinero suponía inyectar dólares a un régimen tambaleante que, de no tenerlos, sucumbiría con mucha mayor rapidez.

La otra cara de la moneda la representaban quienes repetían que ya era tiempo de cicatrizar las heridas entre los exiliados y las autoridades de La Habana. Es decir, levantar el bloqueo económico contra la isla e iniciar un proceso de reconciliación nacional sin pretender derrocar a los gobernantes revolucionarios. Ese sector de cubanoamericanos insistía en que el embargo sólo originaba sufrimiento y necesidades para sus familiares y compatriotas y que nunca lograría sacar a Castro del poder. Que esa política se había desarrollado durante más de cuarenta años sin ningún éxito y que nunca daría el resultado pretendido inicialmente.

Por otra parte, miles de exiliados permanecían al margen de esa eterna controversia política y se limitaban a ayudar a los suyos enviándoles divisas, ropa, comida y medicinas para paliar sus necesidades. Cuando podían, también les visitaban para, además de verlos en persona, llevarles dinero en efectivo.

La compañía Great Miami Air estaba muy lejos de todos esos debates filosóficos. Sus aviones volaban a La Habana de la misma forma que lo hacían a Haití, la República Dominicana o Puerto Rico y su motivación era sólo comercial. Para los dueños de esa empresa, las críticas que recibían, así como las felicitaciones, no pasaban de ser datos puramente anecdóticos.

Héctor dejó de rociar con agua a presión el ala del Boeing y se subió con una grúa al cuerpo del reactor aparentando buscar otras partes del fuselaje que también necesitaban ser limpiadas. Después fue directamente a lo que en verdad le había llevado hasta allí: el compartimento utilizado por la inteligencia cubana para transportar mensajes secretos entre La Habana y Miami.

El espía vio entonces una pequeña placa pintada con dos rayas verticales de colores rojo y amarillo y la abrió utilizando un destornillador eléctrico. En ese pequeño cubículo del avión, de apenas veinte centímetros de largo por veinte de ancho, también estaban instalados los circuitos eléctricos de uno de los focos exteriores del aparato.

Las órdenes siempre iban dentro de un recipiente metálico. Se trataba de unas hojas escritas en clave y cuya interpretación sólo era posible si se disponía de los códigos enviados por La Habana a través de otros canales.

Esos códigos eran diminutos libritos de apenas quince hojas cada uno. Ninguna de las hojas tenía más volumen que un simple papel de fumar y a veces incluso se hacía necesario emplear una lupa para poder distinguir con claridad las distintas claves escritas en los textos.

Héctor, siguiendo las indicaciones que le dieron por radio, introdujo su mano en aquel pequeño agujero y, efectivamente, encontró el tubo que la DGI le había ordenado retirar de inmediato para cumplir las instrucciones detalladas dentro.

Sin apenas esfuerzo, el agente secreto cubano extrajo el recipiente de dos agarraderas que lo sujetaban en el interior del compartimento y, asegurándose de que nadie le observara, lo introdujo después en uno de los bolsillos de su mono de trabajo. Apenas una hora más tarde, el espía ya estaba en su apartamento de Hialeah descifrando el contenido del mismo.

44. ASESINO ASESINADO

EL MOTEL BAHAMAS, situado entre la avenida 46 y la 47, era un edificio de una sola planta que se extendía por casi toda esa parte de la acera de la calle Ocho.

Miguel Cardoso detuvo su automóvil frente a la recepción y estudió atentamente los alrededores para evitar cualquier sorpresa.

Al cabo de algunos segundos, una mujer se acercó a la ventanilla de su vehículo.

—Hola. Me llamo Tiffany. ¿Buscas diversión, cariño? —dijo esta en español brindándole una amplia sonrisa.

El policía miró a la prostituta de arriba a abajo. Era una joven hispana vestida con una minifalda negra, medias del mismo color, zapatos marrones de tacón y una estrecha camiseta blanca sin sujetador. La mujer, de unos veinticinco años de edad, tenía el pelo castaño y largo y se había pintado los labios de un intenso color rojo.

—Vamos, papi. ¿Te animas? —insistió la prostituta extendiendo su brazo a través de la ventanilla hasta que su mano izquierda alcanzó la entrepierna de Miguel.

—Nena, te has equivocado de cliente —dijo el cubano zafándose de la mano de la joven.

—¿Qué pasa? ¿No te apetece? Hoy tienes suerte. El día está muy flojo. Si quieres, soy toda tuya por sólo veinte dólares.

—¡Ja! —se escuchó una carcajada.

—¿Es que no te gusto? —apuntó molesta la hispana.

—No. No es eso.

—¿Qué? ¿Acaso eres maricón?

—¡Ja! —rió de nuevo el agente—. No. No lo soy.

—Ya veo. Es el precio... —dijo decepcionada Tiffany—. Bueno, te advierto que de quince dólares no bajo. Y, por supuesto, no será lo mismo que por veinte.

—Anda, vete antes de que me recuerdes mi profesión.

—¿Eres policía? —preguntó nerviosa.

—Sí —dijo él enseñándole su chapa oficial.

De pronto, la prostituta cambió radicalmente de expresión. La amenaza de ser arrestada cayó como una losa sobre ella trastocando su antes alegre rostro. No tenía ninguna escapatoria. Había ofrecido un servicio sexual a un policía a cambio de dinero. Algo más que suficiente para acabar tras las rejas.

—Oye, papi… —prosiguió Tiffany en tono sumiso—. ¿Por qué no me dejas ir y seré buena contigo…? Si no me arrestas, podemos hacer todo lo que quieras en el asiento de atrás de tu automóvil. Todo lo que quieras. Te lo prometo.

—Anda, Tiffany, vete. No estoy aquí para arrestarte ni para aprovecharme de ti.

Al oírlo, la mujer se despidió de Miguel con una mirada de agradecimiento. Más tarde, caminó por la calle Ocho en dirección este hacia la avenida Le Jeune, donde se había reunido un pequeño grupo de prostitutas.

Tras recorrer unos cincuenta metros, un vehículo deportivo se detuvo junto a ella. Después de una breve conversación, Tiffany se subió a su interior y dirigió a su nuevo cliente hacia un callejón semidesierto de la avenida 46. Allí estaban ubicados diversos automóviles que, a pesar de tener sus motores apagados, se movían rítmicamente de arriba a abajo y hacia los lados. Cuando el balanceo de pasión finalizaba, las ventanillas de los vehículos se abrían discretamente para que quienes permanecían dentro pudieran deshacerse de los preservativos recién usados.

Esa zona de la calle Ocho era muy frecuentada por prostitutas durante toda la noche. A ambos lados de la carretera había innumerables hoteles construidos casi con el único propósito de brindar habitaciones a parejas que querían disfrutar de unos momentos de placer. Algunos entraban ahí con las prostitutas. Otros, en cambio, eran novios sin otro lugar adónde ir o bien amantes furtivos que buscaban privacidad lejos de las sospechas de sus respectivos cónyuges y amigos.

El motel Bahamas, rodeado de palmeras y llamativas luces de neón de color verde, rojo y amarillo, era uno de esos ejemplos. Cada noche, los empleados se convertían en testigos silenciosos de un incesante desfile de parejas que apenas permanecían una o dos horas en unas habitaciones repletas de espejos que, sin embargo, tenían que pagar por todo el día.

Paradójicamente, frente al hotel había dos sobrias funerarias que contrastaban casi de forma surrealista con el ambiente de lujuria que se apoderaba de la calle Ocho tras la caída del sol.

Miguel Cardoso entró en el motel sin que nadie se diera cuenta de su presencia y, al cabo de unos minutos, vio que la pequeña llave que tenía en su poder encajaba a la perfección dentro de la cerradura del cuarto número 53.

Tras un rápido vistazo por la habitación, el agente comprobó que estaba vacía. No obstante, había dos maletas dentro de uno de los dos armarios. Miguel las depositó sobre la cama y las abrió inmediatamente. En la primera, la de mayor tamaño, sólo encontró ropa y efectos de aseo personal, pero el contenido de la segunda era muy distinto.

La maleta de menores dimensiones ocultaba una escopeta de cañones recortados, un revólver, dos pistolas, un cuchillo y una navaja automática. Junto a las armas, también había diferentes documentos que identificaban al dueño de aquel pequeño arsenal. Su nombre era Pierre Lafoguet y, según su licencia de manejar, residía en la ciudad de Nueva Orleans, Estado de Luisiana.

Minutos más tarde, y tras identificarse como policía, el recepcionista del hotel reveló a Miguel Cardoso que Pierre Lafoguet no era el nombre con el cual se había registrado el cliente de la habitación 53. El documento utilizado por Lafoguet para conseguir un cuarto, tal y como indicaba una fotocopia realizada el día de su llegada, también era un carnet de conducir, pero, este, del Estado de Nueva York. El nombre: René Gambel.

Las fotografías en ambos documentos eran iguales. Eso permitió a Miguel deducir dos cosas. La primera, que Pierre Lafoguet y René Gambel eran el mismo individuo. La segunda, que viajaba con documentos falsos.

—Armas... documentos falsificados... alguien de fuera del Estado... una muerte brutal... tiene que ser la mafia, pero ¿qué interés podría tener la mafia en Ángel...? —se preguntó el policía mientras examinaba minuciosamente la fotografía del muerto.

La lógica indicaba que los documentos escondidos eran los auténticos. De ser así, el cadáver encontrado era el de Pierre Lafoguet.

Todo hacía pensar que se trataba de un asesino profesional contratado en Nueva Orleans para eliminar a Ángel Rivas. Ahora sólo quedaba por averiguar quién lo había enviado y por qué. Todo eso, claro, además de esclarecer las circunstancias de la muerte del mismo Lafoguet.

45. UN AMOR PARA SIEMPRE

MARTA QUESADA ESTACIONÓ el automóvil de su tío frente al edificio Coral Way, situado entre la avenida Collins y la calle 36 de Miami Beach. La cubana utilizaba ese viejo pero bien mantenido Corolla japonés color hueso cuando Ernesto permanecía en casa durante los fines de semana y no lo usaba. El coche, de finales de la década de los setenta, servía a Marta hasta que esta encontrara un empleo que le permitiese comprar un transporte propio.

Aquella noche, la maestra había sido invitada a cenar a la casa de su primo Miguel Cardoso. Una invitación que también se extendió a Héctor Lara, a quien ya se consideraba como el compañero sentimental de Marta.

Cuando Marta y Héctor salieron del automóvil todavía faltaban treinta minutos para la cita, así que ambos optaron por dar un corto paseo el puentecito de madera de color gris que bordeaba la playa.

Tras caminar varias decenas de metros, los dos se detuvieron frente al hotel Days Inn, en la intersección de la calle 43. Ese era un día claro, sin ninguna nube, y con un cielo de majestuoso color azul que se extendía con generosidad frente a la costa.

Unas pequeñas escaleras, también de madera, permitían descender a los bañistas hasta la arena. La playa estaba inundada de tumbonas de lona, sombrillas y toallas pertenecientes a las cientos de personas que, a diario, acudían allí para disfrutar del alegre sol del Caribe.

Héctor se situó tras la espalda de Marta y la rodeó con sus brazos. Después, pudo sentir perfectamente cómo, al igual que él, la cubana se estremecía cuando ambos juntaban sus cuerpos.

—Abrázame más fuerte —dijo ella disfrutando del olor de la fresca piel de Héctor y del roce del cabello de su amado contra su rostro.

—Tengo miedo a hacerte daño.

—No digas tonterías y abrázame. Abrázame fuerte —repitió Marta—. Quiero sentirte junto a mí.

Héctor apretó entonces aún más sus brazos mientras las miradas de ambos se perdían en las verdes y limpias aguas del océano. Cada vez que Héctor la abrazaba, Marta cerraba sus ojos para después esbozar una leve sonrisa de placer. A él le gustaba hundirse en el cuello de Marta y observar los gestos de satisfacción que eso producía en la joven cubana, que eran una copia de los suyos propios.

El espía, tras fuertes debates internos, decidió que ya no podía ignorar más a su corazón, así que optó por desterrar cualquier reserva o temor sobre la idea de estar enamorándose cada vez más de una reconocida contrarrevolucionaria. Algo que no hubiera podido predecir jamás, pero que ya parecía tan claro como el mismo amor y compromiso que sentía con sus ideas y con su país, Cuba.

—Marta...

—Dime —respondió esta sin abrir sus ojos.

—Tengo algo para ti.

—¿Sí? ¿Qué es? —dijo ella girándose de repente con una amplia sonrisa en su rostro.

—Algo importante.

—¿Qué es? —insistió intrigada.

—Bueno, no es nada materialmente muy valioso, pero sí significa mucho para mí. Toma —añadió dándole una pequeña caja cuadrada envuelta en papel de regalo.

—¿Es para mí? —preguntó Marta sorprendida, como si no acabara de creerse que Héctor estuviera ofreciéndole un regalo.

—Sí. Claro. Para ti —respondió el cubano irradiando felicidad en su expresión.

Marta se hizo con la cajita y la observó durante algunos

segundos sin decir una sola palabra. Después, comenzó a abrirla rápidamente hasta que encontró un anillo dentro de la misma.

—¡Oh! ¡Es precioso! —exclamó desbordante de alegría antes de abalanzarse sobre Héctor y darle un apasionado beso en sus labios.

—¿De verdad que es para mí? —insistió después mientras examinaba con más detalle el anillo y lo acariciaba para comenzar a acostumbrarse a su textura.

—Sí, Marta. Anda, ven —dijo él llevándosela hasta un banco de madera instalado en paseo y protegido del sol por una caseta cubierta con tejas rojas—. Una vez allí, los dos se sentaron mirándose a los ojos.

—Este es un anillo de la República Dominicana. Está traído de un pueblecito en la frontera con Haití. Es de oro. Ya sabes que el oro es el mineral más sólido y bello. Por eso es también el más valioso. Pues bien, quiero que este anillo sea un símbolo de nuestro amor. Algo fuerte. Indestructible.

Marta Quesada sintió en ese momento una extraña, contradictoria y profunda mezcla entre miedo y seguridad, gozo y sorpresa y excitación y sosiego. No obstante, el sentimiento que recorrió todo su cuerpo como una verdadera descarga eléctrica fue, sobre todo, el de temor. Miedo a querer. Pánico a entregar por primera vez completamente su corazón a alguien de una forma tal que jamás pudiera ser recuperado de nuevo.

—¿Ves esta piedra? —preguntó Héctor mientras Marta permanecía en el más absoluto silencio.

—Sí. Es hermosa —dijo ella refiriéndose a la piedra verde azulada que había sido incrustada en el anillo.

—Se llama larimar. Es una piedra preciosa. La extrajeron del mismo lugar de donde procede el anillo. Esta clase de mineral sólo existe en esa parte del país. No puedes encontrarla en ninguna otra zona del Caribe, ni del continente americano ni del mundo. Es única.

—Larimar... Hasta su nombre es bonito... —susurró Marta fascinada por la belleza de la piedra.

—El color del larimar es irrepetible. Ningún otro mineral posee esta combinación entre el azul y el verde. Incluso está demostrado que produce un efecto enormemente relajante en las personas. Tú misma lo puedes comprobar. Si lo miras, entras poco a poco en un estado de paz interior difícil de conseguir de cualquier otra manera.

—Qué hermoso es...

—Quiero que sepas tantos detalles sobre el anillo para que comprendas que todo en él es extraordinario.

Al escuchar las palabras de Héctor, Marta tuvo la inmediata y poderosa sensación de que aquel anillo no era solamente eso, un anillo, sino que comenzaba a representar algo muy especial. El símbolo de una relación que marcaría el resto de su vida.

—¿Dónde lo conseguiste?

—En un viaje, hace ya varios años. Me enamoré de él tan pronto lo vi, así que lo compré y, desde entonces, siempre lo he llevado conmigo.

—¿Y por qué no se lo regalaste antes a nadie?

—Porque lo había comprado para ti. Sólo para ti. Para nadie más. Entonces, claro, no te conocía, pero hace mucho tiempo que te estoy esperando y sabía que, tarde o temprano, nos encontraríamos. Sabía que, en alguna parte, en algún lugar, tenía que existir alguien tan especial como tú, de forma que lo he estado guardando durante años esperando esta ocasión.

—Qué palabras tan bonitas...

—No, Marta. Son mucho más que palabras. Es lo que siento en lo más profundo de mi alma y que siempre he reservado celosamente para ti.

—Gracias. No sabes lo que esto significa para mí.

—Todo en este anillo es especial —prosiguió Héctor—. El mineral más fuerte, el oro; una piedra preciosa única en el planeta, el larimar, y un anillo como ningún otro...

Héctor se refería a que el anillo había sido hecho por un artesano en un remoto pueblo de la República Dominicana y que no existía ninguna copia del mismo.

—¿Te gusta? —preguntó intrigado.

—Me encanta —respondió con un suspiro Marta.

—Tú eres única. Como este anillo. De la misma forma que nadie podrá jamás comprar un anillo igual a este, yo nunca sería capaz de encontrar a ninguna otra mujer como tú. No importa dónde la busque ni el tiempo que emplee en ello, se trataría de algo inútil porque sólo existe una Marta Quesada y yo soy el único afortunado que la tiene a su lado.

Marta se unió a Héctor en un abrazo y después se puso el anillo en el dedo anular de su mano izquierda. El anillo se ajustó al dedo con absoluta perfección, como si hubiera sido hecho a su medida.

—¿Ves? Tenía que ser para ti. Sólo para ti —dijo él.

La cubana escuchaba atentamente todas y cada una de las palabras de Héctor, pero apenas podía hablar debido a las intensas emociones que sentía en aquellos momentos.

—A partir de ahora este será el símbolo de nuestro amor. Por favor, si aceptas este anillo, ya no te lo quites nunca más. Si en algún momento nos separamos temporalmente, el anillo hará que siempre continuemos estando juntos. Esto es mucho más que un anillo. Nunca lo olvides.

—¡Cómo lo voy a olvidar! —exclamó ella hundida en los ojos de Héctor.

—La gente, cuando se casa, se promete amor eterno y se regala un anillo. Marta, nosotros no estamos casados, pero desde esta tarde es como si lo estuviéramos. Yo no soy religioso. Soy ateo. No creo en el matrimonio, pero sí en las personas, en los ideales, en las causas. Creo en ti y, si aceptas este anillo, desde hoy te consideraré como mi mujer y a mí como tu compañero. Aunque no hayamos firmado ningún papel, mi compromiso contigo es absoluto. En el amor no puede haber medias tintas. O das y recibes todo o no es verdadero amor. Así es como lo veo yo.

—Héctor...

—Yo te lo doy todo y te pido que tú también lo hagas. Nuestro amor tiene que traernos la misma paz que simboliza el larimar. Ha de ser una fuerza que nos llene por completo. Un sentimiento que nos diga con claridad que no hace falta buscar más porque ya hemos encontrado lo que toda persona busca tan desesperadamente.

Marta ya sentía el anillo como si fuera parte de ella misma. Casi como un miembro más de su propio cuerpo. En ese momento, Héctor sacó el anillo del dedo a Marta e hizo ademán de querer colocárselo él mismo a la cubana.

—Si quieres este anillo, dime que será para siempre. Que jamás te lo quitarás. Si lo aceptas, cualquier parte de mi corazón que antes estuviera cerrada para ti, se abrirá ahora para siempre. Hasta la eternidad.

—Héctor... —susurró Marta con los ojos humedecidos.

—Marta, mi corazón está en tus manos. Puedes hacer con él lo que quieras: cuidarlo o destruirlo. Está indefenso y completamente entregado a ti. ¿Aceptas el anillo?

—Claro, claro que lo acepto... —corrieron las lágrimas por los ojos de Marta—. Héctor... —dijo después de haber besado los labios del cubano durante varios segundos.

—Dime, mi amor.

—¿Recuerdas que un día me dijiste que tenías miedo de enamorarte de mí?

—Sí.

—Ahora entiendo exactamente a qué te referías.

—Tú sabes que esto no es fácil... No se puede jugar con la palabra amor. La gente suele utilizar las palabras «te quiero» demasiado deprisa, sin saber en realidad de qué están hablando. Esas son dos palabras sagradas con las que hay que tener mucho cuidado, ya que pueden herir mucho si se usan mal. ¿Me quieres, Marta?

—Sí. Te quiero —afirmó sin titubear.

—Yo también te quiero. Es la primera vez en mi vida que digo esto a alguien.

—¿De verdad? —preguntó sorprendida ella.

—Sí.

—Yo tampoco se lo había dicho a nadie. Eres el primero y pido a Dios con todas mis fuerzas que también seas el último. Es terrible estar cerca de alguien a quien amas tanto y pensar, aunque sea por tan sólo un segundo, que algún día puedas perderlo.

—No digas eso, Marta. No quiero, no puedo, perderte.

—Mi corazón ha sido como una cajita que siempre estuvo cerrada. Esta es la primera vez que alguien la abre. Y quien la abre, lo hace con delicadeza y sabiduría, liberando a la cajita de cualquier obstáculo para mostrar todo su interior. Héctor, estás haciendo exactamente lo necesario para lograr que mi corazón se abra a ti. Y lo estás haciendo de una manera que ninguna otra persona podría repetir jamás. Tenías que ser tú. Estoy segura. Tenías que ser tú.

—Cuando oigo tus palabras, parece que me esté escuchando a mí mismo. Son las mismas cosas que yo me he repetido siempre y con las que he soñado desde hace mucho, mucho tiempo.

De repente, Marta señaló con premura y alegría algo en la cara de Héctor.

—Tienes una pestaña sobre tu rostro.

—¿Y? —no comprendió Héctor.

—Es una vieja costumbre castellana. Me la explicó un español en Cuba.

—¿Qué costumbre?

—Si se te cae una pestaña sobre el rostro, se te concede un deseo.

—¿Así...? ¿Sin más...?

—Bueno, otra persona ha de cogerla con los dedos. Entonces, tu cierras los ojos y pides que algo se cumpla. Después soplas y, si la pestaña vuela y desaparece, se te concede ese deseo.

—Muy bien —dijo Héctor—. ¿Dónde está la pestaña?

—Aquí... —afirmó Marta mientras la cogía y se la enseñaba—. ¿La ves? Cierra los ojos y pide algo.

—Ya —susurró Héctor.

—¿Tan pronto?

—Sí. No he tenido que pensar mucho.

—¿Qué has pedido?

—¿Cómo que qué he pedido?

—Sí. ¿Qué deseo has pedido?

—Oye, yo no conocía este juego, pero estoy seguro de que si te lo digo, no se cumple.

—¿Tiene que ver con nosotros?

—Claro.

—Sopla, pues.

Acto seguido, Héctor sopló con fuerza y la pestaña se perdió por los aires.

—¿Seguro que tenía que ver conmigo?

—Por supuesto.

—¿Y con nuestra felicidad?

—Sí —dijo el cubano repitiendo todavía en su cerebro su deseo de que ambos fueran inmensamente felices juntos durante el resto de sus días.

—Héctor, te lo juro. Yo ya nunca podría imaginar el mundo sin ti. Sería como un enorme espacio vacío, sin sentido. Sería un mundo donde no querría vivir.

—Calla, por favor. No quiero ni escuchar eso —la tranquilizó abrazándola de nuevo.

—Quiero estar siempre contigo, junto a tu piel y a tu corazón.

—Ya estás junto a mi corazón. Siempre lo has estado y siempre lo estarás —la abrazó con aún más fuerza.

El viento era suave y movía con delicadeza el cabello de ambos.

—¿Sabes? Si me abrazas, se me olvida cualquier problema. Todo. Es como una sensación mágica y divina que se convierte en terrible cuando separas tus brazos de mi alrededor.

—Marta, ¿dejaremos algún día de sentir este amor en nuestros corazones?

—No. Por supuesto que no —dijo ella con seguridad mientras acariciaba el rostro de Héctor—. En esta vida estoy segura de muy pocas cosas, pero sí sé que mi amor por ti está por encima de todo. Te quiero más que a nadie y sé que este amor no se extinguirá nunca.

—¿Cómo sabes que es amor de verdad?

—Ya te dije que, simplemente, sé esas cosas. Yo siempre pensé que nunca me enamoraría de nadie. Mis amigas en La Habana me explicaban que el amor era el sentimiento más maravilloso que pudiera experimentarse jamás. A menudo me decían que, el día menos pensado, yo también me enamoraría y viviría en mi propio corazón esos sentimientos tan bellos. Sin embargo, yo, a pesar de creer que todo lo que me contaban era cierto, nunca soñé con poder enamorarme. Pensaba que eso no era para mí y, en verdad, ya me había hecho a la idea de pasarme sola el resto de mi vida. Entiéndeme bien —sonrió—. Deseaba enamorarme con todas mis fuerzas, pero nunca creí, ya desde muy jovencita, que pudiese hacerlo en la misma forma a la que se referían mis amigas.

—¿Por qué?

Marta sonrió.

—No quería permitir que algo tan bello corriese el peligro de acabar lastimado. Tenía demasiado miedo de querer tanto a alguien y después sufrir infinitamente si esa llama se apagaba algún día.

Héctor abrazó un poco más fuerte a Marta.

—¿Por qué cambiaste de opinión?

—No te lo puedo explicar. No tengo palabras para hacerlo. Sin embargo, de alguna extraña forma, supe desde el mismo instante en que te conocí que tú y yo estábamos unidos de una manera muy especial. Fue instantáneo. Después logré comprender mejor mis propios sentimientos y descubrí que aquello era amor. Nunca nadie había sabido llegar a mí de la forma en la que tú lo hiciste. Diste los pasos precisos. Ni uno más, ni uno menos. Los pasos necesarios para conquistar mi corazón y que yo pudiera apreciar el tesoro que tenía frente a mí. Nadie me conoce mejor que tú porque tú has sido el único que ha llegado hasta lo más profundo de mi alma.

Marta y Héctor permanecían pegados el uno junto al otro, sintiendo un agradable calor dentro de sus cuerpos. Sus manos seguían entrelazadas mientras los ojos de ambos se admiraban sin cesar.

—Siempre que estoy contigo me siento una persona muy especial. Tengo la sensación de ser la mujer más bella y más guapa del mundo. Eso es porque tú me haces sentir así. Yo sé que para ti represento todo eso y eso me hace sentir como si mi cuerpo estuviera constantemente levitando. Como si caminara sobre un mar de suaves nubes blancas y mis pies nunca tocaran el suelo. No hay nadie que me haga sentir como tú, Héctor. Eres la persona en quien mas confío en el mundo.

Mi mejor amigo y mi único amor. Ayer, hoy y siempre. La persona que, si no está siempre pegada junto a mí, extraño cada segundo de cada minuto, cada minuto de cada hora y cada hora de cada día de todos los días. Siempre.

Héctor deslizó entonces el anillo en el dedo anular de Marta y ambos comprendieron en ese momento que sus vidas ya se habían juntado para no separarse jamás.

46. LA MÁSCARA PERFECTA

—¡HOLA! ¿CÓMO LES VA? Adelante —dijo Miguel Cardoso a Héctor Lara y a Marta Quesada mientras les abría la puerta de su apartamento—. Qué gusto verles.

—Muchas gracias por haberme invitado —apuntó Héctor cortésmente.

—No, chico. Qué es lo tuyo. Gracias a ustedes por venir a compartir con nosotros. Como la de Ernesto, ya sabes que esta también es tu casa. Mira, te presento a Blanca, mi novia —prosiguió el policía acercando a Blanca hacia Héctor para que ambos se dieran un beso en la mejilla.

—Encantada —sonrió la atractiva muchacha mostrando su preciosa dentadura.

—Lo mismo.

Blanca Machado era una mujer jovial, esbelta y de largo y rizado cabello trigueño. Esta joven e inteligente colombiana, que siempre parecía estar de buen humor, adoraba verse rodeada de gente y conversar sobre prácticamente cualquier tema.

—¿Y tú cómo estás, mi niña? —preguntó Miguel después a Marta dándole un cálido abrazo.

—Hola, precioso. Yo, aquí. En la lucha. Buscando empleo. Espero encontrar algo pronto —afirmó ella devolviéndole el saludo.

—¿Aún no ha salido nada?

—No, pero hay un par de cosas que quizás acaben en

algo. He encontrado algunas escuelas que podrían estar interesadas en mí como asistenta de maestra. Estoy un poco limitada hasta que hable bien inglés. Lo sabré la semana que viene.

—Magnífico —se alegró Miguel.

Los cuatro caminaron entonces hasta la sala de estar y se sentaron alrededor de la mesa.

—¿Les gusta a todos el vino tinto? Tengo aquí uno que es pura candela. Fuerte como él solo. ¡De la Madre Patria!

Todos respondieron que sí, que les encantaba, así que Miguel fue a la cocina y regresó con la botella.

—¿Y tú, Héctor? ¿Qué tal te trata Miami? —preguntó el policía al tiempo que extraía el corcho a la botella de vino.

—Bien. No me puedo quejar, chico. Hasta ahora he logrado resolver. Tú sabes, no lo que uno quisiera, pero vamos solucionando.

—De eso se trata, socio. El resto ya vendrá solo —continuó Miguel mientras vertía el vino en las copas de los cuatro.

—¡Salud! —dijo Blanca—. ¡Por los recién llegados!

—¡Salud! —repitieron todos comenzando a saborear el vino español.

—Sólo falta Rigoberto. Debe estar a punto de tocar a la puerta. Siempre es bien puntual, sobre todo si se trata de comida —dijo Blanca con ironía.

—Rigoberto es un buen amigo mío. Mi socio. También le invité a venir —afirmó Miguel—. Así, van ustedes conociendo a más gente.

—Fantástico —dijo Héctor.

La comida preparada era típica cubana: como aperitivo, un entremés de croquetas de queso y, después, ropa vieja, arroz blanco, frijoles, plátanos maduros, yuca con mojo y tostones. Todo ello, por supuesto, acompañado de pan blanco caliente con mantequilla.

—Si la ropa vieja no está perfecta, a mí no me culpen. Recuerden que yo no soy cubana —bromeó Blanca.

La joven doctora colombiana no vivía el tema de Cuba con la misma pasión que su novio. Blanca simpatizaba con el exilio democrático, pero las constantes discusiones sobre el régimen de la isla no lograban infundirle el mismo entusiasmo que Miguel sí sentía en sus venas.

De repente, sonó el timbre de la puerta.

—Oye, papito, ábrela por favor. Debe ser Rigoberto —dijo Blanca a Miguel mientras se dirigía a la cocina para buscar la comida.

Al cabo de algunos segundos, el policía apareció en la sala acompañado por Rigoberto. Ambos conversaban animadamente sobre una cinta de vídeo que el nuevo invitado traía en sus manos.

—Les presento a Rigoberto —dijo el policía—. Mira, esta es mi prima Marta y él es su novio, Héctor.

Todos lo saludaron y a continuación se sentaron en la mesa, donde la comida ya estaba aterrizando sobre los platos.

—Rigoberto pertenece a Alpha 66 y ha conseguido algo buenísimo —afirmó radiante Miguel mientras degustaba las exquisitas croquetas preparadas por Blanca.

Alpha 66 era el nombre de una organización paramilitar anticastrista consagrada al derrocamiento por la fuerza del régimen revolucionario de La Habana.

El número de sus integrantes era una verdadera incógnita, pero se entrenaban con disciplina cada fin de semana en los pantanos del sur de la Florida. Allí acudían con un vasto arsenal de armas y uniformes de campaña para realizar prácticas de tiro y ejercicios físicos. El objetivo era mantenerse en condición óptima para cuando, según ellos, la situación lo requiriese en Cuba.

Las edades de los integrantes de Alpha 66 eran de todo tipo. Desde apenas quinceañeros hasta ancianos retirados que, a pesar de su pobre estado físico, insistían en participar en los ejercicios y apoyar a la causa. Hombres y mujeres extremadamente motivados y con una clara prioridad: aniquilar la revolución en su país.

Algunos calificaban con ironía a los miembros de Alpha 66 como de simples guerreros de fin de semana. Para ellos, esa organización no era más que un club social de nostálgicos anticastristas que se entretenían jugando a ser soldados, pero que jamás habían realizado ninguna acción militar que pusiera verdaderamente contra las cuerdas a Fidel Castro.

No obstante, otros los defendían con fuerza diciendo que, al menos, eran los únicos que habían llevado a la práctica la dura retórica antirrevolucionaria que caracterizaba a amplios sectores del exilio. Los integrantes de Alpha 66 eran, para estas personas, unos auténticos héroes, ya que tenían la valentía de realizar operaciones militares contra el régimen cubano en su mismo territorio. Algo que sin duda ponía en riesgo sus vidas.

La revolución simbolizaba para el exilio el origen de todos sus males. Siguiendo esa lógica, cualquiera que atentara contra ella era considerado por muchos en Miami como un auténtico patriota. En ese caso, poco importaba que la organización armada tuviera mucho, poco o escaso éxito en sus ataques. Lo esencial, según los cubanos más beligerantes, era permanecer activos en la lucha y asediar constantemente a La Habana.

—Cuéntales, chico. Anda. Cuéntales ya —animó Miguel a Rigoberto para que explicara de qué se trataba.

—Deja ya esa bobería —respondió Rigoberto—. No creo que les interese.

—¿Que no qué? ¡Le zumba el mango! Miren... —prosiguió el policía dirigiéndose a Blanca y a sus invitados—. Rigoberto ha conseguido un discurso, nada más y nada menos, que del jefe del servicio de inteligencia cubano: la DGI. Se trata del general Carlos Hernández. Un discurso pronunciado hace tan sólo un mes. ¿Les interesa o no?

Héctor tuvo que realizar enormes esfuerzos para no exteriorizar su profunda sorpresa.

—Por supuesto —se adelantó de inmediato el espía—. De hace un mes. ¿Dónde lo dio?

—Se realizó frente a altos mandos del Ministerio del Interior para ser después distribuido por todos los cuarteles de la isla y también en el extranjero. Está dirigido a jefes militares y a diplomáticos —afirmó Rigoberto.

—¿Está en vídeo? —prosiguió Héctor.

—Sí. En vídeo.

—¿Salió por la televisión en Cuba?

—No, chico —sonrió Rigoberto—. Es un discurso confidencial. Hacen este tipo de vídeos de vez en cuando. Cuando la situación es delicada, quieren levantar la moral de los militares y de los funcionarios asegurándoles que la revolución sigue en la senda correcta y que no corre peligro.

—¡Alabao! —exclamó Héctor—. ¿Y cómo se consigue este vídeo? —preguntó de inmediato, pero dándose cuenta enseguida de que acababa de correr el riesgo de parecer demasiado interesado en saber cómo se obtuvo el material.

—Bueno... tú sabes... Tengo algunos contactos... —dijo misteriosamente Rigoberto intentando restar importancia al método empleado para hacerse con una copia de la cinta.

—¡Vaya, hermano! —añadió Héctor—. ¿Se puede ver?

En ese momento, Rigoberto miró a Miguel como pidiendo su opinión sobre si debía o no mostrar el vídeo. El miembro de Alpha 66 había ido a visitar al policía para enseñarle el discurso a él y no a personas como Héctor o Marta, a quienes apenas conocía. Eso contravenía todas las medidas de seguridad que tomaba normalmente para evitar que se supiera quiénes disponían de esas cintas en Miami. A Rigoberto también le preocupaba enseñar algo que, de alguna forma, pudiera revelar la identidad de la persona que había obtenido las grabaciones en Cuba para después enviárselas a Alpha 66.

—Sí, claro. Enséñalo. Marta es mi prima y Héctor su novio. No hay problema —asintió enseguida Miguel restando importancia al asunto.

—¿La vemos después de comer? —preguntó Rigoberto.

—Magnífica idea, viejo —añadió el policía—. Primo mangare, dopo filosofare —bromeó después.

Héctor, durante la comida, apenas pudo disimular la intensa curiosidad que le embargaba a la espera de poder ver el contenido de la cinta. Como agente encubierto de la DGI, tenía la obligación de averiguar todo lo posible respecto al vídeo: tanto su contenido como la forma en la que se había filtrado hasta las manos de la organización paramilitar anticastrista más activa de Miami.

Sin embargo, su interés no era sólo profesional. Héctor estaba unido de una forma muy peculiar a Carlos Hernández y cualquier cosa que atañera al general conseguía acaparar toda su atención. La profunda lealtad que el espía profesaba al gobierno revolucionario se debía, en gran parte, a su estrecha relación con el militar. Héctor admiraba profundamente a Carlos Hernández y el oficial del MININT estaba dispuesto a realizar cualquier sacrificio para no decepcionar la confianza depositada en él.

La cena se prolongó durante unas dos horas, durante las cuales todos mantuvieron animadas charlas. En Miami, las comidas familiares cubanas se caracterizaban por el buen humor, la excelente comida y las ininterrumpidas conversaciones que mantenían los diversos comensales. El silencio no era una opción válida en esos encuentros, donde siempre se comía más de lo recomendado, se contaban chistes más picantes de lo debido y se discutía tanto que, al final, muchos incluso ya ni se acordaban del origen de las desavenencias. No obstante, todo se hacía en un ambiente de extrema camaradería y cariño que, semana tras semana, convertía a esas reuniones en citas irrenunciables.

Tras finalizar la cena, todos se desplomaron sobre el sofá y los sillones de la sala de estar. Ninguno podía creer que hubiera sido capaz de comprimir tanta comida en sus respectivos estómagos. Una sensación también muy familiar que se repetía en cada encuentro.

Miguel y Héctor acabaron semiacostados frente al televisor con una copa de coñac en una mano y un enorme tabaco en la otra.

—¿Listos para el discurso? —preguntó de repente Rigoberto intentando averiguar si todavía existía el suficiente ánimo en el grupo para ver del vídeo.

—¡Sí! —respondieron todos los restantes casi al mismo tiempo.

Al escucharlos, Rigoberto se dirigió al aparato de vídeo y puso la cinta. Luego, retornó a su sillón para disponerse a observar el discurso de Carlos Hernández. Marta y Blanca también parecían muy interesadas en escuchar las palabras del general.

—Ahí comienza... —dijo Rigoberto—. Silencio...

En ese momento se vio cómo el general Carlos Hernández entraba en una habitación con paredes blancas y varios escudos del MININT colgados en ellas. A su llegada, unos veinte militares uniformados se levantaron para saludar al viceprimer ministro del Interior. Tras dar algunos pasos, el máximo responsable del aparato de inteligencia del país se detuvo frente a un pequeño podio e hizo un gesto para que los presentes se sentaran. El general, vistiendo también un sobrio traje castrense, mostraba ese día un aspecto serio y reflexivo. Todos los asistentes eran altos mandos y ninguno tenía un rango inferior al de teniente coronel.

—Eso es La Habana. El edificio del MININT en la Plaza de la Revolución —dijo Rigoberto—. Ya he visto varios vídeos hechos en ese mismo lugar. Hace más de seis meses que no habían grabado ninguno. ¿Habrá ocurrido algo importante? —se preguntó centrando después su vista con interés sobre el monitor.

La respiración de Héctor se aceleró cuando vio al general Hernández. El espía tuvo que emplear toda sus tablas para intentar que sus reacciones pasaran desapercibidas para el resto de los congregados en la sala. La mera presencia del militar cubano, aunque fuera tan sólo a través de la televisión, conseguía provocar en Héctor emociones muy difíciles de disimular.

—Compañeros... —comenzó diciendo Hernández con tono pausado y grave tras un calculado y gélido silencio inicial—. Acabo de reunirme con diversos líderes de movimientos progresistas de toda América latina. ¿Y saben qué me dicen...? —preguntó—. Me dicen... nos dicen —rectificó—, que resistamos. ¡Que resistamos...! —vociferó con fuerza—. ¿Y por qué hemos de resistir? —prosiguió su discurso el general—. Está claro... ¿Acaso no hay ya explotación? ¿Finalizó ya el abuso de los militares ultraderechistas esparcidos por todo el hemisferio? ¿Acabaron los abusos a los derechos humanos? ¿Desaparecieron los escuadrones de la muerte que asesinan impunemente a campesinos indefensos? ¿No hay ya corrupción? ¿Ya no roban con descaro los gobernantes mientras sus pueblos se mueren de hambre y sucumben en la más absoluta miseria? Respóndanme, compañeros —dijo Carlos Hernández dirigiéndose a quienes le escuchaban—, ¿hay ya medicinas para los pobres? ¿Acaso no fallecen los indigentes de enfermedades que hace ya décadas tienen cura? ¿No mueren los recién nacidos por falta de cuidado médico? ¿Se educan a los millones de niños que vagan por las calles de todo el continente sin esperanza de poder acudir a la escuela? ¿Pueden los ancianos ir a un hospital y ser tratados sin pagar un solo peso? Camaradas, les pregunto a todos ustedes... —continuó el general—. ¿Se ha acabado todo eso en América latina? La respuesta, amigos míos, ya la conocen y es sólo una: ¡no! ¡No se ha acabado! La realidad es que cada tres segundos se muere de hambre una persona en el mundo. ¡Sí! ¡De hambre, señores!

El militar entristeció entonces su rostro casi de forma teatral. Carlos Hernández pronunciaba sus discursos como si fuera un consagrado actor. El contenido de cada frase y de cada palabra siempre se correspondía con una expresión facial que las sintetizaba a la perfección. Algo que no ocurría de manera estudiada, sino que, simplemente, brotaba de forma natural de la histriónica personalidad del general.

—Pues bien —tomó aire el cubano adquiriendo, de pronto, un semblante de desafío—, ¡mientras haya tiranía fascista y explotación, habrá una Cuba revolucionaria! ¡No cederemos! ¡Viva Fidel! —gritó Hernández generando una explosión de júbilo entre los asistentes que duró más de un minuto.

—¡Fi-del! ¡Fi-del! ¡Fi-del! —repetían casi cantando los militares reunidos en la sala mientras separaban el nombre de Fidel en dos sílabas para que sus gritos de apoyo tuvieran más ritmo.

—¡Mientras haya un pálpito de injusticia, habrá un revolucionario dispuesto a combatirla! ¡Viva el comandante en jefe! —añadió Hernández, enfervoreciendo aún más al selecto grupo.

—¡Fi-del! ¡Fi-del! ¡Fi-del! —retumbaban sus voces en las paredes.

Al cabo de algunos segundos, el general cubano levantó

sus manos y las movió después ligeramente hacia abajo para que el grupo le permitiera seguir hablando.

—...no tenemos otra alternativa que luchar por la supervivencia de nuestros valores... ¿Por qué? —continuó—. Porque la derrota del socialismo en Cuba sería el fin de la soberanía de la patria; sería el fin de la independencia; sería convertir a Cuba en un Miami y nosotros no nos resignamos a eso. Creemos que se puede y se debe resistir y defender los logros del socialismo. Estamos decididos a resistir y entendemos que nuestro deber fundamental es ese: resistir...

Héctor permanecía con sus ojos clavados en el monitor televisivo. Carlos Hernández era el motivo principal por el que había viajado a Miami y observarlo defendiendo los postulados del socialismo le infundió nuevas fuerzas para seguir adelante con su peligrosa misión.

—...no podemos dar ni un solo paso atrás porque si perdemos este pulso, la derrota no sólo sería nuestra, sino también de todas las naciones pobres y oprimidas del planeta. No podemos ser egoístas ahora —siguió su monólogo el general—. Son miles de millones las personas en todo el mundo que, como nosotros, no están conformes con la realidad que ven a diario. Algunos lo dicen, pero la mayoría no se atreve a protestar. Rezan secretamente por nuestro éxito, pero no osan quejarse porque no es fácil enfrentarse al imperialismo. Y nosotros entendemos eso muy bien porque conocemos mejor que nadie el precio que hay que pagar por no arrodillarse ante Washington —afirmó el general esbozando una expresión de desafío.

Y tras la aparente calma, llegó la furia. Carlos Hernández dio de pronto un golpe contra la tarima, claramente enfadado.

—¿Cómo puede ser que dos mil millones de seres humanos en el planeta tengan que sobrevivir con dos dólares diarios? ¡Eso es esclavitud! ¡Hasta en Cuba ocurre! ¡Por culpa de los yanquis y su maldito bloqueo! —exclamó.

Hernández, así como otros altos mandos del país, habían realizado en el pasado grabaciones de este tipo para que fueran distribuidas en bases militares, oficinas del gobierno y embajadas de Cuba a través de todo el mundo. Esa era una maniobra habitual del Ministerio del Interior para, según los propios manuales de la DGI, mantener al más alto nivel la moral revolucionaria de los funcionarios del Estado.

En otras ocasiones, las cintas también servían para que las autoridades de la isla explicaran a los grupos más influyentes del aparato revolucionario su versión oficial sobre algún acontecimiento político de actualidad. En esos casos, preferían hacerlo directamente y sin intermediarios.

La mayoría de los vídeos se grababan pensando en las delegaciones diplomáticas cubanas en Europa y los Estados Unidos, cuyos funcionarios rara vez tenían acceso personal a sus máximos líderes. Los funcionarios destacados en el exterior eran vitales para canalizar la ayuda económica internacional hacia Cuba. Por ese motivo, La Habana, intentando evitar deserciones de alto nivel, consideraba una verdadera prioridad mantenerlos fuertemente motivados y convencidos de que la revolución no sería derrotada.

Por lo general, los diplomáticos escuchaban la voz de su gobierno a través del diario oficial del Partido Comunista Cubano, el Granma, de Radio Rebelde o mediante informes internos del Ministerio de Asuntos Exteriores. No obstante, cuando se trataba de temas delicados, siempre recibían uno de esos vídeos de la DGI para impedir que se produjese cualquier distorsión en el mensaje que La Habana quería que recibiesen.

—Todas las grandes ideas de la Humanidad han vivido algún momento de crítico aislamiento, pero después sobrevivieron al juicio de la Historia. Nuestro pasado está lleno de imposibles que después se hicieron realidad. Esta, compañeros, es la historia de la titánica pelea de una humilde hormiga contra un elefante sanguinario, pero, en esta ocasión, ganaremos porque Cuba, compañeros, Cuba ¡no se rendirá jamás! ¡Nunca se rindan! ¡Nunca renuncien a sus ideales! ¡Viva la revolución!

De repente, un nuevo aluvión de vítores interrumpió las palabras del máximo responsable de la Dirección General de Inteligencia cubana.

—¡No pasarán! ¡No pasarán! ¡No pasarán!

—¡Fi-del! ¡Fi-del! ¡Fi-del! —vociferaron de nuevo los jefes militares.

El general sabía muy bien que, durante ese discurso, sus palabras no estaban revelando nada nuevo. Todo lo contrario: eran una repetición del mensaje que, tanto él como el resto de las autoridades revolucionarias, difundían de manera constante a los cubanos de toda la isla.

Sin embargo, para Carlos Hernández, este no era un discurso más, sino, por contra, una reflexión muy especial. Se trataba de su testamento político. La grabación de su última comparecencia en público antes de morir luchando como lo que era y había sido toda su vida: un fiel y valiente soldado. Por ese motivo, tenía que resumir con claridad su pensamiento revolucionario, así como las circunstancias bajo las cuales sería capaz de activar un operativo como el Plan Hatuey.

En esta intervención pública, el general no buscaba impresionar a nadie con una retórica florida que incluyese bellas y románticas citas literarias. Lo único esencial era que sus ideas acerca de las amenazas que pendían sobre la revolución quedaran expuestas de forma clara, inteligente y comprensible. Eso, junto a las soluciones que, según el militar, serían necesarias para impedir que el comunismo desapareciera de Cuba.

Carlos Hernández sabía que, en el futuro, el contenido de esa cinta de vídeo sería estudiado con meticulosidad por multitud de políticos e historiadores. Todos ellos, ansiosos por averiguar la razón que había motivado al jefe de la DGI a ejecutar un proyecto tan destructivo.

Plasmar su legado filosófico. Esa había sido la única razón para organizar aquel encuentro en la sede del Ministerio del Interior en La Habana.

Muchos de los asistentes al mitin, al no escuchar nada nuevo, pensaron que el acto sólo había tenido como objetivo mantener alta la moral combativa. No obstante, Carlos Hernández era consciente de que, tiempo más tarde, esos mismos militares comprenderían el histórico momento que les había tocado vivir.

El jefe del MININT ignoraba cuáles serían las últimas consecuencias de su operativo, pero no tenía ninguna duda de que, tras el ataque contra los Estados Unidos, su vida carecería de valor alguno. Esa grabación aseguraba que, incluso con él muerto, su voz aún tuviese la oportunidad para defenderlo de las graves decisiones que se producirían en los próximos días.

—Hace miles de años que se habla de justicia y esa justicia no llega... Todo lo contrario... El imperialismo sigue saqueando sin piedad a nuestros países y América Latina es todavía una zona tercermundista y olvidada del mundo. En doscientos años no hemos adelantado nada. ¡Nada! ¡Y Cuba tiene que seguir luchando cada día contra el bloqueo criminal de Washington! —protestó con severidad el general.

—Consorte, ¡qué clase de descaraote es ese! —dijo Miguel Cardoso sin poder reprimir más su opinión—. ¡Culpar al embargo del fracaso de la revolución! Cuba tiene un embargo, no un bloqueo. Ellos pueden comerciar con todos los países del mundo menos con este. ¡A veces pienso que Fidel es el principal interesado en que haya un embargo porque así puede seguir culpando a otros de los estrepitosos fallos de la revolución!

—¡Coño! ¡Habría que partirle el alma! —añadió Rigoberto con ira. Inmediatamente después pidió disculpas a Marta y a Blanca por el lenguaje empleado—. Lo siento. No me pude aguantar —afirmó el cubano antes de volver a centrar su atención en el discurso.

—Compañeros, no se olviden: no es el socialismo el que está sentado en el banquillo de los acusados del tribunal de la Historia —dijo Hernández con seguridad—. Allí están la explotación, el saqueo, la ignorancia, las enfermedades, la pobreza, el racismo, la desigualdad, la falta de libertad, la injusticia... Es el neoliberalismo y no otro el que, en verdad, está destruyendo la esencia de la solidaridad humana...

Héctor miraba la figura y las expresiones de Hernández y, de forma automática, venían a su memoria los largos paseos realizados junto al general en La Habana, las intensas horas conversando con él sobre temas personales y políticos y la estrecha relación que ambos mantuvieron a través de los años.

Los dos militares habían jurado lealtad eterna e inquebrantable tanto a su amistad como a los valores de la revolución. Si algún día Héctor se desviara de ese camino, perdería sus más preciados tesoros: su honor y su integridad. Algo que, sin importar lo difícil que fuera el reto, no estaba dispuesto a permitir bajo ninguna circunstancia.

—Un hombre quizás sea pobre, pero, si pierde el honor, pasa a convertirse en un auténtico miserable —recordó con nitidez el espía las palabras de Hernández.

—Camaradas, la fuerza de Cuba no es la de las ametralladoras ni la de las bombas —prosiguió el general moviendo lentamente su cabeza de arriba a abajo—. La verdadera fuerza de Cuba es la de las ideas y la de los valores solidarios que multitud de personas también han defendido durante tanto tiempo... Y nosotros tenemos que seguir dando un ejemplo al mundo del camino a seguir...

Carlos Hernández cerró a continuación sus ojos pareciendo querer reorganizar rápidamente sus ideas. Después de una breve pausa, retomó el hilo del discurso con renovada energía.

—¿Quién hubiera podido prever el triunfo de la revolución en esta parte del continente? —se preguntó con orgullo el militar—. ¿Quién hubiera pensado jamás que Cuba, el país más sometido a los Estados Unidos, pasaría a ser paradójicamente el más independiente del mundo, como lo somos hoy? Compañeros, no podemos perder esta soberanía... ¡Luchando! Así se inició esta revolución y así se ha mantenido por más de cuarenta años... ¡Luchando! ¡No lo olvidemos! ¡Y eso es lo que seguiremos haciendo! ¡Luchar! —exclamó con decisión antes de escuchar una nueva oleada de aplausos. La sala parecía querer explotar con la energía desprendida de aquel discurso.

El militar era consciente de que la corrupción se estaba extendiendo como un cáncer letal entre los miembros del aparato del Estado cubano y de la misma sociedad de su país. La escasez había obligado a muchos a dejar de lado su rigurosa ideología marxista. Ahora la prioridad para ellos era ingeniárselas para poder satisfacer las necesidades diarias de sus empobrecidos hogares.

Sin embargo, y aún comprendiendo las carencias existentes para infinidad de familias en la isla, Carlos Hernández consideraba su deber recordar a sus compatriotas que, tras el bien material, no había mas que vacío e infelicidad. Prevenirles de que si regresaban al capitalismo y se rendían ahora, serían sus hijos y sus nietos quienes pagarían después con su propia sangre las consecuencias de lo que él vaticinaba sería el regreso a Cuba de políticos fascistoides ansiosos de revancha.

—Sí, es cierto. Todos lo sabemos —admitió Hernández, de pronto, ya mucho más calmado y con un gesto de resignación que demostraba, una vez más, su gran capacidad para cambiar radicalmente el ritmo de su discurso en apenas algunos segundos—. Sufrimos de muchas carestías, pero el sufrimiento que ahora nos acecha no es algo para apenarnos, sino, compañeros, más bien para alegrarnos. ¿Por qué? Porque es el símbolo del patriotismo, del sacrificio, de la lucha que nos hará inmortales en el corazón de los revolucionarios que nos sucedan... ¿Sufrimos por nuestras ideas? —continuó preguntándose—. La respuesta es sí, claro que sí... pero ¿qué clase de persona es aquella que no está dispuesta a sufrir por defender sus ideales? Es un cobarde y nosotros, compañeros... nosotros no somos ningunos cobardes... —dijo moviendo su cabeza hacia los lados en señal de negación.

Después, el general se detuvo durante unos instantes para estudiar los rostros y las expresiones de quienes estaban escuchándole. Cuando pareció satisfecho con la reacción de los asistentes, prosiguió con su discurso.

—Nosotros no somos marionetas de nadie —afirmó contento—. Estamos solos frente al imperialismo hegemónico yanqui y, si es preciso, seguiremos estándolo aunque tengamos que sudar sangre para no retroceder ni un solo milímetro en nuestras conquistas sociales... —dijo Hernández dando a sus palabras un dramatismo que dejó paralizados a los militares reunidos en el Ministerio del Interior—. La Historia, compañeros, recogerá en sus páginas el heroísmo de Cuba. De eso

—apuntó—, que no les quepa la menor duda... Ustedes y todo el Ejército cubano son unos héroes —les aduló con un gesto de sincera admiración—. Son ustedes guerreros por la justicia... Valientes soldados a quienes se les ha encomendado una misión de vital importancia: la de defender la dignidad de Cuba... —añadió Hernández intentando animar a sus tropas.

El militar comenzó a notar algunas gotas de sudor en su frente, así que sacó un pañuelo blanco de su bolsillo y se lo pasó por el rostro.

—Compañeros, recuerden... Cuando empezamos la revolución éramos únicamente un puñado de idealistas a los que nos llamaban locos. Tan sólo unos meses después, habíamos triunfado consiguiendo derrocar a la que parecía una dictadura invencible. Desde aquella, cada año vaticinan que perderemos el poder en Cuba, pero aún seguimos aquí. Si creyésemos que no vale la pena luchar por aquello que a veces parece imposible, Batista todavía estaría regando de sangre las calles de Cuba... Y ahora amigos, después de haber sufrido y luchado tanto, nos preguntan... ¿podrán resistir? La respuesta, de nuevo, es... ¡sí! ¡Claro que resistiremos! ¡Hasta la última gota de sangre! —concluyó.

—Oye, mi chino querido... —preguntó suavemente Blanca a Miguel para que los otros no la escucharan—, ¿tú crees que ese hombre, en realidad, piensa todo lo que está diciendo?

—¿A ti qué te parece?

—E ave maría... ¿Qué hubo? —respondió Blanca con energía—. No sé. ¿Por qué crees que te lo pregunto? Parece tan convencido, pero sus ideas son tan... cómo te lo diría... ¿apocalípticas? —dijo con un gesto de duda en su rostro.

—Eso mismo, Blanca. Apocalíptico... Eso es precisamente lo que es... Apocalíptico... —murmuró el policía mientras volvía a centrar su mirada en Hernández.

—Nos repiten que, para salvarnos, tenemos que modificar nuestro rumbo... ¡Qué poco saben de la mentalidad voraz y monstruosa del capitalismo y de las fuerzas reaccionarias que lo alimentan! Si uno les da una uña, le sacaran un pedazo del dedo meñique; si uno les entrega un pedazo del dedo meñique, le sacarán el dedo entero; si uno les entrega el dedo, le sacarán el brazo y cuando uno entregue el brazo, entonces le cortaran la cabeza... La situación es difícil, pero no abandonaremos el camino socialista. ¡No! ¡No! ¡No! ¡Vamos, griten conmigo! —ordenó con energía.

—¡No! ¡No! ¡No! —repitieron los asistentes al discurso como unos autómatas.

—¿Se salvó acaso la Unión Soviética promoviendo los cambios hacia el capitalismo? —añadió enseguida con cinismo el general—. A la URSS le recomendaron todas esas recetas y ¿qué consiguieron? Yo se lo diré —agregó con aún más ironía—. Consiguieron destruir al Partido, al Estado, al gobierno... ¡Lo destruyeron todo...! ¡Hasta la misma historia de esa gran nación! —exclamó—. Y yo me pregunto... ¿Qué quedó de la URSS? No quedó nada. ¡Absolutamente nada! —gritó con rabia—. Sólo cenizas y un pueblo desorientado, a la deriva, repleto de mafiosos, humillado y con hambre... —agregó el cubano con un claro gesto de indignación en sus ojos—. Nosotros, en cambio, no cometeremos el mismo error. No hay ahora deber más sagrado que defender la revolución... aquí no hay vuelta atrás —advirtió.

Carlos Hernández descansó su mente durante algunos instantes antes de proseguir con sus palabras. Durante ese espacio de tiempo, todos los militares allí presentes permanecieron rígidos y en el más absoluto silencio, sin ni siquiera atreverse a comentar entre sí el contenido del discurso.

Héctor Lara también estaba estático mientras escuchaba al general. Completamente concentrado en todas y cada una de las palabras que surgían de los labios de Hernández.

—Compañeros..., compañeros... —continuó el militar con un rostro de resignación— ...cada día se hace más obvio... somos esclavos de nuestro propio destino. El mundo admira nuestra valentía y va a aplaudirnos todavía mucho más cuando venzamos otra vez al imperialismo. Cuba es un pueblo pequeño y no se nos teme como, por ejemplo, a China. Sin embargo, nosotros seremos más peligrosos que ellos porque, si nos provocan, vamos a actuar y quien no vea eso con claridad estará cometiendo un error de incalculables consecuencias.

Nosotros no queremos una lucha armada, pero a veces esa es tristemente la única vía. Queremos que nuestros enemigos sepan que, de ser agredidos, sabremos responder. Y lo haremos con fuerza y determinación. ¿Están ustedes conmigo? —preguntó después sin rodeos.

Un nuevo rugido invadió las cuatro paredes del cuarto. Unas voces que prometían lealtad y entrega.

Los militares presentes estaban acostumbrados a escuchar ese tipo de retórica, de forma que no le dieron especial importancia. Nadie lo interpretó como la posibilidad real o inmediata de una guerra, sino, más bien, como una declaración más de principios revolucionarios.

Hernández comenzó entonces a recoger algunas hojas dando a entender que el discurso entraba en su etapa final. Después dio algunos pasos y se situó delante del podio, mucho más cerca de los otros militares.

—Camaradas revolucionarios —aseveró adquiriendo un claro tono autoritario—, estoy hoy aquí para decirles que no se tolerarán discusiones en los cuarteles sobre la validez de nuestra lucha. Quiero que transmitan mis palabras a sus tropas por todo el país. Ahora, con el bloque comunista desplomado, Cuba no puede mostrar ningún signo de debilidad. ¡Ninguno! —insistió—. En estos tiempos de crisis, tenemos que ser más fuertes que nunca. Aquí no colapsará el socialismo como en Rusia. ¡Antes, la muerte! ¡Que quede bien claro! —gritó—. Aquí no se busca ninguna transición ni se pretende sustituir a nadie —continuó amenazando—. Todo lo contrario: el destino nos ha elegido para una misión histórica. Incluso si nos quedamos solos, Cuba cumplirá con su deber. Nosotros somos y seremos revolucionarios y, si es preciso, pereceremos en las trincheras de nuestra patria con un fusil en las manos, pero el imperialismo nunca volverá a extender sus garras sobre los cuellos de los cubanos. Algunos lo creen derrotado y calcinado, pero el socialismo regresará triunfante por todo el planeta. Nadie puede resignarse a vivir en este mundo injusto e imperfecto de hoy. ¡Viva la revolución!

—¡Viva!

—¡Viva Fidel! ¡Viva Cuba libre!

—¡Viva! —tronaron las voces de los militares—. ¡Viva!

Tras escuchar las vigorosas muestras de apoyo, Carlos Hernández abandonó complacido la sala. Finalizó así su discurso y, de esa forma, también la grabación. El general había cumplido su objetivo. Su legado político para la posteridad ya estaba listo. Ahora sólo restaba, dentro de su disciplinada mentalidad castrense, ser consecuente con sus ideas y pasar a la acción.

Blanca Machado se dirigió entonces hacia la cocina del apartamento. La joven colombiana sabía perfectamente que, al igual que ella, sus invitados agradecerían un buen y fuerte café cubano.

—¿Un cafecito? —preguntó.

—¿Que si qué? —respondió su novio dándole un cariñoso beso en la mejilla—. A ver... ¿quién quiere café? —dijo después Miguel mirando a sus invitados.

—Yo voy a tomar sólo un buchito —afirmó Rigoberto.

—Yo sí quiero, por favor —añadió a Héctor.

—Para mí, si puedes amor, un cortadito —dijo Marta.

El café cubano, espeso, dulce y acompañado de una exquisita espuma amarilla, era una verdadera institución en Miami. La gente lo bebía de forma constante y muchos parecían depender casi patológicamente de su concentrada energía. En las casas, las cafeteras no paraban de funcionar mientras que en los trabajos, los cubanos realizaban constantes escapadas hasta las cafeterías más cercanas para «inyectarse», tal y como ellos mismos decían, sus dosis diarias de cafeína.

—Vení pacá, Héctor... Tú que llegaste hace poco... ¿qué te pareció el discurso? —preguntó Blanca mientras preparaba el café.

—¡Uf! —exclamó el agente secreto pasando los dedos de su mano derecha por entre su cabello—. Estos discursos son ahora normales en Cuba. Tú sabes... —recapacitó Héctor con rapidez—, esa gente son unos fanáticos. Supongo que algunos de esos militares, como ellos mismos dicen, defenderían la revolución hasta la muerte. Otros, en cambio, sólo siguen la corriente. Es más, ¿cuántos, incluso en esa misma sala, no estarán pensando en cómo y cuándo desertar? ¿Y cuántos no estarán ya incluso trabajando para la misma CIA?

—La mayoría tiene miedo —intervino Rigoberto—. No se atreven a hablar. No importa lo que piensen, nunca se enfrentarán a sus jefes. Les han implantado el terror en sus cuerpos. Han visto lo que les ocurrió a quienes discreparon y no quieren pasar el resto de sus días en la prisión pelando papas y recibiendo golpes.

—Sí, pero, para qué negarlo. Los comunistas también tienen mucha gente que les apoya —entró Marta en la conversación—. Es triste, pero es así. Muchos aquí en Miami no quieren ver esa realidad, pero lo cierto es que el Partido tiene un pequeño ejército de adeptos en Cuba.

—Sí, claro, pero el ejército de personas que está contra el régimen es mucho mayor que el que lo defiende —dijo Miguel convencido—. El problema es que quienes mandan, tienen las armas en sus manos.

—Hay personas aquí, en Miami, que, después de tres décadas de exilio, a veces se preguntan si todavía tenemos una idea clara de lo que ocurre en Cuba —afirmó Rigoberto—. Se cuestionan si, en realidad, la mayoría del pueblo cubano está contra el sistema. Si es así, dicen, ¿por qué no se rebelan? ¿Cómo puede una minoría aplastar a una mayoría durante tantos años? ¿No será que la inmensa parte de la población sí se ha hecho revolucionaria? A eso yo les respondo: ¿por qué entonces no se rebelaron ustedes allá? ¿Por qué se fueron en vez de robar un fusil y escapar a las montañas para pelear? ¿Por qué no regresan en una lancha a luchar en vez de hablar tanta basura aquí? ¡Claro que están contra la revolución! —dijo molesto—. El problema es que no es fácil conspirar en Cuba —afirmó después pasando del enfado a la resignación—. La represión alcanza todos los niveles. El control del Estado es absoluto. Los revolucionarios son unos maestros en el tema de evitar alzamientos. Además, es una isla. Está rodeada por muros de mar que hacen muy complicado llevar a cabo una resistencia interna. Cualquier rebelión ha de organizarse en la misma Cuba y allí es imposible hacer nada sin que se enteren los militares, el Ministerio del Interior, el Partido o los chivatos del sistema.

—¡Hermano! ¿Cómo puede alguien dudar que en Cuba existe una dictadura? —dijo Héctor, aparentemente indignado.

—Recuerda que su mejor arma es la propaganda, en especial la internacional. Han hecho creer al mundo que el pueblo los apoya. Que les respalda porque tienen más hospitales y escuelas que en otros países de Latinoamérica.

—¡De madre! —exclamó Héctor demostrando, una vez más, su magistral capacidad para ganarse la simpatía de quienes le rodeaban. El método habitual: sumarse a sus opiniones—. Aunque eso fuera verdad, ¿cómo puede alguien justificar una dictadura con un argumento como ese? ¿Tienen derecho entonces a existir las dictaduras si proveen a la población de hospitales y escuelas? ¿Y qué pasa con los presos políticos? ¿Qué ocurre con la gente que hay en prisión? ¿Y con los muertos? ¿Y con los que tuvieron que separarse de sus familias para no verlas nunca más? ¿Y los que huyeron de su país y nunca pudieron adaptarse a ningún otro lugar? ¿Cómo se compensa esa infelicidad y vacío permanentes? ¿Y los balseros que se murieron en el mar? ¿Qué pasa con ellos? Es increíble... —dijo Héctor exhibiendo una magistral apariencia de enfado—. ¿Por qué los que con tanto orgullo se llaman progresistas critican sin parar a personas como Pinochet y, sin embargo, se olvidan tan fácilmente de Cuba?

—No tiene vuelta de hoja —apuntó Miguel—. Los comunistas siguen empeñados en que sus ideas son las mejores para Cuba y, con tal de llevarlas a cabo, están dispuestos a cualquier cosa. ¡Que dejen a la gente decidir qué quiere y qué no quiere! ¿No? Yo se lo juro: si hay unas elecciones libres y gana la revolución, yo me callo la boca para siempre. Entre tanto, la critico como lo que es: un régimen fascista, pero de izquierdas.

—¡Claro! —le apoyó Marta—. Lo triste es que las democracias latinoamericanas que tanto critican a Cuba viven aún más hundidas en la pobreza y en la corrupción que nuestro propio país y la revolución utiliza ese argumento para meter miedo a la gente y evitar así cualquier cambio. Además —prosiguió la maestra—, muchos están asustados del exilio. Piensan que si regresan a Cuba será para quitarles lo poco que tienen y que ahora es suyo. La Habana se ha encargado de retratar a todos los exiliados como poco menos que un grupo mafioso de desfasados cavernícolas cuyo único objetivo es desfalcar de nuevo al país.

La apasionada conversación duró aproximadamente una hora más, pero, tocando las diez de la noche, Héctor y Marta comenzaron a despedirse de sus anfitriones para emprender el camino de regreso a casa. Al abandonar el apartamento, tanto Miguel como Rigoberto brindaron un cariñoso abrazo a Héctor dándole a entender así que ambos ya le habían abierto las puertas de su amistad. Un acto al que el espía correspondió con un cálido gesto de gratitud. Una vez más, el capitán del MININT había sido capaz de disfrazar su odio y desprecio hacia el exilio tras una amigable apariencia que engañó en todo momento a quienes, paradójicamente, ya le consideraban como un miembro más del Miami anticastrista.

47. LA ESTRELLA POLAR

MIGUEL CARDOSO OBSERVABA con curiosidad el desenfrenado y rocambolesco estilo de baile de Paco Escalante. La orquesta de la discoteca Las Delicias, situada cerca del aeropuerto de Miami, brindaba a su público un animado concierto de salsa que era seguido con auténtica devoción por quienes, como Escalante, acudían cada fin de semana a esa sala de fiestas.

La pista se veía abarrotada de personas que adoraban la música latina. Los dueños de Las Delicias traían a su local a conocidas orquestas de salsa, merengue y cumbia que actuaban hasta el amanecer y que habían convertido a esa discoteca en un punto obligado de asistencia para los amantes locales de los ritmos hispanos.

Muchos de los clientes se movían como auténticos profesionales. Sus cuerpos, demostrando un claro dominio de los secretos más íntimos de la salsa, marcaban a la perfección los rápidos pasos de esa suave pero vibrante música caribeña. Algo que despertaba la constante admiración de los menos entendidos.

...Contigo, amor mío...
...sólo contigo...
...sabroso amor mío...

Las alegres canciones se sucedían sin interrupción acompañadas por los tonos de los tambores, las maracas, las flautas, las trompetas y las distintas guitarras que formaban parte de la orquesta.

...Te voy a hacer falta, mami...
...te voy a hacer falta, mami...
...Uno no sabe lo que tiene hasta que lo pierde...
...que... ¿qué? ¡Primavera!
...que... ¿qué? ¡Primavera!

Bailar salsa era como encender un fuego que después no podía ser contenido. Todos, desde viejos nostálgicos hasta jóvenes peinados con colas de caballo, todos, se movían apasionadamente sobre la pista mientras sus rostros eran iluminados por las rayas rojas y verdes procedentes de los focos de la discoteca.

Los hombres, con el ritmo palpitando en sus corazones, lanzaban de repente a sus parejas lejos de sí para, en un fugaz movimiento, volverlas a atrapar hasta acabar enroscándose los unos a los otros en románticas y sensuales posiciones.

—Un mojito —pidió Miguel al camarero casi gritando debido al alto volumen de la música.

El policía también era un gran aficionado a la salsa, pero, en aquella ocasión, no estaba en Las Delicias para practicarla. El agente había recibido una llamada del departamento de policía de Nueva Orleans. Sus contactos allí le informaron que Pierre Lafoguet, el supuesto asesino de su amigo

Ángel Rivas, era un matón de poca monta contratado generalmente para dar palizas o eliminar a enemigos de la mafia local. Algo que no hacía más que confirmar todas las sospechas
de Miguel.

Apodado en los barrios bajos de la ciudad como «cerebro de guisante», Lafoguet, según quienes le conocían, nunca había presumido de tener un intelecto privilegiado. No
obstante, sí aseguraba haber hecho temblar a hombres de dos
veces su tamaño hasta obligarles a verter lágrimas pidiendo
clemencia y una muerte rápida.

Una investigación policial de la cuenta corriente de su
banco en Nueva Orleans reveló que, tan sólo dos semanas
atrás, Lafoguet había realizado un ingreso en la misma de diez
mil dólares. Un dato que Miguel Cardoso asoció de manera
automática con el ataque a Rivas.

Para sorpresa del agente, el origen del pago llevó directamente a las autoridades hasta una pequeña firma de contables de Miami llamada La Estrella Polar.

Paco Escalante era uno de los muchos contables de la
empresa, no su dueño. La Estrella Polar había sido investi-
gada en numerosas ocasiones por creerla una tapadera de negocios poco lícitos, pero la fiscalía estatal nunca pudo probar
sus acusaciones. El rumor dentro del departamento de policía
era que esa empresa tenía amigos muy bien pagados en altas
esferas del poder local que bloqueaban disimulada, pero constantemente, cualquier acción en su contra.

—Aquí tiene —dijo el camarero depositando el mojito
sobre la barra—. Son seis pesos.

—Gracias —agregó Miguel entregándole siete dólares.

El nombre de Paco Escalante estaba registrado en el
banco de Nueva Orleans como la persona que, desde Miami,
había transferido los diez mil dólares a la cuenta de Pierre Lafoguet. No obstante, el policía sospechaba que todo podía tratarse de un simple error.

—Nadie que contrate los servicios de un asesino dejaría
después un rastro tan claro tras de sí. Los delincuentes profesionales no cometen esos fallos. Destruir las pruebas de un
crimen para que la policía no las encuentre es un concepto ele-

mental. Insultantemente elemental —pensó una vez más el agente.

Así mismo, la lógica hacía pensar que cualquier pago de esas características siempre sería realizado en metálico y nunca mediante una cuenta bancaria. Los documentos, como es obvio, sobran para este tipo de negocios. Sin embargo, en el extraño caso de que alguien, por alguna remota e incomprensible razón, optara por enviar el dinero a un banco, lo haría con otro nombre y jamás bajo el suyo propio. Es decir: nada tenía demasiado sentido. A pesar de todo, esa era la única pista de la que Miguel disponía y, por lo tanto, estaba obligado a seguirla.

Las Delicias, además de ser una discoteca muy popular en la ciudad por las orquestas que traía, también era uno de los lugares predilectos para ir a conquistar pareja. Invariablemente, los viernes y los sábados por la noche se reunía allí un pequeño ejército de personas dispuestas a conseguir algo más que un simple baile.

Los hombres, deslizándose entre las sombras del local, paseaban sin disimulo alrededor de las mujeres dedicándoles fogosas miradas. Paco Escalante era uno de ellos, pero sus intentos solían ser bastante desafortunados. Un dato sobre su personalidad que Miguel apreció con rapidez. De mediana estatura, tímido, con poco pelo y luciendo una incipiente barriga, Escalante solía competir con poco éxito con los otros hombres que acudían a la sala de baile. A pesar de eso, el contable era un verdadero devoto de la salsa, motivo más que suficiente para que asistiera a Las Delicias, al menos, un día cada fin de semana.

Por lo general, el empleado de La Estrella Polar nunca conseguía conquistar a ninguna mujer. No obstante, cada vez que lo deseaba, salía acompañado de la discoteca por hermosas latinas. El motivo era que a Las Delicias también acudían jóvenes prostitutas y Escalante tenía en sus manos exactamente lo necesario para que se interesasen en él: dinero en abundancia. Eso le permitía, aunque fuese pagando, hacer realidad todas y cada una de sus más exóticas fantasías sexuales.

Tras varias horas de baile y algunos rechazos, Escalante, con la paciencia ya agotada, se acercó a una prostituta. Después de una corta conversación negociando el precio de la noche, ambos salieron de la discoteca para entrar en el auto del contador.

Escalante se dirigió hacia la casa de la mujer, una inmigrante ilegal peruana que, curiosamente, había ganado varios concursos de belleza en su país natal, pero que ahora, sin permiso de trabajo y con demasiadas cuentas que pagar, se prostituía con algunos clientes más o menos fijos.

Alejandra, como se hacía llamar, vivía en un pequeño, pero bonito, apartamento en la bahía de Miami. En una tranquila y recogida calle que desembocaba frente al mar.

Miguel siguió a la pareja hasta el condominio de Alejandra, pero después se retiró dándoles así algo de tiempo para que acabaran de acomodarse. Al cabo de unos quince minutos, el policía, tras colocarse un par de guantes oscuros y una máscara negra, forzó la puerta de entrada al apartamento sin apenas provocar ningún ruido.

El agente, careciendo de una orden de detención o registro, sabía que, de ser atrapado, podría ser despedido de su empleo. Sin embargo, no tenía tiempo que perder. Si seguía los métodos tradicionales, jamás conseguiría la información que necesitaba. Escalante tenía acceso a abogados demasiado buenos que sin duda se encargarían de que no dijese ni una sola palabra.

La silueta del policía de la ciudad de Miami se movió por la oscuridad del pasillo y de la sala con absoluto sigilo. De su cara, debido al pasamontañas, sólo podían apreciarse los ojos y la boca, que asomaban por tres orificios abiertos en la tela.

Primero, Miguel revisó el apartamento para asegurarse de que no hubiese nadie más allí y después caminó hasta la habitación donde estaban Alejandra y Paco Escalante. Más tarde, observó el interior del cuarto desde uno de los lados del marco de la puerta, que estaba entreabierta.

La peruana, desnuda por completo, apareció entonces tendida boca abajo sobre su lecho mientras era penetrada con furia por Escalante.

—¡Muévete! ¡Vamos! ¡Muévete! ¡Para eso te pago! —repetía el contador preparándose para una larga noche de placer.

Sin embargo, todo acabó cuando Miguel entró súbitamente.

—Coño. ¿Cuánto pagas por pervertir a estas jovencitas? —preguntó a Escalante mientras le apuntaba a la cabeza con su pistola marca Glock de nueve milímetros.

Al verlo, el oficinista, cobarde por naturaleza y, además, sorprendido en una posición claramente embarazosa, se cayó hacia atrás quedando boca arriba y en horizontal sobre la cama. Tanto él como Alejandra emitieron un grito de terror, pero el policía los controló de inmediato.

—Una sola palabra más y los mato a los dos. Tú, quédate aquí y no tengas miedo —dijo dirigiéndose a la peruana—. Esto no es contigo. No te pasará nada. Tú, mamón, ven conmigo —ordenó después a Escalante llevándoselo casi a rastras hasta la sala.

—¿Qué quieres, hermano? ¿Dinero? Te daré el que quieras. ¡Lo que quieras! —exclamó aterrorizado el contador.

—Apuesto a que a tu mujer le encantaría ver lo que haces con estas prostitutas, degenerao. ¿Qué le dices? ¿Que tienes mucho trabajo en la oficina y que por eso llegarás un poco tarde? ¿Es esa la excusa que le das cada fin de semana? ¿Eh?

—Por favor, no me haga daño. ¡Piedad! ¡Le daré lo que me pida! ¡Se lo juro!

Escalante, completamente desnudo, permanecía como un poste clavado en la mitad de la sala. Mientras tanto, Miguel caminaba a su alrededor enseñándole su pistola, que parecía querer dispararse en cualquier momento.

—Te voy a dar una oportunidad para que sobrevivas. Sólo una. Si me mientes una sola vez, te descargo todas estas balas en tu podrido cerebro. ¿Entiendes, apestosa cucaracha? —le amenazó el policía mostrando, una vez más, el arma a tan sólo milímetros de su nariz.

—Sí —dijo Escalante temblando.

—¿Quién te ordenó asesinar a Ángel Rivas?

—¿Ángel Rivas? —repitió el nombre Escalante.

Al oírlo, Miguel levantó el percutor de su pistola en una

clara señal de que el siguiente movimiento sería el de apretar el gatillo. Cuando el contador escuchó el clic metálico previo al disparo, reaccionó con histeria.

—¡No! ¡Espere! ¡Sí! ¡Ángel Rivas! ¡Ya me acuerdo! ¡Sí! ¡Ángel Rivas!

El agente se sorprendió al ver que Paco Escalante, en verdad, estaba relacionado de alguna forma con la muerte de su amigo.

—¿Quién te ordenó asesinarlo? —preguntó enseguida Miguel, ya mucho más interesado en las respuestas.

—¡Nadie!

—¿Nadie, eh? —añadió burlonamente el policía mientras acercaba la punta del cañón de la Glock a una de las sienes de Escalante.

—¡No! ¡Espere! ¡Déjeme que le explique! ¡Por favor! —rogó el contador.

—Más vale que sea rápido. Se me está poniendo nervioso el dedo y, cuando eso ocurre, ya no respondo de él.

—Hace más o menos un mes, recibimos una llamada telefónica. Era una persona que quería dar un escarmiento a Rivas, pero no matarlo. No matarlo —insistió.

—¿Quién era?

—¡No lo sé! ¡Se lo juro!

—¿Así que te llaman para hacer esos encarguitos y ni siquiera preguntas quién está al otro lado de la línea telefónica...? ¿Y quieres que me trague eso, imbécil?

—No... no... no es así...

—Sigue, mentiroso hijoeputa —dijo Miguel después de dar un ligero golpe al contable en la cabeza.

—Yo trabajo para gente que hace todo tipo de negocios. Negocios, en general, poco legales.

—Eso ya lo sé. Te conozco bien. Maldita rata de alcantarilla.

—Tienen una red de ayuda en todo el país para intimidar, golpear o asesinar a ciertos individuos. Ya sabe a qué me refiero... gente que no paga deudas de juego... préstamos importantes... ¿Usted me entiende...? —prosiguió Escalante preso de pavor.

—¡Venga! ¡No tengo toda la noche! —gritó Miguel dándole otro golpe, pero este más fuerte.

—¡Ah...! —exclamó Escalante dolorido.

—¿Qué hubo? ¡Dale, imbécil! ¡Antes de que te meta plomo! —insistió el policía intentando intimidar aún más al contador.

Miguel tenía que actuar pronto. El agente sabía que nunca haría daño a aquel hombre, pero estaba forzado a hacerle creer que su vida corría verdadero peligro. De lo contrario, Escalante, temiendo posibles represalias, nunca revelaría la información que estaba en su poder.

—Como le dije, nos llamó una persona que se identificó adecuadamente. Usted sabe, utilizando los códigos necesarios... Cuando eso ocurre, hemos de asistirle en todo lo que pida. De esa misma forma, si nosotros vamos, por ejemplo, a Los Ángeles, y solicitamos ese tipo de ayuda allí, siempre nos la darán. Es una red. Nunca falla. Lleva décadas funcionando. ¿Me entiende?

—Continúa, pendejo.

—Ese individuo, un intermediario, dijo que contratáramos a alguien para que diera una paliza a Rivas. Nosotros nunca hablamos mucho con esos clientes. Nos han enseñado a no hacerlo. No obstante, y casi sin preguntarle nada, el hombre añadió que había visto accidentalmente unos documentos que llevaban encima quienes le encargaron el trabajo. Tenían que ver con la central nuclear de Turkey Point. Él había escuchado hablar del activismo de Rivas y me dijo que supuso que la paliza era para darle un escarmiento con algo relacionado con Turkey Point. Para callarle la boca. Me dijo eso porque estaba un poco borracho, si no estoy seguro de que no lo hubiera hecho. Es muy raro que esa gente cometa fallos, pero este se fue de la boca. Nunca dan ninguna explicación. ¿Comprende?

—¿La central nuclear de Turkey Point? ¿Y qué pasa con la central nuclear de Turkey Point?

—¡Y yo qué carajo sé! —protestó Escalante.

—¡Sigue! —gritó Miguel.

—Pagó quince mil dólares. Cinco mil para nosotros y diez mil para el matón.

—¿Por eso no borró los datos del banco?

—¿Cómo? —pareció no comprender Escalante.

—No se molestó en borrar los datos del banco porque pensó que, al ser tan sólo una paliza, nadie investigaría nada, ¿correcto?

—Ah, claro... Sí... —asintió el contador al comprender finalmente la pregunta—. Pierre Lafoguet regresaría a Nueva Orleans inmediatamente después de realizar el trabajo. Como usted dice, por una simple paliza, la policía no se molestaría demasiado en buscar al agresor y, de hacerlo, tampoco lo encontrarían. ¿Cómo van a identificar a una persona que, como usted, ataca a otro con una máscara que le cubre toda la cara? Por esa razón le pagué a través del banco y no creí necesario tomar más medidas de precaución.

—¿Le dije rata de alcantarilla? ¿Cucaracha? ¡Usted no llega ni a eso!

—Por favor, compréndame. Yo sólo soy un simple contador, un oficinista que hace lo que le mandan. Yo no tomo ninguna decisión. Únicamente cumplo órdenes y hago los pagos. De la sangre no sé nada. De eso se encargan otros, ¿entiende? Yo no tengo nada que ver con la muerte de Rivas. Tenga piedad... —suplicó después llorando.

—¿Por qué los clientes que pagaron por el trabajo dijeron al intermediario el motivo por el que querían dar una lección a Rivas?

—Imagino que tenían mucha confianza en él. Quizás ya lo habían usado en otras ocasiones, pero si hubieran sabido que el alcohol le alegraba la lengua, seguro que no le hubiesen dicho nada. Y si se enteraron, es hombre muerto.

—¿Podría reconocer la voz de quien le llamó por teléfono?

—...imagino que sí... —susurró Paco Escalante.

Miguel pensó que todo cuanto decía Escalante podría ser cierto. Era muy probable que el empleado de La Estrella Polar desconociese la identidad de quien pagó el dinero y también resultaba lógico pensar que el contrato fuera sólo para una paliza y no un asesinato. De lo contrario, nunca hubiera podido localizar a Escalante. El contador no habría dejado ninguna pista que rastrear. Pero, entonces, ¿quién asesinó a Rivas? ¿Por qué? ¿Y por qué mataron después a Lafoguet? ¿Y a qué se refería el que pagó por los servicios de Lafoguet con que Rivas pensaba hacer mucho ruido con algo relacionado a Turkey Point?

El cubano reflexionó durante algunos segundos, decidiendo después que ya no era necesario retener a Escalante por más tiempo. Miguel bajó entonces la pistola de la sien del empleado de la Estrella Polar y se dispuso a decirle que desapareciera del condominio. Sin embargo, en ese preciso momento, un cristal de la sala se rompió producto de un disparo que erró su objetivo. El agente, al escucharlo, se tiró al suelo de forma instintiva buscando protección, pero Escalante, que permaneció de pie y paralizado por el miedo durante unas valiosas décimas de segundo, cayó más tarde abatido por un potente segundo proyectil que le abrió la cabeza y lo mató instantáneamente.

La segunda bala explosiva, propia del arsenal de los comandos de operaciones especiales más selectos de todo el mundo, también había destrozado lo que todavía quedaba de la ventana del cuarto de estar, desparramando puntiagudos trozos de vidrio por todo su interior.

Tras el impacto, no hubo más detonaciones. El francotirador, consciente de que su objetivo había sido alcanzado, cesó el fuego. Al cabo de menos de un minuto, y después de comprobar que Escalante había muerto, Miguel corrió al dormitorio para asegurarse de que Alejandra no estuviese herida. Más tarde, huyó del edificio antes de que, alertada por la peruana, llegara la policía.

48. FUERA DE TODA SOSPECHA

HÉCTOR LARA YA HABÍA leído las órdenes enviadas por sus jefes desde La Habana. En ellas se le decía que debía conectar con uno de los correos del MININT en Miami para recoger instrucciones más detalladas sobre la operación que se le había encomendado.

Siguiendo las indicaciones del mensaje, el agente encubierto fue a la librería La Moderna Poesía, situada en la calle Tamiami. Justo frente a una de las entradas de Coral Gables.

La librería, un blanco y amplio edificio con radiantes tejas de color rojizo, estaba considerada como una de las mejores surtidas de la ciudad en libros escritos en español. Sus estanterías tenían cientos y cientos de ejemplares sobre todo tipo de temas, pero la literatura era la verdadera especialidad de la casa.

Héctor ojeaba una edición de «El viejo y el mar», escrito por Ernest Hemingway, cuando se le acercó una viejita cubana con pelo rojo, lentes y una chaqueta amarilla.

—Cinco pesos a que no sabe de qué murió el que escribió ese libro.

—Señora... —sonrió el espía—, no quiero abusar de su bolsillo.

—¡Ya sabía yo! ¡No lo sabe!

—Usted se lo ha buscado. Murió al dispararse un tiro en la boca con su escopeta de caza.

—¡Oh! ¡No sea abusador! —coqueteó la anciana—. Si va a tumbarme los cinco pesos, al menos tendrá que demostrarme que sí sabe algo más de ese autor. Sólo dos preguntas más.

—Usted dirá.

—¿Dónde y en qué año nació?

—Nación en Oak Park, Illinois, en 1899.

—Vaya... —se sorprendió la señora—. ¿Y en qué año murió?

—Creo que hoy no es su día. 1961.

—Una más...

—Señora...

—¿En qué año gano el premio Nobel de Literatura?

—El año siguiente de ganar el Pulitzer...

—Óigame, ya veo que me equivoqué con usted... —se adelantó la mujer.

—...en 1954.

—Ya pasó un examen.

—¿Acaso falta otro?

—Claro. ¿Cuál es su autor y su obra favoritos?

—Precisamente, Hemingway. La obra… quizás… «Por quién doblan las campanas», también escrita por él… Por cierto, ¿dónde está mi dinero?

—Aquí tiene. Cinco dólares. Lo prometido es deuda —dijo cariacontecida la cubana mientras comenzaba a dirigirse hacia la salida de la librería.

—¿Y va a irse así, sin ni siquiera preguntar el nombre de quién le ganó el dinero?

—¿Barbarroja? —preguntó la mujer mientras le daba un sobre color manila con unos diez o quince folios dentro.

—Encantado… —se despidió Héctor sin prolongar más la conversación.

49. CERO TOLERANCIA

HÉCTOR LARA SE APEÓ del vagón del metro en la parada de Okeechobee, en Hialeah. Esa ciudad, colindante con Miami y que se hacía llamar «La ciudad que progresa», era conocida por ser el punto de concentración de una gran cantidad de fábricas. En especial, de industria ligera y manufactura.

La población de Hialeah estaba compuesta principalmente por hispanos de clase obrera. Miles de inmigrantes que acudían a las factorías, día tras día durante años, para trabajar de manera abnegada y poder así ofrecer a sus hijos lo que muchos de ellos nunca tuvieron: una educación sólida, una casa propia donde vivir y la posibilidad de progresar económicamente.

Hialeah, incluso más que Miami, era un verdadero coto latino. El alcalde, la mayoría de los comisionados y el jefe de la policía eran cubanos o bien de ascendencia cubana, mientras que el resto de los puestos de mayor relevancia local, tanto públicos como privados, también tenían nombres y apellidos hispanos.

Debido a su carácter eminentemente comercial, Hialeah tenía un aspecto más bien gris donde el pragmatismo casi siempre triunfaba sobre la estética. Grandes almacenes, restaurantes, largas carreteras, abundante tráfico, estaciones de gasolina, gigantescos concesionarios de automóviles, bancos, cadenas de comida rápida y una interminable lista de centros comerciales constituían una parte esencial del paisaje de la ciudad.

El vagón del Metrorail partió cuando apenas habían transcurrido algunos segundos desde que Héctor descendiera al andén, cubierto este por un pequeño techo que mitigaba los efectos del sol inmisericorde de aquel día. El convoy, compuesto por cuatro vagones grises a rayas horizontales verdes, azules, blancas y negras, prosiguió su habitual recorrido por la ciudad, desplazándose sobre unas vías construidas a unos quince metros sobre el nivel del suelo. El metro de Miami era enteramente aéreo, convirtiéndolo así en una estampa ya clásica de la zona metropolitana.

El espía identificó de forma inmediata a dos de las personas que bajaron de otro vagón como miembros de la Dirección de Operaciones Especiales del Ministerio del Interior. Héctor había visto sus caras en varias de las fotografías proporcionadas por el MININT para preparar esta misión. Sin embargo, ninguno de los tres realizó saludo alguno, continuando su recorrido con normalidad y casi indiferencia, como si no se hubieran reconocido o visto jamás.

Esos dos miembros de la DOE habían sido los encargados de acabar con la vida del asesino de Ángel Rivas. Las órdenes llegaron directamente del general Hernández. La primera, hablar con Pierre Lafoguet para decirle que ya no sólo estaba contratado para dar una paliza a Rivas, sino para matarlo. La segunda, liquidar después al propio mafioso.

Asesinar a Lafoguet no fue fácil. La pelea fue dura. Tan dura que tuvieron que ultimarlo antes de que este pudiera decirles dónde estaba hospedado. Ese fue el único motivo por el cual los agentes cubanos no pudieron destruir las pertenencias personales de Pierre Lafoguet.

La estación de metro, una gran mole de cemento gris, tenía una fuerte presencia policial. Varios agentes, vistiendo uniformes marrones y sombreros vaqueros blancos, patrullaban los alrededores en jeeps para prevenir asaltos a los usuarios.

Las personas que usaban el Metrorail solían acudir a la estación de su barrio en su propio automóvil, utilizándolo de nuevo después para regresar a sus casas. Héctor, sin embargo, no disponía de ningún otro transporte, así que continuó el recorrido a pie para llegar hasta su punto de reunión. Coger un taxi sería más rápido, pero caminar le permitiría familiarizarse mejor con el lugar.

El cubano esperó algunos minutos hasta perder de vista a los otros dos agentes de la Dirección General de Inteligencia. No quería despertar ninguna sospecha. Después, emprendió una ruta que había memorizado con detalle para no tener que consultar ningún mapa.

La salida de la estación estaba adornada con árboles y bellas y bien cuidadas palmeras. Esa era un área de gran movimiento comercial, por lo que en algunos lugares el suelo estaba lleno de cartones, papeles, trozos de tela y enormes contenedores repletos de basura.

El camino hasta la calle más próxima había sido construido bajo las vías del metro, de manera que, cada vez que llegaban los vagones, se oía un intenso estruendo que hacía temblar las paredes de los negocios situados en el área.

En tan sólo cincuenta metros, el agente pasó por almacenes de lámparas, ropa, productos de importación y exportación, tejas para casas, material de oficina, mecánica, electrodomésticos y computadoras. Decenas de enormes camiones permanecían en la parte exterior de los negocios esperando para cargar o descargar mercancías y después partir hacia su siguiente destino.

Al llegar a la Octava avenida y Coulter Way, el espía se dio cuenta de que los dos militares habían modificado su ritmo para desplazarse con más lentitud. A pesar de eso, los agentes, que mantenían una respetuosa distancia de unos treinta metros respecto a Héctor, tampoco se alejaban demasiado de él para, de ser necesario, poder brindarle su protección.

El cubano sabía que los comandos que la DOE tenía destacados en Miami para este operativo constituían lo mejor del aparato de inteligencia de la isla. Disciplinados y peligrosos soldados que, tras su ahora inofensivo aspecto, estaban acostumbrados a ejecutar sin miramientos cualquier orden, incluso la de cometer asesinatos a sangre fría.

El agente apodado Barbarroja siguió caminando hasta toparse con unas vías de tren situadas en la Octava avenida del noroeste y la calle 74. Tras cruzar esa amplia carretera, Héctor se encontró con la sede de Telemundo, una cadena de televisión hispanohablante que emitía su señal para los mercados latinos más importantes de los Estados Unidos y también para Latinoamérica.

Telemundo disponía de dos edificios cuyos tejados estaban, literalmente, cubiertos por una verdadera jungla de antenas parabólicas utilizadas para emitir y recibir señales de televisión.

La Habana, tras un largo estudio de diversos lugares en Miami y sus alrededores, había decidido instalar su principal centro de operaciones en Miami cerca de los estudios de esa cadena. El motivo era sencillo. El incesante movimiento de vehículos y personas involucrados en el trabajo diario de esa estación hacía que los militares de la DOE y de la DGI pasaran completamente desapercibidos cuando visitaban su llamada «casa segura» en Hialeah. En ninguna otra parte en o cerca de Miami podría la inteligencia cubana mover a decenas de sus comandos con la misma facilidad que por las cercanías de Telemundo, donde cientos de trabajadores de todas las nacionalidades, aspectos y razas entraban y salían de manera constante de los dos grandes edificios de la empresa sin despertar sospecha alguna. De hecho, muchos de los empleados de Telemundo ni siquiera conocían a gran cantidad de sus propios compañeros de trabajo debido a los numerosos departamentos existentes en la compañía y también a la siempre activa contratación de nuevo personal. Es decir, ver caras extrañas en ese sector de la ciudad era la regla y no la excepción. Todas ellas, circunstancias ideales para el secretismo que el MININT siempre requería en sus operaciones.

Antes de llegar al segundo edificio de la cadena televisiva, Héctor giró a la izquierda y caminó unos cinco minutos
más hasta llegar a la intersección de la Novena court Oeste con
Barret Boulevard, su destino final. La calle, muy castigada por
los constantes viajes de camiones que entraban y salían del local, ofrecía un aspecto sucio y descuidado. Allí había un almacén que compartían diversas firmas comerciales. No obstante,
todas estaban separadas entre sí por sólidas paredes edifica-
das en su interior.

Siguiendo la fachada del almacén desde la esquina con
Barret Boulevard, Héctor pasó por tres compañías de mediano tamaño antes de alcanzar la sede de la Professional Latinamerican Television, una supuesta productora televisiva,
pero que, en realidad, era una simple tapadera legal para las
operaciones de la DGI en Miami.

El exterior del negocio, al que se accedía a través de un
portón metálico azul, estaba pobremente pintado de color
gris y rayas horizontales blancas. La puerta de entrada siempre permanecía cerrada y con malolientes cubos de basura
ubicados de forma estratégica a su alrededor para evitar que
ningún curioso merodease por las cercanías. El servicio de inteligencia cubano también había tapiado todas las ventanas
para anular cualquier posibilidad de ser observados desde
fuera del recinto.

Una hilera de antiguos y carcomidos postes telefónicos
de madera se extendía frente a toda la fachada mientras que,
sobre el asfalto, yacían infinidad de cables, papeles y charcos
que eran aplastados una y otra vez por los vehículos que tran-
sitaban a través del área.

Héctor Lara golpeó la puerta cuatro veces con los nudillos de su mano izquierda. Casi inmediatamente después,
asomaron por la mirilla los contornos de unos ojos vivos y sal-
tones.

—¿Quién es?

—Barbarroja.

Al escucharlo, el portón fue abierto con prontitud. Una
vez dentro, Héctor vio que se hallaba en una pequeña oficina
frente a la cual había un garaje con tres vehículos y una furgo-

neta estacionados en su interior.

—¿Vino solo? —le preguntó después quien le abriera la puerta, un avispado joven de complexión atlética.

—Sí —se escuchó una seca respuesta.

—Acompáñeme, por favor.

El cubano llevó a Héctor hasta una esquina del local que parecía estar vacío. Allí, alzó su mano y estiró de una pequeña cuerda adosada al techo que, a simple vista, pasaba inadvertida. Al atraerla hacia él, una parte de la estructura se deslizó para abajo desplegando después unas finas escaleras de metal que conducían a un piso oculto en el nivel superior.

—Adelante —indicó el otro miembro de la inteligencia cubana demostrando también una clara parquedad de palabras.

Héctor subió poco a poco las escaleras. Al llegar arriba, se encontró con un amplio almacén cuyas paredes habían sido construidas con gruesas y acolchonadas planchas metálicas. El objetivo: ocultar la presencia de un campo de tiro de la DGI para entrenar a sus expertos francotiradores. Las resistentes láminas, además de impedir que cualquier bala pudiese traspasar las paredes del local, también lograban insonorizarlo para que los potentes estallidos de los disparos no fueran escuchados desde el exterior.

El espía vio con rapidez en la parte derecha del escondite a unas treinta personas agrupadas alrededor de una mesa repleta de fotografías, radios, mapas y documentos. Todos ellos, reunidos allí aquella tarde tan sólo para conocer personalmente a Héctor, eran comandos del Ministerio del Interior enviados a Miami para realizar diversas labores de espionaje. A la izquierda había varias decenas de taquillas rectangulares con multitud de armas cortas y uniformes descansando en su interior.

Junto a los militares, uno de los cuales era Edwin Pedraza, también podían observarse dos filas superpuestas de fusiles de asalto AK-47 con unas cincuenta unidades cada una. Todos ellos, apoyados sobre la pared, parecían encontrarse en perfecto estado y listos para ser utilizados. Por otro lado, una cámara acorazada situada en uno de los extremos del escondite almacenaba multitud de cajas repletas de munición, granadas, minas y misiles portátiles tierra-aire.

—Bienvenido —se adelantó Orlando Ortiz para después estrecharle la mano amistosamente.

—Gracias.

—¿Has tenido algún problema para localizar el lugar?

—No. Ninguno —dijo Héctor moviendo su cabeza ligeramente de un lado a otro con cierta desconfianza.

—Siéntate, Héctor —añadió el agente alcanzándole una silla.

—Muy amable.

Doble O puso un vaso de agua sobre la mesa para ofrecérsela al capitán del MININT, pero este, realizando un leve gesto con su mano, la rechazó con amabilidad. Después, algo nervioso, Orlando Ortiz presentó, uno a uno, a la totalidad de los miembros del grupo.

—Chico, todos estábamos ansiosos por reunirnos hoy contigo —dijo enseguida Doble O tras, finalmente, haber decidido no disimular más su creciente deseo por averiguar el verdadero objetivo del viaje de Héctor a Miami.

El malestar entre algunos integrantes del comando por la falta de detalles sobre la naturaleza de aquella misión era obvio y el recién llegado pudo percibir de inmediato un marcado recelo contra él.

—Sí, yo también —afirmó con parquedad Héctor mientras recorría la casa segura para familiarizarse mejor con ella—. Este armamento tiene el aspecto de estar muy bien cuidado —añadió en un intento por cambiar momentáneamente de tema y disponer así del tiempo suficiente para organizar mejor sus pensamientos.

—Por supuesto.

—Veo que todo lo que me dijeron de ustedes era cierto. Unos verdaderos profesionales. Me alegro.

—Héctor… Permíteme que sea sincero contigo —sonrió Doble O—. Que yo sepa, La Habana nunca ha tenido ninguna queja sobre nuestro comportamiento y la verdad es que estamos un poco molestos por todo este secretismo respecto a tu llegada. Nosotros siempre hemos sido informados pormenorizadamente sobre lo que ocurre en nuestras misiones y no acabamos de comprender por qué, en esta ocasión, se nos ha tenido por completo al margen.

—¿Al margen de qué?

—¡Vamos! Es obvio que tu llegada aquí es para algo especial.

El oficial del MININT echó una rápida ojeada al grupo antes de seguir hablando.

—Tienes razón —admitió de pronto Héctor mirando de reojo al comandante del servicio de inteligencia cubano, consciente de que era necesario atajar esa situación de inmediato si quería ganarse el respeto de los integrantes del grupo—. No me gusta dar rodeos, así que iré directo al grano. He venido aquí con una misión importante, pero aún no se la había comunicado a nadie porque ni siquiera yo mismo la conocía.

—¿Y ya sabes ahora cuál es?

—Sí, La Habana se comunicó conmigo hace algunos días y ya tengo las instrucciones iniciales para llevarla a cabo.

—¿Cómo recibiste las órdenes? —preguntó molesto Orlando Ortiz.

—Por el sistema habitual: en un avión de Great Miami Air. Bueno, al menos parte de ellas. Todavía han de enviar más documentos por diversos canales durante los próximos días. Hacernos llegar todo el operativo en un solo envío sería demasiado arriesgado.

Orlando Ortiz se enfureció ante aquellas palabras. Al fin y al cabo, él era, al menos hasta ese momento, el máximo responsable de ese comando y, a pesar de eso, el MININT había decidido relegarlo a un segundo plano en esta misión.

Los agentes reunidos allí se dieron cuenta inmediatamente que la autoridad de su jefe había quedado minada, algo que enrareció aún más el ambiente.

—¿Se puede saber cómo he de interpretar yo todo esto?

—Lo siento. No es nada personal. El MININT me ha designado a mí como responsable para este operativo. Tan sencillo como eso. A partir de ahora, yo asumo el mando —afirmó secamente Héctor entregando a Orlando Ortiz unos documentos enviados por La Habana notificando el cambio.

—¿Estoy relevado? —preguntó incrédulo el cubano.

—Sólo de forma temporal. Cuando este plan finalice, yo regresaré a Cuba y todo volverá a ser como antes. Tú conservarás tu puesto.

Héctor Lara observó entonces a los restantes miembros del comando para comprobar su reacción ante todo lo que estaba ocurriendo. El silencio era absoluto. La inquietud, también.

—Escúchenme —prosiguió el capitán intentando restar dramatismo al momento—. Todos ustedes son vitales para el éxito de esta misión. Necesito su máximo apoyo. Su lealtad será recompensada, pero su falta de cooperación podría provocar severas represalias. No hay tiempo que perder. Hemos de comenzar a prepararnos cuanto antes.

—¿Y cuál es esa misión? —intervino de nuevo Orlando Ortiz, todavía desconcertado ante el inesperado rumbo que tomaban los acontecimientos.

—Bueno, ya les dije que aún no tengo todos los elementos del plan, pero sí sé que se trata de un ataque en muy pequeña escala contra el aeropuerto de Miami.

Doble O pareció no comprender lo que acababa de escuchar.

—¿Con qué objetivo?

—Con el objetivo de que dejen en paz de una vez por todas a nuestro país y que los yanquis recuerden que la revolución, si se la provoca, también puede hacer daño aquí.

—¿Un ataque al aeropuerto? Eso podría tener consecuencias desastrosas...

—No —dijo Héctor tajante—. Todo va a ocurrir tras una supuesta agresión que justificará nuestro operativo. Además, la idea no es ocasionar muertes, sino, simplemente, asustar. Será una misión relámpago con muy poco daño real, pero que dejará claro el mensaje de qué es lo que podría ocurrir si algún día Cuba decide activar este plan con todas sus consecuencias.

—Pero, el ataque ¿se produciría o no?

—Sí, pero, como dije, será muy limitado. Se hará de forma tal que las autoridades puedan ocultarlo ante la opinión pública. Si el plan real puede causar un nivel de destrucción de cien, este operativo tan sólo llegara a dos. Esperemos que eso sea suficiente para proteger a la revolución en estos momentos tan difíciles.

Conscientes de la envergadura de la misión, ya nadie se atrevió a hacer ninguna pregunta o comentario. Nadie, excepto Orlando Ortiz.

—¿Qué tipo de ataque sería ese? —prosiguió.

—No puedo dar muchos detalles, pero sí les adelanto que, además de nosotros, también participarán otros comandos del MININT ya ubicados en Florida y la aviación cubana.

—¿La aviación cubana?

—Sí.

—¿MIGs atacando el aeropuerto?

—Sí.

—¡Eso es una locura!

—¿Una locura? —repitió molesto Héctor—. No. No es una locura. Es una orden.

—¡Un ataque de esa naturaleza a un aeropuerto como el de Miami podría ocasionar un desastre! ¡Podría haber cientos o miles de muertos! ¡El aeropuerto siempre está lleno de gente y, por supuesto, de aviones!

—Ya les he dicho que el objetivo es sólo el de asustar, no el de producir un baño de sangre. Los MIGs ejecutarán todo el operativo, pero disparando tan sólo una parte ínfima de su poderoso armamento. Básicamente, harán acto de presencia.

—...y todo esto, ¿con qué propósito? ¿A qué te refieres con asustarlos? —insistió confundido Doble O.

—Como ya dije, para que la Casa Blanca se cuide mucho de continuar agrediendo a Cuba. Un ataque real contra el aeropuerto supondría un verdadero desastre. No queremos que se olviden de eso.

—¿Y cómo sabes que no se desatará algún tipo de combate generalizado? ¿Crees acaso que los americanos se van a quedar de brazos cruzados mientras los MIGs atacan su país?

—Todo está planeado. No hay nada que temer. Es una operación con riesgos, pero perfectamente calculada —dijo Héctor en tono pausado.

Desde el inicio de la conversación, Orlando Ortiz había

estado dando interminables vueltas en su mente a las palabras de Héctor. A pesar de las metódicas y frías explicaciones del nuevo enviado del MININT, él intuía que algo simplemente no cuadraba dentro de todo aquel plan. De pronto, sus sospechas iniciales cobraron forma y creyó comprender mejor el porqué de la presencia del espía en Miami.

—Héctor... —recapacitó hurgando en su memoria—. ¿Tiene esto algo que ver con el supuesto plan cubano para atacar Florida que reveló el general del Pino tras su deserción? ¿Recuerdan ustedes? —preguntó después al resto de miembros del comando—. Cuando, tras huir de Cuba, del Pino concedió sus primeras entrevistas, dio a conocer un operativo secreto según el cual la aviación cubana podría atacar Miami en un acto desesperado para salvar la revolución o bien para vengar lo que él describió como el inminente derrocamiento del régimen.

—No. Por supuesto que no —se apresuró a decir Héctor—. Ese plan no existe. Se lo inventaron en las oficinas de la CIA. Eso fue sólo una maniobra propagandística de los yanquis intentando presentar a Cuba ante la opinión pública internacional como una constante amenaza para la seguridad de este país. ¿Acaso les extraña? Lo llevan haciendo durante más de cuarenta años. El malnacido de del Pino se vendió por un puñado de dólares.

—¿Sabes cuál era el objetivo de ese plan? —insistió Orlando Ortiz.

—¿Te refieres a la basura que dijo el traidor de del Pino?

—El objetivo, Héctor, era la central nuclear de Turkey Point —afirmó el otro espía haciendo caso omiso de las descalificaciones personales hacia del Pino—. Si esa central fuese atacada con nuestra aviación, toda la Florida sería destruida —añadió asustado el agente cubano, cada vez más convencido de que el plan esbozado por Héctor tenía demasiados parecidos con las revelaciones del ex general de la FAR como para que se tratara de dos operativos distintos.

—Ya te he dicho que eso es pura fantasía. Nuestra misión producirá un efecto muy limitado y ha sido analizada miles de veces para evitar daños colaterales innecesarios. No tiene nada que ver con lo que estás diciendo. Nosotros no somos ningunos asesinos.

—¿Te das cuenta...? —prosiguió Orlando Ortiz mirando a Héctor—. ¿Se dan cuenta todos ustedes...? —se dirigió entonces entrecortadamente al resto del grupo—. ¿Se dan cuenta de que si se produce el ataque al que se refería del Pino, nadie se salvaría? ¡Ni nosotros, ni Florida, ni Cuba! ¡Todos moriríamos! ¡Sería un holocausto! —gritó perdiendo los nervios—. ¡P'al carajo! ¡Eso es una locura! —exclamó de nuevo.

—Escúchame con atención... Sabes muy bien que no puedo permitir que cuestiones estas órdenes y mucho menos delante del resto del comando. Ya te he dicho que mi presencia aquí es sólo temporal. No dejes que tu ego por no dirigir esta misión ponga en peligro tu carrera.

—Pero, Héctor... ¿es qué no lo ves? —dijo riendo Orlando Ortiz—. ¡Al diablo con mi carrera! ¡Yo lo que quiero es seguir vivo! Incluso si estás diciendo todo lo que sabes, ¿cómo sabes cuáles son las verdaderas intenciones de La Habana? ¿Cómo puedes asegurar que no te están manipulando a ti también y que el objetivo es, en realidad, otro muy distinto al que tú piensas? Si se trata del operativo descrito por del Pino, ¿esperas acaso que te lo digan? ¿Es que no has trabajado ya suficiente tiempo en el MININT como para saber que nosotros sólo somos peones que pueden ser reemplazados en cualquier momento?

De repente, Doble O detuvo sus palabras y se alejó algunos metros de Héctor con un rostro de creciente desconfianza.

—Pero quizás tú sí sabes la verdad y no quieras decírnosla para evitar que nos neguemos a ejecutar esta misión... Nos necesitas...

La irritación de Héctor Lara crecía por momentos.

—Estás diciendo tonterías. Deberías controlarte antes de que sea demasiado tarde —advirtió el espía.

—¿Quién llevaría a cabo una operación semejante, Héctor? ¿Quién dispararía un tiro contra su propia cabeza? Estás hablando de un suicidio colectivo... —siguió Orlando Ortiz utilizando ya la vía de la confrontación directa—. Yo soy un fiel revolucionario —añadió—, pero esto es provocar al Pentágono para que destroce Cuba después de esta aventura sin sentido.

—El objetivo es justo el contrario: que el Pentágono nunca se atreva a, ni siquiera, analizar la posibilidad de tocar a Cuba en el futuro. Además, te estoy dando estas explicaciones por pura cortesía. No tendría por qué hacerlo —afirmó Héctor comenzando a utilizar un tono de clara amenaza—. Nuestra misión es seguir las órdenes que se nos dan. No ponerlas en duda. Creo que estás llevando esto demasiado lejos y, además, frente a toda tu gente. Podrías ser arrestado por esto.

—¡Ridículo! —gritó colérico Orlando Ortiz.

Héctor, pareciendo haber perdido la paciencia, pero, al mismo tiempo, con absoluta frialdad, cogió uno de los AK-47 depositados sobre la pared y, mientras continuaba escuchando las quejas del miembro del MININT, se aproximó hacia él hasta quedar ambos cuerpos a menos de un metro de distancia entre sí.

El agente, tras ajustar el cargador del fusil y desprender el seguro, apuntó hacia el pecho de Orlando Ortiz durante algunos interminables segundos durante los cuales todos los presentes quedaron paralizados. Tras escupir con desprecio al otro espía cubano en plena cara y llamarle traidor, Héctor, de repente y sin previo aviso, apretó el gatillo y vació los treinta proyectiles calibre 7,62 milímetros sobre Doble O. Los balazos lo despedazaron por completo, haciendo que su cuerpo se retorciese con furia sobre el piso hasta acabar convertido en una simple y sangrante masa inerte.

El estallido de las detonaciones había sido ensordecedor, provocando, además, que el resto de los cubanos reunidos en la sala se tirara al suelo para no resultar impactados por el rebote de algún proyectil perdido.

Multitud de casquillos vacíos, pánico, restos de vísceras esparcidas por todo el almacén y una profunda sorpresa fueron el resultado inmediato de la ejecución de Orlando Ortiz, cuyo cadáver acabó postrado frente a una mesa de metal también picoteada por las balas.

Héctor Lara necesitaba ganarse el respeto incondicional de todos los agentes del comando, demasiado curtidos a través de sus duros años de servicio como para dejarse impresionar por simples palabras. Por ese motivo el joven cubano había decidido acabar con la vida de Orlando Ortiz de una forma tan brutal. Un tiro en la cabeza hubiera sido suficiente, pero demostrar su total falta de escrúpulos ante el incumplimiento de una orden dejaría claro al resto de los militares el alto precio a pagar ante cualquier otra insubordinación. Héctor quería que sus nuevos compañeros le temieran para asegurarse una lealtad que la naturaleza de esta misión se encargaría de poner a prueba en numerosas ocasiones.

—No tuve otro remedio que matarlo —pensó Héctor—. Mientras me respeten y cumplan mis órdenes, no me importa que crean que soy un auténtico hijo de la gran puta. Lo único importante es que me sigan.

Tras agotar Héctor sus balas, uno de los espías leales a doble O desenfundó su pistola en un intento por vengar la muerte de su superior, pero también cayó abatido con rapidez. En esta ocasión, por los disparos de los dos agentes de la DOE que habían escoltado a Héctor desde la parada del metro hasta el escondite del MININT.

Inmediatamente después del caos inicial, el capitán enviado por La Habana se dirigió en tono desafiante a los restantes miembros del grupo.

—¿Hay alguien más que desee traicionar las órdenes de la revolución? —gritó con rabia.

Las palabras del oficial fueron seguidas por un profundo silencio, dejando claro que su autoridad sobre el comando era ya absoluta. Los únicos que la habían cuestionado yacían ahora sin vida en el suelo. Una suerte que ninguno de los otros miembros del MININT parecía querer imitar.

—Magnífico. Desháganse de los cadáveres de estos dos perros traidores que no supieron pelear ciegamente por su país —sentenció Héctor con desprecio—. Comencemos a trabajar. Hay mucho que hacer y muy poco tiempo para hacerlo —concluyó.

50. LA FILTRACIÓN

EL TENIENTE CORONEL Montalvo descolgó su auricular y telefoneó a Miguel Cardoso.

—Departamento de policía...

—¿Señor Cardoso?

—Al habla.

—Tenemos que encontrarnos.

—¿Con quién hablo?

—Sé por qué mataron a su amigo Ángel Rivas.

El agente sintió una sacudida en todo su cuerpo.

—No creo haber escuchado todavía su nombre —afirmó Miguel, ya mucho más interesado en la llamada.

—Por ahora no necesita saberlo.

—¿Para qué me ha telefoneado? —preguntó el policía.

—Para ayudarle y que usted me ayude.

—¿Ayudarle a qué?

—A salvar a miles de personas de una muerte segura.

—¿De qué me está hablando?

—Le espero dentro de una hora en el restaurante Trinidad, en la avenida 27 con la autopista US 1.

Miguel Cardoso no pudo evitar ciertas sospechas ante aquella extraña llamada. No obstante, no titubeó a la hora de acceder al encuentro.

—¿Cómo sabré quién es usted?

—No lo sabrá. Siéntese y yo le buscaré a usted. Venga solo. De lo contrario, esta será la primera y la última vez que hable conmigo. Su vida también corre peligro —añadió Montalvo antes de colgar el teléfono.

51. GUERRERO EN LAS SOMBRAS

MIGUEL CARDOSO ANALIZÓ con rapidez a todos los clientes que estaban almorzando en el restaurante Trinidad. Sin embargo, no fue capaz de encontrar ningún detalle que le permitiera adivinar quién, de entre todos ellos, podría ser la persona con la que tenía que encontrarse allí. El siguiente paso fue el de sentarse frente a la barra, pedir un café con leche y unas tostadas cubanas y esperar.

Al cabo de unos diez minutos, un hombre que había permanecido sentado a tan sólo dos mesas de distancia de él, se levantó y caminó hasta el taburete de al lado del policía. Montalvo, que lucía una guayabera blanca, pantalones marrones y zapatos negros, se sirvió agua de una jarra y dio un profundo sorbo a su vaso hasta casi vaciarlo.

—Buenas. ¿Vino solo?

Miguel lo miró de reojo y asintió.

—Sí. Tal y como me indicó.

—Mi nombre es José —se presentó el militar retirado mostrando un serio semblante.

—El mío creo que ya lo conoce.

—Sí, claro. Sé bastante sobre usted. Mi trabajo es saber cosas sobre la gente.

—¿Quién es usted? —preguntó Miguel mirando a Montalvo con la sensación de haberlo visto antes, pero sin poder recordar dónde ni cuándo.

—Montalvo. Teniente coronel José Montalvo, pero no vaya tan deprisa. No vaya tan deprisa... —repitió moviendo pausadamente su mano izquierda de arriba abajo.

El policía no pudo guardar la paciencia que se le pedía.

—Me dijo por teléfono que sabía quién mató a Rivas.

—En efecto.

—¿Quién fue y cómo lo sabe usted?

—¿Sabe que fui un conocido de su padre? —cambió de tema Montalvo.

Miguel Cardoso, al escucharlo, se quedó inmóvil.

—Lo conocí en Cuba. Coincidimos en varios actos políticos. La verdad es que nunca intimamos demasiado, pero ambos nos conocíamos y nos respetábamos mucho. Él optó por quedarse y tratar de contribuir a un cambio pacífico en la isla. Yo vi claro desde el primer momento que sólo había una forma de acabar con el comunismo: por las armas, así que me fui. No regresé hasta que caí prisionero en Bahía de Cochinos. Tuve suerte y sigo vivo. Desde aquella, continúo intentando que la democracia regrese a mi país.

—Lo fusilaron —afirmó el agente al tiempo que notaba cómo el recelo inicial hacia Montalvo se diluía poco a poco. En apenas segundos, y de alguna extraña manera, la intuición de Miguel le indicó que podía confiar en aquel misterioso personaje. Eso, a pesar del secretismo que rodeaba al militar y el hecho de que este ni siquiera le hubiera revelado aún el motivo de su encuentro allí.

—Lo sé. Lo siento.

—Gracias.

—¿Puedo tutearle?

—Sí, claro —dijo Miguel, pero sin tutear él a Montalvo.

—¿Te interesa tanto Cuba como le interesaba a tu padre?

—Por supuesto.

—Conozco tu historial. Creo que eres un patriota y que amas a Cuba. Este es el momento para demostrarlo. ¿Estás dispuesto a arriesgarte para salvar la vida de miles de cubanos? ¿Puedo confiar en ti?

—¿Y yo en usted? —cuestionó el policía, también consciente de que Montalvo, en una hábil maniobra psicológica, podría estar utilizando el tema de su padre únicamente para destruir cualquier desconfianza por su parte.

Miguel no tenía ningún motivo racional para confiar en Montalvo ni tampoco disponía de pruebas que confirmasen la veracidad de todo lo que afirmaba. De hecho, el militar era todavía un completo desconocido para él. No obstante, la química entre ambos parecía estar venciendo cualquier barrera inicial.

—Una pregunta no se puede responder con otra.

—¿Qué es lo que quiere de mí?

—Una respuesta. Tan sólo una respuesta.

—Si lo que quiere saber es si daría o no mi vida por Cuba, la respuesta es sí. Claro que sí.

—¿Por qué tipo de Cuba?

—Por una Cuba lejos del comunismo y de las dictaduras

de derechas. Por una Cuba libre e independiente.

Montalvo, aparentemente complacido con lo que acababa de escuchar, hizo un gesto con su mano a Miguel para que ambos se fueran a un lugar más recogido del restaurante. Una vez sentados en una mesa aislada de la multitud, el militar continuó hablando.

—Soy un teniente coronel de la Fuerza Aérea de los Estados Unidos —prosiguió mientras mostraba al agente un carnet militar con su foto y graduación—. Me retiré del servicio activo hace ya un tiempo, pero todavía conservo buenos amigos y magníficos contactos dentro de las fuerzas armadas.

Miguel Cardoso optó por escuchar más y hablar menos. Algo dentro de él le repetía una y otra vez que tenía que confiar en aquel hombre, así que decidió dejarse llevar por su intuición y permaneció atento a las palabras del militar cubanoamericano.

—Mi especialidad es la inteligencia militar. Trabajo para diversas compañías de defensa y también asesoro al Pentágono. No soy una persona pública. Todo lo contrario. Durante décadas tuve que trabajar profundamente oculto entre las sombras del poder. Averiguar lo que ocurría y después operar en consecuencia. He tenido que hacer muchas cosas para defender a este país de las cuales no me siento orgulloso. He visto matar y he matado —dijo con cierta amargura en sus ojos—. La libertad no es gratis ni tampoco está limpia de suciedad. ¿Me entiende?

El policía quedó impresionado con las palabras de Montalvo.

—¿Cómo sé que todo lo que me dice es cierto? —preguntó.

—Miguel —dijo Montalvo con familiaridad y cierto paternalismo—, no voy a perder el tiempo con falsas modestias. Nadie en los Estados Unidos sabe más sobre temas militares latinoamericanos que yo. En especial, sobre Cuba.

El teniente coronel hizo una breve pausa para beber algo más de agua mientras miraba con desconfianza a su alrededor.

—Cuando el Departamento de Defensa quiere saber

algo con respecto a asuntos militares relacionados con Latinoamérica, descuelgan el teléfono y me llaman a mí —continuó—. No a ningún general de tres o cuatro estrellas de Washington. No. A mí —afirmó con decisión—. El Pentágono ha invertido en mí más de cuarenta años y mucho dinero. Soy un experto militar, doctor en psicología y estoy patológicamente obsesionado con Latinoamérica y Cuba. De México para abajo, yo soy el hombre del Pentágono. No hay otro. Mira —continuó Montalvo abriendo su cartera para depositar sobre la mesa diversas credenciales expedidas a su nombre: bases militares de Homestead y McDill en Florida, Comando Sur, universidad de Georgetown, universidad de Harvard, universidad de Miami, el Pentágono, el Departamento de Estado, tres empresas privadas del sector de la defensa y la misma Casa Blanca—. ¡Chico! ¡Qué te pasa! —exclamó desafiante el militar.

Montalvo se quedó entonces mirando al policía durante unos segundos antes de proseguir.

—Conozco a todo el exilio que cree en la lucha armada contra Castro. Combatimos juntos y, como ellos, también derramé mi propia sangre por mis ideas. Cualquier alto mando militar de origen cubano del ejército de este país puede dar fe de mí. Es muy fácil. Sólo tienes que preguntar. Coge el teléfono y llámalos.

El agente dio por hecho que todo cuanto le decía Montalvo respecto a su pasado militar era verdad. Pretender mentir sobre un historial tan único como el suyo era algo ridículo. Ambos sabían que el policía, debido a su trabajo en la unidad antiterrorista de Miami, tenía acceso a información confidencial mediante la cual podía verificar con rapidez todo lo dicho por el teniente coronel.

—Comprendo lo que me dice —dijo el agente con delicadeza—, pero, ¿qué tiene que ver todo esto con Ángel Rivas?

—Yo me puse en contacto con Rivas y creo que ese fue el motivo de su muerte.

—¿Por qué? —se sorprendió Miguel.

—Iré al grano. Sólo te pido que me escuches con atención. Aunque lo que vas a oír pueda parecerte ridículo, confía en mí. Espero que mis credenciales te hayan dejado claro que, al menos en temas militares, sé de lo que hablo.

—Adelante.

—El Pentágono sabe desde hace ya tiempo que, en caso de conflicto entre Cuba y los Estados Unidos, la aviación de La Habana tiene un plan para atacar la Florida. Yo mismo fui el encargado de entrevistar a decenas de desertores de la isla para hacernos una idea más clara de todos los detalles de ese operativo.

—¿Un plan para atacar a los Estados Unidos? ¿Cuba?

—Sí. En efecto. ¿Te extraña escuchar esto?

De pronto, Miguel señaló con el dedo índice a Montalvo.

—Sí, ahora me acuerdo —dijo aumentando la intensidad de su mirada—. Usted es el militar que hace un tiempo salió en televisión explicando un plan cubano para atacar Turkey Point y destruir la Florida.

—Buena memoria.

—Nadie se tomó muy en serio sus palabras —añadió sarcásticamente el policía.

—También había antes mucha gente que no se tomaba muy en serio a Osama Bin Laden. Hasta que estrello los aviones en Nueva York y Washington.

El policía se quedó callado.

—Yo sí tomo muy en serio en plan contra Turkey Point. Es muy simple: «patria o muerte». ¿Te cuesta creerlo?

El cubano no dudó en su respuesta.

—No. En absoluto. Si tuvieran la capacidad para hacerlo, creo que el peligro sería muy grande. En realidad, no hace falta ser un gran analista. Sólo hay que escucharlos hablar para ver que, según ellos, esa es la única opción. Ellos mismos lo dicen. En público y casi cada día. Patria o muerte. Vencer o morir.

Montalvo respiró tranquilo al comprobar que Miguel Cardoso respaldaba sus teorías.

—Aquí te doy una copia del plan obtenido por el Pentágono. Se llama el Plan Hatuey —dijo proporcionándole una pequeña montaña de papeles—. No voy a extenderme demasiado en los puntos del operativo porque todo está perfectamente explicado en este informe secreto que ya leerás después. Sólo te pido que, para no perder tiempo, aceptes ahora como cierta toda la información que voy a darte.

—Le escucho —dijo Miguel haciéndose con los documentos.

—Mis contactos en Cuba y un análisis de lo que ha estado ocurriendo durante estas últimas semanas me indica que ese ataque ya se está preparando.

—¿Está hablando en serio?

—Muy en serio. No estaría aquí perdiendo mi tiempo si no estuviera seguro de lo que te estoy diciendo.

—Por favor, continúe... —dijo sobrecogido el policía.

—Hay una serie de individuos que están extremadamente interesados en que este escándalo salga al aire. ¿Quiénes? Los que trabajan para la industria de la defensa. Yo conozco a muchas de esas personas y te aseguro que ya hace tiempo que están buscando alguna prueba convincente de que ese plan es una amenaza real y no sólo hipotética. ¿Con qué fin? Vender sumas millonarias de sus equipos para fortalecer la defensa de la Florida. Y a mí nadie me ha explicado todo eso. Yo lo sé de primera mano porque trabajo para algunas de esas compañías. Otros, en cambio —prosiguió—, no quieren que se sepa nada para evitar que cunda el pánico.

—¿Y usted de qué grupo es, Montalvo?

—Yo soy un patriota y no sólo quiero que se sepa, sino también que se haga todo lo posible para desarticular el operativo antes de que se desencadene totalmente. El dinero me trae sin cuidado. Si hubiera querido ser millonario, no habría consagrado mi vida a la libertad de Cuba, sino a otras cosas mucho más lucrativas. Quiero a mi pueblo, tanto al del exilio como al de la isla, y tengo que hacer todo lo posible para detener esa locura.

El policía siguió escuchando con atención.

—Yo sólo quiero tres cosas. Con eso consideraré cumplida mi misión —dijo Montalvo.

—¿Cuáles?

—La primera, que los habitantes de la Florida sean conscientes de la situación y de esa amenaza. Viven aquí y tienen derecho a saberlo. La segunda, que se aumenten al máximo las defensas. Aunque en teoría el operativo cubano es imparable, quizás en la práctica no lo sea. Nuestra tecnología militar es la mejor del mundo y la de ellos la peor. Y la tercera, que se hable del plan hasta la saciedad. Que todo el mundo sepa claramente lo que es. Que no haya dudas sobre las consecuencias apocalípticas que produciría un ataque semejante. Y quiero que los primeros en enterarse bien sean los militares en Cuba. Que conozcan el plan hasta la última coma. Ellos son, al fin y al cabo, nuestra línea de defensa más importante. Cuanto más sepan de este diabólico operativo, más posibilidades habrá de que, de recibir la orden algún día, se nieguen a ejecutarla. Ya estarían advertidos. No hay engaño posible. Si en el futuro La Habana moviliza a sus pilotos y les dice que, por ejemplo, Santiago de Cuba está siendo bombardeada por los Estados Unidos y que hay que enviar los MIGs a Miami como represalia, quizás esos pilotos se lo pensarán dos veces antes de creer a sus superiores. Ya no será tan fácil engañarlos. Quizás un día la orden llegue, pero si no es obedecida será puro papel mojado. Por eso es tan importante que todos los militares cubanos conozcan lo que es el Plan Hatuey. Desde los generales hasta los soldados rasos. Esa es mi misión. ¿Comprendes?

Miguel Cardoso no pareció dudar de las palabras de Montalvo, pero tenía multitud de preguntas que rondaban con furia en su cabeza.

—¿Por eso acudió a Rivas?

—Primero acudí a la prensa. Contacté con un reportero y le revelé el plan. Como tú mismo recuerdas, la historia salió al aire y al principio hubo una gran controversia en Miami. Salió en la televisión, en la radio y en los periódicos. No obstante, tras algunos días, todos se olvidaron de ella porque nadie creyó que, en realidad, eso pudiese ocurrir algún día. Y si ni siquiera se lo tomó en serio la gente que vive en Miami y que sufriría las consecuencias directas de un ataque semejante, ¿por qué habría de hacerlo la Casa Blanca en Washington? ¿No es cierto?

—Recuerdo muy bien el programa.

—Al ver que la prensa se olvidó del asunto, decidí ponerme en contacto con Rivas. Él era un gran activista político. Pensé que podría movilizar una campaña de gran magnitud contra Turkey Point que alertara a las autoridades. El resto ya lo sabes. Lo mataron.

—Imagino que ya sabe que lo mató un asesino profesional.

Montalvo asintió.

—Sí, a veces ellos operan así. Jamás me creí lo de un posible robo —dijo el militar retirado.

—¿Quién opera así? ¿Quién ordenó su muerte?

—Es difícil de decir. O los servicios secretos cubanos o los americanos. Ninguno de los dos quiere que se filtre nada, pero mi impresión es que fueron los cubanos. Ellos podrían haber usado a sus propios agentes para asesinar a Rivas. Sin embargo, de haber hecho eso, hubiesen corrido el riesgo de exponer a sus espías en Miami. Siempre puede surgir algún problema que los delate. Si contratan a una tercera persona, en cambio, ese problema no existe. Si eso fue lo que ocurrió, luego habrían eliminado al asesino para borrar todo tipo de lazos con él. Es más discreto matar a un criminal anónimo que llega de otra parte del país que no a un personaje público como Rivas.

—Pero, si todo salió ya en la prensa, ¿por qué complicarse la vida de esa forma? ¿No dice usted mismo que nadie le hizo mucho caso? ¿Por qué habría de ser distinto ahora? ¿Por qué matar a Rivas? —no comprendió Miguel.

—Si ese plan se está preparando, lo último que La Habana querría es ver en estos momentos a alguien como Rivas creando polémica sobre ese tema. Tenían que silenciarlo, no correr ningún tipo de riesgo. Por lo que a mí respecta, la información que proporcioné antes era muy genérica. Sólo una posibilidad. Un operativo de contingencia. Pero ahora tengo nuevos datos en mis manos que indican que todo podría estar ya en marcha.

—¿Y por qué no avisó a la prensa?

—En primer lugar, el gobierno no quiere que se hable más del tema. La primera vez les cogió completamente desprevenidos y no pudieron impedirlo, pero ahora me vigilan. Necesitaba a una persona que pudiera moverse con más libertad. En segundo lugar, quería que fuera Rivas para darle más credibilidad al tema. Él era muy respetado. Le escucharían. De mí quizás dirían que estoy tan obsesionado con Cuba que ya no veo nada con objetividad.

—Sí, sé muy bien a qué se refiere... —suspiró el policía—, pero, ¿no podría ser eso cierto?

—Ojalá que fuera así, pero me temo que no. Miguel, es muy importante movilizar a la opinión pública. Los habitantes de la Florida están siendo engañados al no advertírseles del peligro que corren. Por eso asesinaron a Rivas. Para impedir que la información llegue al público.

Montalvo taladró a Miguel con la mirada. Al no escuchar ninguna pregunta, prosiguió.

—¿Recuerdas cuando las autoridades en Washington recibieron de los servicios de inteligencia estadounidenses informes donde se les advertía que Osama Bin Laden quería usar aviones comerciales para atacar objetivos en los Estados Unidos? —dijo el militar con una medio sonrisa—. Eso no provocó que nadie levantara la voz de alarma con energía. Nadie se lo tomó como una amenaza inminente. Después vino el once de septiembre. ¿Recuerdas que algunos ingenieros advirtieron que los diques de Nueva Orleans no aguantarían la fuerza de un huracán de categoría cinco? ¿Qué ocurrió? ¿Se solucionó el problema? No, y el resultado fue devastador. No podemos permitir que ocurra lo mismo con este tema.

—¿Qué podemos hacer?

—Sólo hay una solución.

—¿Cuál?

—Conseguir alguna prueba física de que el plan ya se ha activado y acudir a la prensa y al gobierno para que fortalezcan las defensas militares en Florida.

—Pero... ¿no dijo que usted ya tenía esas pruebas?

—Son fotos aéreas que confirman la compra por parte de Cuba de veinticuatro ultrasofisticados aviones MIG-29. Lo mejor del arsenal ruso.

—¿MIGs-29? —se preguntó Miguel, que, como ex militar, estaba bastante familiarizado con ese tipo de aparatos. Sobre todo, con su precio—. No creo que a Cuba le sobre el dinero ahora como para dedicarse a comprar esos aviones.

—Exacto. Ese es el punto. Sin embargo, las fotografías no son concluyentes. Pueden ser interpretadas de muchas formas. Yo sí estoy seguro de lo que significan, pero necesitamos algo todavía más sólido para convencer a quienes aún no ven esto con claridad. Algo irrebatible. ¿Me quieres ayudar? —preguntó Montalvo.

—Por supuesto.

—¿Estas seguro? Esto fue lo que mató a Rivas. Es peligroso.

—Claro que estoy seguro. Estamos hablando de la vida de miles de personas, ¿no? ¿Cómo no voy a querer ayudar?

Montalvo le miró con satisfacción.

—Un ataque semejante conseguiría no sólo golpear a su eterno enemigo, los Estados Unidos, en su propio suelo, sino que también eliminaría lo que ellos más odian en este mundo: el corazón del exilio. Tienes que tener cuidado. Desde ahora, tu vida, al igual que la mía, podría estar corriendo peligro —afirmó después.

—¿Le ha pasado algo a usted?

—Por el momento, no. Quizás me tengan algo de miedo. Soy perro viejo en estas lides. Ellos saben muy bien el tipo de información que tengo en mis manos y qué ocurriría con ella en caso de que me asesinaran o muriese debido a algún extraño accidente. Y no sólo respecto a este plan cubano. Recuerda. Yo hice el trabajo sucio del Pentágono en Latinoamérica durante varias décadas. Sé demasiado sobre demasiadas cosas. Si yo caigo, no seré el único.

—Comprendo...

Montalvo miró de reojo a Miguel y se acercó un poco más a él.

—Sin embargo, eso, en verdad, ya no es tampoco ninguna garantía de nada —dijo el militar en voz baja mientras hacía una mueca de resignación en su cara—. En este oficio, tarde o temprano, a todos nos llega nuestra hora.

Tras esas palabras, el militar volvió a su posición física

anterior. Sentado a una distancia prudencial de Miguel.

—¿Y cómo puedo ayudarle yo?

—Tú eres policía y tienes acceso a mucha información local. Necesitamos conseguir pistas que nos ayuden a localizar a espías cubanos ubicados en Miami cuya actividad indique que La Habana ya tiene aquí sus comandos listos para actuar. Estoy convencido de que la inteligencia de la isla ya tiene movilizada a su gente en Florida con todo lo necesario para apoyar logísticamente esta operación. Esos agentes podrían ser la prueba que necesitamos.

—¿Y por qué me ha elegido a mí para esto?

—Miguel, te he estado observando durante mucho tiempo. Creo que eres como tu padre. Un patriota. Y eso es lo que necesito ahora. Una persona en tu puesto, con acceso a datos de la policía, y que sea un verdadero patriota. Además, como así ha sido, sabía que tú comprenderías la situación.

—Cuando se trata del gobierno de Cuba, siempre asumo lo peor.

—Tenemos muy poco tiempo.

—¿Y cómo puedo yo averiguar información sobre esos agentes de los que usted me habla? —apuntó preocupado Miguel—. ¿Qué tengo que hacer? ¿Dónde hay que mirar? ¿Qué tipo de pistas deberían despertar mis sospechas...?

—Tienes que prestar mucha atención. Simplemente eso. Tarde o temprano esos agentes cometerán algún fallo. Todos lo hacemos. ¿Qué fallo? Lo ignoro. Sólo lo sabremos cuando lo veamos.

El policía reflexionó entonces con rapidez sobre todo lo que había escuchado y agarró con fuerza el brazo de Montalvo.

—Quizás tiene razón y esos agentes no sólo están aquí, sino que también ya cometieron el error al que usted se refiere... —prosiguió el policía—. Hace poco desarticulamos un muy sospechoso e inusual grupo de contrabandistas de armas.

—¿Contrabandistas de armas? ¿Cuándo? No leí nada en la prensa —dijo extrañado Montalvo, que se vanagloriaba de leer, al menos, cinco periódicos cada día.

—Hace muy poco. No leyó nada porque nunca lo hicimos público para no entorpecer la investigación.

—¿Por qué piensas que podrían ser agentes de la inteligencia cubana?

—En realidad, nunca lo había pensado hasta ahora, pero creo que, después de escucharlo a usted, esa posibilidad comienza a tener bastante sentido.

—¿Por qué?

—Eran dos y ambos prefirieron morir antes que caer arrestados. No tenían ninguna necesidad de pelear hasta la muerte. El delito que estaban cometiendo no era tan grave como para que reaccionaran de una manera tan violenta. Eran disciplinados, valientes y estaban muy bien entrenados. Unos profesionales. Por eso me extrañó. Cuando los sorprendimos, su consigna fue sólo una: escapar o morir, pero nunca ser detenidos por la policía.

—Vaya... —se interesó más Montalvo—. ¿De dónde eran?

—Cubanos.

—¿Qué tipo de contrabando de armas?

—Estaban intentando introducir en el país partes de un misil para aviones de combate.

—¡Bingo! —afirmó Montalvo.

—Y no sólo eso... —añadió lacónicamente Miguel.

—Dime.

—Localizamos su lugar de residencia. Allí vivían con un grupo más numeroso de personas. Todos lograron escapar antes de que llegáramos, pero ¿sabe qué habían construido en el patio de su casa?

—No.

—Un refugio nuclear. Un refugio lo suficientemente grande como para acoger a todos los que vivían ahí. Si su teoría es cierta, imagino que serían los miembros de algún comando de la inteligencia cubana.

—¡Dios santo! ¡Tenía razón! —exclamó Montalvo exaltándose cada vez más—. ¡Era verdad! ¡Se están preparando para la hora final!

52. AMOR Y REVOLUCIÓN

HÉCTOR LARA DORMÍA en su casa con tranquilidad junto a Marta cuando, de repente, algo le despertó. El cubano no tardó en comprobar que el motivo fueron los leves gemidos que, desde el lado derecho de la cama, emitía Marta. Aparentemente, la joven tenía una fuerte pesadilla.

La cara de Marta reflejaba con claridad que estaba pasando un mal momento. Sus labios se apretaban con intensidad entre sí mientras varias gotas de sudor descendían con lentitud sobre su tez.

Héctor observó con atención durante algunos instantes el rostro de su amada. Por un momento no supo qué hacer, pensando que, quizás, la pesadilla acabaría pronto y que por lo tanto no valía la pena despertarla.

—Si la despierto, podría arruinarle la noche. Quién sabe si el recuerdo de esa pesadilla hace que después no pueda dormir —reflexionó.

Sin embargo, Héctor vio con rapidez que los lamentos de Marta no sólo no cesaban, sino que parecían ir aumentando y, cada vez, con mayor energía. Los gemidos no eran estridentes, sino breves y agudos espasmos que reflejaban un abierto malestar.

—Mi amor... mi amor... despierta —dijo por fin para rescatarla del mal sueño que la había atenazado aquella noche.

Marta, en principio, no reaccionó, sino que siguió inmersa en aquel lúgubre y oscuro túnel que la asediaba sin descanso.

—Martica... —susurró Héctor, pero, en esta ocasión, tocándole con suavidad la cabeza para despertarla sin sobresaltos.

La cubana abrió entonces sus ojos, pero su mirada fue todavía la mirada ausente y semiperdida de una persona que aún ignora dónde está y qué está ocurriendo. Tuvieron que transcurrir algunos segundos más hasta que Marta se despertó por completo y comprendió que había estado inmersa en una cruel pesadilla.

—Héctor... ha sido horrible —dijo abrazándose a él con fuerza.

—¿Qué te pasa?

—¡Uf...! —exclamó—. Qué pesadilla tan terrible y, al mismo tiempo, tan real.

—Vamos, cálmate. Ya pasó. Vuélvete a dormir —dijo él acariciándola.

—No. No puedo dormir ahora. No quiero volver a caer en esa maldita pesadilla —afirmó Marta confirmando así los presagios iniciales de Héctor.

—...pero, chica, ¿en qué estabas soñando?

Marta respiró hondo en un par de ocasiones, miró a Héctor y después le cogió la mano para apretársela como nunca antes había hecho.

—A veces me pasa. Tengo malos sueños.

—No te preocupes. Eso nos pasa a todos de vez en cuando, ¿no?

—Bueno... —titubeó ella—. Esto es diferente.

—¿Por qué?

—Es una pesadilla que he vivido. No es ninguna fantasía.

—¿Con qué sueñas?

—Siempre es lo mismo. Una y otra vez... —suspiró—. Sueño con la prisión —dijo después al tiempo que echaba su pelo hacia atrás con las dos manos, aplastándolo contra su nuca.

—Ah... La prisión... —comprendió Héctor—. Olvídate de eso, pequeña. Eso ya quedó atrás —pretendió reconfortarla con palabras llenas de cariño.

—Ojalá pudiera hacerlo, pero para mí todo eso sigue pareciéndome que ocurrió hoy mismo.

—Marta, túmbate y cierra los ojos. Ya verás como en un ratito recuperas el sueño —dijo él joven en un nuevo intento por tranquilizarla.

—No. Ya te lo dije. No quiero dormir. Tengo miedo a revivir esos recuerdos.

—Entiendo... —la besó con delicadeza—. No te preocupes. Yo estoy contigo. No estás sola.

—Nunca he podido librarme de estas atroces pesadillas. La cárcel me traumatizó demasiado.

—Imagino que fue muy duro.

—Sí, claro. Bueno, tú también has estado en la cárcel. Sabes muy bien lo que es ese infierno.

Héctor Lara pensó que, quizás, lo mejor sería hablar con Marta durante algunos minutos para intentar que se relajara un poco. El cubano había aprendido que, en ocasiones, la mejor forma de hacer más llevadera una mala experiencia era abrirse a otra persona y compartir lo ocurrido. Simplemente conversar y ser escuchado. Exteriorizar ese intenso dolor que uno lleva dentro y que a veces resulta tan difícil poder sacar fuera del pecho.

—No permitas que esos malos momentos hagan de ti una prisionera de tu pasado. Eso sería como si ellos hubieran ganado. ¿Comprendes?

—Héctor, por desgracia, me temo que siempre seré una prisionera de mi pasado porque no creo que nunca pueda olvidar el daño que me hicieron —sentenció convencida Marta.

El agente sintió esas palabras como una verdadera estocada en el corazón. Tan sólo la idea de que alguien pudiera hacer daño a su querida Marta provocaba en él una reacción inmediata de odio y resentimiento. Él sería capaz de matar a cualquiera que osara poner un solo dedo encima de esa mujer. Sin embargo, la responsable de que Marta hubiera pasado por esos momentos tan traumáticos no había sido otra que la misma revolución. La revolución a la que, igualmente, él tanto amaba y por la cual, si fuera necesario, también estaría dispuesto a sacrificar su propia vida.

Héctor empezó a sentir como nunca una profunda pugna interna entre, por un lado, la absoluta devoción que sentía hacia la mujer de la cual se estaba enamorando cada vez más y, por otro, el claro conflicto que eso originaba con las ideas que él había profesado con convencimiento y disciplina desde que tenía uso de razón. Algo que, en realidad, ya no era nada nuevo, pero que cada día se hacía más y más obvio para el cubano. Parecía una semilla que la mera presencia de Marta había plantado en su corazón prácticamente desde el primer momento en el que ambos se conocieron y que ahora, poco a poco, estaba dando sus frutos.

—¿Cómo puedo amar a alguien cuyos ideales van visceralmente en contra de todos mis principios revolucionarios? ¿Cómo puedo perdonar a la revolución haber cometido atrocidades contra esta mujer, que no es ninguna amenaza para nadie? ¿Qué haría yo ahora si intentasen arrestarla de nuevo? ¿A quién defendería? ¿A ella o a la revolución? ¿Podría yo llegar a enfrentarme a la revolución por el amor a una mujer? ¿Cómo puede la revolución ensañarse con una persona tan pura y tan buena como Marta? ¿Cómo es posible que, por primera vez en mi vida, ponga en duda mis principios revolucionarios después de todo lo que he luchado por ellos? ¿Cómo puede ser que, de un día para otro, esté poniendo en tela de juicio los ideales que he venerado durante tantos años? Nunca antes hubo nada más importante para mí que la revolución, pero ¿es ese todavía el caso? ¿Qué me está pasando? —se cuestionaba un atormentado Héctor. Unas preguntas que fluían continuamente por su cerebro, pero para las cuales todavía no tenía ninguna respuesta.

El cubano sabía muy bien el tipo de penurias que se vivían dentro de las prisiones de la isla. Sin embargo, nunca antes había tenido problemas de conciencia respecto a la situación de los presos políticos que la revolución mantenía tras las rejas.

Para él, esos contrarrevolucionarios merecían estar allí debido a sus intentos por socavar al régimen. La revolución, pensaba, no podía ser débil y tenía la obligación de castigar con dureza a los llamados «gusanos» que pretendían agrietar la confianza del pueblo en sus líderes dentro de la misma Cuba.

El espía, a lo largo de los años, fue el responsable directo de la detención de innumerables disidentes, algo que, al menos hasta ese momento, no sólo nunca le había producido ningún debate moral, sino que siempre celebró con orgullo junto a sus compañeros de armas. No obstante, ahora se encontraba frente a una situación distinta y muy peligrosa. Se había enamorado de uno de los enemigos que tanta repulsa le causaban y eso hacía que, poco a poco, también viera las cosas desde otro punto de vista.

—¿Hubiera yo metido en la cárcel a Marta? —siguió preguntándose—. ¿Habría permitido que no sólo le privaran de su libertad, sino que también le causaran algún tipo de daño físico? ¿Qué lealtad prevalecería en caso de disputa? ¿La del amor a una mujer o bien la del amor a un ideal? ¿Podría una persona como Marta desear algo malo para Cuba? ¿Por qué, entonces, ensañarse con ella de esa forma? Y si yo me destrozo escuchando ese sufrimiento, ¿no tienen las familias de los otros presos el derecho a sentir lo mismo? ¿Cómo puede ser que el dolor de Marta esté generando en mí sentimientos negativos hacia la revolución? Y si me obsesiono con mis sentimientos, ¿no estoy acaso traicionando mi lucha por la integridad y soberanía de Cuba? ¿No es esto una clara muestra de egoísmo por mi parte? ¿Cómo puedo estar anteponiendo mi vida personal a algo tan importante como la causa revolucionaria?

—A las seis de la mañana tocaron a la puerta como si fueran bestias —comenzó tímidamente su narración Marta interrumpiendo los pensamientos de Héctor—. Eran cinco policías de la seguridad del Estado vestidos de civil. Entraron gritando y registrándolo todo. Me acuerdo de que un niño, un vecino al que despertamos con todo el ruido, empezó a llorar y su llanto no concluyó hasta que nos fuimos. Recordé ese detalle hasta que me liberaron porque reflejaba perfectamente las lágrimas que vertía mi corazón. Y digo el día que me liberaron, no el día que me dieron la libertad, porque en Cuba, aunque estés en la calle, nunca estás verdaderamente libre, sino que siempre permaneces presa. De una forma u otra, sigues estando encerrada en un gran pabellón donde continuamente ansías esa libertad que jamás llega.

Marta, finalmente, decidió desahogarse con Héctor y revelarle sus experiencias en prisión sin ningún tipo de reparos. Algo que no había hecho con nadie. Ni siquiera con su propio hermano, a quien tanto quería. Esta era la primera vez que la joven hablaba de forma tan abierta sobre las angustias que vivió durante el año y medio que pasó en la cárcel.

—No me dejaron ni cambiarme de ropa. Me trataron muy mal. Cuando llegué a la estación de policía vi que aquello era una pocilga, un auténtica puercada. Todo estaba sucio, mal cuidado. En los cinco días que pasé en ese lugar incluso cogí piojos. Allí todos los detenidos temporales los tenían. Nadie se puede imaginar lo que es aquello, Héctor. A los cinco días me hicieron el juicio, tardísimo en la noche y sin abogado ni nada —prosiguió—. A mí, como creo que ya te había dicho, me condenaron por escuchar Radio Martí. A otra mujer que también estaba allí la encarcelaron por hacer impresos clandestinos. Tenía una máquina de escribir en su casa y, a base de papel carbón, publicaba un diario llamado «Franqueza», que relataba las violaciones a los derechos humanos en la isla. Logró repartir seis números entre las embajadas extranjeras y la prensa internacional antes de que la seguridad del Estado le cayera encima.

El cubano permaneció atento a todo lo que le decía Marta, no sólo por amor y respeto, sino también por auténtico interés. Para él, aún resultaba extraño que una persona claramente inofensiva como Marta hubiera podido acabar en la cárcel. El agente siempre creyó que quienes eran encarcelados en su país por motivos políticos habían hecho méritos más que de sobra para sufrir ese castigo.

—Quizás ahora lo veo distinto sólo porque se trata de Marta. Si fuera otro preso el que me estuviera contando que fue a prisión por ese motivo, posiblemente lo encontraría normal —recapacitó Héctor con claridad.

La amplia experiencia del agente en las prisiones de la isla apenas daba margen para que pudiera asombrarse de nada que de lo que ocurriese dentro de las mismas. No obstante, cada relato de su amada adquiría especial crueldad y dramatismo.

Héctor se aterrorizaba al pensar que incluso hubiera podido ser él mismo la persona encargada de arrestar, acosar y maltratar a Marta durante su encarcelamiento. Ser, precisamente, el responsable de la profunda indignación que ahora sentía escuchando lo sufrido por ella en la cárcel. Unas heridas que sin duda quedarían abiertas durante mucho tiempo en el corazón de su enamorada. Unas heridas que quizás nunca sanarían.

—A mí me enviaron a la prisión del Castillo de San Severino, en Matanzas, donde también hay hombres —continuó Marta—. Por lo general, todas las historias que se escuchan del presidio cubano son de hombres, pero hay infinidad de mujeres en la misma situación. Son muchas las cárceles sólo para mujeres: el Reclusorio Nacional de Mujeres en Guanajay, el Vivac de Guanabacoa y el de Santiago de Cuba, la Granja América Libre, el Nuevo Amanecer en Occidente... Muchas... demasiadas... —pronunció con pena sus palabras la maestra.

Héctor creyó que lo mejor era no hacer demasiadas preguntas. De esa forma, quizás, ella se olvidaría antes del tema. Sin embargo, sí realizó algunas para ayudarla a que se desahogara más rápidamente.

—Y dime, ¿te pusieron con las presas políticas?

—No. Para nada. Los carceleros se vengaban de nosotras encerrándonos en los pabellones de las peores reclusas: con las asesinas, las ladronas y las drogadictas. Para colmo, cuando llegué, nos esperaba, nada más y nada menos, que un gran acto de repudio de las presas comunes de la prisión. Esas eran impredecibles. Tan pronto gritaban «¡paredón!» para nosotras como al otro día se volvían contra los carceleros y decían que estaban con nuestra causa. ¡Mira tú! Yo, una niña de apenas diecinueve años, rodeada de ese ambiente... Estaba aterrorizada...

Marta detuvo durante algunos segundos su explicación para echarse de nuevo el pelo hacia atrás.

—Me acuerdo —rompió esa pausa al fin— de que cuando caía presa una jovencita siempre se escuchaban después sus gritos en los pasillos durante horas porque las demás la estaban violando. Era algo terrible.

Héctor recordaba que Marta, durante su travesía en balsa, le había dicho que nunca había sido abusada sexualmente en prisión. El cubano, aún sabiéndolo, prefirió evitar el tema para no ahondar aún más en esos dramáticos recuerdos. Sin embargo, aquel día Marta parecía dispuesta a profundizar con valentía en su pasado.

—Yo tuve mucha suerte. Las presas políticas me protegieron y nadie me violó. Otras, sin embargo, no tuvieron la misma fortuna y fueron ultrajadas una y otra vez hasta que llegaba una nueva desgraciada con la que empezar a divertirse de nuevo.

El testimonio de Marta estaba despedazando a Héctor. De pronto, el miembro del MININT no pudo evitar sentir asco de sí mismo al no haber experimentado jamás una repulsión similar cuando, con sus propios ojos, vio infligir sufrimientos similares a otras personas. Algo que ocurrió una y otra vez a lo largo de los años sin que Héctor moviera un solo dedo para impedirlo.

—Muchas de las mujeres que estaban allí eran seres humanos a quienes les teníamos mucha pena, mucha lástima. Eran personas que no estaban bien de sus facultades mentales. Habían asesinado por amor, locura o dinero y tenían hábitos de vida que no eran los nuestros. Era una parte de la vida que la mayoría de nosotras nunca había visto. Entre ellas mismas se herían y se mataban y casi todos los días había violencia. Algunas también se suicidaron. Allí se veía de todo.

Algo que comenzó como una pesadilla para Marta, ahora también se estaba convirtiendo en otra para Héctor. Una pesadilla que le perseguía sin piedad y que cada vez le hacía sentirse peor consigo mismo.

—Quién sabe si incluso yo vi a Marta en alguna prisión —reflexionó—. Quién sabe si yo mismo me reí de ella algún día, completamente insensible a su terrible sufrimiento...

—La alimentación siempre fue muy pobre y resultaba normal encontrarse con gusanos y gorgojos en la comida, que, en esencia, eran macarrones hervidos, chícharos, carne rusa enlatada y pan nunca fresco —continuó Marta—. Recuerdo que los huevos eran un verdadero lujo. Muchas veces los alimentos que iban a ser exportados de Cuba se pudrían en los puertos por falta de transporte y entonces nos los daban a nosotras como rancho.

—Sí, nosotros también comíamos lo mismo mes tras mes...

—Casi siempre había carencia de agua y, para que sepas, apenas se nos proveía de toallas sanitarias femeninas, algodón o cualquier otro material que sirviera de sustituto. Para colmo, estaba prohibido que nuestras familias nos lo enviaran.

Marta, durante mucho tiempo, había hecho todo lo posible para borrar aquellos amargos recuerdos de su memoria, pero estos siempre acababan regresando. Normalmente, en forma de pesadillas. En esta ocasión, sin embargo, fue la misma cubana la que quiso rescatar esa terrible parte de su vida para enfrentarse cara a cara contra todos sus peores miedos. Aquel día pensó que quizás esa sería la única forma de poder superarlos y, finalmente, dejarlos atrás.

Héctor siguió preguntando mientras continuaba acariciándola.

—Oye, Marta... ¿y cómo hacían para limpiarse? ¿Había baños?

—¡Qué va! En el patio de la prisión siempre había mal olor y muchísimas moscas y mosquitos porque allí almacenaban la basura de toda la cárcel. Imagino que para hacer nuestra estancia más agradable —dijo con marcada ironía—. Además, no había baños. Sólo un pequeño hueco en medio de la celda que hacía de sanitario —continuó Marta, ya totalmente inmersa en sus recuerdos—. Se le conocía como «el polaco» y siempre lo manteníamos tapado, ya que por ahí subían las ratas, las ranas y las cucarachas junto a auténticos ejércitos de insectos. Y, por si fuera poco, el agua putrefacta de las celdas que teníamos arriba de nosotras se filtraba constantemente por las rajaduras de las paredes. El olor y la suciedad eran terribles.

—¿Te permitían visitas?

—Una o dos veces al mes, pero casi siempre las cancelaban justo antes de producirse. Era parte de la constante tortura psicológica a la que nos sometían. Recuerdo que la primera celda que visité tenía escrito en las paredes los nombres de todas las personas que habían sido fusiladas en aquella cárcel. Estuve en esa celda durante cinco días. Sola, sin asearme, haciendo mis necesidades en una lata y durmiendo sobre una colchoneta sanguinolenta. Después me tuvieron dos meses incomunicada sin motivo alguno.

—He escuchado cosas muy malas de esa prisión.

—El Castillo de San Severino es, según supe después,

una de las prisiones más duras del país. Las experiencias que vives allí son horribles. Un día trajeron a una joven llena de arena, desde los pies hasta la cabeza. Tenía un olor malísimo y llegó aterrorizada. Cayó rígida en la cama. Exhausta. Esas bestias de la seguridad del Estado, cogiéndola del pelo, la habían hundido en el mar una y otra vez hasta que la mujer acabó rendida y casi sin respiración. Más tarde, abrieron un hueco en la playa y la enterraron allí durante veinticuatro horas, sin darle comida, ni agua, ni nada... enterraron todo su cuerpo menos la cabeza —siguió Marta casi sin poder creer en la veracidad de sus propios recuerdos.

—¿Y a ti te pegaron, Marta?

—Sí, nos golpearon muchas veces. Y Héctor, la imagen de ver a los hombres pegándonos, ensañándose con nosotras, era aterradora. Eran unos monstruos sin escrúpulos, maltratándonos durante el día y exigiendo favores sexuales al llegar la noche —recordaba con angustia la maestra.

—Amor, por favor, no sigas... —dijo Héctor abrazándola contra su cuerpo.

El cubano quería aliviar de todas las formas posibles el intenso dolor sufrido por Marta: con su presencia, su apoyo, su comprensión, sus caricias y sus besos. Sin embargo, el daño parecía tan profundo que Héctor se preguntaba si, en realidad, todo su cariño valía para algo en aquellos momentos.

—Sí, permíteme seguir. Por favor. Es la primera vez que hablo de esto con alguien y necesito hacerlo. Tengo que sacármelo de dentro. Al menos una vez —dijo ella.

Héctor la cogió de la mano y no tuvo más remedio que seguir soportando la tortura de escuchar algo que desgarraba lo más profundo de su alma.

—Un día nos llevaron a un gran almacén abandonado donde las ratas caminaban por todas partes. Allí vi cómo violaron a una mujer —afirmó la maestra con especial tristeza—. No pude hacer nada por ayudarla. Si lo hubiera intentado, me habrían violado a mí también. Sus gritos eran horribles...

Marta metió entonces su mano derecha debajo de su camiseta y sacó una cruz que colgaba de un fino collar. Tras besarla cuatro veces, volvió a ponerla junto a su pecho.

—Las presas comunes más peligrosas no tenían piedad. Llegaban a las manos con mucha frecuencia. Aquello era un verdadero infierno. Las peores asesinas del país estaban allí, sueltas sin más. Delante tuyo. Dormían contigo y comían junto a ti. No había forma de aislarte de ellas... pero, en realidad, esas eran las únicas a quienes los carceleros respetaban.

—¿Por qué?

—Les tenían miedo. Las presas comunes caminaban con arrogancia por los pabellones y se peleaban continuamente las unas con las otras sin que nadie les dijera nada. En cambio a las presas políticas, nos tenían encerradas durante todo el día en la jaula para que ni siquiera pudiéramos disfrutar de algunos rayos de sol. Otra vez —recordó de pronto Marta— también vi cómo una presa común le cortaba el cuello a otra. Muchas tenían cuchillas. No sé de dónde las sacaban, pero las conseguían. Allí, Héctor, no se podía ni dormir. Tenías que estar siempre pendiente. Nunca era posible bajar la guardia.

—Sé muy bien de qué me hablas, cariño. Yo también tuve que ver todo eso...

—Héctor, el que no ha pasado por la prisión no sabe la increíble capacidad de las personas para enfrentarse a la adversidad más severa. ¡Qué resistencia puedes llegar a tener! ¿Verdad? Ahí es donde aprendes a valorar hasta las cosas que siempre habías considerado insignificantes, como un simple vaso de agua fría, el poder estar limpio, disponer de una manta para abrigarte, de un lugar decente donde dormir... y, por supuesto, también las más importantes, como la libertad.

El agente encendió un cigarrillo y se reclinó sobre la cabecera de la cama. Héctor casi nunca fumaba. Sólo cuando estaba muy nervioso.

—¿Te arrepentiste alguna vez de no haberte apartado de la política?

—Bueno, en realidad, yo no fui arrestada por un acto político. Sólo tenía una radio a través de la cual escuchaba lo que el gobierno quería mantener en silencio. Sin embargo, si en algún momento estuve confundida y dudé sobre si había valido o no la pena enfrentarse al sistema, al llegar a la cárcel me di cuenta de que sí, de que valió la pena. Ves tanta canallada que te hace comprender rápidamente que tu causa, la de la libertad, es una causa justa y que el futuro de Cuba no puede ser el comunismo.

—Es un precio muy alto el que hay que pagar, ¿no?

—Sí, claro, pero, ¿sabes qué?, en el fondo me alegro de haber vivido todo eso. La prisión me marcó y voy a sufrir mucho para olvidarla, si es que algún día logro hacerlo. No obstante, allí aprendí a abrir los ojos y descubrí cuáles son los verdaderos valores de la vida y del ser humano. La cárcel me enseñó a indignarme y ahora sé que luché por una causa noble y generosa. Además, incluso en los peores días de castigos, soledad y angustia me sentía bien porque sabía que Dios estaba a mi lado. Yo fui a parar a la cárcel por una tontería, pero en mi familia se luchó mucho y durante muchos años contra el régimen. Es cierto. Pagamos un precio muy caro, pero estoy orgullosa de lo que hicimos. Nuestro único crimen fue dar nuestra opinión. Nada más.

De nuevo un silencio, un cigarro que se enciende y una mirada perdida en el pasado.

—En la cárcel te das cuenta de lo poco que necesita una persona para poder sobrevivir. Yo misma me sorprendí porque nunca lo hubiera creído. Sólo me repetía continuamente «ellos no pueden contigo, no van a poder». Y me lo repetía cada día. Una y otra vez para darme ánimos y fuerzas. Era como una especie de plegaria para que Dios me protegiera.

Tras esas palabras, Marta se pegó aún más al cuerpo de Héctor, envolviéndolo fuertemente con el suyo.

—En una ocasión estuve sesenta y cinco días seguidos sin bañarme y comiendo alimentos helados. También vi cómo algunas acabaron ahorcándose. Era una situación dantesca, surrealista. Hasta nos ponían la Internacional, el himno comunista, durante horas y horas por unos altavoces gigantescos para sacarnos de quicio. A pesar de todo, siempre sobreviví y el único motivo por el cual pude hacerlo fue el convencimiento de que estaba luchando por algo que realmente valía la pena: por la libertad, por los derechos humanos. De haber sido una presa común, estoy segura de que me habría suicidado. No hubiera podido aguantarlo.

—Debes de tener mucho odio dentro de ti.

—Sólo contra los de arriba. Contra los auténticos responsables de la miseria humana por la que está atravesando nuestro país. Para los otros, en realidad, no —dijo Marta—. Contra ellos no creo que sea odio. Es rabia. Rabia y una profunda lástima. Creo que son unos pobres desgraciados. Seres perdidos y absolutamente vacíos por dentro. No personas, sino simples perros de presa adiestrados para reprimir a su propio pueblo. No pueden ser felices. Nadie, excepto un desquiciado, puede ser feliz cometiendo esas canalladas, pero, tarde o temprano, tendrán que responder por ellas. Por todas y cada una de ellas, ya sea aquí o bien allí arriba —afirmó Marta señalando hacia el cielo.

Héctor Lara sintió romperse por dentro. ¿Cómo podría ser feliz junto a Marta sin serle completamente sincero? ¿Cómo podía ella amarle si ni siquiera sabía quién era él en realidad? ¿Era él acaso lo que Marta describía como un verdugo del pueblo? ¿Sería capaz algún día de confesarle su verdadero pasado? Y si no lo hacía, ¿podría vivir con una máscara eternamente colocada sobre su rostro? ¿Quién tenía la razón? ¿Ella o la revolución? ¿Cómo era posible que ambos se quisieran tanto y que, al mismo tiempo, vieran la realidad de Cuba de una forma tan distinta? ¿Dónde estaba la verdad? ¿Cómo podía sentir tanto amor por Marta y por la revolución si ambas eran diametralmente opuestas? ¿Tendría que acabar decidiendo por una de ellas? ¿Podría hacerlo? Y si fuera así, ¿por cuál? ¿Tendría después sentido su vida si tuviera que renunciar a Marta o bien a la revolución? ¿Podría vivir consigo mismo tras semejante decisión?

El agente del MININT se sintió caer en un profundo y oscuro precipicio. Héctor había sido elegido entre muchos para llevar a cabo un operativo de enorme importancia y ahora se encontraba frente al peor enemigo que hubiera podido encontrar: el de la duda respecto a la validez de lo que estaba haciendo. No el convencimiento de que estaba en el camino equivocado, pero sí la aparición de una peligrosa duda que continuaba germinando en él y que podría amenazar el resultado último de una misión para la que había estado preparándose durante toda su vida. Un operativo del cual, según sus más altos jefes, dependería el futuro mismo de la revolución.

53. GLOBO SONDA

CAYO HUESO ES EL PUNTO más al sur de los Estados Unidos. Situado en el extremo meridional de la Florida, y a apenas noventa millas de las costas de Cuba, también es la sede de la Estación Aeronaval de Boca Chica, o Key West. Una base de entrenamiento con los más modernos y letales cazas del Pentágono, como los F-18, los F-16 o los F-15.

A pesar de la constante actividad propia de cualquier base militar, todo parecía tranquilo aquella mañana en Boca Chica. Sin embargo, de repente, un avión pareció salir de la nada y sobrevoló la torre de control para volver a perderse una vez más en las alturas. Algunos segundos más tarde, el aparato regresó e hizo un nuevo pase sobre la pista de aterrizaje.

Numerosos oficiales estadounidenses quedaron petrificados al comprobar que se trataba de un avión de combate perfectamente armado y que no era parte de la Fuerza Aérea de los Estados Unidos. La señal de emergencia sonó con rapidez y los pilotos que permanecían de guardia durante las veinticuatro horas del día cerca de sus aparatos corrieron hacia los mismos sin pérdida de tiempo.

Todos los cazabombarderos estacionados sobre la pista estaban a la merced del avión de combate que les había tomado por completa sorpresa. No obstante, los militares norteamericanos siguieron con disciplina sus órdenes en un desesperado intento por despegar antes de ser pulverizados en el suelo.

Entre tanto, la torre de control observaba atentamente al intruso. Uno de los oficiales, utilizando sus prismáticos, pudo ver entonces con claridad que el avión inclinaba sus alas de un lado hacia otro. Algo que, entre aviadores, se interpretaba como una señal internacional de paz y amistad.

—Este es el capitán Díaz, de la Fuerza Aérea Revolucionaria Cubana, pilotando un MIG-21. Por favor, solicito permiso para aterrizar. Estoy desertando de mi país —dijo una y otra vez en inglés el piloto, que procedía de la Base Aérea de San Antonio de los Baños, situada en las afueras de La Habana.

El aviador, para asegurarse de que le estaban escuchando, cambió a la frecuencia número veinte, la utilizada a nivel internacional para casos de catástrofe y que era conocida por cualquier militar. El caza de la FAR había volado hasta las costas norteamericanas a apenas veinte o treinta metros sobre el nivel del mar y a una velocidad de más de mil millas por hora.

La torre, después de unas rápidas consultas con Washington, comunicó al MIG de fabricación soviética que tenía permiso para aterrizar. Todos se dieron perfecta cuenta de que las medidas de seguridad habían fallado estrepitosamente y que si el avión hubiera llegado con intenciones hostiles, una buena parte de la base ya no existiría. Aunque el MIG-21 Fishbed era un aparato anticuado, tenía capacidad más que suficiente para originar una verdadera ola de destrucción en Boca Chica. De ello podían haberse encargado sus dos ametralladoras de 23 milímetros, sus seis misiles aire-tierra de alto poder explosivo, sus 16 cohetes de 57 milímetros y su bomba de 500 kilos.

Cuando la noticia de la llegada del MIG-21 se filtró en Miami, todos los medios de comunicación se centraron en eso durante días.

Los congresistas y senadores federales de Florida exigieron explicaciones urgentes a las máximas autoridades del Pentágono sobre cómo era posible que un cazabombardero cubano pudiera haber llegado hasta la misma base militar de Boca Chica sin ser descubierto. Una situación que decían era inaceptable y que, además, suponía un grave riesgo para la seguridad del sur de la Florida.

El poderoso NORAD, Comando de Defensa Aeroespacial de Norteamérica, una coalición de fuerzas de los Estados Unidos y Canadá encargada de defender el espacio aéreo de ambos países, tan sólo declaró desde su base en Colorado Springs que la llegada del MIG no fue ninguna sorpresa. A eso añadieron que, en realidad, el aparato cubano había realizado la última parte de su trayecto escoltado por varios cazas estadounidenses. Según ellos, detectaron al MIG a través de diversos radares situados en los globos aerostáticos de Cayo Cudjoe, cercano a Boca Chica. La función de esos globos era precisamente la de sorprender a cualquier aparato que intentase entrar en Florida volando a baja altura para evitar ser descubierto. Por lo general, relacionado con el tráfico de drogas.

El piloto de la FAR no pudo comentar nada al respecto ya que había jurado a las autoridades de Washington mantener un silencio total sobre las circunstancias de su llegada. En caso contrario, el Departamento de Estado nunca le concedería el asilo político. La orden procedente del Pentágono era clara: no hablar o bien mentir por lo que calificaron como «motivos de seguridad nacional».

A pesar de eso, nadie en Miami creyó las versiones oficiales, ya que incidentes como ese no eran nada nuevo. Desde la década de los sesenta, muchos aparatos cubanos, tanto civiles como militares, habían llegado a diversos aeropuertos de la Florida de la misma forma que el MIG-21 del capitán Díaz: burlando de forma absoluta los radares del Departamento de Defensa. Como mínimo, seis aviones de fumigación AN-2, dos MIG-23, un MIG-21, un MIG-17, un avión comercial cubano modelo AN-26, dos helicópteros MI-8, un caza de entrenamiento y una avioneta CESSNA. Incidentes todos ellos ampliamente documentados por la prensa local.

El general Carlos Hernández descendió de su vehículo y caminó por la pista de aterrizaje del aeropuerto José Martí de La Habana hacia un aparato de Cubana de Aviación. Concretamente, un bimotor F-27 de fabricación rusa propulsado por hélices que se utilizaba para transportar turistas a la isla a través de Jamaica. En muchas ocasiones, se trataba de ciudadanos estadounidenses que acudían a métodos como ese para burlar el embargo que les prohibía viajar a Cuba.

El F-27 era pequeño, de apenas cuarenta y cuatro asientos, y tan sólo volaba a una velocidad de cuatrocientos kilómetros por hora.

Al lado de la pista podía observarse un viejo aeroplano del servicio de correos que parecía sacado de una película de la Primera Guerra Mundial. Un aparato de principios de siglo con dos alas superpuestas que, definitivamente, merecía estar retirado en las salas del Museo de la Historia de la Aviación de Cuba. Sin embargo, la escasez en el país había forzado a las autoridades a mantenerlo en servicio para seguir distribuyendo cartas a través de toda la isla.

En el fondo, aquel avión azul y rojo tenía muchas similitudes con La Habana: ambos se caían a pedazos debido a la falta de medios y dinero, pero los dos se resistían a morir gracias al esfuerzo y al ingenio de los cubanos.

Caminar por el aeropuerto José Martí, al igual que ocurría en La Habana, era como un continuo y alucinante viaje hacia adelante y hacia atrás en el tiempo. En la ciudad, por ejemplo, se veían multitud de destartalados automóviles americanos de los años cincuenta, pero, de repente, también se les cruzaban caros y potentes Mercedes deportivos último modelo. En el aeropuerto, la imagen surrealista la proveía el viejo avión del servicio de correos estacionado justo frente a los modernos aparatos de las compañías aéreas internacionales que cada año descargaban a cientos de miles de turistas ansiosos por visitar la isla.

Hernández iba vestido de civil, no de militar. Esta vez, su destino inmediato era Jamaica pero, en realidad, viajaba de incógnito a otra ciudad cuyo nombre, por cuestiones de seguridad, tan sólo conocía él.

El viceprimer ministro del Interior acababa de mantener un encuentro de dos horas con los máximos líderes de la revolución para detallarles los últimos pormenores del Plan Hatuey. El general, anticipándose a cualquier sospecha, había convocado una reunión para explicar lo que supuestamente estaba ocurriendo dentro de la sala de guerra del MININT. Hernández decidió jugar a la ofensiva consciente de que, debido al muy eficiente sistema de vigilancia interna existente en Cuba, era extremadamente difícil que incluso el jefe del servicio de espionaje pudiera organizar una operación de tanta complejidad como aquella sin que la dirigencia del país, de alguna forma, acabara enterándose. No se trataba de una tarea imposible, pero sí muy difícil, motivo por el cual prefirió no correr el riesgo de ser sorprendido conspirando a espaldas de sus superiores.

En una atmósfera de camaradería, el responsable del Ministerio del Interior dijo con toda tranquilidad a la cúpula revolucionaria que había decidido engrasar de nuevo la maquinaria del operativo para atajar de raíz cualquier duda respecto al poderío y disposición de las Fuerzas Armadas cubanas.

—Los yanquis tienen muchos espías aquí. Cuando finalice el ejercicio, no faltará quien corra a decirles que fue todo un éxito y que a Cuba lo mejor es dejarla en paz y no enfurecerla —afirmó.

Por supuesto, algunos expresaron su preocupación debido a la gran cantidad de medios que estaba empleando y la posibilidad de que los agentes cubanos de Miami fueran detectados por los servicios de inteligencia norteamericanos.

—Es un riesgo que creo tenemos que correr —respondió convencido Hernández—. Recuerden que estamos solos frente al mundo. Si no tenemos una carta como el Plan Hatuey bajo nuestra manga, los americanos podrían intentar invadir de nuevo Cuba mañana mismo. Como en Bahía de Cochinos. Es un plan arriesgado, sí —les dio la razón—, pero no tenemos otra opción que mantenerlo completamente operativo.

Para suerte de Hernández, nadie pudo imaginar jamás que el supuesto plan para garantizar la vida a la revolución se trataba en verdad de una trama cuyo verdadero fin era, precisamente, el contrario: el de sepultarla.

—No queremos que se dispare ni un solo tiro. Sólo ubique todos sus efectivos en posición y asegúrese de que el operativo puede ser activado en cualquier momento. Nada más

—insistieron sus jefes, tanto políticos como militares.

—Por supuesto —mintió magistralmente Hernández.

Después de escuchar todas sus explicaciones, y tal y como había anticipado el propio general, la dirigencia revolucionaria de la isla sólo tuvo palabras de elogio para esta nueva iniciativa del MININT.

El fervor patriótico del general fue interpretado como una muestra más de su ya habitual celo por defender al país. Como siempre, su lealtad resultó alabada por todos y se acordó aprobar que los preparativos del plan siguieran adelante sólo en sus fases iniciales para, como dijo Hernández, asegurarse de que el operativo funcionaba a la perfección. En caso de tener que recurrir al mismo algún día, no podía haber fallos, de forma que cualquier esfuerzo era poco para mantenerlo al máximo nivel de eficacia.

—Hoy mismo hemos vuelto a enviar a otro de nuestros pilotos para verificar que la misión es factible y que nuestros aviones no pueden ser detectados por los radares norteamericanos. Como siempre, ellos creen que se trata de un desertor, pero es tan sólo uno más de los engranajes del Plan Hatuey. Algo que, como ustedes saben, hacemos cada cierto tiempo con todo tipo de aviones. Recuerden también que este último caza fue un simple MIG-21, pero que si se hubiera tratado de un moderno MIG-29 en misión de combate, la sorpresa que recibieron los yanquis esta mañana habría sido sinónimo de total devastación.

El viceprimer ministro del Interior también logró calmar los temores de los más conservadores diciéndoles que había planes para destruir cualquier prueba del operativo si este resultaba descubierto por las autoridades estadounidenses.

—Cualquier evidencia física desaparecería en cuestión de segundos. Incluso los aviones y las armas. Hay dinamita por todas partes. No habría ninguna forma de asociarnos con nada de lo que pudieran encontrar. Llevamos preparando y ejecutando parcialmente este operativo durante años y nunca nos hemos enfrentado a ningún problema que no hayamos podido superar. Nuestros agentes destacados allí son los mejores. Saben pelear, pero también son verdaderos especialistas en desaparecer y, en caso de ser necesario, guardar silencio. Nunca hablarían.

Una vez superado el difícil obstáculo de engañar a la dirigencia de la isla, el militar se dispuso a realizar un breve viaje que sería de vital importancia para el operativo. Tras recibir la autorización por parte de la torre de control, el avión de Cubana despegó con puntualidad y únicamente tuvieron que transcurrir algunos minutos para que el F-27 comenzara a sobrevolar el Caribe. Hernández, pegado a la ventanilla, observó entonces un mar limpio y transparente de preciosas tonalidades verdes y azules. Un mar de tanta belleza que casi parecía la fantástica pero irreal creación de algún imaginativo relato literario.

Los colores eran vivos, llenos de fuerza y el fondo del mar mostraba un manto de fina arena blanca que se intuía suave, caliente y delicada. La escasa altura a la que volaba el aparato también permitía ver con claridad los mantos de coral y los numerosos arrecifes que rodeaban la isla y que le habían hecho ganar el muy merecido título de la Perla del Caribe. Esa era la tierra de Hernández. Esa y las verdes y fértiles praderas y montañas que daban forma a su amada Cuba. Una tierra por la que siempre estuvo dispuesto a luchar y a morir.

El militar también recordó cómo tranquilizó a sus compañeros y jefes diciéndoles que ni siquiera los agentes encargados de llevar a cabo el operativo en Miami conocían todos sus pormenores, de forma que, en el peor de los casos, tampoco podrían confesar las metas finales del plan. Nadie, claro, excepto uno: Héctor Lara. Uno de los diamantes en bruto del MININT que, insistió Hernández, jamás fallaría a la causa revolucionaria.

—Yo pongo la mano en el fuego por él. Sin ninguna duda. Yo lo descubrí, lo formé, lo apadriné y lo entrené personalmente. Lo conozco muy bien. Si Héctor Lara cayera prisionero, estoy seguro de que preferiría morir mil veces seguidas de la forma mas terrible antes que contar lo que sabe. Quédense tranquilos. Los gringos jamás podrían arrancar una confesión al único hombre en Miami que, cuando llegue el momento oportuno, conocerá la verdadera envergadura del ejercicio que estamos practicando —afirmó convencido.

54. LA CREACIÓN DE UN NUEVO AGENTE

HÉCTOR LARA ESTABA en la granja del MININT ubicada al sur de los pantanos de los Everglades comprobando el estado de los dos aviones Harrier necesarios para la misión. Ambos aparatos ya habían sido prácticamente ensamblados y era tan sólo cuestión de días el que estuvieran en plena disposición de combate.

El agente Barbarroja se dirigió a uno de los teléfonos de la casa principal. Una vez allí, abrió una pequeña maleta de cuero negro que llevaba consigo y cogió una carpeta de su interior. Se trataba de un informe secreto de la DOE. Concretamente, del seguimiento e investigación personal del cubanoamericano Andrés Pérez, un soldado de la Fuerza Aérea de los Estados Unidos estacionado en la base de Homestead.

Héctor descolgó el teléfono, habilitado para distorsionar la voz y evitar que pudiera rastrearse la procedencia de la llamada, y marcó el número de la casa de Pérez en el barrio miamense de Kendall.

Pérez era soltero y vivía solo, ya que casi la totalidad de su familia todavía se encontraba en Cuba. A pesar de los arduos esfuerzos realizados por el joven de 23 años, este aún no había logrado traer a los suyos, tal y como era su deseo.

—Hello...

—¿Andrés Pérez? —preguntó Héctor directamente en español.

—Sí. ¿Quién es?

—Usted no me conoce, pero le aconsejo que escuche con extrema atención lo que voy a decirle.

—¿Qué es esto? ¿Una broma? —dijo Pérez.

—No. Ninguna broma. Acaban de arrestar en La Habana a su hermano José y a su hermana Leticia.

—¿Cómo? —reaccionó incrédulo—. ¿Cómo sabe usted los nombres de mis hermanos?

—José Pérez, estudiante de arquitectura y Leticia Pérez, estudiante de medicina. Ambos acuden a la Universidad de La Habana. Residencia: calle San Lázaro número 28, en la misma Habana. Los dos viven con sus padres, Rafael y Teresa. José tiene veintidós años y Leticia veinte. Tanto su padre como su madre trabajan vendiendo libros en dos librerías distintas de La Habana. Rafael en la Cervantes, en la calle Barnaza número 9, y Teresa en la Internacional, en la calle Obispo número 526. Rafael y Teresa se conocieron hace veinticinco años, precisamente, en un seminario para vendedores de libros y desde entonces siempre continuaron trabajando en el mismo ramo. ¿Necesito continuar, Andrés? —interrumpió el agente de pronto su relato—. ¿Tengo también que decirle los nombres de sus tíos y de sus abuelos y recordarle en qué colegio estudió, qué notas sacó y quiénes fueron los que vinieron con usted en balsa desde Cuba?

—¿Quién es usted? —preguntó visiblemente nervioso Andrés.

—Cuba le necesita en estos momentos.

—¿Cuba?

—Sí, su verdadera patria. Voy a ser muy breve, así que escuche y no pregunte tanto. Necesito una información casi irrelevante que usted puede conseguir con mucha facilidad.

—¿Qué les ha pasado a mis hermanos?

—Les encontraron un kilo de cocaína en la casa.

—¿Cocaína? ¿Mis hermanos? ¡Imposible!

—Como usted sabe, la pena por posesión de cocaína en Cuba es de varios años en la cárcel. Cuando acabemos esta conversación, no tiene más que llamar a su casa en La Habana para comprobar que todo lo que le estoy diciendo es cierto.

Pérez se calló y siguió escuchando aquella voz anónima mientras ya intuía claramente que se trataba de la seguridad del Estado de Cuba. Esos métodos no podían proceder de ningún otro lugar.

—¿Está ahí? —preguntó Héctor ante el prolongado silencio.

—Sí. Continúe.

—Necesito que me averigüe dos cosas en la base donde está destinado. La primera son los nombres, apellidos y direcciones de dos de los pilotos de cualquiera de los aviones F-16 estacionados allí. Los pilotos tienen que ser solteros.

—Pilotos... ¿y solteros? —se extrañó Pérez.

—Sí, personas que vivan solas.

—¿Y la segunda?

—La segunda son los números de serie de los motores de dos de los cazabombarderos Harrier que los Infantes de Marina llevan de vez en cuando a la Base Aérea de Homestead para realizar entrenamientos en el sur de la Florida.

—¿Eso es todo?

—Sí. Le voy a dar una semana para conseguir esa información. Apúntese este número de teléfono... —le dio uno Héctor—. Llámeme con los datos dentro de siete días. Ni antes ni después. Siete días. Pregunte por Mariano. Si hace lo que le digo, sus dos hermanos saldrán de prisión ese mismo día por la noche. De lo contrario, serán procesados y le aseguro que no verán la calle antes de diez o quince años. ¿Me comprende?

—Sí, claro.

—Por supuesto, no voy a insultar su inteligencia diciéndole que ni se le ocurra acudir a las autoridades. Como supondrá, puedo obtener esa información a través de muchas otras personas además de usted. No se trata de ningún secreto de Estado, así que no tiene por qué tener cargos de conciencia. Si no me la da usted, Andrés, acudiré a otro, pero, en ese caso, ya sabe qué ocurriría con sus hermanos.

—¿Para qué quiere esa información?

—Eso no es asunto suyo y, además, esta conversación ya ha durado demasiado tiempo. Le estamos observando. Sea inteligente y obtenga lo que le he pedido. Su familia le quiere y ahora lo necesita más que nunca. No los defraude ni arruine la juventud de sus hermanos. Jamás podría perdonárselo.

55. UNA AMENAZA COMÚN

EL TENIENTE CORONEL Jim Hammer era el agregado militar de la embajada de Estados Unidos en Moscú. Su jeep Explorer negro repleto de antenas se detuvo justo frente a la puerta del Ministerio de Asuntos Exteriores de Rusia, ubicado en el centro de la capital.

El Ministerio era un rascacielos de treinta y dos pisos de altura y de corte estalinista. Una inmensa estructura de cemento de tipo piramidal que se extendía generosamente de una esquina a otra de la calle. En la parte frontal del edifico había cuatro limusinas Zil pertenecientes a altos funcionarios de la diplomacia rusa. Sus conductores uniformados esperaban con tranquilidad a sus jefes mientras bebían algo de té caliente para apaciguar el muy ligero frío de la mañana.

Tras entrar en el ministerio y subir al noveno piso sin pérdida de tiempo, el teniente coronel llegó al despacho de uno de los asistentes del ministro: Yuri Vilkov, especializado en temas militares norteamericanos.

La embajada estadounidense había solicitado un encuentro urgente y el Ministerio de Asuntos Exteriores ruso respondió a la petición concediendo uno esa misma mañana. Hammer y Vilkov se conocían desde hacía años, de forma que, tras un breve saludo, ambos prescindieron de mayores formalismos.

—¿Por qué tanta prisa, Jim? ¿Se puede saber en qué lío se han metido ahora? —bromeó Vilkov.

—Mire estas fotos —comenzó Hammer yendo directamente al grano y sin compartir el buen humor de su interlocutor.

El norteamericano extendió entonces al funcionario ruso una copia de las instantáneas de los MIG-29 cubanos sobrevolando la isla en misiones de entrenamiento.

—¿Qué es esto? —preguntó molesto—. ¿Me lo podría explicar?

—Vaya... —dijo Yuri encendiendo un cigarrillo—. Al fin los descubrieron, ¿eh? En realidad, creía que sus servicios de inteligencia eran más eficaces. Siempre se burlan en Washington de lo poco profesionales que según ustedes somos los rusos y, sin embargo, ustedes han tardado bastante en detectar esos aparatos.

—Yuri, no estoy para sarcasmos ni para bromas. Mi gobierno está muy preocupado por la existencia de estos aviones. ¿Por qué no nos avisaron de que La Habana había comprado esos MIGs-29? ¿Quién se los vendió? ¿Ustedes? ¿Es consciente de lo que eso representa?

—Tranquilícese —dijo Vilkov invitando sin éxito a Hammer a que se sentara—. Demasiadas preguntas en tan poco tiempo —sonrió el ruso—. Para empezar, ¿de qué hubiera servido avisarles? Muy simple: de nada... —intentó desdramatizar la situación el funcionario.

—¿De nada? —preguntó molesto Hammer—. No nos gustan este tipo de sorpresas.

—Mire, permítame que le explique qué ocurrió. Esos MIGs fueron vendidos a Ucrania y Ucrania, aparentemente, se los revendió a Cuba. Nosotros no tuvimos nada que ver con eso. Puedo demostrárselo. Hace apenas algunas semanas sospechamos que el destino final de los aviones podría ser otro, pero ya fue demasiado tarde.

—Pero, ¿cómo se les ocurre vender ese tipo de aviones sin asegurarse de cuál será el último destinatario? —preguntó claramente enfadado el estadounidense.

El ruso lo miró de reojo y suspiró.

—Mire, los ucranianos eran hasta hace muy poco tiempo uno de los mejores aliados de Rusia. ¿Por qué íbamos a sospechar de ellos? Además, Ucrania es un país soberano y puede comprar lo que quiera. No teníamos forma de saber que eso podría afectarles negativamente a ustedes.

Los argumentos no parecieron convencer a Hammer. El ruso lo notó a la perfección y por un momento cambió su tono de voz.

—Por otra parte, y se lo confieso en confianza —miró hacia abajo el ruso—, esa venta fue bastante atípica. No todos en el Kremlin sabíamos que se había producido. En nuestra Administración aún hay muchos comunistas resentidos, tanto con nosotros como con ustedes. No es siempre fácil saber lo que hacen.

Las pugnas en Rusia entre reformistas y comunistas eran públicas, así que el militar estadounidense encontró cierto sentido a aquellas palabras.

—El Presidente está poniendo orden en este gobierno, pero nuestra Administración es muy grande y tiene muchas personas con agendas muy distintas —siguió Vilkov—. Algunos pueden hacer muchas cosas sin que otros se enteren. ¿Me explico?

Hammer miró de repente a Vilkov con un gesto de poca paciencia.

—¿Me quiere decir que su presidente no autorizó esa venta? ¿Insinúa que Rusia puede vender veinticuatro aviones MIG-29 sin que su presidente se entere?

El ruso hizo ademán de reflexionar.

—No puedo ir más allá. Sólo le diré que muchos sabían poco o nada.

El gobierno ruso consiguió su objetivo: golpear a los Estados Unidos donde le dolía sin que nadie pudiera acusarles de haber intentado dañar a propósito a Washington. No obstante, en el momento de la venta no habían tenido en cuenta una cosa: el Plan Hatuey. Un grave fallo que después los expertos en Cuba del Kremlin se encargaron de señalar, pero ya resultó demasiado tarde. Nadie les había consultado antes de enviar los aviones y cuando finalmente fueron informados y advirtieron del peligro, los MIGs ya estaban surcando los cielos de la isla. Sin embargo, Yuri y otros muchos jamás supieron que algunos analistas, los más cercanos a la Presidencia, habían detectado de inmediato la amenaza, pero no dieron la voz de alarma. El millonario traficante de armas bielorruso Oleg Ulianov se encargó de sobornarlos para que lacraran sus labios. No decir nada les hizo ganar más dinero del que hubieran conseguido durante más de cien años en sus trabajos.

El Plan Hatuey era sobradamente conocido por todos los máximos líderes soviéticos, pero muchos de los nuevos gobernantes en Rusia no sabían de su existencia. Cuba era la última de sus prioridades. Sin embargo, cuando se enteraron, fue obvio para ellos que habían cometido un error muy importante. Ahora la pregunta era qué podían hacer para remediar la situación.

Hammer sacó entonces varios folios más de su maletín.

—Tenemos informes de inteligencia que revelan que hace escasos meses un barco ruso descargó en el puerto del Mariel cantidades respetables de misiles antiaéreos, pero eso no es todo. Nuestros satélites también detectaron más cargamentos militares en otros puertos cubanos. Concretamente, unidades de artillería y varias decenas de tanques T-64.

—Eso sí es correcto —reconoció Vilkov—. Fueron pagados en efectivo por el gobierno cubano y se los entregamos como a cualquier otro cliente. No olvide que tenemos una industria militar que mantener y no podemos darnos el lujo de rechazar pedidos.

—La venta de los MIGs-29 a Cuba es sencillamente inaceptable.

—Ya le dije que se los vendimos a Ucrania, pero también le recuerdo que muchos en mi país pasan hambre, de forma que tenemos que hacer lo que sea necesario para alimentar a nuestra población. Nuestros soldados, en vez de entrenarse para la defensa del país, tienen que dedicarse a plantar papas y vegetales para poder comer. No hay dinero. Como comprenderá, necesitamos vender todo lo que podamos y si eso incluye armas, bienvenidas sean esas ventas. Es muy fácil recriminar cosas a Moscú cuando, como ustedes, se tiene el estómago lleno. Además, ¿de qué me está hablando usted, Hammer? Estados Unidos es el país que más armas vende en todo el mundo. No pueden ahora a venir a echarnos sermones porque nosotros exportemos cuatro cosas. No obstante, como ya le dije —aclaró de nuevo Vilkov—, nunca vendimos a Cuba material tan sofisticado como esos MIGs-29 de la última generación. Sólo les hemos enviado armamento para la defensa de la isla, no para atacar a nadie.

Vilkov esperó algunos segundos rogando que el estadounidense no sacara ninguna foto del barco ruso Yamal entregando los MIGs en Cuba. Para su fortuna, el envío no había sido detectado. En caso contrario, el Kremlin diría que aquellas enormes cajas eran productos agrícolas o bien otro tipo de armamento. Lo importante era no admitir jamás la venta directa de los esos MIGs-29.

—Una vez más. ¿Por qué no nos avisaron? —insistió Hammer.

El ruso asintió con su cabeza.

—Está bien, está bien. Al enterarnos de que los aviones llegaron a Cuba, quizás deberíamos habérselo dicho. Posiblemente cometimos un error, pero llegamos a la conclusión de que lo mejor era no preocuparles para no dañar nuestra relación. Aunque no tuvimos nada que ver con esa venta, algunos en su país quizás no lo entenderían de esa manera.

Hammer miró a Vilkov sin saber qué creer.

—¿Qué piensa que está ocurriendo?

—Espero que nada. Ojalá sólo sea lo que ustedes llaman una muestra de fuerza. Enviarles un mensaje para que les dejen en paz.

—¿Ojalá...? —parafraseó Hammer con obvia preocupación.

—Sí. Ojalá. Con Cuba nunca se sabe muy bien qué ocurre ni cuáles son sus verdaderas intenciones.

—¿Qué quiere decir?

—Nada, sólo que no sé qué tienen en la cabeza.

El militar norteamericano tenía que medir sus palabras frente a Vilkov, ya que tampoco podía compartir con los rusos toda la información que estaba en su poder. La época de la guerra fría ya había pasado, pero los Estados Unidos y Rusia seguían rivalizando en muchos campos y el resultado era una continua desconfianza mutua.

—¿Está realmente preocupado su gobierno por esto? —dijo Yuri.

—Sí. En especial, algunas personas muy concretas.

—¿Muy preocupados?

—Lo suficiente como para movilizar a todo mi departamento en la Embajada.

—¿Quiénes están preocupados? —insistió el ruso intentando averiguar con más detalle el verdadero nivel de inquietud en Washington.

—Algunas personas en la Casa Blanca.

—Vaya... Cuando recibí su llamada hoy, nunca pensé que las presiones llegaran de tan arriba...

—Sí, estamos hablando de algunas de las personas más cercanas al Presidente. Créame cuando le digo que se están tomando este tema muy en serio, pero han optado por la táctica del silencio. Quieren discreción. Discreción absoluta.

—Con el debido respeto —aclaró Vilkov—, si están tan preocupados, ¿por qué le llamaron a usted y no fueron más arriba? ¿Por qué no vino el embajador o acudieron directamente al ministro? ¿Por qué no conectaron sin rodeos con el Kremlin? —dijo Vilkov mientras se sentaba en el sillón de su despacho.

El teniente coronel norteamericano dio algunos pasos y se situó en medio de la sala.

—Mire, Yuri, esta mañana me desperté con una llamada de un importante miembro del Consejo de Seguridad Nacional.

—Caramba... —se sorprendió el ruso.

—Esa persona no quiere usar los canales habituales porque teme filtraciones en su gobierno o incluso en el mío. Cuba todavía tiene muchos amigos y espías tanto en Moscú como en Washington. Por ese motivo decidió utilizarme a mí como intermediario. Quiere que mis palabras sean transmitidas a su ministro hasta que ambos puedan verse personalmente y tratar el asunto frente a frente.

—Comprendo... —afirmó el funcionario hundiéndose todavía un poco más en su sillón.

El despacho de Vilkov era el típico del Ministerio de Asuntos Exteriores de Rusia: grande, sobrio, construido con madera de colores oscuros y con una mesa repleta de anticuados teléfonos blancos de marcado giratorio. A su lado, había un aparato de radio y una lámpara con una pantalla de cristal verde.

Hammer se sentó y después frotó sus manos entre sí para eliminar el sudor que las estaba empapando. Un sudor que sólo aparecía cuando el militar estaba bajo grandes presiones.

—¿Qué quiere su gobierno? —dijo solemne Vilkov.

—Dos cosas. En primer lugar, que nos evalúen lo que está ocurriendo. Por lo que veo, mi visita no es ninguna sorpresa para usted, de forma que ya tiene que tener alguna opinión sobre cuáles podrían ser las intenciones de La Habana.

—Jim, le repito que todo cuanto pueda decirle es sólo una opinión. Nadie aquí parece tener ninguna evidencia de que se esté preparando una acción hostil contra ustedes.

—Espero que comprenda que si se produce algún tipo de ataque, muchos en mi país también culparían a Rusia, ya que, al fin y al cabo, los MIGs son rusos.

—¿Qué importa si son rusos? Fue Ucrania la que los vendió, no nosotros —dijo Vilkov cada vez más molesto con la repetición de esa idea.

—Eso no cambia nada. Si se producen muchos muertos, la diferencia entre Ucrania y Rusia sería una simple sutileza semántica para la opinión pública estadounidense, tanto en la calle como en el Congreso. Usted mismo lo dijo. Y más aún teniendo en cuenta que nunca nos advirtieron de la presencia de esos aviones. Si se produce algún ataque con esos aparatos, la represalia contra Cuba, como es lógico, sería aplastante, pero, quizás, muchos también pedirían algún tipo de acción contra ustedes. Contra la fuente del problema. Hay que asegurarse muy bien que cuando se venden ese tipo de MIGs no caigan en las manos equivocadas. Como mínimo, habría severas sanciones económicas.

Vilkov miró a Hammer como si, de repente, se le hubieran congelado los ojos. A partir de aquel momento, ni siquiera él fue ya capaz de bromear sobre nada de lo que se estaba tratando allí.

—¿Me está diciendo que transmita literalmente estas palabras a mi ministro? —preguntó con solemnidad el ruso tras la tan poco diplomática amenaza emitida por el militar estadounidense.

—En efecto —respondió Hammer sin pestañear.

El funcionario ruso apagó su cigarrillo casi gastado y volvió a encender otro.

—Como sabe, los cubanos tienen un plan para atacar a los Estados Unidos en caso de crisis.

—Ustedes mismos les ayudaron a planificarlo, ¿no?

—No, eso tampoco es cierto. Fue la antigua URSS... Jim... La URSS —precisó una vez más Vilkov—. Estamos tan interesados como ustedes en que todo esto sea sólo una falsa alarma. Somos muy conscientes de las repercusiones que podría acarrear este problema y no queremos que pase nada. Lógicamente, nos interesa más una buena relación con ustedes que no con una pequeña isla del Caribe de apenas once millones de habitantes.

—Le escucho...

—Es cierto. Ese plan existe y no me cabe la menor duda de que está más listo que nunca para ser activado. Antes los cubanos podían contar con nosotros para protegerlos, pero ahora que están solos necesitan operativos como el Plan Hatuey para sentirse seguros.

—¿Cree que habría alguien tan loco como para ejecutarlo?

Vilkov pensó la respuesta durante algunos segundos, como queriendo medir perfectamente el alcance de sus palabras.

—No lo descartaría. Personas desesperadas pueden tomar medidas desesperadas. La posibilidad es remota, pero no imposible. Me asusta ver esos aviones volando y listos para realizar cualquier barbaridad. Cuando se juega mucho con una pistola cargada, tarde o temprano puede acabar disparándose. A veces, incluso por accidente.

Tras escuchar esas palabras, Hammer comprendió aún mejor la gravedad de la situación. Los rusos parecían compartir las preocupaciones de algunos de sus jefes en la Casa Blanca, algo que se tradujo en una enorme presión sobre su pecho y que, por un momento, asfixió su capacidad para articular palabras.

—Me dijo que su gobierno quería dos cosas del mío. ¿Cuál es la segunda?

El militar tragó saliva y reaccionó con rapidez.

—La Casa Blanca cree que, si ese plan se activa algún

día, nosotros nunca seríamos capaces de detenerlo —le dijo con inusual sinceridad para que los rusos entendieran perfectamente la gravedad de la situación.

—Es muy probable.

—Por eso han optado por el silencio: para no alarmar a una población que, de todas formas, no podría ser defendida.

—¿Entonces...? —preguntó Vilkov pareciendo no comprender—. Asumo que no vino hasta aquí sólo para pedirme mi opinión...

—Washington piensa que sólo hay una forma de detectar por anticipado la activación de ese plan. Algo que, al menos, podría darnos cierto tiempo para preparar algún tipo de defensa más fuerte de la que ya hay. No sé, de reaccionar de alguna manera...

—¿Y cuál sería esa forma?

—La respuesta es Rusia. Ustedes fueron nuestros mayores enemigos, pero ahora podrían convertirse en nuestros mejores aliados.

—Explíquese.

—Es cierto que la relación entre ustedes y La Habana ya no es la que hubo en el pasado. Sin embargo, si hay algún país en el mundo que todavía puede saber o averiguar qué está ocurriendo allí, ese país es Rusia. Ustedes ya no tienen instalaciones militares en Cuba, pero sabemos que aún conducen muchas operaciones de inteligencia militar desde su embajada en La Habana. Únicamente Moscú podría detectar a tiempo algo de esa envergadura antes de que fuera demasiado tarde. La CIA no puede competir con ustedes en Cuba.

—Entiendo.

—Necesitamos su ayuda. Necesitamos que espíen activamente al aparato militar cubano y que nos adviertan de cualquier sospecha o movimiento relacionado con esta operación. Un ataque semejante tendría consecuencias catastróficas.

—Resulta difícil imaginar que eso pueda ocurrir, ¿no?

—Como usted mismo dijo, no puede descartarse nada. Debemos esperar lo mejor, pero también prepararnos para lo peor. Aquí están los resultados de un hipotético ataque a Turkey Point —afirmó Hammer depositando sobre el despacho de Vilkov un estudio secreto del Departamento de Energía.

El ruso cogió los documentos y los hojeó.

—«...los MIGs-29 soltarían sus bombas sobre los reactores de la central nuclear, que es donde está almacenado el material radiactivo —dijo Hammer leyendo en alto las conclusiones del informe—. En esa planta hay unas cuatrocientas libras de uranio enriquecido tipo 238-240 que, tras la explosión, quedaría esparcido por toda la atmósfera. Después se formaría una nube radiactiva que se posaría sobre todo el sur de la Florida y lo contaminaría absolutamente todo. Dependiendo de la intensidad de los vientos en ese momento, la nube podría desplazarse al resto del Estado e incluso más al norte. Hasta Washington podría estar amenazado. Por supuesto, también existe la posibilidad de que se fuese hacia el sur. En ese caso, tanto México como Centroamérica y la misma Cuba podrían ser afectadas...».

—Ese panorama es desolador —dijo el ruso levantando la mirada antes de continuar mirando los documentos.

—«...la radiactividad produciría muerte por quemaduras, cánceres y, con el tiempo, numerosos defectos genéticos en los hijos de las mujeres embarazadas. En una zona de tres a cinco millas alrededor de la planta nuclear, lo que llamaríamos la zona roja, moriría el noventa por ciento de cualquier forma de vida humana, animal o vegetal. Los expertos calculan que, en el mejor de los casos, un desastre similar acarrearía resultados extremadamente dañinos a no menos de la mitad de la población de la Florida. Calculamos que los muertos podrían ser tantos como el treinta por ciento de los habitantes de ese Estado. Estaríamos hablando de más de cinco millones de personas. La proyección más optimista ubica la cifra de muertos en, como mínimo, doscientos mil. Desde luego, también habría un desbordamiento masivo de aguas radiactivas hacia el mar, aniquilando cualquier residuo de vida marina. El sur del Estado no podría ser habitado durante los próximos cien años...».

—¿Pueden los MIGs destruir la central? ¿Qué dicen los ingenieros del Departamento de Energía? —preguntó el funcionario.

—Sí. Si tan sólo uno de ellos llega hasta allí y consigue soltar sus bombas sobre los reactores, estos se agrietarían liberando así el uranio enriquecido. Algunos especialistas discuten respecto al número exacto de toneladas de bombas que en verdad se necesitan para provocar ese daño, pero nadie duda de que como máximo con nueve Turkey Point volaría por los aires. Eso significa únicamente tres MIGs-29.

—Parece que los cubanos tienen todas las de ganar.

—Ustedes podrían ser nuestra arma secreta. Ya no tienen a nadie en la base de espionaje de Lourdes, pero sí muchos agentes infiltrados y también numerosos aparatos de espionaje electrónico en su embajada.

Con Lourdes, ubicada al sur de La Habana, Hammer se refería a la mayor base de espionaje electrónico que Moscú había mantenido fuera de Rusia y que, en su tiempo, manejaba equipos por valor de más de seiscientos millones de dólares. Ese centro de escucha fue el más sofisticado del Ejército ruso y estaba operado por técnicos altamente especializados. La misión esencial de esa base había sido espiar a los Estados Unidos desde su mismo patio trasero, especialmente las comunicaciones diplomáticas y militares procedentes de Washington.

—Ustedes aún tienen en Cuba mucho personal de su inteligencia militar, el GRU. Mi gobierno les pide que esto se convierta en una prioridad para sus agentes en Cuba y que nos notifiquen del más mínimo movimiento. Por supuesto, si algún día ese ataque se pusiera en marcha, también les urgiríamos a que emplearan todos los recursos militares a su alcance para impedirlo. El GRU todavía tiene muy infiltrado al Ejército cubano y aún dispone de agentes en los cuatro rincones de la isla. De materializarse este operativo, quizás pudieran hacer algo para abortarlo.

—Nuestra presencia es ahora muy limitada, Jim. Usted lo sabe muy bien.

—Sólo sé una cosa: que es mucho mayor que la nuestra. También sabemos que muchos de los guardaespaldas de los máximos líderes de la revolución fueron entrenados en Moscú y que algunos de ellos son agentes dobles del servicio de inteligencia ruso. Tenemos algunos detalles de las jugosas cuentas que ustedes les abrieron en Suiza para convencerlos de que colaborasen en el Kremlin. Si en algún momento tuviéramos la más mínima sospecha de que este plan fuera a ser activado, habría que optar por el asesinato de la persona responsable de dar la orden antes de que esta se produjera. Yuri, esos agentes serían entonces los únicos capaces de ejecutar esta misión. No creo necesario que me extienda sobre las excelentes medidas de seguridad personal de los líderes de la revolución cubana. Nadie más podría hacer ese trabajo.

—Señor Hammer —se apresuró a decir Vilkov—, creo que nuestros intereses son los mismos en este tema. Como usted dice, si se produjeran decenas o centenares de miles de muertos en Florida debido a algún ataque cubano, muchos en su país podrían hacer sonar los tambores de guerra contra nosotros. Como es lógico, no podemos aceptar el riesgo de que ocurra algo semejante. Eso tendría consecuencias desastrosas no sólo para nuestros pueblos, sino para todo el mundo.

—¿Significa eso que contamos con su cooperación?

—Jim, he de reconocer que me espanta la idea de tener que ayudarles en algo. Compréndame, no fui entrenado toda mi vida precisamente para eso —bromeó de nuevo Vilkov en un intento por acabar la reunión en un tono optimista.

—Sí. A mí me pasa lo mismo. Algo tiene que estar yendo muy mal para tener que venir a pedirles ayuda a ustedes —le siguió el juego Hammer.

—Cuente con nosotros. Haremos lo que sea necesario. Esto no es sólo una amenaza contra la seguridad nacional de los Estados Unidos, sino también contra la de la propia Rusia.

56. CHANTAJE EMOCIONAL

HÉCTOR LARA RECIBIÓ una llamada en clave desde Cuba para avisarle de que tenía que encontrarse en Miami con otro miembro del MININT. Tras seguir los habituales protocolos de seguridad y averiguar el lugar y la hora del encuentro, el espía se dirigió al punto indicado.

A las tres en punto de la tarde de aquel miércoles, Héctor entró en el llamado Parque del Dominó, ubicado en la calle Ocho. Es decir, en pleno corazón del exilio cubano. Muchos exiliados jugaban a diario innumerables partidas de dominó en ese lugar mientras debatían sobre los últimos acontecimientos desarrollados en Cuba.

El agente secreto pensó una vez más que La Habana no podía haber elegido un lugar peor que aquel para realizar un encuentro semejante, ya que el Parque del Dominó estaba considerado como uno de los centros de reunión más emblemáticos del Miami anticastrista. Sin embargo, Héctor no tuvo más remedio que cumplir las órdenes recibidas.

El cubano estaba rodeado de decenas de convencidos militantes anticomunistas cuyo tema principal de conversación eran las constantes críticas al régimen revolucionario de la isla. Analizar los últimos detalles de un ataque militar contra ese mismo exilio justo frente a algunos de sus representantes más beligerantes era una escena que superaba en mucho al término surrealista.

La Habana le había comunicado que fuera al parque y que después simplemente se dedicara a observar alguna de las partidas de dominó. Según el MININT, sería el agente enviado a Miami el encargado de iniciar el encuentro y lo haría de forma tal que Héctor no tendría ninguna duda sobre la identidad de esa persona.

El oficial del MININT, que estaba de pie, permanecía atento a la partida que se desarrollaba en una de las mesas más cercanas a la entrada del parque. Sin embargo, a las tres y diez el cubano vio a una persona que le llamó poderosamente la atención. El recién llegado, un hombre, se situó de espaldas justo frente a él y también comenzó a observar a varios cubanos jugando al dominó. Ambos quedaron entonces a unos cuatro o cinco metros de distancia entre sí.

El corazón de Héctor comenzó a latir con fuerza y rapidez, pero todavía sin poder creer que aquello pudiera ser cierto. El cuerpo de la persona, aún visto desde atrás, era inconfundible. Sin embargo, todo tenía que tratarse de una simple casualidad. De otro individuo con una fisonomía increíblemente similar a la de alguien a quien Héctor conocía muy bien.

El hombre, fumando un gran tabaco, parecía dialogar distendidamente con quienes le rodeaban. Las bromas se sucedían sin descanso y las posteriores y escandalosas carcajadas podían escucharse desde cualquiera de las mesas ubicadas alrededor de ellos.

El agente se movió de un lado a otro intentando ver mejor la cara de aquella persona, pero la muchedumbre se lo impidió. Además, el hombre llevaba puesto un pequeño sombrero de paja, haciendo aún más difícil apreciar bien los rasgos de su rostro. Cuando el espía cubano decidió acercarse para deshacer la duda de una vez por todas, el individuo, de repente se giró hacia él y comenzó a caminar en su dirección.

Héctor se quedó paralizado, sin saber qué hacer o decir. Algo absolutamente inusual en una persona como él, entrenada durante toda su vida para saber reaccionar ante cualquier tipo de circunstancia, por adversa o sorprendente que fuera. El joven cubano todavía no podía dar crédito a lo que estaban viendo sus ojos. No obstante, lo cierto era que, frente a sí, tenía al mismísimo general Carlos Hernández.

Al llegar junto a Héctor, Hernández lo cogió del brazo y lo apartó hacia un lado del parque.

—Hola, Héctor. Qué gusto, qué placer me da todo esto. Verte después de tanto tiempo y, además, hacerlo aquí, en pleno Miami. Hacía tiempo que tenía ganas de venir a este parque para reírme un poco de estos gusanos en su propia cara... Muchacho... Se me está cumpliendo un sueño largamente deseado... —dijo Hernández en voz baja.

—Padre... —susurró Héctor sin apenas poder reprimir sus emociones—. Pero, ¿se puede saber qué hace en Miami? —preguntó después mezclando en su rostro expresiones de marcada alegría, pero también de clara preocupación—. Se está jugando la vida... Si alguien lo descubre, lo matarían antes de que nadie pudiera hacer algo por salvarlo.

Hernández lo miró y después esbozó una sonrisa.

—Chico, ¿qué te pasa? Aún no ha llegado mi hora —le vaciló.

—¿Cómo ha conseguido llegar hasta aquí sin que nadie lo reconociera? —dijo Héctor mientras todavía intentaba asimilar la chocante imagen de ver a su padre paseándose con tranquilidad por Miami junto a él—. ¿Por qué no se ha disfrazado, aunque sea un poco?

—¿Disfrazarme? —se sorprendió el general—. No, chico, eso sería de cobardes. Yo tengo que venir aquí sin miedo, sin esconderme. Además, ¿es que no lo recuerdas?, mi trabajo es precisamente ese: aparecer y desaparecer de los lugares sin que nadie sepa cómo lo hice. No lo olvides. Llevo muchos años practicándolo —bromeó dando una cariñosa cachetada en la cara a su hijo.

Después de la cachetada vino un fuerte abrazo.

—Ven acá. Tranquilízate —prosiguió con ternura—, piensa que aquí a mí no me conoce casi nadie. Reconocen la cara de Fidel, la de Raúl, la de Alarcón y la de gente así, pero no la mía. Recuerda que yo trabajo en las sombras. Con este sombrero y algo de audacia, confío en poder superar esta difícil prueba —rió de nuevo—. Tranquilo. Si no caí en la guerra de Angola o en la lucha contra Batista, malo sería que lo hiciese ahora debido a los golpes recibidos por una turba enfurecida en plena gusanera.

El rostro de Hernández estaba inundado por una amplia sonrisa y el general parecía disfrutar profundamente de la sensación de obvio peligro que vivía aquella tarde en el Parque del Dominó.

En ese preciso momento, un anciano que pasaba junto a los dos se detuvo frente al militar. Tras algunos gestos de duda e indecisión, el viejito se quedó mirando fijamente la cara del general. Héctor sintió entonces, y quizás por primera vez en toda su vida, verdadero pánico.

—Su osadía ha ido demasiado lejos. Ya lo han reconocido —temió el cubano.

Visto el peligro que podría estar avecinándose, el agente metió la mano en el bolsillo de su chaqueta y se hizo con su pistola. Después, y en apenas segundos, ideó un improvisado plan sobre cómo huir rápidamente de allí en caso de que la vida de Hernández fuera amenazada. Tras quitar el seguro del arma, el agente se dispuso a usarla en cualquier instante.

—Óigame —le dijo viejito cubano al general.

—A sus órdenes —respondió este desbordante de amabilidad.

El anciano se le acercó y comenzó a oler su cigarro puro con cara de condena.

—Amigo, ¿no es este un cigarro cubano?

Héctor sintió entonces un enorme alivio. Hernández, por su parte, adoptó una postura teatral.

—Señor, eso que ha dicho me ofende —dijo frunciendo el ceño y con un rostro de abierta indignación—. ¿Piensa acaso que yo sería capaz de comprarle tabaco al dictador asesino de La Habana? ¿Al que me echó de mi país y que tiene reprimido a mi pueblo? ¿Cómo puede ocurrírsele semejante barbaridad, hombre? Este, amigo, es un cigarro puro de Santo Domingo.

—¡Ah! —se tranquilizó el anciano—. Por un momento creí...

—El comentario me ofendería gravemente si no supiera que viene de un sincero anticomunista.

—Lo siento, pero aquí hay que estar siempre atento —se disculpó el viejito—. Últimamente son muchos los descarados de la seguridad del Estado que se están infiltrando en Miami. Bueno, perdone y saludos.

—Adiós, señor —se despidió el general con una cordial sonrisa.

Tras el incidente, Héctor no pudo reprimir un rápido comentario.

—Esto ha sido una locura. Nunca debió haber venido aquí —afirmó sin haberse recuperado todavía del susto.

—¿Cómo? ¿Es que no estás contento de verme?

—Claro, qué tontería, pero ese no es el punto —dijo Héctor molesto.

—¡Qué gozada! ¿Crees que me perdería esto por algo en el mundo? ¿Venir hasta la misma capital del exilio a darles un par de palmaditas en la espalda a estos fascistoides y después tomarme un cafecito cubano a su salud? No, chico. Este es un placer al que no se puede renunciar. Hace tiempo que quería mirarles directamente a sus ojos, pasearme por sus calles, escuchar sus estupideces y después fumarme un buen Cohiba frente a sus propias narices burlando ese ridículo bloqueo que tienen contra nuestra Cuba... ¡Lo siento! ¡No pude contenerme! —exclamó—. Tenía que demostrarles que yo tengo más cojones que ellos y que mi fuerza no se va por la boca, como aquí —afirmó el general mostrando una vez más su continua y enfermiza obsesión contra el exilio.

Carlos Hernández era el padre ilegítimo de Héctor Lara. La madre del agente había tenido un intenso romance con el militar mientras estaba casada con otro hombre, pero, a pesar de sus promesas iniciales, el general nunca se divorció de su mujer para casarse con ella. Sin embargo, Ana Rosa, que así se llamaba ella, sí acabo separándose de su marido, quien al descubrir que el muchacho no era hijo suyo renunció a hacerse cargo de él y se marchó de la casa. La madre de Héctor murió años más tarde en un accidente de tráfico y fue la abuela de Héctor, Sara, la que acabó criándolo.

El general, a pesar de no reconocer oficialmente al espía como hijo suyo, sí mantuvo un contacto más o menos habitual con él a lo largo de los años. En una ocasión, siendo Héctor todavía muy joven, el militar le dijo que lo quería tanto como a cualquiera de sus otros hijos, pero añadió que no había podido divorciarse de su esposa ni confesarle que tenía un hijo de otra mujer porque eso le hubiera partido el alma.

El cubano, con su madre muerta y sin un padre que lo aceptase abiertamente, luchó durante toda su vida contra el sentimiento de que, quizás, no era lo bastante bueno para Hernández. Esa falta de cariño hizo que, desde niño, su constante motivo de superación fuera tratar de impresionar por todos los medios al general para que este estuviera orgulloso de él. Todo, con la oculta esperanza de que algún día Hernández acabase pidiéndole perdón y lo reconociera públicamente como lo que era en realidad: parte de su propia sangre. Héctor estaba sediento de amor y de una figura paterna de la que siempre había carecido. Un profundo hueco que acabó por marcarlo psicológicamente de manera brutal.

Esa incansable búsqueda de amor y aprobación por parte del militar fue lo que motivó al cubano a ingresar en el MININT a tan temprana edad. El agente quería demostrar a Hernández que podía convertirse en el mejor de sus espías y que nunca encontraría a nadie tan leal y efectivo como él. Cada misión se convirtió entonces en un verdadero desafío por conseguir el aplauso de su padre, una lucha que se prolongó hora tras hora, día tras día, semana tras semana, mes tras mes y año tras año durante más tiempo del que Héctor pudiera ya recordar. Sin embargo, ese agotador reto que parecía no tener fin y que le perseguía de forma inmisericorde nunca logró traer en verdad una paz definitiva a su atormentada alma.

Héctor recordaba perfectamente su último encuentro con Hernández algunos meses atrás. El militar lo llamó a su despacho en la Plaza de la Revolución para decirle que había sido el elegido para materializar un operativo de enorme importancia.

—No hay nadie en todo el país que me inspire más confianza que tú para llevar a cabo este plan. Tu papel será el más peligroso y sin duda arriesgarás tu vida, pero no puedo, ni como jefe ni como padre, pensar en un honor más alto para ti. Te pido que nos hagas a todos orgullosos de tu valentía y lealtad a Cuba —le dijo.

El joven cubano, a pesar de lo que le decía su padre, nunca fue un hijo querido y respetado por Hernández. El general siempre lo había mantenido en un segundo plano respecto al resto de sus hijos y no tenía ningún plan para cambiar esa situación. Básicamente, el militar lo consideraba como el desafortunado resultado de un error de juventud. Una persona a quien estimaba, pero no quería, y por el cual sólo sentía la responsabilidad biológica de haber contribuido a traerlo al mundo. Para suerte del responsable del MININT, el amor de Héctor era tan ciego que empañaba su aguda inteligencia y no le permitía entender con claridad que el amor de un padre nunca es verdadero si está dispuesto a sacrificar la vida de su propio hijo con tal de escribir una página en la Historia.

Hernández, considerado como un experto manipulador, conocía muy bien todos y cada uno de los miedos, complejos y frustraciones de Héctor, pero nunca dudó en continuar chantajeando emocionalmente a su hijo. Para él, en esta ocasión como en tantas otras, lo importante no era la vida de Héctor, sino que este culminase con éxito su misión.

El general, que iba vestido con unos pantalones blancos y una guayabera amarilla, cogió del hombro al capitán del MININT y ambos comenzaron a caminar juntos por la calle Ocho.

—Hijo mío, ha llegado el momento decisivo —dijo insistiendo cada vez que podía en la idea de que él era su padre—. En algunas ocasiones hemos de hacer el papel de personas abominables para conseguir que quienes vienen detrás de nosotros vivan mejor... A veces, y aunque esto suene extraño, la mejor forma de conseguir la paz es prepararnos para la guerra...

—Padre, ¿por qué ha venido hasta aquí? —dijo Héctor deseando con todas sus fuerzas que Hernández respondiera exactamente de la forma en la que lo hizo.

—Para verte, para estrecharte entre mis brazos, para decirte que te deseo toda la suerte del mundo y para recordarte que te quiero. Para decirte que te espero ansiosamente en La Habana y que ya cuento los minutos que faltan para que regreses a casa como un verdadero héroe. Si tú vas a arriesgar tu vida, mereces que yo venga hasta aquí arriesgando también la mía para demostrarte mi amor de padre.

Héctor estaba aturdido. Nunca había visto a su padre actuar de aquella forma tan personal y humana. El general siempre se mantenía distante y se comportaba de una forma mucho más seca. Sin embargo, en aquel encuentro, Hernández parecía estar abriendo su corazón a Héctor como nunca antes había hecho. El jefe del Ministerio del Interior se mostraba cariñoso y permanecía atento a cualquier inquietud de su hijo, hasta la más mínima, demostrando una vez más la increíble capacidad de manipulación psicológica de la que estaba dotado.

—Héctor, tal y como habíamos previsto, vamos a llevar adelante las fases iniciales del Plan Hatuey —afirmó Hernández con determinación mientras adoptaba un semblante menos relajado que antes.

—¿Es una decisión final?

—Sí.

—¿El aeropuerto de Miami?

—El aeropuerto y algunas bases militares.

—Ocá...

—Tu misión será importantísima. Pronto comprobarás que, sin ti, nada sería posible.

—¿Por qué?

—Tú dirigirás a los aviones hasta sus destinos finales. Si la operación es detectada, los americanos activarán inmediatamente todos sus mecanismos de guerra electrónica para impedir que La Habana pueda enviar las instrucciones a los pilotos de la FAR.

—¿Por qué no salen entonces los pilotos con sus objetivos ya establecidos?

—Por seguridad. Es un plan muy complicado y necesitamos el mayor nivel de confidencialidad. Es mejor que les digamos todo a medida que vaya ocurriendo.

—¿Y cómo podré dirigirlos?

—Tú les pasarás todas las órdenes desde Miami. La guerra electrónica de los Estados Unidos estará centrada en distorsionar las señales procedentes de Cuba, pero no de su propia retaguardia. Esa será la única forma de que nuestros MIGs sepan qué hacer en todo momento.

Héctor sentía un enorme peso ante la responsabilidad de una misión tan delicada. No obstante, hizo todos los esfuerzos posibles para no mostrar ninguna señal de indecisión o debilidad. A pesar de eso, Hernández detectó un atisbo de duda en el rostro de su hijo, algo que le preocupó sobremanera.

—¿Ocurre algo?

—No —mintió Héctor.

Por un momento, el agente pensó en contar a su padre que se había enamorado de una joven cubana llamada Marta y que cada día estaba más convencido de que quería vivir junto a ella el resto de sus días. No obstante, enseguida se dio cuenta de la torpeza que eso hubiera significado.

—Necesito más tiempo para explicar a mi padre la situación detenidamente —reflexionó Héctor—. Ya lo haré cuando haya concluido con éxito el operativo. Nunca he tenido una misión tan importante en mis manos. Él me quiere y sólo desea lo mejor para mí. Estoy seguro de que aprobará mi relación con Marta.

El capitán del MININT confiaba en poder convencer a Hernández para que le permitiera abandonar el servicio activo en los próximos meses. Quizás entonces, después de haberse probado de forma definitiva ante su padre, podría regresar a Miami secretamente y con otra identidad para vivir con Marta, ya fuera en la misma Florida, en cualquier otra parte de los Estados Unidos o incluso en México. Dedicarse a ser feliz con ella y olvidarse por completo de su tumultuoso pasado. Quizás entonces podría sincerarse con la mujer a quien tanto quería y esperar que ella le perdonase por no haberle contado antes la verdad sobre su vida anterior. Héctor aún no podía creer que él, un revolucionario, pudiera estar planeando vivir en los Estados Unidos, pero la realidad era que el amor por Marta estaba trastocando todo, absolutamente todo, en su vida. Incluso los principios que él siempre había considerado como inamovibles.

—Padre, ¿cuándo piensan activar el plan?

—En más o menos una semana, Héctor.

—¿Una semana? ¿Tan pronto?

—Sí. Todo estará listo en tres o cuatro días, pero ensayaremos los pasos del plan una y otra vez hasta que estemos completamente seguros de que no habrá ningún fallo. Recibirás las órdenes definitivas en unos cinco días.

Hernández caminaba al lado de Héctor por una de las aceras de la calle Ocho en dirección a la bahía. De pronto, el general se detuvo, compró dos cafés cubanos en la ventanilla de un restaurante y le dio uno a su hijo.

En el restaurante había una radio encendida que, en ese momento, estaba retransmitiendo una entrevista desde Washington con un legislador federal cubanoamericano respecto a la situación económica y de los derechos humanos en la isla.

—«Cuba simboliza la esclavitud sin entrañas ni conciencia y Castro no es más que el capataz de sus esclavos en La Habana. Un cruel capataz que no permite sindicatos independientes ni derechos para los empleados, que cobran una verdadera miseria por trabajar. ¿Cómo es posible que el sueldo de un maestro en Cuba sea de cinco dólares al mes? ¡Eso lo gana aquí cualquier persona tan sólo en una hora cocinando hamburguesas! —dijo burlándose del régimen revolucionario—. La realidad, a pesar de toda la propaganda fidelista, es que el ochenta por ciento de los cubanos odia a Castro y al comunismo... La única realidad es que la revolución ha sido un estrepitoso fracaso en Cuba».

El reportero preguntó después si el congresista creía que habría algún tipo de apertura política en la isla. Nada más escucharlo, el legislador echó una estruendosa carcajada al aire.

—«¡Ja! ¡Ja...! —se burló—. Mire, los que no nos quieran escuchar a nosotros... ¡que escuchen al mismo Fidel! —enfatizó después sus palabras—. Castro lleva ya más de cuarenta años reprimiendo al pueblo de Cuba mientras repite que el lema es socialismo o muerte. ¿Es que todavía lo quieren más claro? Fidel es el de siempre, el que dice que pluripartidismo es pluriporquería. Mire, en ese régimen nazi-fascista la única voluntad que de verdad cuenta es la de Castro porque nadie se atreve a decir nada que lo contradiga. Uno no puede disentir de lo que él diga sin miedo a caer preso. ¿Cambio? ¿Qué cambio? ¿De qué cambio me habla, hombre? Ahí no cambia ni la hora del reloj. Con Fidel en Cuba no cambiará nada, absolutamente nada, pero, ¿sabe qué?, pronto celebraremos la caída de esa dictadura y echaremos al mar a ese loco, a ese lunático, a ese monstruo, a ese lo que sea que arruinó tantas vidas en su país...».

Hernández, finalmente, decidió dejar de escuchar la entrevista y se alejó del restaurante.

—Sigamos caminando. Tengo que ver muy bien todo esto. No viene uno por aquí todos los días, ¿no?

Durante algunos instantes, el general prefirió reflexionar en silencio para no asustar a su hijo.

—Además —pensó ya para sí—, hay que fijarse detenidamente en la ciudad, no vaya a ser que dentro de poco no
haya por aquí nada más que escombros y ruinas. Tanto alar-
dear de su pequeño paraíso capitalista y los pobres gusanos no
saben lo cerca que están de perderlo todo... Tanto esfuerzo
para demostrar que son mejores que nosotros, tanto criticar
al comunismo para, al final, olvidar lo largo que puede llegar
a ser el brazo de la revolución... —meditó satisfecho el militar.

El general ya había dicho públicamente en muchas ocasiones que, de ser necesario, no tenía ningún problema en recurrir a la violencia para alcanzar las metas revolucionarias.
A Hernández se le percibía como un guerrero invencible que
no conocía la palabra miedo a la hora de tener que batirse contra cualquier enemigo.

El jefe del MININT miró a su alrededor y decidió recordar a Héctor el motivo de la presencia de ambos allí.

—Hijo, observa bien todo esto —afirmó refiriéndose a
Miami—. Estás viendo todo lo que hemos de eliminar de este
mundo.

Héctor Lara, como siempre, escuchó con atención sus
palabras.

—Esto es la decadencia, los últimos suspiros agonizan-
tes de un mundo que ya toca a su fin. ¿Qué veo aquí, en Miami?
—se preguntó mientras señalaba con su mano derecha los
lejanos rascacielos del centro de la ciudad—. Lo que veo es
avaricia, egoísmo, prejuicios, falta de igualdad y abuso. En
cambio, lo que veo en Cuba es inconformismo con la injusticia, satisfacción de luchar por una buena causa, caridad,
amor, solidaridad, soberanía y orgullo. Nosotros estamos en
el lado correcto de la Historia. Nosotros no somos los que tenemos que cambiar. Lo que hay que cambiar es todo lo que
simboliza Miami.

Héctor creía firmemente en conceptos como igualdad y
justicia. Sin embargo, y por primera vez en su vida, el agente
escuchó las palabras de su padre con cierta dosis de escepticismo. El motivo era que Hernández generalizaba constantemente sobre los exiliados describiéndolos como «enemigos
del pueblo», «lacayos del capitalismo», «latifundistas», «de-

salmados», «mercenarios» o bien «agentes de la CIA». Algo que, hasta aquel momento, nunca le había molestado. Hasta aquel preciso momento.

De pronto, el capitán del MININT se dio cuenta de que ya no podía aceptar que hablaran así de personas como Marta. El cubano quería demasiado a esa mujer como para permitir que la atacaran verbalmente de aquella manera. El espía, además, había comprobado que, cuando llegó a Miami sin nada, muchos cubanos le tendieron la mano de forma completamente desinteresada. Por lo tanto, criticarlos a todos como «nido de explotadores» era algo injusto y que no respondía a la realidad.

El general, que también poseía una gran intuición, enseguida notó algo extraño en el comportamiento de su hijo, pero nunca pudo percatarse del verdadero alcance de la crisis que estaba originándose en las creencias más profundas de Héctor.

—La violencia es el último recurso, sí, pero a veces es necesario utilizarla. Hay que defender con energía las buenas causas —siguió el militar—. La historia de América Latina está llena de héroes y tú te vas a convertir en otro de esos héroes. Con tu ejemplo, Héctor, sembraras de nuevo los valores revolucionarios que con tanto cuidado y cariño fueron cultivados en ti.

Hernández pensó entonces que la gran responsabilidad depositada sobre Héctor podía estar desgastándolo peligrosamente y decidió darle algunas palabras de ánimo para recordarle, una vez más, el sentido de su lucha.

—Aquí hablan de democracia, pero, dime, Héctor, ¿dónde está la igualdad en esa «democracia»? —preguntó ridiculizando el tono en la última palabra—. ¿Son acaso iguales el presidente de una corporación y un viejo y pobre vagabundo que está obligado a dormir debajo de un puente porque nadie le cuida? ¿Democracia? ¿Qué clase de democracia es esa? Yo te diré lo que es eso. Esto es como la sociedad griega, con treinta mil personas libres y setenta millones de esclavos. ¡Eso es lo que es!

A pesar de lo que estaba escuchando, Héctor ya sabía

que su estancia en Miami y su relación con Marta habían cambiado su imagen del exilio. Los exiliados ya no eran para él lo que siempre le enseñaron en Cuba: un grupo homogéneo de desalmados radicales de extrema derecha deseosos de implantar una nueva dictadura en Cuba, sino un complejo mosaico de personas e ideas que no podían ser simplificados de semejante forma.

—La presión seguirá sobre nosotros, Héctor, pero redoblaremos nuestros esfuerzos e imaginación para mantener viva la lucha. Las conquistas de la revolución no serán destruidas, aunque haya que luchar a vida o muerte contra el capitalismo —siguió hablando el jefe del espionaje cubano.

—¿No tiene miedo a las consecuencias de su lucha? —se atrevió a intervenir Héctor.

—¿Miedo? —se extrañó Hernández—. No. Mi único miedo es a traicionar mis principios, abandonar mis ideas, vender a nuestro país. A eso no podría resignarme jamás. Todos los enemigos pueden vencerse, pero nunca sería capaz de superar la idea de haber fallado a mi pueblo. De haberme rendido, de haber tirado la toalla, de haber flaqueado en la lucha, de decepcionar a quienes confían en mí.

Héctor y Hernández se sentaron en un banco de la calle y siguieron conversando. El general continuó entonces con sus reflexiones mientras analizaba al detalle cualquier reacción por parte de su hijo. Lo que había en juego era demasiado importante y el militar tenía que despejar hasta la más mínima duda sobre la capacidad de Héctor para llevar adelante aquella delicada misión.

—El comunismo ha de regresar porque el egoísmo no puede durar siempre. Cristo murió y resucitó y de esa forma también resucitará el comunismo —afirmó Hernández—. Héctor, a veces me llaman terco —prosiguió—. Si ser terco significa ser leal a mis principios y estar dispuesto a luchar hasta mi última gota de sangre y mi último aliento para defender a la patria, a la revolución y a las conquistas del socialismo, sí, entonces sí soy terco.

Hernández se cayó y miró a su hijo.

—Te veo muy callado.

—No. No. Estoy escuchándolo.

—Pues escucha bien esto para que nunca se te olvide. Quienes nos critican en Cuba es porque no pueden comparar la situación de ahora con lo que había antes de la revolución. Antes, la gente llamaba a la puerta de tu casa para que les dieras «las sobras» de tu comida. Eso era lo único que podían llevarse a la boca. Hoy nadie hace eso. Todos comen. ¿Ves acaso a alguien que pase hambre en Cuba? Todos se quejan a los turistas para darles pena, pero después vas a sus casas y viven con televisión a color y aire acondicionado. ¡Les toman el pelo! Además —dijo con orgullo—, en Cuba le trasplantamos un corazón completamente gratis a cualquiera, ya sea un minero, un militar, un dirigente del Partido o un agricultor. ¿Harían eso acaso en los Estados Unidos, un país infinitamente más rico que el nuestro? No, claro que no. Si no tienes dinero, aquí te mueres sin que el hospital te abra sus puertas. Es el capitalismo el que está muriéndose, no el comunismo. El socialismo apenas está empezando el camino que le llevará hasta la victoria final contra ese esperpento llamado capitalismo. Es el capitalismo el que no ofrece ningún futuro a la Humanidad.

El general acabó interpretando el silencio de Héctor como un síntoma de asentimiento a todo lo que escuchaba, de forma que se dispuso a concluir la arenga.

—Estados Unidos es la nación más rica del mundo, pero tiene más de veinte millones de analfabetos, cuarenta millones de personas sin seguro médico y catorce millones de niños que viven en la pobreza. ¿Qué te parece eso?

Héctor sacudió su cabeza.

—Increíble. Lamentable.

Su padre hizo un gesto de asentimiento.

—La realidad de este país no es Manhattan, Hollywood o Las Vegas. Héctor, esa es la propaganda americana. Lo sabes muy bien. La realidad de este país es Nueva Orleans. ¿Es que no viste por televisión las imágenes de pobreza que hay allí? Se gastan miles de millones de dólares cada mes en la guerra en Irak o rebajando los impuestos a los millonarios, pero no pueden reparar los diques de la ciudad. ¿Por qué? ¿Quieres que te lo diga? ¡Porque son negros! ¡Porque son pobres! ¿Crees que si la que estuviera bajo el nivel del mar fuera Beverly Hills no habrían fabricado los mejores diques del mundo allí hace ya años? ¿Por qué tardaron tanto tiempo en ayudarlos en Nueva Orleans? ¡Porque son negros! ¡Porque son pobres! ¿Acaso crees tú que la reacción habría sido la misma si el huracán Katrina hubiese llegado a una ciudad de millonarios blancos como Santa Bárbara, en California? ¡El gobierno hubiera enviado comida y soldados una hora después! ¡Pero tardaron días y más días en Nueva Orleans! La gente, literalmente, con el agua al cuello y ellos... ¡en una representación teatral! ¡Dormidos en Washington! ¡Cuánta gente habrá muerto innecesariamente! El Pentágono se jacta de que puede enviar a sus militares a cualquier parte del mundo en apenas dieciocho horas, pero, aparentemente no a Nueva Orleans, que está en su mismo país. Un día después del tsunami en Asia, los aviones militares ya estaban tirando paquetes de comida desde el aire para las víctimas, pero no en Nueva Orleans. ¿Y sabes, hijo mío, cuántas Nueva Orleans hay en los Estados Unidos? ¡Cientos! ¡Miles! —dijo furioso el general.

Hernández estaba obsesionado con criticar el sistema de vida en los Estados Unidos. A pesar de la autoridad con la que hablaba, curiosamente, apenas había visitado el país. Otra obsesión era compararlo con lo que él describía como el éxito de la revolución cubana.

—Permíteme recordarte que con Batista el noventa por ciento de la gente era analfabeta o semianalfabeta en Cuba. En cambio, Héctor, hoy en día nadie lo es y tenemos veintiuna facultades de medicina y sesenta mil médicos. ¿Sabes a cuántos niños les hemos salvado la vida desde que subimos al poder? A más de medio millón, que ahora mismo estarían muertos si el comunismo no hubiera llegado a nuestra patria.

—Padre —le interrumpió Héctor—. No tiene que intentar convencerme del sentido de nuestra lucha.

—Lo sé, lo sé... —le dio otra cachetadita cariñosa en el rostro—, pero a veces es importante repetir estas ideas. Yo ya sabía que el espejismo material de Miami nunca podría hacer tambalear la solidez de tus ideas revolucionarias. Si fueras otra persona, nada me sorprendería. Incluso una deserción al enemigo, pero no tú. Tú eres especial.

—Ya sabe que yo también moriría por la revolución.

Al oír esas palabras, Carlos Hernández se levantó del banco, agarró con sus dos manos los hombros de su hijo y después lo estrechó nuevamente con fuerza contra su pecho.

—Hijo mío, te espero en La Habana. Haznos orgullosos de ti. Por cierto, gracias por la información sobre Alpha 66 y el vídeo de mi discurso. No perdonaremos a ningún traidor que lo haya filtrado. Adiós —se despidió comenzando a caminar solo hacia un automóvil que le esperaba al otro lado de la calle.

Tan pronto como Hernández se subió al vehículo, este arrancó y desapareció con rapidez de la vista de Héctor.

El joven cubano enseguida comenzó a arrepentirse de no haber sido completamente honesto con su padre. De no haberle hablado de Marta ni de explicarle que, desde su punto de vista, quizás sí sería posible un diálogo sincero con algunos sectores del exilio.

De pronto, se detuvo y se frotó la cara con sus dos manos.

—¡Cómo hubiera podido yo imaginar jamás que ahora estaría pensando así! ¡Yo! ¡Un fiel comunista que he hecho tanto por la revolución! ¡Qué descabellado es todo esto! —pareció reprocharse.

Tras algunos segundos sin moverse, Héctor comenzó a caminar sin rumbo aparente. Todo era confuso para él. Sí, amaba a su padre y a la revolución, pero también estaba viendo otra parte muy distinta de la realidad que tanto le inculcaron. Él pudo comprobar con sus propios ojos que entre los exiliados había mucha gente de enorme valía moral, algo que nunca hubiese pasado por su cabeza antes de conocerlos en persona. El conflicto rabiaba en las venas del joven cubano, que no sabía cómo bregar con esos nuevos sentimientos tan enfrentados entre sí. Su vida se había convertido en un mar de contradicciones.

No obstante, al menos por el momento, Héctor descartó hablar de nuevo con Hernández. Su compromiso con la revolución era todavía lo más importante y tenía que cumplirlo a cualquier costo.

57. TRAS LA PISTA

EL TENIENTE CORONEL José Montalvo llegó a las doce y cuarto del mediodía a la casa que había sido utilizada por los agentes cubanos del MININT en la calle Loquat. Allí le esperaba Miguel Cardoso. La vivienda estaba casi completamente aislada del resto del barrio gracias a multitud de frondosas palmeras ubicadas a lo largo de los cuatro extremos de su amplio patio.

La humedad era intensa y resultaba difícil caminar con aquel calor tan pegajoso castigando sin piedad todas y cada una de las partes del cuerpo. Además, la vegetación del jardín de la casa era muy tupida, haciendo casi imposible poder desplazarse de un lado a otro sin tropezar continuamente con plantas tropicales de todo tipo y tamaño.

Tras un breve saludo, Miguel acompañó a Montalvo hasta el refugio nuclear. El teniente coronel, mientras seguía los pasos del policía, analizaba hasta el más mínimo detalle de todo lo almacenado dentro de aquella sofisticada instalación subterránea.

—No hay duda. Están preparando algo serio —dijo por fin el militar.

—Eso creo yo también. Hoy nos llegaron los primeros informes confidenciales del FBI sobre el caso.

—¿Encontraron algo especialmente relevante?

—Sí. Mire —dijo Miguel extendiendo una lista a Montalvo—. Este es un inventario de todo lo que se halló en el refugio.

El cubano hojeó los papeles con interés.

—Yo no soy ningún experto en el tema, pero parece lo usual para un refugio de este tipo. ¿Me equivoco?

Miguel recuperó la lista y apuntó con su dedo índice a

los objetos descritos en el apartado número cuarenta y dos del inventario.

—La clave podría estar aquí.

El agente esbozó entonces un gesto de satisfacción, ya que, por primera vez desde que se iniciaran las investigaciones, parecía haber conseguido una pista sólida que seguir.

—El FBI rastreó el origen de todos los artículos y materiales depositados en el refugio. Excepto cosas como agua, ropa, mantas o comida, y aunque suene increíble, todo, repito todo, lo que se encontró aquí procede de Cuba. Los artículos fueron fabricados en Cuba o bien en Rusia y después los trajeron de forma clandestina hasta Miami. El FBI dice que es por motivos de seguridad, para no levantar sospechas. Medicinas, armas, municiones, instrumentos electrónicos, aparatos médicos... Todo viene de la isla. Todo, excepto una cosa: los trajes anticontaminación que supuestamente serían utilizados para protegerse de cualquier desastre nuclear.

—¿Y qué importancia especial tienen esos trajes? —dijo Montalvo sin entender todavía el obvio interés de Miguel en los mismos.

—Si averiguamos quién los compró, quizás también podamos descubrir la identidad de alguno de los miembros del MININT en Miami.

El militar asintió dando la razón al policía.

—¿Se sabe de dónde proceden esos trajes? —preguntó el teniente coronel refiriéndose a unos trajes plásticos de color amarillo y de gran espesor que iban acompañados de unos cascos blancos, guantes negros, máscaras de gas, y tanques de oxígeno.

—Sólo sabemos que fueron fabricados aquí, en los Estados Unidos.

Montalvo siguió intentando completar mentalmente aquel complejo rompecabezas.

—¿Y por qué no los trajeron también de Cuba?

—La Habana, en estos momentos, no dispone de este tipo de trajes. En la isla no hay ninguna central nuclear en activo, de manera que no los necesitan.

El cubano escuchaba con atención todas las explicaciones de Miguel y parecía claro que estaba dispuesto a despejar cualquier duda que surgiera de las palabras del policía.

—Si lo que querían era evitar sospechas, ¿por qué no los trajeron de algún país más amigable hacia ellos como, por ejemplo, la misma Rusia? —preguntó una vez más.

—Estoy seguro de que Cuba planeó todo esto con mucho tiempo y precisión. Sin prisas. No obstante, quizás pensaron que, en el caso concreto de los trajes, nadie sospecharía nada si los compraban aquí.

—¿No te extraña que dejasen un rastro así tras ellos?

El policía se sentó en una de las literas del refugio y cogió algunos de los frascos médicos depositados sobre un estante cercano.

—Pongámonos por un instante en su lugar —continuó Miguel—. Supongo que, al no disponer de esos trajes, tenían que comprarlos en alguna parte y conseguirlos aquí, paradójicamente, podría generar incluso menos preguntas que en la misma Rusia. En este país, con contactos y dinero, puedes comprar prácticamente cualquier cosa. Y mucho más ellos, que tienen una vasta red de espías especializados en adquirir toda clase de material de forma encubierta. Piénselo —añadió el policía—. Imagínese a un grupo de agentes de la inteligencia cubana apareciéndose de repente en Moscú para comprar varias decenas de trajes protectores contra radiación nuclear. ¿No se dispararía acaso automáticamente una luz roja de alarma?

El militar asintió de nuevo mientras reflexionaba con rapidez sobre todo lo que le decía Miguel Cardoso.

—Es muy posible que estés en lo cierto. Este país es uno de los principales proveedores mundiales de esa clase de productos. Para un espía profesional, sería muy fácil encontrar alguna forma de realizar una compra como esa sin llamar demasiado la atención. Sin embargo, sigue siendo algo arriesgado. Tras los ataques del once de septiembre, el gobierno vigila muy bien ese tipo de ventas.

Tras observar detenidamente las medicinas cubanas, Miguel Cardoso volvió a dejarlas donde estaban y se levantó de la litera.

—Cualquier operativo como este conlleva numerosos peligros. Usted lo sabe mejor que nadie. Lo único cierto es que esos trajes fueron fabricados aquí, así que sólo puedo decirle que espero fervientemente poder averiguar dónde se efectuó esa compra y quién la hizo. Necesitamos encontrar un fallo. Al fin y al cabo, es imposible preparar una misión tan compleja sin cometer ningún tipo de error.

—¿El golpe de suerte que necesitábamos?

—Eso espero.

Montalvo dio unos pasos hacia adelante y comenzó a pensar en cuál debería ser el paso inmediato a seguir.

—Hay decenas de lugares en todo el país que venden esos tipos de trajes —se adelantó Miguel—. Tenemos que ponernos en contacto con todos esos negocios. Por supuesto, los números de serie de los trajes que tenemos en nuestras manos fueron borrados, pero los laboratorios del FBI en Washington están tratando de recomponer cualquier información que pueda aclararnos algo sobre su procedencia.

El teniente coronel suspiró profundamente y miró a Miguel a los ojos.

—Y dime, chico, ¿no preocupó todo esto al FBI?

—La respuesta, por increíble que parezca, es no —dijo el policía—. Creen que son simples locuras de algún grupo del exilio. Los agentes del FBI están ayudándonos en todo lo que pueden, pero siguen pensando que estamos persiguiendo a un grupo de lunáticos y no a un disciplinado comando de peligrosos terroristas perfectamente organizados. Por supuesto, cooperarán con nosotros hasta que arrestemos a estas personas, pero me temo que esto no es ninguna prioridad para ellos. Están obsesionados con grupos fundamentalistas musulmanes. Sólo con ellos. Y en el proceso, siguen cometiendo el error de menospreciar a Cuba.

El militar dio una patada contra el suelo para exteriorizar su frustración.

—Siempre es la misma historia. Siempre necesitamos que ocurra una desgracia para comenzar a prepararnos contra la siguiente. Nunca puede ser al revés —sentenció.

58. UNA PROMESA

EL JEEP MILITAR de fabricación rusa BAZ pasó justo frente al hotel Cohiba, situado en la avenida Paseo del barrio del Vedado. Era de noche y el teniente Roberto Hidalgo se dirigía hacia su casa, un pequeño apartamento en el Malecón. Hidalgo, un piloto de la FAR, había sido enviado de maniobras durante dos semanas cerca de Guantánamo, algo que le impidió estar presente en el nacimiento de su hija. El joven oficial contaba los minutos hasta poder estrechar a su mujer y al bebé entre sus brazos.

El Malecón estaba repleto de policías que lucían un sobrio uniforme de color azul. Su principal misión era la de controlar la labor de las numerosas prostitutas que asediaban a los turistas, o yumas, alojados en los hoteles para extranjeros.

A Roberto Hidalgo le deprimía pasar por aquella zona a esa hora, ya que lo único que veía eran pequeños ejércitos de jóvenes cubanas dispuestas a lo que hiciera falta con tal de ganar algo de dinero.

La carestía se extendía a casi todos los hogares del país, de forma que muchas mujeres optaban por ganarse en una noche lo que un ingeniero o un médico conseguían en medio año de trabajo. El sueldo de un doctor era de quince o veinte dólares al mes y el de una maestra de cinco, mientras que un policía nunca pasaba de diez.

Gran cantidad de las cosas que se necesitaban para sobrevivir sólo podían comprarse con divisas, de forma que esa era también la forma más rápida de conseguirlas. Muchas de esas mujeres no eran prostitutas profesionales, sino simples madres, amas de casa o estudiantes que repetían que venderse así no era fácil, pero que estaban obligadas a hacerlo para asegurarse de que sus hijos, sus hermanos pequeños o bien sus padres pudieran vivir decentemente.

Los únicos trabajos buenos que existían en Cuba eran los relacionados con el turismo, pero estos estaban copados por los miembros del Partido y sus simpatizantes. Si bien los sueldos no eran demasiado generosos, sí había muchas propinas. Eso hacía que, por ejemplo, un simple camarero de un hotel internacional pudiera ganar más dinero que incluso numerosos altos oficiales del ejército.

—¡Alabao! —dijo el conductor del todoterreno, un cabo—. ¿Ha visto a esa niñita con aquel turista barrigón? No puede tener más de dieciséis años...

—No diga boberías.

—Yo sé lo que le digo, mi teniente. Las hay de esa edad y aún menores. Lo que usted quiera.

Hidalgo miró a la chiquilla y pensó que, en realidad, su chófer podía tener razón.

Los turistas habían invadido la isla, pero la inmensa mayoría de ellos tenía una visión muy limitada de la verdadera Cuba. El motivo era que no se les llevaba a los repartos donde residía la inmensa mayoría de la gente, sino que pasaban sus vacaciones encerrados en sus hoteles de lujo. Las esporádicas excursiones siempre eran a lugares bien cuidados y con enorme presencia policial.

Muchos de los barrios cubanos nadaban en la pobreza, con casas de madera que apenas se tenían en pie y carreteras llenas de baches que nunca habían sido asfaltadas. El estado de infinidad de repartos era lastimoso y las lluvias hacían verdaderos estragos en ellos, dejándolo todo inundado y casi intransitable. Los apagones eran incesantes y hasta el agua se racionaba, un día sí y otro no.

El gobierno tan sólo garantizaba una bombona o tanque de gas cada seis meses y los alimentos de los que se proveía a la población para mantenerse durante treinta días apenas duraban una semana. Para paliar la crisis, algunos incluso criaban cerdos y gallinas en sus propias casas como fuente de alimentación básica. El jabón ya casi ni se sabía lo que era, algo que provocaba que muchos cubanos se lanzaran insistentemente sobre los turistas para pedirles que les dieran los productos de limpieza de las habitaciones de sus hoteles.

Los cubanos tenían lo que se llamaba «Libreta de Abastecimiento». Con ella, por persona y mes, a cada uno le tocaban cinco libras de arroz, tres libras de azúcar blanco, dos de azúcar prieto y medio litro de aceite. Un mes se repartía un poco de jabón para bañarse y el mes siguiente para lavar ropa, pero nunca los dos a la misma vez.

El piloto tenía treinta y cinco años de edad y estaba destinado en la base de Santa Clara. Hidalgo había sido entrenado en la escuela de cazas de combate de Krasnodar, en la antigua Unión Soviética, y estaba considerado como un revolucionario ejemplar. Sin embargo, la verdad era que la situación en la isla estaba agotando su paciencia. Roberto culpaba al régimen de muchas de las penurias que sufría el pueblo y creía que ya era hora de que el sistema se abriera políticamente de la misma forma que había ocurrido en Europa del este.

El militar no quería vivir en un país donde se prohibía a los cubanos entrar en los hoteles para turistas, donde la policía se corrompía por una limosna, donde se reprimía la más mínima muestra de individualismo, donde se encarcelaba a cualquiera que pensara de una forma distinta y donde uno no podía soñar con un futuro mejor para sus hijos.

Por supuesto, el piloto nunca habló de sus ideas con nadie y mucho menos dentro de las fuerzas armadas, ya que en los cuarteles había verdadero terror a mostrar el menor signo de disidencia. Nadie se fiaba de nadie y esa era la forma en que el sistema quería que todo siguiera funcionando. Así, los unos se vigilaban a los otros y ninguno se atrevía a decir lo que en realidad pensaba. Sólo la mujer del piloto, Carmen, conocía las auténticas aspiraciones de Roberto, que ella compartía plenamente.

El jeep pasó entonces frente a la Sección de Intereses de los Estados Unidos en Cuba, un gran edificio también situado en el Malecón. Justo frente al edificio había un gran cartel con la caricatura de un miliciano que gritaba a una imagen del Tío Sam: «Señores imperialistas, no les tenemos absolutamente ningún miedo». Muy cerca de esa había muchos más con todo tipo de arengas, como «Lo nuestro es nuestro», «Nosotros no tenemos amos», «Creemos y creeremos en el socialismo» o «La revolución es eterna». Roberto pensó que el régimen debería poner menos énfasis en desplegar tantos carteles y máximas de la revolución y dedicarse más bien a llenar de comida los supermercados, de medicinas los hospitales y de generar nuevas esperanzas entre los cubanos sobre el futuro de su país.

Finalmente, el piloto llegó a su edificio y, después de despedir al cabo, subió con rapidez las escaleras hasta el quinto piso. Allí estaba su hermana, que cuidaba de Carmen. Su esposa había dado a luz el día anterior y todavía se encontraba en cama descansando junto a su bebé.

Roberto entró en el cuarto y fue directo hasta Carmen para darle un cálido, profundo y cariñoso abrazo. Su mujer le recibió con una amplia sonrisa de felicidad.

—Cariño, te quiero tanto... no sabes cuánto siento no haber podido estar contigo durante el parto... Fue imposible que me dejaran salir antes...

Carmen le acarició el pelo.

—Ya lo sé, bobo. No te preocupes. Te quiero igual. Mira lo que tengo para ti... —dijo destapando con orgullo a su hija, que estaba a un lado de la cama.

—¡Qué preciosa es! —exclamó él lleno de felicidad—. Se parece a ti.

—Cógela en brazos —dijo Carmen con un intenso brillo de placer en sus ojos.

Roberto cogió entonces al bebé y lo meció suavemente de un lado para otro.

—Sonia... ¿Sabes quién soy yo? —le preguntó como si ella pudiera entenderlo—. Soy tu padre.

—¿No es increíble? —lloró Carmen.

—Sí. Increíble. Un regalo de Dios. O mejor dicho. Dos regalos de Dios: Sonia y tú.

El militar era creyente, algo que, por supuesto, jamás admitiría en público. Eso podría costarle muy caro en un país donde sólo había una religión válida, el comunismo. Desde la visita del papa Juan Pablo II a la isla, el gobierno había hecho algunas concesiones a los fieles, pero dentro de las fuerzas de seguridad del Estado seguía existiendo cero tolerancia en ese tema.

Roberto volvió a depositar a su hija junto a Carmen y dio un suave beso en los labios a su mujer. Carmen le sonrió, pero inmediatamente después adoptó una postura mucho más seria.

—Roberto, quiero que hoy tomemos una decisión —dijo ella apretando la mano de su marido.

El piloto sabía muy bien lo que quería su mujer, pero tan sólo pensar en eso le partía el alma. Aquella no era la primera vez que tocaban ese tema.

—Por favor, no hablemos de eso ahora... Déjame disfrutar algunos instantes de tu compañía y de la de mi hija —le rogó Roberto.

—Roberto, este es el día perfecto. Tenemos que jurar que Sonia tendrá una oportunidad en esta vida. Que no acabará como las niñas que están en el malecón. Sonia no puede convertirse en una prostituta que, dentro de algunos años, se tenga que acostar con cualquier turista con tal de conseguir algunos dólares para mantener a sus padres. Es decir, a nosotros. No podemos permitir eso.

—No, claro que no mi amor —afirmó Roberto.

Ambos se miraron para después comenzar a derramar lágrimas al mismo tiempo.

—Tienes que desertar. La próxima vez que subas solo a un avión, tienes que desertar. Irte de aquí, lejos.

El piloto intentó limpiar algunas de las lágrimas que resbalaban por su rostro, pero sin demasiado éxito.

—Cariño, ¿cómo puedes pedirme eso? ¿Cómo puedes pedirme que abandone a las personas que más quiero en este mundo? ¿Cómo puedo irme y dejar atrás a mi mujer y a mi hija? ¿Cómo puedo hacer yo eso?

—Precisamente por nosotras. Por nosotras y por ti. Por esta familia.

Roberto siguió llorando como un niño mientras se abrazaba aún con más fuerza al cuerpo de su mujer. Carmen también estaba destrozada, pero creía firmemente que esa era la única forma de ser optimistas respecto al futuro de Sonia. Tan sólo la idea de tener que separarse de Roberto era como un puñal que se le clavaba en las entrañas. Sin embargo, meses atrás, ambos habían prometido ser fuertes si, como decían ellos, Dios les bendecía regalándoles un hijo.

—Tienes que subirte a un avión e irte. Al principio será duro para todos y lo pasaremos muy mal. Imagino que a nosotras nos harán la vida imposible y que incluso nos organizarán algún que otro acto de repudio, pero con el tiempo todo mejorará. Ya verás. Estoy segura. ¿Qué van a hacer? ¿Fusilarnos? La única oportunidad que tenemos de salir de este infierno es si tú estás fuera y luchas por sacarnos.

—...pero, ¿cómo, mi amor? ¿Cómo? —se atormentaba el piloto.

—No lo sé, Roberto. No sé. No puedo responder ahora a esa pregunta, pero sí sé que arriesgarse es mucho mejor que quedarse en Cuba y no hacer nada.

—Cariño, todo esto es tan difícil...

—Quizás te den asilo y después nos puedas reclamar... —dijo Carmen en un esfuerzo por convencerse a sí misma de que esa era la decisión correcta.

—¿Y si no puedo sacarlas? ¿Y si tenemos que estar separados durante años o incluso para siempre?

—Eso no ocurrirá —afirmó con seguridad Carmen—. Tenemos que confiar en Dios. Él no nos abandonará. Nos ayudó enviándonos este bebé y también nos ayudará con esto. No sé cómo saldremos de Cuba, pero lo haremos. Legal o ilegalmente, en avión o en balsa, pero lo haremos.

Roberto acarició a Sonia y besó después a su mujer en la frente.

—Sí. Tienes razón. Nada podrá separarnos. Nada.

59. UN ADIÓS

HÉCTOR LARA APARCÓ su automóvil frente a la casa de Ernesto, el tío de Marta. El cubano no tenía coche propio, de forma que alquiló uno.

El agente jamás se había comprado un traje, pero aquella era una ocasión especial, como ninguna otra. Ir a la moda era algo que no tenía ninguna importancia en la vida de Héctor. Sin embargo, el joven quería que esa velada fuera inolvidable; quería que Marta viera que él haría cualquier cosa para que su amada se sintiera la mujer más especial del mundo.

Su nuevo traje era un bonito y fino modelo de fina lana de color gris claro. Para camisa, había elegido una de algodón de color azul oscuro, mientras que su corbata era de rombos verticales rojos y grises que hacían perfecto juego con el resto de su atuendo. Los zapatos eran unos sencillos, pero muy bonitos, mocasines de piel negra.

Héctor se sentía extraño vestido de aquella forma, pero estaba contento porque sabía que a Marta le gustaría ver el esfuerzo que había realizado para estar elegante en su presencia.

Tras golpear ligeramente la puerta, Marta salió a abrirla. El cubano se quedó maravillado al verla. La muchacha estaba preciosa, radiante. Sus ojos se veían más hermosos que nunca y su sonrisa era cálida y sincera. La sonrisa de una enamorada.

Marta lucía un estrecho vestido largo de lino de color blanco. La tela era semitransparente y con una abertura en el centro de la falda que llegaba hasta la mitad de las piernas. Desde el pecho hasta las caderas, el vestido tenía un pequeño encaje interior para mitigar las transparencias. Todo se completaba con unas sandalias de vestir de color negro con tacones cuadrados no muy altos.

La sobrina de Ernesto llevaba el pelo suelto e iba casi sin maquillar. Tenía una cara tan preciosa que ocultarla con maquillaje parecería un verdadero pecado. Por contra, mostrar su rostro de manera natural no hacía más que resaltar su belleza.

Al abrir la puerta, Marta dio un beso en los labios a Héctor y le dijo que esperara un momento para que ella pudiese despedirse de su familia. Cuando Marta se giró, el agente pudo apreciar al trasluz el cuerpo de la joven a través de su elegante y atrevido vestido. Era un cuerpo firme, musculoso, de formas perfectas y que siempre se movía con clase.

Ernesto se acercó después hasta la puerta con su sobrina para saludar a Héctor.

—Muchacho, gusto en verte.

—Lo mismo, Ernesto.

—¿Quieres pasar y tomar un cafecito?

—De verdad se lo agradezco, pero si no salimos ahora llegaremos tarde.

—Muy bien. Que lo pasen regio —dijo Ernesto despidiéndose de ambos.

Una vez en el coche, Héctor se quedó embobado mirando a Marta.

—¿Qué te pasa? —preguntó ella sonriendo con picardía.

—Estás preciosa. Preciosa —repitió.

—Muchas gracias —hizo un gesto de satisfacción—. Tú también estás muy guapo.

—Gracias —dijo él dándole un cariñoso beso en la mejilla.

Tras algunos segundos disfrutando del placer visual de contemplar la hermosura de Marta, Héctor pareció recuperar cierto sentido de la realidad.

—Será mejor que nos movamos o nos perderemos el baile —dijo.

Marta cogió con fuerza el brazo derecho de Héctor y lo arrimó hacia ella. Después, a la caída de la tarde, el automóvil comenzó a atravesar Miami.

—Esta es mi hora preferida del día —afirmó ella.

—¿Por qué?

—Hay una magia especial. Se acaba el día, viene la noche y los colores que se crean son siempre espectaculares. Vivos, intensos, definidos, apasionados...

—¿Como nuestro amor? —preguntó con gracia el cubano.

—Sí, como nuestro amor —dijo Marta aplastándose aún más contra el cuerpo de Héctor.

Mientras el coche recorría la ciudad con rapidez, el espía del MININT observaba atentamente el paisaje del lugar que tanto le habían enseñado a odiar, pero que, a pesar de eso, cada vez sembraba más y más profundas contradicciones en el cubano. Las verdes palmeras aparecían siempre majestuosas y los innumerables jardines mostraban todo tipo de exóticas y exuberantes plantas propias del sur de la Florida. En algunas calles, los árboles eran tan frondosos y espesos que a veces, incluso en pleno día, se hacía difícil mirar hacia arriba y poder apreciar la misma luz del sol.

Héctor era plenamente feliz en aquel momento. Sin embargo, también sufría una fuerte angustia. Dos sentimientos que peleaban entre sí en lo más profundo de su ser. Sentía felicidad porque estaba con la persona a quien quería y angustia por la incertidumbre de no saber si volvería o no a verla.

El agente vivía aquel día de una forma muy intensa y aprovechaba como nunca antes cada segundo de la compañía de Marta porque temía que esas pudieran ser las últimas horas junto a su amada. La cubana notaba perfectamente la intensidad en la mirada, las caricias y las palabras de Héctor, pero no le dio ninguna importancia pensando que todo era una muestra más de su amor por ella. Marta le entregaba la misma pasión durante cada instante de su vida, de forma que también esperaba recibir lo mismo. En todo caso, lo que le extrañaría, e incluso dolería, sería justo lo contrario: no encontrar esa intensidad en él que la hacía tan feliz.

Al cabo de unos quince minutos, ambos entraron en el Palacio del Baile, una sala de fiestas situada cerca de la bahía. Ese club recordaba mucho a los existentes en Cuba en los años cuarenta y cincuenta.

El Palacio del Baile era un amplio salón con un escenario donde estaba ubicada una orquesta especializada en música caribeña y latinoamericana. Alrededor de la pista había varios niveles sobre los cuales reposaban las mesas. La comida era de mucha calidad y el ambiente siempre reflejaba una marcada elegancia, tanto en los decorados como en el aspecto de quienes acudían allí.

—¿Te gusta? —preguntó Héctor a Marta nada más entrar.

Marta utilizó algunos segundos para observar la sala antes de responder.

—Me encanta —dijo al fin—. Gracias por haberme traído aquí.

—Gracias a ti por aceptar venir conmigo. Yo soy el afortunado de que tú estés a mi lado —añadió besándole con caballerosidad la parte exterior de su mano derecha.

Marta se sentía flotar. Nunca había sido tan feliz. Estaba al lado del hombre al que amaba y él la trataba como una auténtica reina. Como si fuera el centro de su universo y no hubiese nadie en todo el mundo tan importante para él. Héctor sentía lo mismo, algo que nunca antes había experimentado.

—Tengo que luchar con todas mis fuerzas para no perderla jamás —pensó.

Antes de la cena, ambos bebieron algo de champán. Después, vino blanco para acompañar un plato de mariscos que había sido precedido por una pequeña sopa de vegetales. Héctor quería que todo fuera perfecto, hasta el más mínimo detalle. Lo mejor para que Marta comprendiera con absoluta claridad que nadie podría jamás cuidarla o quererla como él.

—Vamos a brindar —dijo ella.

—Muy bien. ¿Por qué?

—Por que esto sea sólo el principio.

—Brindemos por eso —afirmó convencido Héctor.

Marta brindó, pero enseguida esbozó un gesto de preocupación.

—¿Qué te pasa? —preguntó él cogiéndole la mano—. ¿Estás bien?

Al principio sólo hubo un silencio.

—Tengo miedo.

—¿Miedo a qué? —se sorprendió Héctor.

—Miedo a todo esto... —dijo con tristeza.

—...pero... creía que te gustaba este lugar...

—Claro que sí. Además, estoy contigo...

—¿Entonces...?

—Tengo miedo a que todo esto tan bonito se acabe pronto. Nadie puede ser tan feliz durante tanto tiempo, Héctor —dijo ella esforzándose por esbozar una sonrisa.

—No digas tonterías... Lo que tienes que hacer ahora es disfrutar de esta felicidad y no pensar en nada más...

—Es que no puede ser... Tengo terror a despertarme un día y que todo haya finalizado...

—Eso no ocurrirá.

—¿Qué haría entonces? —dijo Marta con tristeza mientras miraba a los ojos a Héctor.

—Yo siempre estaré contigo.

—Después de haber vivido este amor, ya nada tendría sentido si algún día lo pierdo... Ya no sabría qué hacer sin ti...

Héctor le cogió las dos manos e hizo ademán de levantarse de la mesa.

—Anda, vamos a bailar... —la invitó a salir hacia la pista.

La banda, que ya llevaba actuando más de una hora, estaba compuesta por doce músicos. Todos ellos vestían elegantes chaquetas blancas y pantalones negros y usaban pajaritas oscuras en vez de corbatas. El grupo se había ubicado justo frente a la pista de baile y sus componentes tocaban detrás de los pequeños y finos atriles metálicos que aguantaban sus partituras.

Héctor abrazó a Marta con fuerza y hundió su cara en el cuello de la joven. Al iniciar su baile los dos cubanos, también comenzaron a sonar las primeras notas de la canción «Amanecer», del maestro Armando Manzanero. Primero vinieron los suaves compases del piano, después los violines y, más tarde, los sutiles tonos de las guitarras.

Los boleros emocionaban a Héctor. Siempre había sentido una especial debilidad por el romanticismo de sus letras y la belleza de sus melodías. Por si fuera poco, el agente estaba viviendo uno de los momentos más importantes de toda su vida. El difícil momento de un posible adiós.

Los sentimientos de Héctor ya se habían convertido en demasiado intensos como para pretender dominarlos y cada vez parecía quedar menos del hasta entonces frío y distante espía tan acostumbrado a tomar decisiones sólo con su cabeza. El cubano estaba renaciendo poco a poco como lo que en realidad siempre fue: un hombre apasionado y deseoso de amar y ser amado.

—Héctor, no hay ningún lugar donde me sienta más segura que entre tus brazos. En este momento, no me cambiaría por nadie en el mundo. Por nadie —dijo ella.

El cubano sintió una profunda sensación de paz y sonrió.

—¿Así que te gusta esta sala de baile?

—Claro, pero para mí no hay mejor regalo que tu amor y que tú quieras estar conmigo... Aquí... en otro lugar... no importa dónde, cómo ni bajo qué circunstancias. Lo único que me importa es que estemos juntos.

El cantante de la banda se acercó entonces al micrófono.

Amanecer y ver tu rostro sonreír es un placer, un privilegio para mí...

Héctor comenzó a oler el cuello de Marta. Su piel era delicada, limpia y despedía una agradable y cálida temperatura. Marta usaba un perfume francés que, en su piel como en ninguna otra, conseguía crear una fragancia sencillamente exquisita. El cubano inhalaba la fragancia y esta penetraba de manera casi mágica por todo su organismo, alcanzando e impregnando hasta la última célula de su cuerpo.

El aroma del pelo de Marta era suave como la textura de sus delicados pero firmes cabellos. A Héctor le encantaba acariciar su pelo y olerlo una vez tras otra para grabarlo eternamente en su memoria.

El agente cubano no tenía un papel fácil aquella noche. Había llevado a Marta hasta allí para despedirse en caso de que ocurriera algo malo durante su próxima y peligrosa misión.

Héctor estaba desesperado por sobrevivir. Sobrevivir y regresar a los brazos de Marta, pero era consciente de que, quizás, ese no sería el caso. En varias ocasiones incluso había pensado en llamar a La Habana y pedir ser relevado de esta misión. Simplemente, no podía correr el riesgo de perder algo tan valioso como el amor que los unía. No obstante, y a pesar de que muchas cosas estaban cambiando en él con gran rapidez, el lastre de veintisiete años de vida no pudo borrarse así, de un solo plumazo.

La vida del antes infalible espía se estaba llenando de dudas respecto a los motivos y fines de su lucha. Sin embargo, el agente había sido educado y entrenado con disciplina para responder al llamado de la revolución y aún creía en la misma.

Ya no como antes, pero, en aquel momento decisivo, Héctor no fue capaz de abandonar de repente todos los ideales que siempre llenaron su vida sin haber tenido todavía el tiempo suficiente para sustituirlos por otros nuevos.

Buscar la luz en el fulgor de tu mirar es despertar con el amor...

—No vas a creer lo que te voy a decir... —susurró de pronto Marta.

—¿Qué...?

—Esta es la primera vez que bailo una canción lenta con alguien.

—No puede ser... —afirmó incrédulo él.

—Sí. Siempre las consideré muy especiales y nunca había encontrado a nadie con quién compartirlas.

Héctor besó de nuevo a Marta dándose cuenta cada vez más del tesoro tan valioso que tenía entre sus manos. Un tesoro que no podía perder bajo ninguna circunstancia.

—Héctor, te amo. Me tengo que morder los labios para no estar repitiéndotelo todo el día. Te amo. Estoy enamorada de ti. Quiero casarme contigo, tener hijos contigo, hacer una familia, envejecer junto a ti y ver cómo tú envejeces junto a mí. ¿Nos has imaginado viejos alguna vez? —preguntó de pronto.

Él sonrió con cariño.

—Sí, claro. He imaginado cada una de las arrugas que te saldrán con los años y cómo me gustará estar contigo para admirarlas porque serán parte de ti.

Marta escuchaba todo, exactamente todo, lo que quería escuchar para que aquella fuera una noche sin igual.

—¿Has imaginado alguna vez tener hijos conmigo?

—Claro...

—Entonces es que me quieres... —dijo Marta segura y satisfecha—. Yo incluso he ido más allá y me he imaginado sus caras... Cómo sería nuestro hijo, qué expresión tendría, cómo sería nuestra hija, a quién se parecería... todo... —añadió.

—Claro que te quiero. ¿Cómo puedes preguntarme todavía eso?

—Sólo para oírlo una y otra vez, pero, por más que lo escucho, nunca me canso de que me lo repitas.

Los dos siguieron bailando al compás de la música, ajenos a todo. Tras algunos momentos, Héctor volvió a dirigirse a Marta.

—Me gustaría hacerte una pregunta.

—¿Sí...? —dijo ella con curiosidad.

—¿Es el amor entrega y confianza total en la otra persona?

—¡Por supuesto! ¡Vaya pregunta tan tonta! —exclamó la maestra.

Héctor respiró hondo otra vez.

—Entonces, ¿tu confiarías en todo lo que yo te dijera?

—A ciegas... —no dudó Marta.

—¿En cualquier cosa?

—Pero, ¿qué te pasa? ¿Es que quieres decirme algo y no te atreves?

Durante algunos segundos, Héctor dudó sobre si sincerarse o no con ella en aquel preciso instante.

—Quizás debería decirle ahora mismo toda la verdad sobre mí —pensó—. Este es el momento. ¿Por qué no? Si me quiere, me perdonará. Y yo sé que me quiere, así que eso sería lo mejor. Sí —intentó convencerse una vez más—. No dar más rodeos y acabar de una vez por todas con este constante sufrimiento de tener que mentir a la mujer a quien quiero tanto... Quitarme esta máscara que siempre llevo puesta y mostrarme realmente como soy...

> Mirar que el sol
> en tu cabello se anidó
> y la alborada
> en tu sonrisa se escondió...

Héctor estuvo a punto de despegar sus labios y liberarse de aquel gran peso, pero, al final, no tuvo la fuerza suficiente para hacerlo. Todavía no. Lo haría, pero a su debido tiempo. En la circunstancia adecuada.

—¿Y bien...? —preguntó de nuevo Marta.

—No... —titubeó—. Es que ya sabes... He confiado en mucha gente que después me falló...

—¿Me estás diciendo que piensas que yo puedo fallarte?

—No, claro que no... —se apresuró a decir—. Perdóname... Claro que confío en ti...

—No seas tonto —dijo Marta sin ser capaz de enojarse a pesar de haber escuchado algo que para ella carecía por completo de sentido y hasta resultaba insultante—. ¿Cómo no voy a confiar en ti? Si tú me pidieras que me tirara por un balcón, lo haría sin vacilar porque sé que, de alguna forma, tú me salvarías antes de que me estrellara contra el suelo. Lo haría porque estoy segura de que tú nunca, jamás, permitirías que me pasara nada malo. ¿Es que acaso tú no harías algo que yo te pidiera? ¿Cualquier cosa?

—Haría lo que tú me pidieras. Siempre.

Ver que mi verso
tiene un ritmo y un color
es un placer.
Amanecer
con la importancia de saber...

—Marta, no importa lo que ocurra, ¿verdad que tú siempre sabrás que yo te amo, que te quiero con toda mi alma? ¿Verdad que siempre sabrás que yo daría mi vida por ti sin dudarlo ni un solo segundo? ¿Verdad que siempre sabrás que no ha habido nunca nadie más importante para mí que tú? ¿Verdad que siempre sabrás que yo no sería capaz de hacer nada malo contra ti? ¿Verdad que siempre sabrás que estuve, estoy y estaré eternamente enamorado de ti? ¿Verdad que siempre sabrás que luché todo lo que pude por la felicidad de mi pueblo, de todos los cubanos?

Marta se quedó extrañada ante lo que decía Héctor.

—Cállate. Esto suena horrible, como si te estuvieras despidiendo. ¿Por qué estás diciendo todo eso? ¿Es que ocurre algo? —preguntó ella asustada y mirándole a los ojos.

Héctor, al escucharla, recuperó poco a poco la compostura.

—No... no. Como tú dijiste, este es sólo un comienzo, no un final —afirmó el agente mientras la abrazaba para después besarle el cuello y disfrutar nuevamente de su exquisita fragancia.

Marta no comprendió el sentido de lo que Héctor había dicho, pero optó por repetirle que lo quería y que siempre sería así.

—Héctor, yo soy una mujer con mucha suerte porque, al menos, ya he conocido el amor... —susurró la cubana—. Mucha gente vive toda su vida sin haberse enamorado jamás... ¡Qué triste!

—Sí, es como vivir sin haber vivido...

—Aunque ahora perdiese ese amor, sé que una vez lo tuve y siempre sabré lo que es amar a alguien con todas tus fuerzas... Amar hasta la desesperación. Pero esto es distinto, ¿no? —le miró de frente—. Este amor, el nuestro, es distinto, especial, y tiene que ser para siempre. ¿Verdad?

—Sí, hasta que la muerte nos separe.

—Mi amor por ti no se extinguirá jamás.

—El mío tampoco, Marta. Si nuestro amor desapareciera, mi vida se convertiría en una total oscuridad. Sería como un infinito vacío que nadie podría rellenar jamás. No son sólo palabras. Es la verdad.

> Que soy de ti
> que pertenezco sólo a ti
> que nunca más
> mis sueños frío sentirán...

Héctor y Marta estaban tan unidos emocionalmente el uno al otro que parecía imposible poder separarlos jamás. No importa qué ocurriera o qué les tuviera deparado el destino.

—Querría estar dentro de tu corazón y poder escuchar lo que dice... —dijo Marta.

—Ya lo estás, ya lo estás... Estás aquí... dentro de mi mismo corazón... —afirmó Héctor señalándose el pecho con su mano izquierda.

Marta no pudo evitar que sus ojos se humedecieran.

—Cuando me abrazas, se me olvida todo. Absolutamente todo. Es como si estuviera flotando en el paraíso...

Héctor escuchó esa frase y vio como una lágrima comenzaba a resbalar por la mejilla de su amada. Después, arrimó su cara a la de Marta y lamió la lágrima para descubrir su sabor.

—Quiero conocer el sabor que tienen tus lágrimas para averiguar qué sabor no quiero volver a experimentar nunca más por el resto de mis días... Quiero que seas feliz y que no llores nunca... Quiero que las lágrimas sean sólo parte de tu pasado... Ya has sufrido demasiado y yo también. Ahora es tiempo de que ambos seamos felices juntos. Únicamente quiero traerte buenos momentos y sonrisas.

—Esta lágrima es una lágrima buena, una lágrima preciosa —apuntó la cubana—. Es preciosa porque es la materialización de mi sentimiento de amor por ti.

Es ya tener
un porvenir
Amanecer
y ver que te tengo junto a mí...

—Héctor, te amo... te amo... te amo... —dijo ella rápidamente y sin pausas—. Y te digo tanto que te amo para que nunca lo olvides. Quiero que lo escuches una y otra vez para que cada vez que lo hagas pienses en mí, en nosotros, en nuestro amor...

—Cariño... no sé qué haría si tuviera que separarme de ti algún día... Dime, ¿qué haría yo sin ti?

Marta estaba profundamente emocionada. No podía comprender cómo era posible que su amor por Héctor pudiese aumentar cada día un poco más. Ayer su corazón parecía estar lleno, repleto, rebosante de amor. La cubana hubiera jurado entonces que sería imposible amarlo aún más. Sin embargo, la verdad era que, tan sólo unas horas más tarde, ese sentimiento continuaba creciendo sin que ella pudiera controlarlo.

El agente no cesaba de acariciar el cuerpo de Marta. Su

espalda, sus manos, su cabello, su cara, sus hombros, su cuello... algo que le producía un placer difícil de poder explicar con palabras y que podía repetir y repetir durante horas y horas sin cansarse en absoluto.

—Mis manos han sido creadas para acariciar tu cuerpo y tu cuerpo ha sido creado para ser acariciado por mis manos.

Marta sonrió sensualmente, pero sin abrir sus ojos.

—Me siento tan limpia espiritualmente junto a ti... Hablando, besándote, dejándome acariciar por ti, haciendo el amor contigo... tan y tan limpia y pura, Héctor... Créeme, yo ya no podría hacer todo esto con ninguna otra persona... jamás... Todo en este amor es bonito... sincero... perfecto.

El cubano sabía que las almas de ambos estaban absolutamente entregadas la una a la otra.

—Mira —dijo ella.

—¿Qué?

Marta estiró su mano y cogió una pestaña de la mejilla de Héctor.

—Una pestaña... —susurró ella—. Rápido, pide un deseo.

Héctor cerró sus ojos durante algunos segundos y después sopló con delicadeza.

—¿Qué pediste? —preguntó ella enseguida al ver desaparecer la pestaña.

—Ya sabes que no puedo decirlo. Si lo digo, no se cumple. ¿Es que quieres que no se cumpla?

—No, claro que no... —dijo resignada—, pero ¿tiene que ver con nosotros? —preguntó de nuevo con una luz especial en sus ojos.

—Claro. Siempre tiene que ver con nosotros.

Héctor volvió entonces a abrazar a Marta mientras repetía en su mente: «que me quieras toda la vida, que seamos siempre felices y que nada pueda separarnos jamás...».

Lo que hace tanto
tanto tiempo pretendí
es un placer
un privilegio para mí.

443

Es un placer
un privilegio para mí...

60. ENTRE LA ESPADA Y LA PARED

ANDRÉS PÉREZ CONDUCÍA su todoterreno descapotable de color negro por la autopista South Dixie, en Miami. El soldado regresaba a casa después de su jornada de trabajo en la Base Aérea de Homestead.

El cubanoamericano estaba visiblemente nervioso y no paraba de mirar hacia atrás por el espejo retrovisor para comprobar si alguien le seguía. De repente, Pérez giró el vehículo con brusquedad hacia la derecha y salió de la carretera. Una vez hubo abandonado la South Dixie Highway, se detuvo durante algunos segundos en el arcén de la misma para verificar, una vez más, si algún coche hacía intentos por alcanzarlo. Su respiración era agitada y sus ojos se movían de un lado para otro en una continua búsqueda por descubrir el más mínimo detalle fuera de lo normal.

Más tarde, su coche se acercó lentamente hacia un pequeño centro comercial donde se apelotonaban diversos negocios, como restaurantes, cines, supermercados y farmacias. El militar aparcó su jeep, se puso unas gafas de sol y una gorra deportiva y salió después del vehículo en dirección a un teléfono público situado en el extremo más apartado de una gasolinera. En aquel momento no había nadie en ese lugar, de forma que aprovechó para hablar sin que nadie pudiera escucharlo.

Andrés Pérez temía que la inteligencia militar estadounidense hubiera descubierto lo que estaba a punto de hacer, algo que podría costarle muchos años de cárcel. Sin embargo, no tenía otra alternativa que arriesgarse. Tal y como le había dicho el hombre que le llamó, sus hermanos estaban arrestados bajo cargos de narcotráfico. Tras algunos instantes de reflexión antes de realizar la llamada, el cubanoamericano comenzó a marcar el número que le habían dado.

—No es fácil, pero p'al carajo... ¡P'al carajo! ¡Que sea lo que Dios quiera! —dijo.

El timbre del teléfono apenas sonó un par de veces antes de que Héctor Lara cogiera el auricular desde el otro lado de la línea.

—¿Aló...?

—Sí... Este... —titubeó Andrés—. ¿Está Mariano?

Héctor aguardó brevemente antes de contestar.

—¿De parte de quién?

—Eso no importa —dijo Andrés negándose a mencionar su nombre al sospechar que podía estar siendo grabado—. Hace una semana me dijeron que telefoneara a este número. Hoy se cumple la semana.

—Sí, claro... Usted dirá... —prosiguió Héctor.

—¿Está listo para apuntar algo?

—Adelante.

—Teniente coronel Dennis Butler y capitán Andrew Miller, ambos pilotos de cazas F-16 del ala de combate número 482 de la base de Homestead. Butler vive en Miami Lakes y Miller en Coconut Grove. Las direcciones de los dos están en el listado telefónico. Sólo tiene que abrir las páginas y buscarlas allí.

—¿Y los Harriers?

Pérez volvió a mirar a su alrededor mientras su nerviosismo crecía por momentos.

—Dos Harriers modelo GR MK 3 del cuerpo de los Infantes de Marina estacionados en San Diego, California. Números de serie A 40 865 y A 41 563. El primero, código de manufactura 17756 y el segundo 18468.

Héctor repitió la información para verificar que había anotado todo correctamente.

—Muy bien —dijo después—. Sus hermanos serán liberados esta misma tarde. Si menciona algo de todo esto a las autoridades, tanto José como Leticia regresarán de inmediato a prisión durante muchos años. Quién sabe. Quizás incluso podrían ir a parar al paredón. Ya sabe que el narcotráfico es un delito muy grave en Cuba —afirmó con ironía y prepotencia el agente—. Además —continuó—, usted sería hombre muerto. Por favor, no dude ni por un instante de la seriedad de lo que le estoy diciendo. Nosotros, cuando amenazamos con algo, lo cumplimos, así que no haga nada estúpido.

—¿«Nosotros»? —parafraseó Andrés—. ¿Quiénes son ustedes? —se atrevió a preguntar después a pesar de saber casi a ciencia cierta que estaba tratando con agentes de la seguridad del Estado de Cuba.

—No creo que le interese saber nada más. Cuanto menos sepa, más posibilidades tendrá de seguir vivo. Adiós —colgó el teléfono el espía.

61. LUZ VERDE FINAL

HÉCTOR LARA, COMO cada mañana, entró en la librería del aeropuerto donde compraba la prensa. Allí, se dirigió a la vendedora, una cubana de mediana edad que no estaba atendiendo a nadie más.

—Buenos días, Cristina.

—Buenos días, cariño —respondió la mujer con una sonrisa.

—¿Cómo va todo? —dijo Héctor acariciándole el hombro con su mano derecha.

—Bueno, ya sabes. Como dicen los americanos: un día más, un dólar más.

—Ánimo, chica, que el viernes ya llega pronto. ¿Me das el Miami Herald?

—¿Estás seguro de que hoy quieres el Herald? —dijo Cristina sin mirar a los ojos al agente mientras ordenaba algunas revistas en la estantería.

Héctor, al escucharla, sintió un seco escalofrío. La sonrisa se le evaporó por completo de su cara y comenzó a frotarse las manos en un intento por disimular su nerviosismo.

—¿Por qué?

—Creo que hoy hay cosas más interesantes para leer.

—Muy bien, ¿qué me recomiendas? —dijo el espía mientras los latidos de su corazón cobraban más y más fuerza.

Cristina aparentaba no dar excesiva importancia a la conversación y para ello seguía amontonando los ejemplares de diversas publicaciones en sus respectivos lugares de venta.

—Me dicen que El Tiempo de Colombia tiene un buen reportaje.

—¿Ah, sí...?

—Sí, sí... Ya me lo han dicho varias personas.

—¿Y un reportaje sobre qué?

—Sobre el Museo del Oro de Bogotá.

Al escuchar esas palabras, todos los músculos del cuerpo de Héctor Lara se tensaron de inmediato. Esa era la señal de que La Habana ya había dado la orden final para iniciar la operación militar del Plan Hatuey.

—Muy bien. Pues dame uno.

Cristina le extendió entonces un ejemplar de El Tiempo y, tras cobrárselo, se fue a atender a otros clientes.

—Cuídate, mi niño... —dijo despidiéndose.

—Gracias —respondió él con una forzada sonrisa.

Héctor caminó unos pasos y se sentó después en una de las butacas de espera del aeropuerto. Tras abrir el periódico, buscó la sección de Clasificados. Allí fue al apartado de Personales y comenzó a leer detenidamente todos los anuncios. El número diez decía: «Felicitaciones a Anselmo por su cuarenta aniversario del próximo viernes en la noche. Su esposa e hijos».

El cubano leyó de nuevo el anuncio y después tiro el ejemplar del diario a la basura. Era miércoles, de forma que el asalto al aeropuerto se produciría en tan sólo dos días. Acto seguido, Héctor fue a una cabina telefónica pública y marcó el número de uno de los miembros del Ministerio del Interior cubano en Miami.

—¿Diego?

—Al habla.

—Soy Héctor. Apúntate los nombres para las entregas de paquetes de esta tarde.

—¿Esta tarde? —se sorprendió el tal Diego.
—Sí. No hay tiempo que perder. ¿Listo?
—Sí.
—Dennis Butler, de Miami Lakes y Andrew Miller, de Coconut Grove. Sus direcciones están en la computadora. En nuestra casa de Hialeah.
—Entendido.
—Suerte.
—Gracias. Adiós.

62. EL SECUESTRO

UNA CAMIONETA DE MEDIANO tamaño del servicio de correos aparcó justo frente a la casa del teniente coronel Dennis Butler. El vehículo tenía pintado en sus dos laterales un cartel que decía «Entrega urgente».

Tras apagar el motor, un hombre vestido de cartero salió de la camioneta y abrió la puerta trasera, de donde sacó un delgado paquete, aparentemente, con algunos documentos en su interior.

El teniente coronel Butler, soltero y sin hijos, estaba preparándose algo de comer cuando vio la llegada del vehículo a través de la ventana de su cocina. Al escuchar el timbre, el militar fue hacia la puerta y la abrió para aceptar el envío, pero cuando el cartero se acercó a él lo único que recibió fue un tiro en el pecho con un dardo tranquilizante que lo dejó inconsciente.

Cuando el agente cubano acabó de meter en la casa el cuerpo de Butler, hizo una señal a la camioneta y de ella salieron dos individuos más. Tras inspeccionar el interior de la residencia y verificar que no había nadie más en ella, los agentes del MININT acercaron el vehículo hasta la misma puerta de la casa y metieron dentro del mismo el cuerpo dormido del teniente coronel.

A esa misma hora y con la misma táctica, otros cuatro

agentes entraban en la vivienda del capitán Andrew Miller en Coconut Grove. El militar también fue reducido con rapidez tras recibir varios impactos con el mismo tipo de pistola tranquilizante. Inmediatamente después, Butler y Miller fueron transportados hacia los Cayos.

Los dos pilotos norteamericanos llegaron a Cayo Hueso tras cuatro horas de viaje por carretera. Los agentes cubanos se dirigieron entonces a una remota playa y subieron los cuerpos aún inconscientes de Butler y Miller a una lancha rápida que, aprovechando la oscuridad de la noche, partió fugaz hacia Cuba con su valioso cargamento. El viaje, de apenas noventa millas, fue rápido y sin contratiempos y a primera hora de la madrugada los secuestrados ya estaban en el sótano de un escondite del Ministerio del Interior situado en las afueras de La Habana.

Nadie en Cuba, excepto el general Carlos Hernández y un muy reducido grupo de leales colaboradores, fue informado de la operación. Un secreto que en un país como Cuba, completamente infiltrado por agentes de la seguridad del Estado en todos los departamentos del gobierno, resultaría imposible mantener durante mucho tiempo. Ya era sólo cuestión de horas y no de días que los más altos responsables de la revolución se enteraran de que el Plan Hatuey se había activado de forma real y no como un mero ejercicio de preparación combativa, de forma que se hacía necesario actuar muy rápido. Había llegado la hora de la verdad.

63. EL CHAMA

MIGUEL CARDOSO Y José Montalvo se habían reunido en un restaurante de Hialeah. El Continental estaba situado muy cerca de la intersección entre la calle Okeechobee y la 21 del oeste de la ciudad. No demasiado lejos de ellos podían verse las aguas del río Miami cruzando la zona a través de un estrecho canal.

PABLO GATO

Era la caída de la tarde y ambos se sentaron en la terraza para comer mientras conversaban sobre el ritmo de sus investigaciones.

Unos cinco minutos después de que ellos llegaran, un voluminoso coche de color negro marca Lincoln con cristales ahumados aparcó en la calle lateral del restaurante. El vehículo, con el motor todavía en marcha, permaneció allí durante unos instantes sin que nadie saliera de su interior. Dentro estaba uno de los agentes mas sanguinarios de toda la historia de la Dirección de Operaciones Especiales del Ministerio del Interior cubano: el conocido como el Chama.

El Chama había matado a personas en dieciséis países y era considerado como uno de los asesinos más fiables de todo el aparato de la seguridad del Estado de Cuba. Si La Habana se lo ordenaba, ese temido agente descargaba plomo contra cualquiera. Sin preguntas, como un buen soldado.

En su momento, el general Hernández había decidido no matar a Miguel Cardoso. Eso ocurrió el mismo día en que uno de sus francotiradores fulminó de un disparo a Paco Escalante, el contable de La Estrella Polar. El francotirador recibió instrucciones muy precisas de únicamente asesinar a Escalante. Hernández no quiso entonces generar controversia asesinando a un policía, a quien de aquella aún no consideraba como una verdadera amenaza. Sin embargo, en esta ocasión la orden fue muy distinta: eliminar tanto a Miguel como a José Montalvo. Ambos se habían convertido en una creciente molestia. Una molestia que decidió eliminar de raíz.

—Aló... —dijo el Chama respondiendo a una llamada de su teléfono celular.

—¿Ya llegaste? —le preguntó una voz anónima.

—Afirmativo, aquí estoy.

—¿El Continental?

—En efecto.

—¿Estás en el coche?

—Afirmativo.

—Mira en dirección a la terraza. Tiene que haber dos hombres sentados en una mesa. Uno de ellos lleva una guayabera azul y pantalones blancos. ¿Los ves?

El Chama giró su cabeza hacia la terraza y, en efecto, vio allí a Miguel Cardoso y a José Montalvo hablando animadamente mientras esperaban a que les sirvieran la cena. Montalvo era la persona de la guayabera azul y los pantalones blancos.

—Sí, ahí están. Dos.

—Ocá. Ya sabes lo que tienes que hacer. Adiós —se despidió quien le daba las instrucciones.

El Chama sacó entonces una ametralladora automática AK-47 de debajo del asiento del vehículo y le colocó su cargador, al que pegó dos más con cinta adhesiva roja. Después se acomodó otros seis en distintas partes de su chaleco, se hizo con tres granadas de alto poder explosivo y también con una pistola semiautomática TEC-9 con varios cargadores más.

La TEC-9 era el arma preferida de muchos criminales debido a su notoria fama para poder eliminar a un gran número de personas en muy poco tiempo. Su capacidad de fuego era excepcional, ya que podía disparar treinta y dos balas en apenas algunos segundos. Se trataba de un arma ligera, potente y de reputación casi mítica. El Chama, usándola pegada a su cadera, incluso había llegado a matar a siete personas juntas con tan sólo uno de sus cargadores durante una misión en Nicaragua.

—Espérame con el motor en marcha. Ten los ojos bien abiertos y cúbreme la espalda —dijo El Chama al agente encargado de conducir el automóvil.

El miembro del MININT bajó después del coche listo para disparar hasta la última bala. Al acercarse al Continental sin hacer el más mínimo intento por esconder todo aquel arsenal, varias personas comenzaron a gritar y a correr ante lo que ya se vaticinaba como un verdadero baño de sangre.

Miguel Cardoso y el teniente coronel Montalvo no tuvieron tiempo para reaccionar y, cuando se dieron cuenta, ya tenían al Chama casi frente a ellos. Sin embargo, el Chama, al llegar a la terraza, vio que, en otra mesa, también había otro hombre con una guayabera azul y pantalones blancos, algo que lo desorientó visiblemente. El miembro de la DOE, de pronto, no supo quién era el verdadero blanco del atentado. No obstante, su mente funcionaba casi tan deprisa como sus dedos tras el gatillo y el agente sacó una rápida conclusión.

—Si no puedo saber cuál de los dos es mi auténtico objetivo, tendré que matar a ambos. Así, seguro que no se me escapa —pensó con una frialdad sólo propia de alguien que ya ha asesinado a tanta gente que ni se inmuta ante la certeza de estar matando a un ser humano de forma absolutamente innecesaria.

El Chama comenzó primero a disparar contra el pobre desgraciado que había tenido la mala idea de vestirse así aquel día, alcanzando inmediatamente las balas tanto a él como a un amigo suyo con quien se estaba tomando algunas cervezas. En apenas segundos, el agente fulminó a los dos con multitud de impactos en numerosas partes de sus cuerpos.

El ruido de las detonaciones era ensordecedor y, para entonces, el pánico ya se había adueñado del resto de los clientes del restaurante, que huían despavoridos en todas direcciones.

Miguel Cardoso y José Montalvo se arrastraron hacia el interior del local mientras el militar retirado comenzaba a sacar un revólver que tenía escondido en una pequeña cartuchera adosada a su tobillo. Miguel también desenfundó su arma reglamentaria, pero el poder de fuego del AK-47 era demoledor y destrozaba todo cuanto se encontraba en el camino sin dar tiempo al policía a adoptar una buena posición defensiva.

El Chama sacó después de su chaleco una granada y la echó dentro del restaurante, provocando una gran explosión. La onda expansiva empujó con fuerza a Miguel contra la pared, pero Montalvo cayó mortalmente herido por la metralla.

El siguiente paso del agente cubano fue sacar su TEC-9 y disponerse a finalizar de una vez por todas el trabajo. Sin embargo, una patrulla que casualmente estaba por los alrededores hizo su aparición en la calle Okeechobee antes de que el Chama pudiera acercarse más al restaurante. Al ver el coche, el comando de apoyo que conducía el Lincoln sacó un lanzacohetes móvil de hombro RPG-7 de fabricación rusa y lanzó un proyectil contra el coche de la policía, que resultó destrozado tras un fuerte estallido. Acto seguido, el hombre se acercó al vehículo con una ametralladora M-16 y, con la misma sangre fría que el Chama, roció al único agente todavía vivo con una lluvia de balas que lo aniquiló de inmediato.

Mientras todo eso ocurría, Miguel Cardoso continuaba disparando contra el Chama, pero sin ningún éxito dado que apenas tenía espacio para poder apuntar bien su arma. Entonces, el verdugo de la DOE se hizo con sus dos granadas restantes y se preparó para lanzarlas, pero, en ese preciso momento, otro automóvil frenó en secó frente a los dos agentes del MININT. De él salieron tres individuos fuertemente armados que comenzaron un verdadero duelo contra el Chama y su compañero. Las balas volaron por todas partes, agujereando cuanto edificio y coche había en los alrededores.

El Chama vació un cargador tras otro de su TEC-9 mientras se parapetaba detrás de su Lincoln para protegerse del intenso fuego procedente de los otros expertos tiradores. Finalmente, alguien lanzó una granada contra los cubanos desde el otro vehículo provocando que el auto negro saltara por los aires.

Aprovechando la confusión, dos de los nuevos atacantes se acercaron al Chama y al otro agente cubano por uno de sus flancos y, sin ser descubiertos por los espías de La Habana, les vaciaron dos cargadores sobre sus cuerpos.

—¡Miguel Cardoso! ¡José Montalvo! —gritó desde la calle uno de los que habían logrado matar al mítico Chama.

Miguel no dudó en responder.

—¡Aquí! ¡Necesito un médico! ¡Hay un herido!

Uno de los hombres se les acercó y ayudó a cargar a Montalvo.

—¡Vamos! ¡Acompáñeme!

—¿Quiénes eran esos? ¿Quiénes son ustedes? —preguntó confundido Miguel.

—Estos son miembros de un comando de la Dirección de Operaciones Especiales de Cuba. Su misión estaba bastante clara, ¿no?

El policía aún estaba intentando comprender el motivo de toda la carnicería que había ocurrido allí en los últimos minutos, pero la vida de Montalvo seguía siendo su principal preocupación.

—Está grave —dijo el hombre que los socorría al referirse al militar—. Tenemos que irnos. La policía está a punto de llegar.

—Yo soy la policía... —dijo Miguel entrecortadamente.

—Escúcheme bien, amigo —le dijo el otro agarrándolo por los hombros—. Le acabo de salvar la vida, así que creo que debería confiar un poco más en mí. No podemos quedarnos a dar explicaciones a las autoridades. No hay tiempo que perder. Tampoco podemos esperar a que los cubanos de la DOE regresen y acaben lo que empezaron estos dos. ¿Me entiende?

Miguel asintió.

—¿Qué podemos hacer entonces?

—Huir. Escapar de aquí y hacerlo deprisa —afirmó mientras cogía una bolsa de cocaína de su coche y la tiraba al lado del cadáver del Chama.

—Esto despistará a la policía durante algún tiempo. Pensarán que todo fue un ajuste de cuentas entre narcotraficantes.

—¿Y Montalvo?

—Conozco un médico que no hace preguntas. ¡Vamos!

Después, todos se metieron en el coche y salieron rápidamente del lugar.

—¿Quiénes son ustedes? —volvió a preguntar Miguel.

—Gregory Nikolayev, del Sluzhba Vneshnei Razvedke. El SVR.

—¿Qué?

—El servicio de inteligencia exterior ruso. Encantado de conocerle —dijo estrechándole su mano llena de sangre.

64. SALVADO POR EL ENEMIGO

—LO SIENTO —DIJO Gregory Nikolayev mostrando un gesto de pesar en su rostro—. No se pudo hacer nada. Tenía varias heridas de metralla y ya había perdido demasiada sangre.

Miguel Cardoso puso su mano sobre la frente del teniente coronel José Montalvo sin poder creer aún lo que estaban viendo sus ojos.

—¡Dios mío! —exclamó.

Nikolayev ayudó a Miguel a levantarse y lo acompañó hasta su automóvil, situado a unos tres metros del cadáver. Hacía tan sólo diez minutos, el coche del agente ruso iba a toda velocidad cruzando las calles de Miami hacia la casa de un médico de su confianza. Sin embargo, todo acabó cuando se dieron cuenta de que Montalvo ya había dado su último suspiro. Entonces, desviaron el vehículo hacia el barrio de Kendall, donde, a las afueras del mismo, cogieron una pequeña carretera de campo que los llevó hasta los pantanos del sur de la ciudad.

Miguel Cardoso estaba postrado frente al coche de los agentes rusos, sin nadie más que ellos en varias millas a la redonda. Rodeado sólo de agua empantanada y mosquitos. Nikolayev sacó un botiquín y comenzó a desinfectar y a vendar las varias rozaduras y cortes que el policía tenía en todo su cuerpo.

—Ha sido un milagro que haya sobrevivido usted.

—Ojalá pudiéramos decir lo mismo de Montalvo —afirmó Miguel con sobriedad observando el cuerpo inerte del militar—. No merecía morir así —añadió con tristeza.

Nikolayev ordenó a los otros dos espías rusos que envolvieran el cadáver en una manta y lo metieran en el coche.

—¿Qué va a hacer con él? —preguntó el policía.

—Abandonarlo en Miami dentro de este coche. Las autoridades se harán cargo de él.

—¿El coche es robado?

—Por supuesto. No podemos dejar pistas.

Miguel Cardoso reflexionó durante algunos segundos mientras el ruso continuaba realizándole curas de primeros auxilios.

—No creo que debamos dejar ahí el cadáver. Eso es una falta de respeto —dijo el cubanoamericano.

Nikolayev sonrió levemente, pero procurando no incomodar a Miguel.

—Mire, no creo que se esté dando cuenta de la gravedad

de la situación. Montalvo está muerto y nosotros ya no podemos hacer nada por él, pero si no nos damos prisa, quizás seamos testigos de una verdadera tragedia en esta ciudad. ¿Entiende? Ya nos ocuparemos de él más adelante.

En ese momento, Nikolayev apretó las vendas que había puesto alrededor del brazo izquierdo del policía y este emitió un breve pero agudo grito de dolor.

—¿Me dijo que era de la KGB? —cambió después de tema Miguel Cardoso pareciendo aceptar la fría, pero tremendamente coherente, lógica del ruso.

—No. La KGB ya no existe. Digamos que trabajo para la agencia sucesora de la KGB.

Miguel, a pesar de la tristeza que le embargaba, no pudo evitar reírse en voz alta, casi a carcajadas.

—¿Así que quiere decirme que la antigua KGB me salvó la vida? ¿A mí? —se rió de nuevo.

—En efecto.

El policía no podía dar crédito a lo que estaba escuchando.

—Tiene gracia. Toda mi vida criticando a Rusia y al comunismo y ahora son ellos los que me salvan de morir asesinado —pensó.

Miguel Cardoso sentía mucho dolor en todo su cuerpo y apenas podía moverse, pero el ansia por seguir adelante en la investigación hizo que, poco a poco, comenzara a caminar de nuevo.

—Espero que me explique todo esto porque yo cada vez lo entiendo menos —le dijo después a Nikolayev.

El ruso cerró el botiquín y lo puso en el maletero del coche.

—Me parece que podemos ayudarnos mutuamente.

El sol era intenso y la humedad aplastaba a cualquiera contra el suelo. En aquel momento, no circulaba por los pantanos ni una tímida brisa de aire.

—Usted tuvo mucha suerte. Quien intentó matarlo era el Chama, un asesino profesional de la DOE. Creo que usted es el primero en una larga lista de víctimas que sobrevive a uno de sus ataques.

Miguel Cardoso se sorprendió de que La Habana hubiera utilizado a un asesino de semejante calibre contra ellos.

—Montalvo ya me advirtió que nuestras vidas corrían peligro, pero nunca hubiese podido imaginar algo como lo de hoy.

El agente ruso parecía medir siempre con extremo cuidado sus palabras.

—Esa gente es muy peligrosa. Nuestros informantes dicen que este comando recibía órdenes directas de la jefatura del MININT. También sabemos que hay más agentes del Ministerio del Interior de Cuba operando en Miami, pero este era autónomo. No respondía a nadie aquí. Sólo a los más altos jefes de La Habana.

Nikolayev sacó una cajetilla de cigarrillos. Encendió uno y siguió hablando.

—¿Quiere uno?

—No, gracias.

—La Habana cree que tanto usted como Montalvo estaban demasiado cerca de averiguar las claves de algo que ellos quieren mantener oculto, de forma que decidieron asesinarlos. La orden tuvo que venir de muy arriba. Lo mismo ocurrió con su amigo Ángel Rivas, aunque a él no lo mataron directamente, sino contratando a otra persona. A veces acuden a otros para eliminar rastros que puedan ligarlos con esos crímenes.

—¿El Plan Hatuey? —dijo de inmediato Miguel.

Nikolayev titubeó por un momento.

—Quizás.

—Mire, será mejor que no demos ningún rodeo. Usted mismo lo dijo: no hay tiempo que perder.

Tras escucharlo, el ruso miró hacia el horizonte.

—Sí. Es más que probable que sea por el Plan Hatuey —se oyó después al agente.

El policía escuchaba con atención, pero todavía quedaban demasiadas preguntas por hacer, de forma que fue al grano.

—¿Por qué estaban en Hialeah cuando se produjo el atentado?

—Hace días que les seguíamos, tanto a usted como a Montalvo. Al recibir informes de nuestros confidentes respecto a la orden de asesinarlos, intensificamos nuestra vigilancia para protegerlos.

—¿Protegernos? ¿Por qué? —se sorprendió.

—Digamos que soy un enviado especial de mi país con la misión de impedir que el Plan Hatuey se lleve a cabo. No puedo ser más específico, pero le aseguro que es en el mejor interés de Rusia que Cuba nunca ataque a los Estados Unidos. Créame. No necesitamos ninguna confrontación con Washington, pero sí su ayuda económica. ¿Entiende?

Miguel Cardoso comprendía cada vez mejor la complejidad de la situación.

—Ustedes todavía tienen una buena relación con Cuba. ¿Por qué no hablan con ellos y les disuaden de hacer una estupidez semejante?

El espía ruso se mordió el labio inferior e hizo una mueca de frustración.

—Ojalá fuera tan fácil. Dígame, ¿con quién hablamos? —preguntó Nikolayev—. ¿Quién está en disposición de aprobar el plan? ¿Una persona? ¿Dos? ¿Tres, cuatro, cinco? ¿Cuántas? Entonces, ¿hablamos con uno o con todos al mismo tiempo? Además, ¿estamos refiriéndonos a un plan del gobierno cubano o bien a algún sector incontrolado dentro del mismo? Y por otro lado, si alguien quisiera activarlo en el futuro inmediato, ¿no podría acelerar acaso sus planes si se entera de que estamos tras su pista? —se preguntó el espía—. No... no... —repitió—. Antes de dar cualquier paso, tenemos que averiguar todo lo que podamos sobre lo que está sucediendo. Todo esto, como a ustedes, nos ha cogido un poco de sorpresa.

—¿Cuándo se enteraron de la existencia del plan?

—¡Oh...! —exclamó—. El plan no es nada nuevo. Hace tiempo que sabemos que existe, pero nunca lo consideramos como una posibilidad real. Sólo como un ejercicio teórico de contingencia.

—¿Y por qué sospechan ahora que sí corremos el peligro de que se active?

Nikolayev caminó unos pasos hacia uno de los canales del pantano.

—Sabemos que hay varios comandos del MININT operando en Miami. Siempre los hay, pero estos, los enviados hace unos meses, están sometidos a una actividad y una disciplina ciertamente fuera de lo normal. Si a eso le suma el par de docenas de MIGs-29 detectados por el Pentágono en Cuba, el atentado de hoy y el descubrimiento del refugio nuclear, creo que hay bastantes motivos para, como mínimo, levantar algunas sospechas. ¿No le parece?

El policía sintió un profundo temor ante las palabras del ruso.

—Esto me asusta cada vez más —dijo.

—Moscú está tomando esto con mucha seriedad. Creemos que podría existir un peligro real. Este no es el primer caso de una situación similar con Cuba y en el pasado La Habana ya demostró que es capaz de apretar el gatillo.

—No entiendo...

El agente ruso era un especialista en Cuba y dominaba lo ocurrido en la isla durante las últimas décadas.

—En septiembre de 1977, La Habana ordenó ejecutar la llamada «Operación Pico», que consistió en enviar al mejor escuadrón de MIGs-21 de las Fuerzas Aéreas Revolucionarias de Cuba a efectuar un vuelo rasante sobre la ciudad de Mar del Plata, en la República Dominicana. El objetivo era romper la barrera del sonido sobre la ciudad y causar pánico entre la población.

Los oídos del policía parecían imantados a las palabras que surgían de la boca de Nikolayev.

—No conocía ese incidente.

—Todo ocurrió porque Santo Domingo había apresado un mercante cubano procedente de Angola, el Capitán Teo. No por ninguna razón en especial, sino porque incursionó accidentalmente en las aguas territoriales de ese país. Un acto rutinario de la guardia costera dominicana. La Habana, sin embargo, estaba frenética por el hecho y no dudó en lanzar sus aviones, violando el espacio aéreo y la soberanía de la República Dominicana, para dar un claro mensaje de cuál sería el próximo paso si el barco no era liberado.

—¿Y cuál sería ese próximo paso?

—Si no se liberaba el buque en las veinticuatro horas posteriores a los primeros vuelos, se bombardearían todas las unidades militares acantonadas en Puerto Plata y, más tarde, en Santiago de los Caballeros. Para ello serían utilizados aviones de las bases de San Antonio de los Baños, Moa, Santiago de Cuba, Baracoa y Guantánamo. Todos los cazas irían cargados con bombas de fragmentación y demolición de quinientos kilogramos. Cada una de esas bombas, para que se haga una idea, tiene la capacidad para destrozar una cuadra completa de casas.

—¿Y qué ocurrió?

—Cuando todos los cazas se encontraban listos para salir hacia puerto Plata, completamente armados y servidos de combustible, llegó la noticia de que la República Dominicana había dejado partir al barco. No obstante, Miguel, que no le quepa la menor duda de que, tan sólo una hora más tarde, esas bombas hubieran caído sobre Puerto Plata. El plan era atacar en la llamada hora «H» para, según Cuba, demostrar que no se puede jugar con la revolución.

Miguel Cardoso vio rápidamente las analogías con el Plan Hatuey, algo que Nikolayev captó de inmediato.

—Lo que está ocurriendo aquí y ahora no significa necesariamente que este sea un caso igual. Quizás estamos uniendo cabos que no tienen relación entre sí. Aún no lo sabemos —intentó desdramatizar el ruso.

Sin embargo, la explicación no logró tranquilizar al cubano. Más bien todo lo contrario, ya que ahora era consciente de que había pruebas concretas de que en el pasado La Habana había estado dispuesta a desencadenar operaciones aéreas contra países vecinos sin ningún tipo de provocación militar previa. Además, tanto él como Nikolayev sabían que nadie enviaría un comando de la DOE a los mismos Estados Unidos para asesinar a dos personas sin que hubiera un motivo de enorme peso. Los riesgos eran demasiados.

—¿Cómo se enteró de lo del refugio nuclear? —preguntó con curiosidad el policía después de haber presenciado todos los esfuerzos de su departamento para que no se filtrara nada al respecto.

A Nikolayev casi le hizo gracia la ingenuidad de Miguel Cardoso en los temas de espionaje internacional.

—Pagamos mucho dinero para enterarnos de esas cosas.

El cubano, al escucharlo, caminó algunos pasos más preso de un gran cansancio.

—¿Y bien? —dijo todavía confuso el policía—. ¿Qué hacemos ahora?

—Rusia todavía tiene una extensa red de agentes y colaboradores en este país. Nosotros, al igual que usted y Montalvo, también hemos estado buscando quién pudo haber comprado los trajes anticontaminación que se encontraron en el refugio nuclear. Con un poco de suerte, esa persona, cuando sepamos quién es, podrá decirnos qué hay realmente detrás de todo esto.

—¿Ningún resultado positivo hasta ahora?

—Quizás. Hay una tienda en Columbus, Ohio, donde el dependiente recuerda haber vendido algunos trajes de esas características a un grupo de personas que caracterizó como cubanos.

—¿Cuándo?

—Hará unos dos meses, pero ya sabe: dudo que esa persona pueda distinguir entre un puertorriqueño, un cubano e incluso un argentino. Quizás sea una pista que no nos lleve a ninguna parte, pero la estamos investigando a fondo. Como todas las otras. Por el momento, es lo más prometedor.

—¿Y qué han averiguado exactamente?

—Mis agentes sobornaron a los guardias del establecimiento y están a la espera de que les den una copia del vídeo de seguridad. Cuando lo reciba, me pondré en contacto con usted para compartir esa información. Hemos de trabajar juntos y deprisa. Olvídese de la policía y de otras autoridades. Sólo nos retrasarían más y el tiempo apremia. Si el Plan Hatuey es una amenaza real, me temo que podríamos estar hablando de tan sólo días o, quizás, incluso horas antes de que se ejecute completamente. ¿Estamos de acuerdo?

—Estamos de acuerdo —repitió Miguel.

El policía, de repente, cogió a Nikolayev por uno de sus brazos.

—¿Y para qué me necesita usted a mí? ¿Por qué me cuenta todo esto? ¿Por qué me salvo la vida?

—No es que me caiga usted especialmente bien, Miguel —esbozó otra sonrisa el espía ruso—, pero necesito toda la ayuda que se me pueda brindar. Usted ya sabe mucho sobre todo este tema y también tiene innumerables contactos en Miami que podrían ser de máxima utilidad. Igual que Montalvo acudió a usted, ahora lo hago yo. No tenemos tiempo para empezar a explicar a otras personas lo que está ocurriendo. En estos momentos hemos de tener oídos y ojos en cada esquina de esta ciudad. Necesito toda la ayuda que se me pueda brindar —repitió con sinceridad el espía ruso hincando su gélida mirada en los ojos del policía.

65. ¿INSURGENTES O TERRORISTAS?

HÉCTOR LARA ESTABA desayunando en su casa de Hialeah mientras leía el diario The Washington Post. Una gran parte de la primera página estaba dedicada a la violencia del día anterior en Irak.

El espía leyó en voz alta las diferentes notas...

—Cuatro oleadas de ataques en diversas partes del país... cincuenta muertos... más de cien heridos... coches bomba... morteros... emboscadas... ambulancias frenéticas haciendo rugir sus sirenas... hospitales sin medicinas... víctimas civiles... mujeres y niños entre los fallecidos... policías asesinados... insurgentes muertos en combate... edificios civiles destrozados... bombas en pleno Bagdad... caos... un político iraquí del nuevo gobierno asesinado en su propia casa... ataques suicidas... amenazas de los rebeldes contra Estados Unidos: «Bush, nunca pararemos hasta vengar nuestra dignidad... nunca descansaremos hasta expulsar de aquí a tus cruzados... mientras tengamos una gota de sangre en las venas, continuaremos luchando... tenemos tantas ganas de morir combatiendo como ustedes de seguir viviendo»... un trabajador japonés decapitado por terroristas internacionales... tres soldados estadounidenses muertos por bombas en la carretera...

De repente, se detuvo y dejó el diario sobre la mesa.

—Un día como otro cualquiera en Irak —dijo con rabia.

El cubano aún disponía de una hora libre antes de tener que reunirse con los otros miembros del MININT, así que intentó relajarse escuchando la radio. Sin embargo, no fue una buena idea porque una emisora hispana tenía un debate, precisamente, sobre Irak. Un tema que provocaba verdaderas pasiones en Héctor.

Había dos invitados. Uno a favor de la guerra y otro en contra. El que se oponía era el representante de una organización no gubernamental sin fines de lucro. Quien la respaldaba, un político local republicano.

Tras algunos minutos de intenso debate, el moderador abrió los teléfonos para que el público también pudiera intervenir. El cubano escuchó atentamente las preguntas de los radioyentes, pero pronto perdió la paciencia.

—Madre mía... ¿es que nadie se atreve a preguntar lo que hay que preguntar? —pensó claramente molesto.

Héctor sabía muy bien que sus órdenes eran pasar desapercibido y evitar cualquier incidente que elevara su perfil. Sin embargo, el debate acabó con su aguante.

—¿Qué más da? Ya estoy a punto de irme de aquí... además, daré otro nombre y cambiaré un poco la voz para que nadie pueda reconocerme... Todas las llamadas a esos programas pasan antes por una operadora, así que, aunque quisieran, tardarían demasiado tiempo en rastrear esta llamada... —pensó.

Acto seguido, marcó el número para participar en el debate. Tras algunos minutos de espera, su llamada fue una de las elegidas.

—Adelante con su pregunta... José —dijo el moderador.

—Hola... —comenzó Héctor—. Me gustaría decir que el

pueblo estadounidense está totalmente dormido con el tema de Irak y la llamada lucha contra el terrorismo. Esta Administración es una experta en manipular e intimidar a la opinión pública y muy poca gente sabe en realidad las barbaridades que se están cometiendo por todo el mundo. El pueblo americano es un pueblo decente y justo y si lo supieran, se avergonzarían y jamás lo permitirían. Sólo en Irak ya han muerto más de cien mil personas, la inmensa mayoría civiles inocentes. Entre los muertos, centenares y centenares de soldados estadounidenses. Por supuesto, ahí no cuento el ejército de personas mutiladas, desfiguradas o traumatizadas de por vida. Y eso tampoco incluye el millón de muertos, la mayoría niños, debido al embargo inmoral que se hizo contra el régimen de Saddam Hussein antes de esta guerra. Los ataques terroristas del once de septiembre fueron brutales. Sin duda se trató de un acto terrorista. Miles de inocentes murieron. Es cierto. Sin embargo, ¿acaso un acto diabólico justifica otro? Mi pregunta va para el republicano y es muy simple: ¿cuánta gente más tiene que morir en el mundo para vengar a los tres mil muertos en los ataques de Al Qaeda? ¿Otros cien mil? ¿Cuántas personas más tienen que perder su vida por cada uno de los fallecidos el once de septiembre para saciar el hambre de venganza de Washington? ¿Habrá que invadir otro país? ¿Dos? ¿Quizás tres? Me da la impresión que si muchos de los fallecidos ese trágico día vieran la manipulación política que se está haciendo de sus muertes, no lo aprobarían. Estoy seguro de que querrían ver cómo se castiga a los culpables, pero los civiles muertos en Fallujah, que yo sepa, no tuvieron nada que ver con esos ataques. A pesar de eso, siguen muriendo cada día gracias a su invasión de Irak. Mueren en una especie de once de septiembre largo y silencioso que no parece tener fin.

El político republicano se indignó con las preguntas y el comentario.

—¡Ah! ¡Vaya falta de respeto a este país y a las víctimas de los ataques terroristas! —exclamó—. Mire, si usted me dice todas esas cosas en la calle, creo que alguien tendría que separarnos físicamente, pero, como estoy en un programa de radio, voy a procurar no bajar a su nivel.

—¿Bajar a mi nivel? Se nota que usted no vive en Fallujah ni tiene a un hijo peleando en Irak —dijo Héctor sin contemplaciones.

El político republicano tragó aire y recolocó el micrófono que tenía enfrente, como preparándose para lo que ya se anticipaba sería un intenso debate.

—Usted parece olvidar que este país no atacó a nadie —afirmó con seguridad—. Nosotros fuimos los atacados. Nunca buscamos una guerra. Fueron ellos quienes la provocaron. ¿Qué quería que hiciéramos? ¿Quedarnos de brazos cruzados después de que asesinaran a sangre fría a mas de tres mil ciudadanos de este país? No fue una guerra de elección, sino de necesidad.

—¿Pero de qué guerra me habla, hombre? ¡Qué desfachatez! ¿Qué se les perdió a ustedes en Irak? ¿Creen que la gente es estúpida? Primero dijeron que se invadió Irak porque poseía armas de destrucción masiva. Ya todos sabemos que no era verdad. Después, que Saddam Hussein tenía conexiones con Al Qaeda y los ataques del once de septiembre. Otra mentira. Esos lazos no existían. Es más, Saddam y Osama Bin Laden mantenían una pésima relación porque Bin Laden siempre fue un fundamentalista musulmán y Saddam defendía la existencia de un estado laico en Irak. Y cuando ya no pudieron seguir con esos dos argumentos, empezaron a decir que todo valió la pena para proteger los derechos humanos de los iraquíes. ¿Por qué no dicen claramente que entraron para quedarse con todo el petróleo?

El republicano se molestó aún más, algo que se notó en la gravedad de su tono de voz.

—El nombre «Saddam Hussein» es sinónimo de monstruo. Un monstruo que mató a cientos de miles de iraquíes y agredió continuamente a sus vecinos. Era un peligro mundial. Y no sólo tenía, sino que usó armas químicas contra Irán y también contra su propio pueblo. Nuestra acción salvó a la comunidad internacional de una tragedia de incalculable magnitud. Sólo era cuestión de tiempo. Él hubiera reinstaurado su programa de armas de destrucción masiva y después podría habérselas pasado a grupos terroristas para usarlas contra nosotros o nuestros aliados. Hubiesen podido matar a millones de personas. ¡Sacar del poder a ese loco fue lo mejor que pudimos hacer! Y usted que habla tanto de petróleo... ¿recuerda que Irak invadió Kuwait? ¿Qué cree que hubiera ocurrido si no hubiésemos hecho nada? El siguiente paso habría sido invadir Arabia Saudita y eso hubiese desestabilizado el abastecimiento global de combustible. Es decir, una crisis económica mundial. ¡Por favor! Déjese de menospreciar tanto nuestros esfuerzos por mantener abierto ese flujo de petróleo. Siempre nos toca a nosotros hacer el trabajo duro y difícil para que después todas las economías del mundo se beneficien. ¡Y luego encima nos critican! ¿Acaso quiere usted pagar siete dólares por galón de gasolina? ¿O desea una crisis mundial que provoque millones de desempleados?

—Armas químicas... —dijo Héctor—. Sí, armas químicas que ustedes le dieron. ¿Se acuerda? Ustedes pusieron a Saddam Hussein en el poder y lo armaron hasta los dientes para que peleara contra Irán. Y entonces no les importó para nada los abusos que cometía porque era su aliado. Les convenía. En aquella época el principal problema era Irán. ¿Es que no ha visto el vídeo del secretario de Defensa dándose la mano con Saddam Hussein? ¡Qué grandes amigos eran! ¿Sabe cuánta gente murió en la guerra entre Irak e Irán? ¡Cientos de miles! ¡Con las armas que ustedes enviaron a los iraquíes! Antes Saddam era su aliado, pero cuando dejó de convenirles, se convirtió en «el carnicero de Bagdad». Como Noriega en Panamá.

—Pero, a ver... —dijo el republicano riéndose—. ¿Insinúa usted que los iraquíes están peor ahora que cuando estaba el asesino de Saddam Hussein en el poder?

—No, no lo insinúo, ¡lo digo claramente! ¡Cómo no van a estar peor! ¿Es que no lee los periódicos? ¿Es que no ve que hoy hubo quince muertos en Irak, ayer cincuenta y anteayer veinticinco? ¿No ve que el país está destruido, que esas matanzas ocurren a diario? ¿No ve que la gente no puede ni salir a la calle? ¿No sabe que tienen menos electricidad y medicinas que incluso durante la época de Saddam? ¿No ve que la violencia no cesa? Y no hablo sólo de la violencia política

—matizó—. Hay una atroz delincuencia porque no hay policías en ninguna parte. ¡No se atreven a salir a la calle! Robos, violaciones, secuestros... ¡lo que quiera! ¡Han hecho de Irak un país inhabitable! ¡Es un caos! Y como yo, también lo dicen los habitantes de este país. En todas las encuestas la mayoría de los estadounidenses afirma que la guerra no valió la pena. Poco a poco, la gente se está quitando las vendas de los ojos.

Debido al tono de claro enfrentamiento, el presentador del programa dudó en si debía cortar la llamada, pero decidió no hacerlo debido a la gran expectación que estaba creando el debate. Las operadoras se veían inundadas de llamadas y, como en cualquier emisora comercial del mundo, lo importante era subir el nivel de audiencia.

—Cuando en Ruanda mataron a machetazos a cientos de miles de personas, ustedes no enviaron soldados para evitarlo —afirmó Héctor desafiante—. Ahora mismo hay un genocidio en Sudán. En Darfour. ¡Más de un millón de muertos...! Pero, ¿dónde están los militares del Pentágono para detener esas masacres? ¿No será que no fueron a Ruanda porque allí no hay petróleo? ¿Es que si no hay petróleo, diamantes, gas o minerales ustedes no van a ninguna parte donde a diario se abusan los derechos humanos de miles de personas? ¿Cómo quieren entonces que nos creamos el cuento de que fueron a Irak para defender a los iraquíes de Saddam Hussein?

—Oiga, pero ¿usted se cree que tenemos la capacidad para ir a todos los lugares del mundo donde hay un problema? Nosotros no somos las Naciones Unidas —dijo enfadado el republicano—. Tenemos limitaciones, especialmente tras el once de septiembre. ¿Dónde está el resto de países del planeta? ¿Es que siempre lo tenemos que hacer todo nosotros? ¿Por qué no les exigen lo mismo a otras naciones? Nosotros hacemos lo que podemos. ¿Recuerda Bosnia? ¿Recuerda Kosovo? ¿Cuál fue el factor determinante para acabar con esas guerras? ¿Los europeos? ¡No! ¡Nosotros! ¡Soldados americanos! ¡Sangre estadounidense! Y, que yo sepa, ahí no hay petróleo, ¿no? ¿Y no arriesgamos entonces la vida de nuestros jóvenes por defender una población abrumadoramente musulmana? ¿No son acaso musulmanes en Bosnia y Kosovo?

¿Cómo se atreven entonces algunos a calificarnos ahora de antimusulmanes? El problema es que gente como usted odia a nuestro país y no importa lo que hagamos, siempre nos van a criticar. ¡Siempre! Ningún país en toda la historia de la Humanidad ha hecho tanto por la libertad y la democracia de otros, pero personas como usted no quieren ver nada de todo eso.

—¡Ja! ¡Ja! —rió Héctor a través del teléfono—. Ahora sólo falta que se haga el mártir. A mí no me va a engañar. Sé que tiene intimidada a la prensa y que los ha convertido en una simple pandilla de títeres de la Casa Blanca, pero yo sí leo periódicos de otras partes del mundo. Yo sí sé qué está pasando.

—¿De qué me habla?

—Antes la prensa de este país era la más independiente del mundo, pero ahora se volvió ciega, sorda y muda. ¿Qué me dice de la vergüenza de Abu Ghraib? Ese es el Gulag americano, donde hicieron lo que quisieron con los prisioneros sin rendir cuentas a nadie. ¿Son esos los valores americanos? ¿Y quién se va a creer que esas torturas no estaban autorizadas y organizadas por los máximos jefes militares? ¡Hace falta ser imbécil para no verlo! Sólo hay que mirar las fotos. En algunas se ven a tantos soldados abusando de prisioneros en diferentes partes de una galería que incluso parece una producción en cadena. ¿Cómo no iban a saber eso los jefes? ¡No me haga reír! ¿Y las personas que han asesinado en interrogatorios? Sí, asfixiándolos, a golpes o hundiendo sus cabezas en cubos de agua. ¿Qué jurado los declaró culpables y los condenó a muerte? ¿Y qué me dice de los que también mataron en prisión, pero que no tenían nada que ver con la insurgencia? ¿Y las terribles torturas de los nuevos soldados iraquíes contra los rebeldes? ¿Y los escuadrones de la muerte del nuevo gobierno que asesinan impunemente a sospechosos sunitas? ¿Cómo pueden permitir todo eso? ¿Cómo puede el pueblo estadounidense dejar que ocurran esas barbaridades? ¿Es que aquí ya no existe la capacidad para indignarse? Y también le pregunto... ¿qué cree que harán los insurgentes cuando los prisioneros sean soldados de este país? ¿Y qué me dice de Guantánamo? ¡Más torturas! ¡Más humillación! ¡Gente presa durante años sin ser acusados de nada y sin un juicio! ¡Dígame! ¿Cuántas Abu Ghraib hay todavía esparcidas secretamente por el mundo sin que nosotros lo sepamos? ¿Cuál será el siguiente Guantánamo que nos encontraremos mañana cuando leamos el periódico? ¡Parece que estemos hablando de la Alemania nazi! ¡O peor aún! ¡Uno se esperaría eso de la Alemania nazi pero no de un país supuestamente civilizado!

—¡Abu Ghraib! ¡Guantánamo! ¿Pero quién se cree usted que está ahí? ¿Monjitas de la caridad? ¡Ahí lo único que hay son terroristas que quieren destruir a este país! —se exaltó el republicano—. A pesar de eso, todos los prisioneros son tratados con respeto. No como ellos, que decapitan frente a las cámaras y sin miramientos a cualquier persona que secuestran en Irak. Las acusaciones de maltratos en prisión son ridículas. Sólo las hacen quienes odian a este país. Nada de eso es cierto. Cuando hay una acusación de ese tipo, nosotros somos los primeros en investigarla. Nosotros no promovemos la tiranía, sino la libertad. Además, ¿qué me dice de los prisioneros de Guantánamo que liberamos y que después fueron arrestados en Afganistán intentando matar de nuevo a nuestros soldados? ¿Los liberamos a todos hoy para que mañana asesinen a nuestros militares? ¿Es eso lo que quiere? No... no... —dijo con autoridad—. A esa gente hay que interrogarla para que nos dé información sobre posibles futuros ataques contra nuestro país.

—Claro... ¿y qué me dice de quienes ustedes matan a diario allí acusándolos de ser insurgentes? ¿Cómo saben que son insurgentes? Sus soldados tienen tanta presión encima que muchas veces disparan primero y preguntan después. ¿Cómo saben que no eran simples civiles armados para defenderse del mar de delincuentes que ha inundado Irak? Y, además, ¿por qué siempre dicen que los insurgentes son terroristas?

—¡Ah! ¿No lo son?

—Señor republicano... ¿qué haría usted si doscientos mil soldados extranjeros invadieran su país? ¡Yo respondería igual que ellos! ¡Tomaría las armas! ¡Yo sería un insurgente más!

—¡Ah...! —exclamó de nuevo el político, pero esta vez con todavía más fuerza—. ¡Eso era lo único que me faltaba por escuchar!

—¡Pues siga escuchando, que buena falta le hace! —respondió aún más desafiante el espía cubano—. Los Estados Unidos nunca se irán de ahí. Llegaron hace sesenta años a Alemania y Japón y... ¿acaso se han ido? Esos son patriotas iraquíes que luchan contra el invasor como también lo haría yo. ¡Yo también pelearía! ¿Y me convierte eso en un terrorista? No, ¡los terroristas son ustedes! Ustedes, que continúan destrozando ese país y provocando muertes a diario. ¿Es que no ven que no los quieren allí? Y también le digo que con esa guerra están creando una ola de antiamericanismo en el mundo que traerá consecuencias desastrosas para su nación. ¡Muchos ya no sólo odian al gobierno estadounidense, sino a todo el pueblo americano por perpetuar a ese gobierno en el poder! ¡El eje del mal! ¿Cómo se atreven a decir eso? ¿Qué haría usted si fuese el líder de Corea del Norte o Irán? ¡Yo, conseguir armas nucleares a cualquier costo! ¡A la carrera! La conclusión es clara: el que tiene bombas atómicas es respetado y el que no, invadido. ¿Cómo va a culparles por querer armarse si ustedes se pasan el día amenazándolos con un ataque militar? ¡Ustedes sí que son el eje del mal! ¡El gobierno más impopular y arrogante sobre la faz de la Tierra! El más armado del mundo y que, sin embargo, invade a quienes osan fabricar bombas que ustedes tienen hace ya más de medio siglo.

El lenguaje corporal del republicano lo decía todo. No paraba de moverse, reubicándose continuamente sobre su silla. Estaba furioso.

—No puedo creer lo que estoy oyendo... ¿Entonces las personas que ponen bombas en Bagdad y matan a decenas o centenares de civiles iraquíes no son terroristas? ¿Está usted delirando?

—Estoy seguro de que los británicos también los llamaban terroristas a ustedes cuando quisieron independizarse de ellos —afirmó Héctor—. Pero, como le dije, ustedes dominan la prensa y no hay nadie que se atreva a decir que un insurgente no es necesariamente un terrorista y que tampoco tiene por qué ser un simpatizante de Saddam Hussein. Es más, estoy seguro de que la mayoría lo odiaba, pero ustedes, con sus barbaridades, se las han ingeniado para que ahora esas personas se hayan unido a los carniceros de Saddam con el objetivo de echarlos del país. Ustedes se las han ingeniado para que los odien incluso más que a ese dictador y asesino. Ustedes se las han ingeniado para que una nación que antes no tenía terroristas de Al Qaeda en su territorio ahora esté plagada de ellos. Ustedes se las han ingeniado para multiplicar el número de simpatizantes de Al Qaeda en todo el mundo. Ustedes se las han ingeniado para convertir lo que antes era un estado laico en un régimen que ahora camina hacia el fundamentalismo islámico. Y por si fuera poco, controlado por el archienemigo de Washington: Irán. No se engañe. La mayoría de la gente apoya a la insurgencia. Si no fuera así, los denunciarían a los militares estadounidenses. La insurgencia continúa y prospera porque la población los ayuda, si no los rebeldes serían desarticulados en una semana. ¿Y por qué no dice eso la prensa? ¡La prensa! ¡Vaya vergüenza! ¡Ustedes les cortaron la lengua! Y a quienes se resisten a dejarse intimidar... ¡los meten en la cárcel por no revelar sus fuentes! ¡Menuda libertad de prensa!

—¿Cómo? ¿Qué no hay libertad de prensa? ¡Ojalá! ¡Así algunos no nos criticarían tanto! —intentó rebajar la tensión el republicano.

—La hay en todo menos en un tema sagrado: la guerra. ¿Por qué la prensa no dice la verdad: que las elecciones en Irak fueron una farsa? ¡Una pantomima! ¿Qué legitimidad tiene un gobierno que sale de unas elecciones donde la gente no puede votar? ¿Cómo va a ir a votar la gente con esa violencia en la calle? ¿Cómo sabemos que las listas de personas habilitadas para votar no han sido manipuladas políticamente? ¿Cómo sabemos que no se alteraron los resultados de esos comicios? ¿Quién certifica que ese proceso ha sido realmente legítimo? ¿Es que no vio que el Departamento de Estado da los resultados de las elecciones en Irak antes de que se haga el recuento de votos? ¿Por qué no dice la verdad esa prensa? ¡Que el gobierno iraquí no es más que una trouppe de payasos traidores al servicio de Washington y que lo que ocurre en ese país se decide en la Casa Blanca y en la embajada de los Estados Unidos en Irak! ¿Por qué no dice que las únicas armas químicas que se encontraron en Irak fueron las que usó el Pentágono contra la población civil en Falluyah?

—Vaya... ¿algo más? —ironizó el político.

—Sí, muchas cosas más. ¿Por qué los periodistas no se atreven a llamar a los contratistas como lo que son realmente? ¡Mercenarios! ¡Eso es lo que son! ¡Mercenarios, no contratistas! ¡Contratista es quien va a reparar una tubería, no a pegar tiros! ¿Y quién controla los abusos que realizan esos contratistas? ¿Quién se entera si un contratista mata a una persona en Bagdad simplemente porque no le gustó cómo lo miró? ¡Nadie! Pero, claro, los reporteros tienen miedo a hacer críticas y llevar la contraria al gobierno para que no les llamen antipatriotas. ¿Quién va a atreverse a ir contra la Casa Blanca en tiempo de guerra, no es cierto? ¿Y debajo de qué piedra se escondieron los líderes demócratas? ¡Tampoco se atreven a criticar nada por el mismo motivo! ¡Cobardes! La cuestión es dulcificar una dura y amarga guerra como esta para que la gente se olvide de que existe. No decir mercenarios, sino contratistas; no decir muertos civiles, sino daño colateral. Señor republicano, su aventura en Irak ha creado una ola de violencia sin precedentes en todo el mundo. En Pakistán hoy también murieron veinte personas. Una bomba en una mezquita de Karachi. ¡Y eso pasa cada día! Desde que ustedes subieron al poder, hay muchísima más violencia y terrorismo en todo el planeta. Y mientras todo eso sucede, ustedes tienen a más de cien mil soldados en el lugar equivocado. En vez de utilizar todo su poderío para acabar con Al Qaeda en Afganistán, enviaron a sus militares a un país que no tenía nada que ver con Osama Bin Laden. ¡Fantástico! ¡Les felicito!

A pesar de la descarga de Héctor, el republicano, en vez de enfurecerse todavía más, bajó momentáneamente el volumen de su voz. Sus venas bombeaban sangre con rabia y fuerza, pero intentó no perder el control.

—No es fácil defender la democracia en esa parte del mundo. Es mucho más sencillo ver las injusticias y callarse, como hacen tantos y tantos gobiernos. Nosotros, en cambio, actuamos para cambiar la situación. Hemos liberado a decenas de millones de personas en Irak y Afganistán. Hemos abierto la puerta a la democracia en Oriente Medio. Esa es la única realidad. El resto es demagogia de locos, terroristas o resentidos como usted.

—¡Ah! ¡Claro! Ahora me va a salir con la frase de que «nos odian por nuestra democracia», ¿verdad? Pues, ¡no! No les odian por su democracia. ¡Eso es mentira! La mayoría lucha precisamente por alcanzar esa democracia, pero son ustedes los que les impiden conseguirla. Sí, ustedes mismos. Claro que entre los insurgentes habrá simpatizantes de Saddam y terroristas internacionales, pero la mayor parte de esos rebeldes son personas como usted y como yo. ¿No ve acaso que quienes saltan alegremente sobre un vehículo estadounidense destrozado por una bomba no son sólo insurgentes, sino también simples niños, mujeres y ancianos? ¿Acaso son ellos también terroristas? ¿Comandantes de Al Qaeda llegados de Jordania, quizás? ¿Cómo pueden ustedes ser tan arrogantes al pensar que otros países del mundo no entienden o aprecian la democracia? ¿A qué pueblo le gusta estar sometido?

—Debería informarse mejor. A Irak llegan terroristas de todo el mundo para luchar contra nosotros. Afganos, chechenos, sirios, jordanos... Irak es el primer frente de guerra en la lucha global entre el terrorismo y la democracia.

—No se equivoque —puntualizó Héctor—. Lo cierto es que, tras la invasión, los iraquíes les dieron un tiempo prudencial para demostrarles que estaban allí únicamente para liberarlos del yugo de Saddam. La violencia comenzó mucho después, cuando vieron sus verdaderas intenciones y sufrieron las olas de saqueos sin que ustedes movieran un solo dedo para impedirlo. Ustedes implantaron un gobierno títere en Irak y se están robando todos los recursos naturales del país. Esa sí que es la única realidad. ¿Y quieren que la gente se quede cruzada de brazos? ¿Quieren que los reciban con rosas, como libertadores, mientras Irak es pulverizado y desciende al caos, la anarquía y la guerra civil? ¿Y qué me dice de las naciones vecinas? ¿Quién ha implantado las dictaduras en Ara-

bia Saudita o Egipto? ¡Dictaduras que han asesinado a miles y
miles de personas! ¡Ustedes! ¡Ustedes son quienes han prohibido la democracia en esos países y es por eso que los odian!
¡Primero los europeos y ahora ustedes! ¡El nuevo imperio!
¡Nadie los odia por promover la democracia, sino por destruirla! ¡Dejen ya de mentir a su pueblo!

—Afortunadamente, nuestros soldados comprenden
mucho mejor que usted el valor de luchar por la democracia
—suspiró después con desprecio el político.

—Sí, es verdad... sus militares luchan heroicamente en
Irak, pero con el cerebro lavado y sin entender nada de lo que
ocurre a su alrededor. ¡Nada! Sólo con una consigna de sus superiores: maten a todos los insurgentes. ¡Maten, maten, maten! Y de lo que no se dan cuenta es que por cada uno que
matan, se crean ustedes diez nuevos enemigos. Uno sólo envía a la guerra a sus soldados cuando es realmente necesario...
¡no por capricho o avaricia! Además, ¿cómo se atreven ustedes a dar lecciones de democracia? ¡Un país donde es la Corte
Suprema la que elige al presidente! ¡No los electores! ¿Cómo
se atreven a presumir de democracia si ustedes dan el pasaporte estadounidense a los habitantes de Puerto Rico y no du-
dan en enviarlos a morir en sus guerras, pero después no les
permiten votar en las elecciones presidenciales? ¿Qué clase de
democracia es esa? ¿Me lo puede explicar? ¿En qué lugar del
mundo se ve eso? ¿Qué clase de democracia es esa que casi
destituye a un presidente por mentir sobre una simple aventura sexual con una mayor de edad y que, sin embargo, no se
enfurece cuando envían a morir a tantos soldados estadounidenses basándose en mentiras? ¿Cómo se atreven a acusar a
Irán de interferir en los asuntos internos de Irak? ¡Ustedes,
que lo invadieron con doscientos mil soldados! ¿No le parece
eso una pequeña contradicción? ¡Explíqueme todo eso!

—Pero, oiga, ¡esto es increíble! ¿Es que no ve todos los
logros que ha tenido esta Administración en pro de la democracia en el mundo árabe? Derrocamos dos sangrientas dictaduras: Irak y Afganistán. ¡Liberamos a cincuenta millones de
personas! Ahora las mujeres tienen derechos en Afganistán.
Las niñas pueden ir a la escuela. Las mujeres ya no son ejecu-

tadas públicamente en estadios de fútbol. Rescatamos a ese país prácticamente de la Edad Media. Libia ha renunciado a su programa de armas nucleares. Egipto lleva a cabo elecciones multipartidistas por primera vez en décadas. Arabia Saudita ha realizado elecciones municipales democráticas por primera vez en su historia. Pakistán ya no apoya a los talibanes y ha desmantelado una red clandestina de venta de componentes nucleares a países que apoyaban el terrorismo internacional. Siria considera cambios democráticos en su sistema político. Todo eso en un tiempo récord. ¿Qué más quiere? El mundo árabe debería darnos las gracias por intentar traerlos al siglo veintiuno.

—¡Ja, ja! —volvió a reírse Héctor—. Las mujeres en el Irak de Saddam Hussein eran las más libres de todo el mundo árabe. Ahora no pueden hacer nada. Regresan poco a poco a un régimen fundamentalista islámico. ¿Democracia en Egipto? ¿Es que no ve cómo golpean a los manifestantes en la calle? ¿Democracia en Arabia Saudita? ¿Es que no sabe cómo torturan y asesinan en sus cárceles a los disidentes políticos? ¡Las mujeres no pueden ni manejar un auto en ese país! ¡Pura propaganda! ¡Simples palabras! Ustedes criticaban a los talibanes por decapitar a gente, pero no dicen nada cuando, hoy en día, el gobierno de Arabia Saudita hace lo mismo con sus presos. ¿Y mujeres y paz en Afganistán? Mire, fuera de Kabul las cosas siguen exactamente igual que antes. No ha cambiado nada. ¡Perdón! Algo sí ha cambiado: hay más producción de droga que durante la era de los talibanes. Afganistán se está convirtiendo en un narcoestado. Ustedes lo que hacen es llegar a un país y desbaratarlo con promesas vacías. Y cuando se cansan o consiguen lo que querían, se van y... ¡que ellos se las compongan! Siempre pasa igual.

—¡Hacemos mucho más que cualquiera! ¿Quién se va a encargar de promover un cambio real en dictaduras como la que antes había en Irak? ¿La ONU? ¿Europa? ¡Esos sólo saben hablar! ¡Hablar, hablar y hablar, pero nada más! Nosotros bregamos con el mundo de la realidad, no el de las buenas intenciones o el de la fantasía.

—La ONU... Mejor ni toque ese tema —se molestó el espía—. Ustedes siguen a la ONU cuando les interesa, pero cuando no, dicen que es una organización irrelevante y hacen lo que quieren. ¡Al diablo con las leyes internacionales! ¡Acción preventiva! ¡Invadamos lo que queramos! ¿Quién nos lo va a impedir? ¡Secuestremos a quien queramos en cualquier país del mundo para que después sea torturado! ¿Quién va a osar detenernos?

—El mundo está lleno de gente que nos agradece lo que hacemos. Si no lo hacemos nosotros, no lo hace nadie —insistió el político.

—¿Como en Vietnam? ¿Con dos millones de muertos? ¡Sí! ¡Dos millones de muertos vietnamitas! Eso sin contar con los más de cincuenta mil americanos que dejaron su vida allí. ¿Para qué? ¡Para nada! ¿Y quién mantuvo en el poder a Somoza, a Batista, a Ferdinand Marcos o al Sha de Persia? ¿Quién creó esas dictaduras? ¿Por qué cree que en todos esos países hubo después revoluciones? ¿De qué defensa de la democracia me habla, señor? ¿Es que no se dan cuenta de que van contra el mundo? Si todo el mundo te dice que estás equivocado en algo, ¿tan difícil es admitirlo? ¿O es que sí lo ven pero lo importante es seguir defendiendo los intereses de las grandes multinacionales en esos lugares?

—Dios mío... qué cantidad de barbaridades está diciendo...

—¡Ah! Gracias por recordarme el tema de Dios —dijo enseguida el cubano—. Se pasan el día criticando a grupos fundamentalistas islámicos, pero, al mismo tiempo, ustedes se han convertido en una nación fundamentalista cristiana. ¿No fue su gobierno el que dijo que Dios les había ordenado ir a la guerra en Irak y Afganistán? No paran de mencionar a Dios y a Jesús en sus actos políticos y si Jesús los escuchara se moriría de la vergüenza. ¡Enviando a pena de muerte a menores de edad con problemas mentales! ¡No matarás! ¿No es ese uno de los mandamientos más importantes?

Los ánimos se caldeaban más y más, pero el presentador no sólo no parecía dar ninguna señal de querer interrumpir el debate, sino que incluso ordenó cancelar cualquier pausa comercial.

—Esto es una democracia y eso es lo que exporta esta Administración. Yo no estoy aquí para hablar de religión o de lo que hicieron otros gobiernos. Este es un estado laico. Sin embargo, ya estoy harto de que a esta nación se le culpe de todos los problemas de la Humanidad. Ya va siendo hora de que los países se hagan responsables de lo que pasa en sus sociedades y dejen de usar la salida más fácil si algo sale mal: culpar a los Estados Unidos. ¡Ahora somos los culpables de todo! ¡Hasta de un resfriado! ¡Ridículo! Rescatamos al mundo de la Primera Guerra Mundial y también de la Segunda y así es como nos pagan. Nuestros jóvenes murieron por la libertad del mundo y ese es el agradecimiento que algunos como usted nos dan.

—No haga demagogia barata. Ustedes sólo participaron en esas guerras cuando no les quedó más remedio. Si fuera por simple solidaridad, ¿por qué no entraron en la Segunda Guerra Mundial inmediatamente después de las agresiones nazis? La Guerra empezó en 1939 y ustedes no comenzaron a luchar hasta 1941. Está muy claro. Entraron porque si no lo hacían su país podría correr la misma suerte que Europa: ser invadida por Hitler.

—¡Alucinante! Empieza hablando de Irak, pasa a la religión y ahora ya está en la Segunda Guerra Mundial. ¡Desvaría! ¿Qué está fumando, joven?

—No, no desvarío. Sólo quiero recordar a la gente que nos escucha que Estados Unidos siempre ha luchado sus guerras única y exclusivamente por sus intereses. Desde el primer momento y como cualquier otro país del mundo. Al menos díganlo abiertamente, pero no se hagan los defensores desinteresados de los derechos humanos en el planeta. Lo que ustedes llaman sacrificios por la libertad de otros es pura propaganda. El sacrificio es sólo de los soldados americanos para defender el bolsillo de los grandes industriales. Nada más. Irak es sólo la última muestra.

—Nosotros pelamos por la libertad, pero esa libertad no es gratis.

—¡Desde luego que no! ¿Qué pasó con los cientos de miles de millones de dólares enviados para la guerra en Irak?

¿Quiénes se han enriquecido con esta guerra? ¿A quién están dando los jugosos contratos sino a compañías americanas? ¿Por qué no se reportan más los abusos y fraudes de esas empresas ligadas a políticos estadounidenses? ¿Sabe cómo están sobrecargando los precios hasta niveles irrisorios? ¿Cuánto dinero más se van a robar en Irak esas compañías? ¿Qué paso con el caso de los nueve mil millones de dólares que Washington mandó a Bagdad y que nadie sabe dónde están? ¡Nadie los encuentra! ¡Nueve mil millones de dólares! ¡Eso sí que es corrupción! ¡Y el pueblo norteamericano, dormido! ¡Pagando con su sangre y dinero, pero dormido! ¿Por qué no le dice a su pueblo la verdad?

—¿Y cuál es esa verdad, según usted?

—Dos verdades. La primera es que si Irak no tuviera petróleo, ustedes jamás hubieran ido allí. La segunda, que la maquinaria militar del Pentágono es tan y tan grande y poderosa que Washington siempre necesita una guerra y un enemigo para seguir manteniéndola viva. ¿Sabe cuánto dinero ganan esos industriales con estas guerras? ¿Qué pasaría si no hubiera una guerra? ¿Cómo podrían justificarse los cientos de miles de millones de dólares que se gastan cada año en defensa? ¿Ya saben en su país que después de Irak viene una guerra fría con China por el mismo motivo? ¡Más dinero para los industriales y políticos! ¡Más soldados de barrios pobres americanos derramando su sangre para engrosar la cuenta corriente de un puñado de multimillonarios sin escrúpulos! ¿Y quién paga todo eso? ¡Lo paga el pueblo simple y llano con sus impuestos y con sus muertos! ¡Los blancos pobres, los hispanos y los negros! ¿Cómo es posible que haya militares que apoyen a este gobierno si son los primeros en morir por esta mentira llamada Irak?

Héctor aborrecía lo que él llamaba el imperialismo capitalista yanqui y aquel programa de radio parecía haberle dado la oportunidad perfecta para condensar todos sus pensamientos y sentimientos al respecto.

—¿Es esa la moral de este gobierno? —prosiguió—. ¿Llamarse conservadores compasivos y luego ir por medio mundo matando gente? ¿Ir a misa el domingo por la mañana y por la tarde ordenar bombardeos donde casi siempre mueren civiles inocentes? ¿Convertir al Estado en un aparato fundamentalista cristiano, con la tabla de los diez mandamientos en los edificios del gobierno? ¿Acusar de traidor a cualquiera que no piense como ustedes? ¿Enviar a los militares a la guerra y cuando regresan traumatizados o sin piernas o brazos recortarles sus beneficios sociales? ¿Por qué cree que tienen tantos problemas para reclutar nuevos soldados? ¿Acaso por cobardía? No, ¡claro que no! La respuesta es porque la gente no cree en esta guerra. Si fuera una guerra justa, los jóvenes se alistarían. En este país siempre ha habido ejércitos de personas dispuestas a luchar por una causa noble. ¿Y qué me dice de firmar con una maldita máquina los partes de baja a las familias de quienes dieron sus vidas por su país? ¿No tenían los políticos de Washington ni un segundo de tiempo disponible para firmar personalmente una carta de condolencia a quienes enviaron a Irak a sus hijos e hijas, maridos y esposas y después se los devolvieron en féretros? ¿Creen que contratando a asesores de imagen van a hacer que cambie la opinión del mundo sobre ustedes? ¿De verdad piensan que todos somos tan tontos? A ver si lo entiende: no es una cuestión de imagen ni de relaciones públicas, sino de hechos. ¡De hechos! Y los hechos son que cada día mueren jóvenes estadounidenses en Irak. ¡Esos son los únicos hechos! ¡Soldados que luchan con valentía, pero sin saber realmente por qué! Muchos de ellos son verdaderos idealistas, pero ¡...con el cerebro lleno de mentiras y propaganda! La táctica de Washington es muy clara: meter miedo y más miedo a la población estadounidense. El objetivo: conseguir carta blanca para hacer lo que quieran en el mundo bajo el pretexto de evitar nuevos ataques terroristas.

—¡Esto es increíble! ¡Increíble! —repitió el republicano—. ¡Somos el país que más ayuda humanitaria envía en todo el mundo! ¡Miles de millones de dólares anuales para las naciones pobres! ¿Y, además, cómo se atreve a insultar la memoria de quienes sacrificaron todo por la libertad de este país y del planeta entero? ¡Siempre hemos defendido la libertad! ¿Quién hubiera protegido al mundo de la dictadura comunista, de los nazis o del imperialismo japonés si no existiese este país? ¿Y cómo se atreve a insinuar toda esa partida de estupideces manchando el recuerdo de los muertos por los atentados del once de septiembre? ¿En que mente tan ruin cabe pensar que nosotros entramos por gusto en esta guerra mundial contra el terrorismo? ¿Es que no se acuerda usted de las personas que, desesperadas, se tiraban vivas al vacío desde las ventanas del World Trade Center? ¿Es que tampoco recuera los cientos de muertos por los ataques a nuestras embajadas en África? ¿Cuántos ataques terroristas más teníamos que sufrir antes de poder responder? Mire, yo no sé de qué país vendrá usted amigo, pero en este no nos vamos a olvidar de esas víctimas y haremos lo que haga falta para que los culpables respondan ante la justicia. ¡El resto es pura demagogia!

Héctor se preparó para colgar el teléfono. Con todo lo que había dicho, comenzaba a sospechar que las autoridades podrían estar ya intentando rastrear la llamada. Él conocía muy bien cómo operaban esos sistemas y sabía que aún disponía de algunos minutos más para seguir hablando fuera de todo peligro, pero prefirió no correr riesgos. Si el FBI pudiese localizarlo, sin duda querrían hablar muy detenidamente con alguien que había osado afirmar en público que se consideraba como un insurgente iraquí más.

—Escuche bien... El Pentágono ya sabe que la guerra en Irak está perdida. Bajo estas circunstancias, kurdos, sunitas y chiítas nunca se pondrán de acuerdo —afirmó el espía—. ¿Pero sabe qué es lo más paradójico de todo esto? —añadió—. Lo más paradójico es que Washington ya se está dando cuenta de que con Saddam Hussein en el poder, ustedes, en realidad, no estaban tan mal. ¿Era un dictador? Sí, pero mantenía el orden en el país y atacaba a Irán cuando convenía a la Casa Blanca. Hacía el trabajo sucio. Lo más paradójico es que ustedes acabarán llegando a la conclusión de que todo este caos sólo podrá solucionarse de una manera: creando otro Saddam Hussein. Otro dictador que, con mano de hierro, pacifique el país sin contemplaciones. Ustedes instalarán a su nueva marioneta en Bagdad y después se irán de allí. El nuevo Saddam aniquilará salvajemente cualquier oposición, los soldados del Pentágono podrán regresar a sus casas, se aplacará la opinión pública estadounidense y, por supuesto, las compañías petroleras de Texas continuarán con el monopolio sobre la explotación del petróleo iraquí. ¿Qué le parece? ¡Todos contentos! ¡Hasta podría haber una nueva guerra con Irán para distraer a Teherán de su programa nuclear! Ya lo dice el refrán: «Cuando más cambian las cosas, más igual se quedan».

—¡Más tonterías!

—Está bien, veo que ustedes siguen con la misma arrogancia de siempre. No aprendieron nada del once de septiembre. Sólo es cuestión de tiempo, pues, que ocurra otro —sentenció antes de cortar la llamada e irse del apartamento.

66. EL CUERPO DE TROPAS ESPECIALES

YA ENTRADA LA NOCHE, nueve helicópteros MI-24 HIND de la FAR aterrizaron en la granja de los Everglades ocupada por la seguridad del Estado cubana. Dentro había noventa soldados del Cuerpo de Tropas Especiales del Ministerio del Interior. Todos ellos iban con su equipo completo de combate, incluyendo instrumentos de visión nocturna. Se trataba de los mejores guerrilleros del MININT.

El intenso viento generado por las hélices hizo que algunos de los guardias de seguridad ubicados en tierra casi perdieran su equilibrio, pero, al detenerse los rotores, la tranquilidad volvió a esa zona de los pantanos. Después, los comandos descendieron rápidamente de los aparatos y algunos de ellos tomaron posiciones en los alrededores para defenderse ante cualquier ataque. El resto se dirigió a una de las casas de la granja para recibir las últimas instrucciones de su misión.

Las naves habían llegado hasta allí volando a apenas algunos metros sobre la superficie, primero marítima y luego terrestre. Una estrategia que les permitió pasar desapercibidos ante la vigilancia de los radares estadounidenses. Los helicópteros eran de color azul marino y estaban salpicados con manchas verdes para aumentar su capacidad de camuflaje.

La artillería del MI-24 era poderosa, ya que tenía tres lanzadores de cohetes en cada lado de la nave capaces de disparar casi cien proyectiles en total. Por si fuera poco, llevaba montadas diez ametralladoras en su interior para aumentar su capacidad de fuego. Eso, además de las dos de treinta milímetros que habían sido situadas al frente de la nave.

Los MI-24, que tenían la bandera de Cuba dibujada en su rotor trasero, habían sido diseñados tanto para combatir como para acobardar a la infantería enemiga, ya que, cuando se presentaban en el campo de batalla, aparecían disparando su mortífero arsenal en todas direcciones. Algo que aniquilaba o bien aterrorizaba a cualquier fuerza hostil que osara acercarse a su alrededor.

Mientras los comandos esperaban los últimos detalles del operativo, otros soldados de apoyo estacionados en la granja comenzaron a repostar de combustible a las naves.

La tensión era grande. Esta vez no había ninguna duda. Aquello, definitivamente, no se trataba de ningún entrenamiento. Estaban en territorio enemigo y sus vidas corrían auténtico peligro.

Al cabo de algunos minutos, el coronel que había llegado con ellos desde La Habana se reunió con el grupo.

—Acérquense —les dijo con autoridad.

Tan sólo algunos segundos después, los militares ya estaban escuchando atentamente a su superior.

—Varios comandos en Miami van a realizar una misión contra el aeropuerto de esa ciudad. Para ser exactos, tomarán la torre de control.

Los militares del MININT, a pesar de estar acostumbrados a realizar misiones de gran riesgo, se sintieron sorprendidos ante la temeridad de un operativo semejante.

—Nosotros vamos a apoyarlos en esa acción —continuó—. Nuestro cometido es aterrizar en una de las pistas e impedir cualquier intento de la policía por recuperar esa torre. Por otro lado, y mientras se desarrolla esa parte de la misión, otro grupo de seis helicópteros atacará la Base Aérea de Homestead para proteger nuestra retirada.

Tras la explicación, el coronel se calló durante algunos segundos para observar si había alguna duda entre sus soldados.

—Nuestra tarea es utilizar cualquier medio a nuestro alcance para asegurarnos de que los agentes del MININT dispongan del tiempo suficiente para ejecutar sus órdenes dentro de esa torre de control —dijo convencido—. Si hay resistencia, los defenderemos con todas las armas en nuestro poder. La operación no durará más de quince o veinte minutos. Eso hará que la policía apenas disponga de tiempo para reaccionar. A pesar de que ahora tienen más agentes para evitar acciones terroristas, recuerden que no están preparados para un ataque como este, de forma que no deberíamos tener excesivos problemas para mantenerlos a raya. Cuando todo finalice, regresaremos a Cuba en los helicópteros de la misma forma en que vinimos: volando bajo para evitar ser descubiertos por los radares del enemigo. Si todo va bien, estaremos fuera de los Estados Unidos mucho antes de que ellos se den cuenta de lo que realmente sucedió en Miami.

El silencio era total entre todos quienes le escuchaban.

—Sin embargo, como ustedes saben, siempre hemos de dejar abiertas otras opciones. No queremos sorpresas, de forma que si algo va mal y no podemos usar los helicópteros, la orden es deshacerse rápidamente de las armas y vestirnos de civil con las ropas que todos traemos en las mochilas. El siguiente paso sería dispersarnos entre la población de Miami. Si lo hacemos con disciplina y rapidez, será imposible que nos identifiquen en una ciudad como esa, llena de cubanos.

El militar se acercó después a los comandos y dio a cada uno un trozo de papel con una dirección en Miami.

—Memorícense bien esos datos. Son casas de agentes del MININT. Cada uno de ustedes tiene asignada una distinta. Si hemos de quedarnos en Miami, vayan sin pérdida de tiempo a esos lugares y ellos se encargarán de enviarlos clandestinamente a Cuba en el momento más adecuado. Memorícense también la clave que tendrán que darles para que sepan que no son infiltrados del enemigo. Léanse los papeles ahora y devuélvanmelos antes de subir otra vez a los helicópteros. Si alguno de nosotros muere, nadie puede encontrar esas direcciones en nuestros cadáveres.

El coronel detuvo sus palabras brevemente para leer la dirección que le correspondía a él. Tras repetirla para sí dos o tres veces, miró emocionado a sus tropas.

—Estamos aquí para defender la soberanía de nuestra nación. Nuestro trabajo no es ahora preocuparnos por nosotros ni tampoco preguntarnos por qué nos han ordenado venir a la Florida. Nuestro trabajo es hacer lo que sabemos hacer mejor que nada en este mundo: ser leales a nuestra patria y pelear con valentía por nuestra Cuba, nuestras familias, nuestras mujeres y nuestros hijos. ¡Patria o muerte! —gritó para infundir ánimos a su tropa.

—¡Venceremos! —respondieron estos al unísono.

Algunos minutos después, los MI-24 comenzaron a hacer los preparativos finales para emprender su vuelo hacia el aeropuerto de la ciudad de Miami. Dentro de ellos había noventa disciplinados militares que no paraban de repetirse mentalmente que tenían que ser fuertes y encontrar el valor necesario para ejecutar con éxito aquella peligrosa misión.

Mientras los helicópteros se alistaban para su operativo, dos pilotos de la Fuerza Aérea Revolucionaria de Cuba subieron a los Harriers camuflados bajo dos graneros en la granja de los Everglades. Después, un pequeño vehículo remolcador sacó los aparatos de dentro de las amplias estructuras de madera y los llevó hasta una zona que había sido despejada de todo tipo de arbustos para facilitar su despegue.

Los aviones calentaron sus motores y luego comenzaron a elevarse en vertical hasta alcanzar una altura de veinte metros. Más tarde, y siempre volando a ras de suelo, iniciaron su viaje hacia Cuba. En apenas quince minutos, los aparatos ya estaban bombardeando algunas remotas posiciones militares en la costa norte de la isla. Específicamente, radares y unidades de artillería antiaérea.

La FAR siempre disponía de, al menos, seis aviones listos durante las veinticuatro horas del día para neutralizar cualquier ataque aéreo procedente del exterior. Dos en Holguín, en oriente, dos en Santa Clara, provincia de Las Villas, y dos en San Antonio de los Baños, al oeste de La Habana. Concretamente, MIGs-23 tipo BN. Sin embargo, y a pesar de haber sido detectada la penetración de los Harriers, las bases recibieron la orden de no interceptarlos.

Tras algunos impactos iniciales por parte de los Harriers, que iban pintados con todo tipo de insignias de la aviación estadounidense, los pilotos saltaron en paracaídas de los aparatos y los estrellaron ex profeso cerca de los acuartelamientos militares. Antes de eso, habían dirigido los cazas a un área previamente acordada para que estos fueran alcanzados con facilidad por la artillería cubana.

Una vez los aviones chocaron contra el suelo, un grupo del MININT localizó los restos de los fuselajes y se presentó allí en cuestión de minutos. Después, sacaron de un automóvil los cuerpos ya muertos del teniente coronel Dennis Butler y del capitán Andrew Miller y los situaron junto a lo que aún quedaba de los aparatos.

Los dos pilotos militares estadounidenses no sólo habían sido asesinados, sino que, una vez ya sin vida, sus cuerpos fueron castigados con todo tipo de golpes. Por si fuera poco, los agentes del MININT también amputaron algunos miembros de los aviadores para esparcirlos después por un perímetro de varias decenas de metros alrededor del lugar del impacto. Todo, en un intento por demostrar que los pilotos que habían atacado Cuba eran esos y que perecieron tras el fuerte golpe recibido al estrellarse sus cazas contra el suelo.

El general Carlos Hernández sabía que, lógicamente, Washington negaría cualquier relación con ese bombardeo. Sin embargo, si La Habana mostraba al mundo los cadáveres de dos de sus pilotos, la credibilidad de Los Estados Unidos quedaría muy debilitada.

Una investigación independiente podría demostrar fuera de toda duda que aquellos no eran aparatos del arsenal norteamericano, pero la poderosa y efectiva maquinaria de propaganda cubana se encargaría de repetir una y mil veces lo contrario hasta, quizás, sembrar serias dudas al respecto en la opinión pública mundial. «El Pentágono miente», insistirían hasta la saciedad. La Habana, al fin y al cabo, tenía los restos de dos Harriers, un ataque contra sus instalaciones castrenses, pruebas de radar que indicaban claramente que los bombarderos procedían de la Florida y los cuerpos de dos aviadores estadounidenses asignados a la Base Aérea de Homestead. Elementos más que suficientes para afirmar con autoridad que la isla había sido atacada sin ningún tipo de provocación previa. Los posibles objetivos: desestabilizar al país o bien asesinar a algún líder revolucionario que hubiera estado en una de esas bases militares a la hora del ataque.

Cuba, de esa forma, podría declarar que, al desconocer qué estaba ocurriendo exactamente, no tuvo más remedio que activar sus operativos de defensa para contrarrestar dicha agresión. Es decir, lanzar todos sus aviones disponibles contra el punto de origen del ataque: la zona de Miami. La Habana, en teoría, se habría limitado a ejercer un derecho tan simple como el de la autodefensa y protección de su soberanía territorial. En otras palabras, la responsabilidad de cualquier muerte recaería sobre los mismos Estados Unidos al supuestamente haber forzado a la FAR a activar un plan militar diseñado desde hace años para defenderse de agresiones procedentes del exterior.

Según esa lógica, la revolución no sólo no se vería como la agresora, sino que muchos incluso la aplaudirían al no haberse dejado intimidar por el llamado coloso del norte. En esencia, el mensaje sería que Cuba, frente a un ataque norteamericano, tenía completo derecho a recurrir al Plan Hatuey.

Si los cubanos conseguían ganar la batalla de la opinión pública y sembrar suficiente confusión respecto a lo que realmente había ocurrido sobre los cielos de Cuba, quizás podrían evitar una represalia devastadora por parte del Pentágono. Algo muy improbable, pero no absolutamente imposible.

En cualquier caso, el general Hernández iba ejecutando de forma sistemática cada una de las fases del operativo mientras leía detenidamente las hojas donde se pormenorizaba el plan.

...La percepción mundial sería que La Habana tiene razón, ya que ¿por qué querría Cuba atacar su propio territorio? El autoataque originaría una clara indignación popular en todo el país que, a la vez, derivaría en un sólido apoyo a cualquier represalia realizada por el Ejército cubano ante la supuesta agresión. Al resucitar el espíritu nacionalista y antiimperialista, el pueblo volvería a respaldar a las autoridades de Cuba. Por supuesto, los simpatizantes de la revolución, sin necesidad de motivaciones adicionales, estarían listos para ejecutar cualquier orden procedente del Estado Mayor.

Con el fin de radicalizar la indignación popular, también debería analizarse la posibilidad de hacer estallar un aparato de la compañía aérea Cubana de Aviación cerca de la Florida. Las versiones oficiales de La Habana dirían que el avión fue derribado por misiles estadounidenses tras haber entrado de forma accidental en el espacio aéreo de los Estados Unidos. Cuba afirmaría entonces que el Ejército norteamericano lo derribó temiendo que se tratara de un reactor militar de la FAR en labores de inteligencia.

Para predecir la reacción del pueblo cubano ante un ataque semejante, basta recordar el atentado que se produjo contra el aparato de Cubana el seis de octubre de 1976. Ese atentado, causado por una bomba, provocó la muerte de todos sus ocupantes, setenta y tres personas, mientras el avión sobrevolaba las islas Barbados.

El aparato regresaba a Cuba con el equipo nacional de esgrima que había competido en un torneo centroamericano, donde consiguió muchas medallas. El sospechoso del atentado: Luis Posada Carriles.

Las autoridades, una vez recibida la noticia, organizaron un mitin en la Plaza de la Revolución y todo el pueblo se les unió. Tanto los que simpatizaban con el régimen como quienes no lo hacían. La frase utilizada fue «Ante un pueblo enérgico y viril, que tiemble la injusticia». La plaza estuvo más repleta que nunca, con un millón de personas. Solamente se abarrotó de esa misma forma en otra ocasión: con la muerte del Che Guevara el ocho de octubre de 1967.

Ese sería un sacrificio costoso, pero necesario para lograr la salvación del proceso revolucionario en Cuba. No podemos dejarnos vencer por el cruel precio que a veces es necesario pagar para mantener viva la revolución. La desafortunada muerte de algunos compañeros asegurará el futuro de millones de sus compatriotas y de muchos otros revolucionarios alrededor de todo el mundo.

Washington, ante el ataque de los MIGs, posiblemente realizaría una represalia inmediata de grandes proporciones desestimando cualquier crítica interna o externa. No obstante, la maniobra de propaganda cubana, de no lograr impedirla, al menos dejaría a los Estados Unidos frente al mundo como un auténtico imperio agresor. Provocar miles de muertes de ciudadanos en Cuba como represalia a un bombardeo supuestamente detonado por ellos mismos no sería una tarea fácil de defender a nivel internacional. La imagen de la Casa Blanca quedaría, pues, dañada de forma irreparable.

La respuesta militar norteamericana contra centros castrenses cubanos sería devastadora y después, con toda probabilidad, se produciría una invasión de la isla. Eso sería contestado por una guerra de guerrillas contra el ejército invasor que, a su vez, provocaría miles de muertos del Pentágono. Washington nunca podría ganar esa guerra, ya que el sentimiento antiimperialista del pueblo es muy fuerte y todos se unirían a una lucha originada ante semejantes circunstancias.

El pueblo pensaría que habría sido una agresión no provocada, de forma que incluso quienes no simpatizan con la revolución se juntarían a las tropas de la guerrilla convirtiendo la lucha en una guerra nacionalista y no partidista.

Una buena campaña de propaganda internacional pretendiendo demostrar que la FAR sólo respondió de forma automática a un presunto ataque de los Estados Unidos incluso podría producir que, finalmente, Washington decidiese no atacar de forma masiva, sino sólo con acciones quirúrgicas y de tipo comando contra bases militares cubanas, evitando así altas bajas entre la población civil.

Desde el punto de vista militar, este es el mejor momento para Cuba. El Pentágono tiene todas sus fuerzas centradas en Irak y Afganistán. Está muy limitado tanto en soldados como en equipo. Lo vimos perfectamente en la descoordinación y lentitud ante los desastres que provocaron los huracanes Katrina, Rita y Wilma. No sólo quedó claro que Washington no tenía un plan efectivo para encarar este tipo de desastres naturales, sino que, a pesar de las continuas negaciones del Departamento de Defensa, el país no disponía de militares y medios suficientes para apoyar a las autoridades civiles.

El caos desencadenado en la evacuación por Katrina resulto obvio, pero también lo fue en el caso de Rita. Las autoridades se esforzaron por repetir la idea de que, con Rita, no se habían cometido los mismos errores que con Katrina. Sin embargo, en la desorganizada y frenética huida de la población de lugares como Houston, se produjeron más de cien millas de colas en las autopistas. Sólo la fortuna de que Rita no fue lo que se temía salvó a cientos, quizás miles de personas, de morir abandonadas a su propia suerte. Varadas en la carretera. Indefensas ante un nuevo e inmisericorde aluvión de agua. ¿Y con Wilma? ¡La población de nuevo sin comida y agua durante días!

La conclusión es clara: si un fenómeno natural fue capaz de causar semejante caos, un ataque militar como el del Plan Hatuey provocaría, además del desastre nuclear en sí, una tragedia sin paralelo en la historia de los Estados Unidos.

Por otro lado, no sería la primera vez que distintos departamentos de la Administración de los Estados Unidos realizan acciones militares con el desconocimiento o, incluso, contra órdenes específicas de la Casa Blanca. ¿Y si el ataque hubiera sido organizado por la CIA sin ningún tipo de notificación oficial al gobierno como parte de un operativo encubierto? Eso podría provocar serias dudas incluso en el propio presidente norteamericano respecto a si, en realidad, su país estuvo involucrado o no en el ataque del que se les acusaría...

El general prosiguió leyendo el documento. El Plan Hatuey ya estaba en plena marcha. Un plan que había sido ideado muchos años antes de los ataques del once de septiembre, pero que compartía la misma estrategia básica: golpear con aviones a los Estados Unidos en su propio territorio. Sin embargo, en este caso, con unos aparatos militares infinitamente más poderosos y destructivos que las naves comerciales usadas por Al Qaeda.

Héctor Lara estaba en la casa segura del MININT en Hialeah escuchando con atención un programa de una de las radios de Miami. A la una en punto de la madrugada, subió el volumen del aparato. Junto a él había treinta y ocho agentes cubanos que repasaban los pasos a seguir para tomar la torre de control del aeropuerto de Miami.

Todos ellos iban vestidos con ropa militar de combate negra. Sus caras estaban pintadas de colores oscuros y a su lado tenían todo tipo de armamento, tanto traído desde Cuba como comprado en los Estados Unidos. Desde fusiles automáticos AK-47 o M-16 hasta lanzagranadas RPG-7 o ametralladoras pesadas de 50 milímetros. Todo eso, pasando por granadas, subfusiles, fusiles de alta precisión para franco-tiradores, pistolas y explosivos plásticos de gran poder destructivo.

—¡Silencio...! —gritó de pronto Héctor.

Al escucharlo, todos se callaron de inmediato, pasando sólo a oírse la voz de uno de los locutores radiofónicos. Se trataba de un programa cultural de los municipios de Cuba en el exilio.

—«...recuerdo a la perfección las fiestas patronales de Santa Clara. Yo nací allí el cuatro de diciembre de 1942 y las vi cada año hasta que me fui de Cuba, hace ya tres décadas... Yo no lo digo porque yo sea de Santa Clara, pero, señores, esas fiestas no tenían nada que envidiar a las de La Habana... Por cierto... ¿ya escucharon que Fidel está de visita oficial en China...?».

Héctor Lara, tras escuchar la orden en clave del agente infiltrado del MININT, hizo una señal para que todos subieran con rapidez a los camiones. La clave significaba que los helicópteros del Ministerio del Interior situados en los Everglades ya estaban a punto de despegar y que los ataques contra Cuba habían concluido. Era la luz verde para el ataque final.

67. LAS CARAS DEL MININT

EL TELÉFONO CELULAR de Miguel Cardoso comenzó a sonar mientras este conducía su coche patrulla por las calles de Coral Gables.

—¿Aló...?

—¿Miguel? —preguntó una voz.

—Sí. Hablando.

—Soy Gregory Nikolayev.

—¿Cómo está?

—Hemos de encontrarnos lo antes posible —dijo el agente ruso sin pérdida de tiempo—. ¿Se acuerda de la tienda que le mencioné en Columbus, Ohio?

—Sí, claro. ¿Qué pasó?

—Ya he conseguido una fotografía de las personas que compraron los trajes anticontaminantes. También localizamos los recibos de venta y los números de serie coinciden con los que el FBI pudo reconstruir de los trajes. Los trajes que fueron comprados en Ohio son los mismos que ustedes encontraron después en el refugio nuclear de Coconut Grove.

—¿Está seguro?

—Absolutamente.

—¿Y la foto?

—Obtuvimos una copia digital del vídeo de seguridad. Me la acaban de enviar por correo electrónico y he hecho una impresión en papel de los rostros. Se ven perfectamente. Tiene que ayudarme a identificar a los individuos que efectuaron la compra. Tenemos que acceder a los archivos de la policía, del FBI o del servicio de inmigración.

—Por supuesto. ¿Dónde nos encontramos?

—En Miami Beach. Ocean Drive y la Tercera. Eso está cerca de la estación de policía. Estaré en mi automóvil.

—Magnífico. Voy para allí. ¿Algo especial respecto a esas tres personas? —añadió de pronto Miguel antes de colgar.

—Estamos intentado averiguar sus identidades. Por su aspecto, tal y como había dicho el dependiente de la tienda, podrían ser cubanos, pero nada más por el momento.

68. BURLANDO LOS SATÉLITES DEL PENTÁGONO

EL GENERAL CARLOS HERNÁNDEZ se sentó frente a la computadora que tenía en su despacho del Ministerio del Interior y accedió a uno de los programas confidenciales de los organismos de la seguridad del Estado. El militar estaba solo en la sala.

La inteligencia cubana, gracias a sus conexiones con el servicio de espionaje ruso, sabía exactamente cuáles eran los satélites estadounidenses que espiaban a Cuba y a qué horas del día centraban sus actividades sobre la isla. Algo que les permitía burlarlos en el momento deseado.

El Pentágono únicamente observaba las operaciones militares que se desarrollaban en ese país durante algunas horas al día. Washington sólo dedicaba más tiempo para esa vigilancia si se descubría algún movimiento sospechoso por parte del Ejército cubano. Por lo general, el Departamento de Defensa empleaba sus satélites para misiones catalogadas como de más alta prioridad, como espiar a Corea del Norte, China o Irán.

El general Hernández había estudiado su plan a fondo y era consciente de que los satélites militares de los Estados Unidos podían detectar cualquier movilización inusual de gran parte de los pilotos de la FAR. Eso era posible gracias a los avanzados sistemas de monitoreo mundial de llamadas telefónicas o de mensajes electrónicos instalados en esos satélites. La Agencia Nacional de Seguridad, NSA, encargada de espiar todas las comunicaciones del planeta, era la que tenía encomendada esa misión. Esa agencia, altamente secreta y situada en las afueras de Washington, dedicaba miles de millones de dólares al año para averiguar todo lo que se decía en cualquier parte del globo terráqueo.

La NSA tenía dos tipos de satélites. Unos rastreaban señales alrededor de todo el planeta sin centrarse en ningún lugar en concreto y los otros, llamados geoestacionarios, se posaban siempre sobre el mismo objetivo y se movían sincronizándose con la rotación de la Tierra. Sólo espiaban un lugar determinado.

Cuba, excepto en tiempos de crisis, nunca era vigilada con satélites geoestacionarios, sino con otros como, por ejemplo, los RPU KH-12, que estaban especializados en la obtención de fotografías de alta precisión. Estos aparatos volaban a una altura orbital bastante baja sobre la Tierra y enviaban sus fotos directamente a los laboratorios especializados del Pentágono, que después los procesaban de forma confidencial. Rusia también disponía de algunos de esos satélites geoestacionarios, como por ejemplo el Cosmos-2224, pero, de igual forma, los utilizaba para sus prioridades más inmediatas, como espiar a los Estados Unidos o bien a China.

La actividad de esos satélites era vital para Hernández, ya que podían detectar cualquier despliegue significativo de MIGs cubanos y, por consiguiente, dar la voz de alarma en tan sólo segundos, haciendo que las probabilidades de éxito del Plan Hatuey disminuyeran de forma drástica.

Otra de las capacidades de esos sofisticados satélites era poder detectar los despegues de los aviones de la FAR gracias al calor desprendido por sus motores. Si el número de aviones era considerado como excesivo, el protocolo del Pentágono indicaba claramente que todos los aviones norteamericanos disponibles en el sur de la Florida deberían despegar de inmediato para monitorear lo más cerca posible la actividad de los MIGs.

El principal obstáculo para el Plan Hatuey sería la Base Aérea de Homestead. Allí Washington tenía implantado un sistema secreto de defensa ante la posibilidad de un ataque de La Habana. Ese sistema, llamado Operativo de Defensa Aérea, permanecía activado de forma ininterrumpida durante las veinticuatro horas del día, todos los días del año. Para ser más concretos, la Base Aérea de Homestead disponía de alrededor de una docena de modernos cazabombarderos F-16 equipados con armamento real y completamente listos para despegar en cualquier instante.

En los últimos meses la Casa Blanca había decidido cerrar más de treinta bases militares en todo el país. Sin embargo, Homestead no sólo no vio ningún recorte, sino que recibió dieciséis cazas de combate adicionales. Una clara muestra de la presión ejercida por el Consejo de Seguridad Nacional en el tema de Cuba.

Cualquiera de todos esos jets podía estar listo para repeler una agresión contra territorio estadounidense en apenas diez o quince minutos. No obstante, subir al aire a todos los aparatos estacionados en Homestead no podía hacerse antes de, como mínimo, una hora. Es decir, si se descontaban los nueve minutos que los MIGs-29 tardarían en llegar a esa base desde Cuba, los cazas de la FAR todavía dispondrían de unos cincuenta minutos adicionales para atacarla sin que esta pudiera defenderse de forma efectiva. Con los MIGs en pleno bombardeo, serían muy pocos los aviones estadounidenses capaces de despegar. Un panorama muy poco alentador para el Pentágono.

El general Hernández, consciente de toda la logística que implicaba el Plan Hatuey, miró su reloj para asegurarse de que los satélites norteamericanos no estuvieran posados sobre Cuba en aquel momento. Después, introdujo una clave especial en su computadora y apretó de forma decidida el botón de «Enter». En ese instante, y a través de una señal codificada que ni siquiera podría descifrar el propio Ejército cubano, comenzaron a emitirse instrucciones electrónicas que, en tan sólo segundos, aparecieron en los beepers o buscas de los pilotos involucrados en la operación. Todo estaba preparado para que las órdenes fuesen directamente a los aviadores, sin intermediarios de ningún tipo. El motivo era evitar que pudieran ser canceladas por terceras personas.

Las señales partieron de la antena del Ministerio del Interior en la Plaza de la Revolución y fueron hasta la azotea del edificio FOCSA, uno de los más altos del centro de La Habana. Al rebotar allí, salieron con rapidez hacia diversos repetidores distribuidos por todo el país y aterrizaron después en los aparatos electrónicos de los pilotos de la FAR. Tal y como estaba previsto en sus protocolos de combate, los militares, al recibir las instrucciones, dejaron inmediatamente lo que estaban haciendo y se fueron a toda prisa a sus bases.

Todo estaba sucediendo demasiado rápido y demasiado tarde en la noche como para que mucha gente ajena al plan pudiera darse cuenta de lo que ocurría. De todas formas, y para evitar sospechas, el general Hernández ya había advertido al Alto Estado Mayor que esa noche realizaría algunos ejercicios aéreos con los pilotos de la FAR.

Las bases aéreas cubanas, ante maniobras imprevistas como esa, tenían órdenes tajantes de alistar sin demora los aviones. La autorización procedía del mismo MININT, lo cual era más que suficiente para que siguieran el protocolo establecido sin hacer muchas preguntas. De todas formas, Hernández no quiso correr riesgos y telefoneó personalmente a todos los responsables de las bases para reautorizar el despegue de los aviones y confirmarles que se trataba de una maniobra. Quería asegurarse de que no se pusieran nerviosos.

Sin embargo, y a pesar del gran cuidado empleado por el jefe del MININT para evitar que se informara a otros altos mandos militares sobre lo que estaba ocurriendo, algunos de los máximos líderes revolucionarios fueron contactados por las diferentes bases. Algo que se explicaba con facilidad debido al férreo control de todos los organismos del Estado por parte de los miles y miles de agentes del gobierno esparcidos por toda la isla. Había espías en todas partes. No obstante, y tras hablar con el general para comprobar que se trataba de algo previsto y que contaba con el permiso adecuado, todos autorizaron que el operativo siguiera adelante.

Al ver que todo iba desarrollándose a la perfección, Hernández apagó su computadora, le pegó dos tiros con una pistola con silenciador y se fue después de la sala. Ya nadie podría usarla de nuevo para detener un ataque que parecía haber emprendido su recta final.

69. EL VERDADERO HÉCTOR LARA

MIGUEL CARDOSO LLEGÓ a la intersección de la avenida Ocean Drive con la calle Tercera, donde le esperaba el automóvil del espía ruso. Tras aparcar el suyo, el policía entró al otro coche y, después de un breve saludo, se acomodó en el asiento trasero junto al agente.

—Aquí tiene —le extendió una fotografía Nikolayev.

Miguel la cogió enseguida. Tras echarle un rápido vistazo, la dejó caer y sus manos comenzaron a temblar.

—¿Qué ocurre? —dijo el ruso sorprendido.

—¡No lo puedo creer! ¿Cómo es posible? —gritó el policía.

La persona plasmada en la fotografía no era otra que Héctor Lara.

—¿Lo conoce? —preguntó inmediatamente el ruso.

—Es increíble... —dijo Miguel sin salir de su asombro.

—¡Respóndame! ¿Conoce usted a este individuo? —repitió Nikolayev.

Miguel se giró hacia el agente enviado por Moscú.

—Claro que lo conozco. Es el novio de mi prima. Es un prisionero político cubano. Una persona de credenciales intachables en la lucha contra el régimen revolucionario en Cuba. ¡Vino en balsa! ¡Arriesgando su vida!

—¡Mierda! ¡Tenemos que darnos prisa! —exclamó el espía.

—¿No se tratará de un error?

—No. ¡Por supuesto que no! Ese es precisamente el perfil ideal de espía que La Habana querría para una misión como esta. Alguien que no despierte la más mínima sospecha. ¿Es que no lo comprende?

El policía sacudió su cabeza de un lado para otro.

—¡Cabrón! ¡Un espía cubano! —dijo con rabia—. ¡Qué gran actor! ¡Cómo se ha estado riendo de todos nosotros!

Nikolayev recogió la fotografía e hizo una señal para que el conductor encendiera el motor del coche.

—Tenemos que ir a buscarlo ahora mismo. Él es la clave para averiguar todo lo que está ocurriendo aquí.

El policía golpeó con su puño derecho la palma de su mano izquierda.

—Pobre Marta... Esto la va a destrozar... —susurró.

—¿Y dónde vive ese Héctor Lara? —le sacudió el brazo el ruso.

—No lo sé. Tengo que llamar a mi prima, explicarle todo esto y preguntarle la dirección de Héctor —dijo Miguel mientras salía del automóvil con su teléfono celular para llamar a Marta—. Por favor, deme algunos minutos —pidió a Nikolayev.

—Estamos contra el reloj.

—Enseguida regreso.

Miguel Cardoso apenas reconoció a Marta cuando la vio salir de su casa. Su rostro hablaba por ella y decía a gritos que estaba destrozada. La cubana rehusaba creer todo lo que su primo le había dicho por teléfono respecto a la persona que ella amaba, pero la evidencia contra Héctor era demoledora. La joven no podía articular una sola palabra sin interrumpirla inmediatamente después con lágrimas y sollozos, dejando claro que había perdido por completo el control de sí misma y de sus más íntimas emociones.

Tras abrazar a su primo y rogarle que le dijera que todo aquello era una mentira, Marta sólo fue capaz de reunir las fuerzas suficientes para pedir que le mostraran la fotografía donde estaba Héctor. Al verla, sintió como si su corazón, literalmente, se hubiera partido en dos.

Dos agentes rusos estrellaron sus cuerpos contra la puerta de entrada del apartamento de Héctor Lara en Hialeah. Tras revisar su interior y asegurarse de que no había nadie dentro, llamaron por radio al resto del grupo para decirles que ya podían subir.

Marta se había negado a darles la dirección a menos que la dejaran ir con ellos. La cubana quería ver personalmente la cara de Héctor. Quería escuchar lo que él tuviera que decir respecto a esas acusaciones mientras, en lo más profundo de su ser, seguía rezando para que todo aquello no fuera más que un error monumental.

—Aquí no hay nada que indique dónde pueda estar —dijo uno de los agentes.

De pronto, el teléfono celular de Nikolayev comenzó a sonar. El ruso habló con alguien durante algunos segundos y después cortó la comunicación.

—Vámonos. Mis agentes ya han localizado al comando de Héctor. Son operativos del Ministerio del Interior cubano y de la Dirección de Operaciones Especiales.

—¿Cómo ha podido averiguar todo eso tan rápido? —preguntó Miguel.

—Quizás ya no seamos una superpotencia, pero no olvide que todavía tenemos muchos infiltrados dentro de los servicios de inteligencia de Cuba, tanto en la isla como en el extranjero. Especialmente, aquí, en Miami. Estamos muy bien organizados. No somos tan inútiles como ustedes piensan —dijo Nikolayev mientras llamaba al ascensor.

—¿Dónde está Héctor?

—Eso todavía no lo sé. Sólo tenemos la ubicación del lugar donde se reúnen. Está muy cerca de aquí, en la misma Hialeah, pero vamos a esperar algunos minutos para movilizar a unos diez agentes más. Podríamos encontrarnos con resistencia.

Al escucharlo, Miguel Cardoso y Marta Quesada se abrazaron de nuevo.

Uno de los espías del servicio de inteligencia ruso se acercó con sigilo a la puerta de la compañía Professional Latinamerican Television. Mientras, otros trece comandos esperaban en un pequeño camión aparcado justo frente al almacén. Después, puso su oreja sobre la plancha metálica durante algunos segundos y, al no detectar ningún peligro, disparó con su pistola contra la cerradura. Tras un fuerte empujón, la puerta se abrió y el resto del grupo corrió hacia dentro. Los agentes redujeron con facilidad al primer guardia y después tomaron la nave industrial en apenas algunos minutos. No fue una tarea complicada, ya que, en total, sólo había tres personas custodiándola. Después, los rusos cerraron de nuevo la puerta de entrada al edificio para que este recuperase su aspecto habitual. Generalmente, el almacén estaba defendido por más soldados, pero, debido a la activación del Plan Hatuey, la seguridad había sido reducida a un nivel mínimo. En aquellos momentos Héctor Lara necesitaba el mayor número de miembros del MININT con él en el aeropuerto.

Los rusos eran especialistas en este tipo de operaciones, de manera que enseguida descubrieron el acceso que les llevó a la parte superior del escondite. A excepción de los guardias cubanos, allí no había nadie. Lo único que encontraron fue una gran sala sin personas ni armas. Tampoco había mapas ni ningún tipo de información que pudiera indicar los planes de ese grupo del MININT.

Por las dimensiones de la armería, los agentes rusos dedujeron con rapidez que la capacidad de aquella célula operativa era de unas cuarenta personas. La lógica indicaba que si la casa segura estaba vacía y los comandos se habían llevado todo su armamento, el Plan Hatuey podría estar ya en marcha.

Nikolayev no se caracterizaba precisamente por perder su tiempo, algo que se acentuó aún más en aquella ocasión debido a la seriedad y urgencia del momento.

Tras ordenar a uno de sus agentes que sacara del edificio a Marta, el ruso fue hacia uno de los cubanos. Todos ellos habían sido esposados y estaban sentados sobre el suelo.

—¿Cuál es tu nombre? —preguntó a uno de ellos.

—César.

—Está bien, César. Yo trabajo para el servicio de inteligencia ruso. No para la CIA. ¿Me crees?

—Sí, por qué no voy a creerle —respondió el cubano.

—Muy bien. Vamos progresando. César —prosiguió—, eso significa que no somos enemigos, ¿no?

—Quizás sí, quizás no —dijo César con cierta dosis de altanería.

Nikolayev vio enseguida que aquel sería un hueso duro de roer.

—Estamos buscando al agente que se hace llamar Héctor Lara. Sabemos que ustedes trabajan para el MININT. Eso no me importa en absoluto. Sólo estoy interesado en saber dónde están Lara y el resto del comando. También sé que hay una operación en marcha. Necesito saber cuál es esa operación y dónde va a desarrollarse.

El cubano no hizo señales de querer responder a ninguna de las preguntas.

—Mira, tenemos la sospecha de que Héctor Lara está preparando algo muy serio y de consecuencias catastróficas, tanto para Miami como para la misma Cuba. También pensamos que las máximas autoridades de tu país podrían no saber lo que verdaderamente está ocurriendo aquí.

Los segundos pasaron, pero sólo se escuchaba hablar al ruso. Nikolayev, ante el continuo silencio del cubano, comenzó a perder la paciencia.

—César, tengo que reconocer que eres un hombre valiente. Yo creo que ya hubiera confesado todo. Soy más cobarde, pero sé cuándo hablar para poder seguir vivo.

César ni se inmutó.

—Miren, hoy no puedo perder tiempo. Si ninguno de ustedes va a decirme lo que quiero saber, los tres son tan valiosos para mí vivos como muertos. ¿Entienden? —dijo dirigiéndose a todos ellos.

A pesar de las amenazas, ninguno de los tres agentes del MININT comenzó a hablar.

—Muy bien, si esto es lo que quieren, esto es lo que tendrán —dijo Nikolayev sacando su pistola Beretta nueve milímetros—. Voy a hacerles de nuevo las dos preguntas a cada uno de ustedes. Si no me responden, les abriré a todos un hueco en la cabeza. Uno tras otro. No es lo que quiero, pero no me están dando otra opción. Veamos, César —dijo acercándole el cañón del arma a su frente—, ¿dónde está Héctor Lara? ¿Dónde se está desarrollando el operativo?

César comenzó a sudar profusamente, pero no respondió.

—¡Pam! —sonó un disparo que mató de forma instantánea al espía cubano, que se desplomó contra el suelo.

Miguel sintió de pronto unas enormes ganas de vomitar y comprendió a la perfección por qué Nikolayev no quería a la policía a su alrededor. A pesar de estar acostumbrado a ver escenas de violencia, aquello, ciertamente, rebasaba sus límites habituales. Sin embargo, decidió no inmiscuirse. En aquellos momentos había demasiadas vidas en juego como para comenzar a cuestionar los métodos del ruso.

Nikolayev se acercó después a otro de los cubanos.

—¿Cuál es tu nombre?

—Vladimiro.

—Vladimiro, ¿dónde está Héctor Lara? ¿Dónde se está desarrollando el operativo?

Vladimiro dudó durante unos instantes sobre si contestar o no, pero, finalmente, decidió no hacerlo.

—¡Pam! —sonó el siguiente disparo.

El ruso sabía que no podía matar a todos. De lo contrario, jamás averiguaría la información que estaba buscando. A pesar de eso, tuvo que dirigirse al siguiente prisionero con la misma seguridad que con los otros.

—¿Cuál es tu nombre? —preguntó sin mostrar ningún tipo de emoción o remordimiento de conciencia.

—Alberto —dijo este con voz temblorosa.

—Muy bien, Alberto. Tengo prisa. ¿Dónde está Héctor Lara? ¿Dónde se está desarrollando este operativo?

El cubano, aterrado ante la posibilidad de perder su vida, rompió a llorar. Al verlo, Nikolayev sintió un gran y sincero alivio. El ruso estaba dispuesto a todo con tal de conseguir los datos que necesitaba, pero derramar sangre era siempre para él la última de las opciones.

—¿Dónde están? —repitió aprovechando el desmoronamiento emocional del espía.

—Todos fueron al aeropuerto. Quieren tomar la torre de control.

Nikolayev, tras escuchar lo que quería, bajó la pistola.

—Gracias Alberto. Sólo una cosa más. ¿Sabes si Héctor Lara recibió la orden de seguir o investigar a algún piloto militar estadounidense?

—Sí... a dos... secuestraron a dos.... —titubeó el espía—. Otros compañeros se los llevaron para Cuba.

—¡Dios Santo! —dijo el ruso—. Están simulando un ataque contra la isla, tal y como especifica el Plan Hatuey. ¡Empezó la cuenta atrás! ¡Vámonos! —añadió Nikolayev, no sin antes ordenar a los otros agentes que se llevaran a Alberto con ellos para que no pudiese alertar de ninguna forma a Héctor Lara.

70. LA TORRE DE CONTROL

LOS TREINTA Y OCHO COMANDOS capitaneados por Héctor Lara iban escondidos en dos voluminosos camiones de transporte de color marrón. Los vehículos aparcaron justo frente a una de las vallas de protección que rodean al aeropuerto internacional de Miami. Después, aprovechando la oscuridad de la noche y la altura de los camiones, los agentes comenzaron a saltar desde el techo de los mismos hasta el interior del perímetro del aeropuerto. Esa acción había sido largamente ensayada, de forma que los miembros del MININT ni siquiera rozaron el alambre de espinos. Un detalle muy importante, ya que cualquier contacto con las vallas, gracias a un mecanismo electrónico, podría alertar a las fuerzas de seguridad que custodiaban las pistas de aterrizaje.

Una vez dentro, el grupo se dirigió hacia la torre de control con la mayor precaución posible. Para ello caminaron escondidos entre las pistas de aterrizaje y los diversos hangares que se encontraron en su camino.

Unos setenta metros antes de llegar a su objetivo, los comandos se encontraron con dos coches de la policía, pero los ocupantes de ambas patrullas fueron inmovilizados por los atacantes en menos de veinte segundos. Aunque hubo un breve intercambio de disparos, tanto los silenciadores utilizados por los cubanos como los constantes bramidos de los reactores que circulaban por el aeropuerto hicieron que no se escuchara nada sospechoso en los alrededores.

Al alcanzar la torre de control, los agentes del Ministerio del Interior forzaron una de las puertas de seguridad que daba a las pistas y corrieron después por las escaleras hacia arriba. Una tras otra, y con una precisión casi matemática, fueron tomando todas las dependencias del edificio hasta ocuparlo completamente. En total, la operación duró unos dos minutos con un balance de ninguna baja cubana y de cuatro guardias del aeropuerto muertos.

El sigilo empleado hizo que los controladores de vuelo sólo se enteraran del asalto cuando, frente a ellos, aparecieron decenas de militares vestidos con trajes de combate de color negro.

Los cubanos obligaron entonces a que un empleado llamara por radio a los policías que custodiaban la entrada a la torre desde los pasillos de las terminales. Al aparecer estos en el ascensor, también fueron reducidos con rapidez por los comandos del MININT. Después, con uniformes falsos, cuatro oficiales de la Dirección de Operaciones Especiales tomaron esas posiciones de guardia. En apenas ocho minutos, todos los accesos y salidas del edificio pasaron a estar en total control de los agentes al mando de Héctor.

Por su parte, los controladores de vuelo, aterrorizados por el ataque, comenzaron a hablar cada vez más alto entre ellos en una muestra de claro nerviosismo, pero Héctor dominó de inmediato la situación.

—¡Silencio o acabamos con todos! —amenazó en español con energía, enmudeciendo a los empleados. La mayoría de operadores de vuelo hablaba ese idioma, ya que bregaban diariamente con multitud de vuelos procedentes de Latinoamérica. Todos los pilotos tenían que saber inglés, pero poder comunicarse con ellos en español siempre era algo positivo.

Al comprobar que todos le hicieron caso, el cubano adoptó una actitud mucho más calmada. El agente del MININT no quería generar ningún caos, sino, más bien, obtener la máxima cooperación por parte de los controladores para poder concentrarse en su misión.

—No cometan ninguna estupidez —les dijo con un tono relajado de voz—. Sólo vamos a estar aquí quince o veinte minutos.

Héctor Lara caminó entonces algunos pasos observando a sus prisioneros.

—Como es lógico, ustedes tienen en esta sala varios mecanismos para dar la voz de alarma a la policía. Incluso es posible que algunos de ustedes sepan ciertos códigos secretos que los otros ignoran. Esa es la rutina habitual en un lugar como este.

Acto seguido, el cubano se calló durante algunos segundos. La rapidez y absoluta sorpresa del asalto, aparentemente, habían conseguido neutralizar a los empleados antes de que pudieran alertar a nadie. No obstante, Héctor era consciente de que aún podían hacerlo a través de medios desconocidos para él.

—Les recomiendo que no llamen a la policía. Si eso ocurriera, todos, repito, todos ustedes saldrían muertos de aquí. Imagino que, por lo que han visto hasta ahora, ya se habrán dado cuenta de que no estamos bromeando.

Los controladores de vuelo miraban atentamente a Héctor Lara. Hasta ese momento, ninguno de ellos se había recuperado todavía de la enorme sorpresa de aquel inesperado ataque.

—Las personas que están situadas junto a ustedes también han sido entrenadas en las labores de control de vuelo —afirmó refiriéndose a los agentes que se apostaron frente a los empleados—. Si alguno contraviene las instrucciones que acabo de darles, será ejecutado de inmediato. Sin vacilación alguna.

Héctor se acercó después aún más a los paneles de los radares.

—Además —mintió el espía—, uno de los empleados de esta sala es agente nuestro. Como es lógico, él conoce todo el procedimiento que se sigue aquí a diario. No se pasen de listos. Esa persona también les está vigilando. Lo que nosotros no veamos, él sí lo hará, así que, antes de cometer alguna estupidez, piensen muy bien si quieren acabar el día vivos o muertos.

La guerra psicológica era otra de las armas preferidas del agente del MININT. Un arma que, como su padre, dominaba a la perfección.

—¿Quién es el jefe de este turno? —preguntó después.

Tras una breve indecisión, uno de los presentes levantó su mano.

—Yo —respondió tímidamente.

—Muy bien. Lo único que quiero es que continúen con las labores propias del aeropuerto. Que dirijan a los aviones como si nosotros no estuviéramos aquí. Como le dije, si todo sale bien, estaremos muy pronto fuera de su torre. Si me hacen caso, todos regresarán vivos junto a sus mujeres y a sus hijos.

—¿Qué quieren, entonces? ¿Para qué vinieron aquí? —preguntó el empleado sin comprender aún el motivo de aquel asalto.

—Para hablar por radio. Simplemente para poder hablar por radio —dijo Héctor sentándose en el asiento de uno de los controladores de vuelo.

El asalto a la torre fue todo un éxito. El edificio no sólo estaba bajo completo control del servicio de inteligencia cubano, sino que los agentes de La Habana incluso habían sido capaces de evitar, al menos hasta el momento, que se propagara la voz de alarma. Sin embargo, los miembros del MININT sabían que apenas dispondrían de algunos minutos más para llevar a cabo su misión antes de que la policía del aeropuerto detectara su presencia allí, de manera que no desperdiciaron ni un solo segundo.

—Atención... atención... aquí Barbarroja... ¿Me escuchan? —dijo Héctor pegado a un micrófono mientras colocaba en una de las computadoras una frecuencia especial de la FAR.

El aeropuerto de Miami, uno de los más modernos del mundo, tenía los aparatos de comunicación más sofisticados del mercado. Con ellos podían hablar con cualquier parte del planeta de forma rápida y clara, algo que sería vital para la ejecución del Plan Hatuey. Ese no era el único motivo para haber tomado la torre, pero sí uno de los más importantes.

—Afirmativo, Barbarroja —le respondieron desde La Habana—. Aquí Moncada Uno. ¿Todo en orden?

—Correcto. Adelante con el Plan Hatuey. Repito, Moncada Uno, adelante. Cielo despejado. Repito: cielo despejado.

—Entendido, Barbarroja. Cambio y corto —se escuchó antes de que el radiofonista del MININT cortase la comunicación.

El agente del Ministerio del Interior se echó entonces para atrás en el sillón.

—Como ya les dije, sigan con sus tareas como si no sucediera nada y preocúpense tan sólo de la seguridad de sus aviones en el aire —dijo a los controladores, que, a pesar de no entender nada de lo que estaba sucediendo allí, decidieron cumplir con disciplina las órdenes que les estaban dando. La razón era doble: tanto por su deseo de salvar sus vidas como para evitar que los aparatos que se acercaban al aeropuerto acabaran estrellándose ante la falta de instrucciones.

—¿Y ahora? —preguntó otro miembro del MININT a Héctor.

—Ahora a esperar un rato a que nos vuelvan a llamar por radio y, después, para casa —le dijo sonriendo.

Héctor Lara se alegró de no haber perdido ningún hombre durante el operativo, pero el éxito del mismo no le sorprendió. El motivo era que muchos de quienes participaban en esa misión habían sido entrenados en un centro militar cubano llamado Escuela Varacoa, situado en Los Palacios, provincia de Pinar del Río.

A ese centro de entrenamiento sólo acudía la verdadera crema y nata de los cuerpos de operaciones especiales de la isla. Los instructores eran oficiales del Ejército vietnamita y la especialidad que se enseñaba allí era, precisamente, la de operativos de infiltración y ataques relámpago contra objetivos en territorio enemigo. Algo en lo que Vietnam, sin duda, tenía mucha experiencia.

El centro seleccionaba con mucho cuidado a quienes acudían a sus cursos y el general Hernández se había encargado personalmente de que una gran parte de los operativos que estaban tomando parte en el Plan Hatuey fueran militares galardonados con los más altos honores de esa academia.

En ese momento, Héctor Lara observó cómo tres helicópteros MI-24 HIND estaban aterrizando justo delante del edificio. Inmediatamente después, noventa soldados del MININT se esparcieron por los alrededores de la torre de control para fortalecer la seguridad del perímetro establecido por el agente Barbarroja.

Más tarde, los MI-24 apagaron sus motores, pero, al mismo tiempo, prepararon sus ametralladoras pesadas para defender cualquier intento de la policía por detener la operación.

71. EL GRU

MUCHA GENTE PENSABA que, tras la caída de la Unión Soviética, las fuerzas rusas se habían retirado por completo de Cuba. Sin embargo, Rusia seguía manteniendo en ese país a los miembros de su poderosa inteligencia militar: el llamado GRU. Uno de los cuerpos más prestigiosos del Ejército ruso. A pesar de que a Rusia no le sobraba el dinero, el Kremlin había decidido conservar su red de espionaje en la isla. Uno de los motivos era que espiar a los Estados Unidos nunca dejaría de ser una prioridad para Moscú.

Los militares del GRU operaban desde la embajada rusa en La Habana. Allí disponían de un enorme recinto con sofisticados equipos electrónicos, que incluían radares, radios, todo tipo de computadoras y aparatos de vigilancia por satélite. Tanta actividad había obligado a instalar innumerables antenas en el tejado de la delegación diplomática. En un intento por disimular su presencia, las autoridades rusas construyeron varias paredes a su alrededor. Sin embargo, la presencia del GRU era algo de sobras conocido por las autoridades revolucionarias.

Por otra parte, los rusos aún tenían agentes infiltrados en casi todas las ramas del Estado cubano. Tantas décadas de estrecha relación entre Moscú y La Habana no podían desaparecer de la noche a la mañana. Muchos militares de la isla incluso seguían cobrando cheques del GRU por detallarles todo lo que ocurría dentro de los más altos círculos del poder. Algunos de esos cheques eran después reembolsados con generosidad por Washington al Kremlin para que Rusia les mantuviera constantemente informados de los planes del Ejército de La Habana.

A las dos y cinco de la madrugada, uno de los operadores de radar descolgó el teléfono y marcó el número de su supervisor inmediato.

—Capitán Golovko —dijo—. Aquí el sargento Ivanov. Estoy observando una intensa actividad aérea en varios aeropuertos militares cubanos. Totalmente fuera de lo normal.

El silencio inicial del oficial ruso pareció indicar que estaba intentando recordar algo.

—¿No había unos ejercicios preparados para esta noche? —preguntó después el capitán del GRU.

—Sí, mi capitán, pero creo que esto sobrepasa con creces cualquier maniobra que hayamos visto hasta hoy.

—¿Qué tipos de aviones, Ivanov?

—MIGs-21, MIGs-23 y MIGs-29.

—¿También MIGs-29?

—Afirmativo.

—¿Cuántos?

—Mi capitán, si no me equivoco, todos los que tienen en perfecto estado: veinticuatro.

—¿Cómo? —se sorprendió Golovko.

—Pero ahí no acaba la cosa —continuó el sargento—. Uno de mis contactos en la base de Varadero asegura haber visto esta noche un cazabombardero Sukhoi 27 Flanker sobre la pista de aterrizaje.

—Eso es imposible. Cuba no tiene esos aparatos.

—No que nosotros sepamos, mi capitán —matizó Ivanov.

Golovko conocía muy bien las sofisticadas cualidades de combate del SU-27.

—Esos aviones son incluso mejores que los MIGs-29.

—En efecto. Eso es precisamente lo que más me inquieta.

El sargento Ivanov esperaba con ansia cualquier reacción por parte del oficial.

—Sargento, ¿qué tan fiable es su informante? ¿Podría estar equivocado?

—Sí, claro. No es ningún especialista en ese tema, pero, mi capitán, lo raro es también que las órdenes de movilización procedentes del MININT han sido codificadas de forma especial y me parece que ni siquiera el Ejército cubano sabe muy bien qué está ocurriendo. Todo sucede demasiado rápido. Ya sé que esto suena ridículo, pero es como si los aviones estuvieran actuando a escondidas.

—Qué extraño —susurró Golovko.

—Además, mi capitán, hay otras cosas que no sé si debería comentarle, pero que, unidas a todo esto, la verdad, me asustan un poco.

—¿Por qué dice que no sabe si comentármelas o no? —pareció no comprender Golovko.

—Verá, como le dije, todo está ocurriendo muy deprisa. En los últimos minutos. Eso hace que la información sea muy limitada y, quizás, imprecisa. No me gustaría especular hasta que tenga pruebas fiables.

—¿A qué se refiere? Dígamelo de una vez... —dijo impaciente el capitán.

—Verá... aparte de todos los aviones que están utilizando, hay otros datos que veo en mis instrumentos que también me preocupan. Como le dije, no sé si son ciertos... ni siquiera si tienen algo que ver con todo esto, pero, para empezar, he recogido las señales de algo que parecen explosiones en la costa norte de Cuba. Además, justo antes de esos estallidos —prosiguió el sargento ruso—, el radar indicó la presencia de dos aviones en el área procedentes del sur de la Florida.

—¿Un bombardeo? ¿Quiere decir que esos aviones bombardearon Cuba?

—No sé exactamente qué ocurrió, pero sí sé que algo hizo explosión. Quizás no fue una bomba, pero algo estalló. Y no una sola detonación, sino varias.

—¿Eran cazas de guerra?

—Por su tamaño y velocidad, sólo pueden ser aparatos militares.

—¿Cubanos?

—No creo. No detecté ninguna señal electrónica que los identificara como aparatos de la FAR. Pero a eso, mi capitán —dijo Ivanov cada vez más nervioso—, hay que añadirle que perdí la señal en el radar de un avión de Cubana que venía hacia la isla procedente de Canadá.

El oficial del GRU pareció perder momentáneamente la respiración al escuchar toda aquella catarata de preguntas sin respuesta.

—¿Qué significa eso?

—No sé... —titubeó el sargento una vez más—. Es como si, de repente, hubiera desaparecido... como si hubiese estallado por los aires...

—¿Estallado por los aires? ¡Pero Ivanov...! —subió el capitán su tono de voz.

—Bueno —se apresuró a decir el sargento, muy inquieto—, por el momento, he llamado a los técnicos de la embajada para que vengan a revisar la pantalla del radar. ¡Está como loca! No para de mostrarme señales casi imposibles de creer. Es probable que tenga algún problema y que no esté funcionando bien. De hecho, eso es seguramente lo que está ocurriendo... —añadió Ivanov intentando no sonar como un alarmista.

—...pero... ¿se puede saber por qué no me ha avisado antes de todo esto? —preguntó furioso el oficial.

—Mi capitán, como le dije, todo ha ocurrido en los últimos minutos. Justo antes de que le telefoneara... en realidad no sé muy bien qué está ocurriendo... no quería molestarle innecesariamente...—se atropelló con las palabras.

El militar ruso procuró no perder la calma.

—¿Ha visto en el pasado ese tipo de errores en las pantallas de sus radares, Ivanov?

—Sí, pero muy raramente y la verdad es que nunca tantos al mismo tiempo.

—¿Ha llamado al aeropuerto José Martí para averiguar qué ocurrió con el avión de Cubana?

—No. Estoy esperando a los técnicos. Me gustaría que revisaran mi pantalla antes de dar cualquier voz de alarma en un tema tan delicado como este. Es sólo cuestión de algunos momentos.

Golovko comenzó a comprender muy bien la preocupación del sargento.

—Usted ya tiene varios años de experiencia monitoreando a los cubanos. ¿Qué opina de todo esto? —preguntó el oficial.

—No me gusta. No me gusta nada. Tengo un mal presentimiento —afirmó enseguida Ivanov—. Esta no es la forma en la que la FAR opera habitualmente. Ellos son muy organizados y todo el personal que participa en una maniobra siempre está informado al detalle de lo que ocurre durante la misma.

—¿Y en esta ocasión?

—Ahora parece que estemos ante un grupo de anarquistas que operan fuera de todo parámetro establecido. Por otro lado, tenemos demasiada información en nuestras manos que resulta más bien inquietante. Ojalá que no sea nada, pero... no sé... —titubeó nerviosamente— ...quizás deberíamos avisar de inmediato a las autoridades cubanas y asegurarnos de que saben todo lo que está sucediendo.

—Muy bien. Siga observando lo que ocurre y avíseme de cualquier novedad, por pequeña que sea. Gracias.

El capitán, tras colgar con el sargento Ivanov, marcó el número de su contacto en el Alto Estado Mayor cubano. Ese era el paso que, según su protocolo de seguridad, tenía que seguir en una circunstancia similar.

—Si esto no se aclara pronto, la siguiente llamada será para Moscú. Que ellos llamen después a quien tengan que llamar en Washington —pensó el capitán.

El general del MININT Pedro Mesa llegó a la sede de su ministerio en la Plaza de la Revolución apenas treinta minutos después de haber recibido la llamada telefónica de la embajada rusa. El aviso de los rusos había logrado intranquilizar seriamente a varios de los máximos líderes del país y Mesa tenía la tarea de hablar en persona con Hernández para averiguar qué estaba sucediendo. A pesar de la intempestiva hora de la madrugada, ya eran muchos los teléfonos que comenzaban a sonar dentro del Alto Estado Mayor cubano.

Mesa fue directamente a la llamada «sala de guerra» del Ministerio del Interior. El militar sabía que ese había sido el lugar elegido por el general Hernández como centro de mando durante el ejercicio aéreo que debía ser activado aquella misma noche.

Todo parecía tranquilo en el MININT. Sin embargo, después de conversar con el capitán Golovko, Pedro Mesa no pudo borrar de su mente el hecho de que el viceprimer ministro del Interior y jefe del aparato de inteligencia de la isla había estado prácticamente encerrado en esa misma sala durante las últimas semanas para repasar los planes de contingencia del Plan Hatuey. Una escalofriante sensación de creciente nerviosismo comenzó a recorrer por todo el cuerpo del general.

Cuando Mesa abrió la puerta de la sala de guerra, vio que estaba vacía. No había nada. Ni un documento, ni un mapa, ni una computadora, ni un solo oficial supervisando la maniobra. El general quedó paralizado y tuvieron que transcurrir varios segundos hasta que, por fin, pudo recuperar cierto control sobre sus pensamientos. El militar no tuvo que reflexionar durante demasiado tiempo para deducir que, definitivamente, algo malo, muy malo, estaba ocurriendo en Cuba aquella noche.

—Que venga el oficial del cuerpo de guardia —dijo categóricamente a su escolta—. ¡Rápido!

Al cabo de un par de minutos, el oficial se postró frente a su superior.

—¿Dónde está Hernández? ¿Dónde está el personal encargado de ejecutar el ejercicio aéreo de hoy?

—Mi general —respondió el teniente—. El general Hernández decidió cambiar el puesto de mando para esta operación a última hora de la tarde de ayer.

—¿Cómo?

—Dijo que era parte del operativo. Nos ordenó que limpiáramos todo en la sala y él, junto a un reducido grupo de oficiales, se llevó los planos, las radios y las computadoras.

Pedro Mesa no podía creer lo que estaba escuchando.

—¿Adónde fue? ¿Dónde están? —preguntó furioso.

—No lo sé, mi general. No dijo nada más.

—¿Cómo es posible que se haya llevado todo sin que nadie se enterara?

—Mi general, sí nos enteramos. Como ya le dije, nos ordenó limpiar todo y se fue con el material diciendo que tenía que concluir el operativo desde otro lugar. Según él, eso era parte del plan. Nos dijo que se trataba de comprobar nuestra capacidad para ejecutar el ejercicio desde un puesto de control móvil. El general repitió que, en caso de guerra, uno de los primeros objetivos del enemigo sería destruir el edificio del MININT y que teníamos que acostumbrarnos a dirigir operaciones desde distintos lugares.

El asombro de Pedro Mesa crecía por segundos.

—¿Y por qué le dejaron salir de aquí?

—No le entiendo, mi general... ¿Es que ha ocurrido algo malo?

—¿Quién demonios autorizó que pudiera sacar todo ese material del MININT? —dijo Mesa perdiendo ya las formas.

—Mi general, él mismo se autorizó. Es nuestro jefe. Él es la persona a quien nosotros llamaríamos para que autorizase algo semejante. Además, ya era tarde y no quedaba ningún otro alto jefe militar en el MININT. Sólo el cuerpo de guardia.

—¡Pero qué es esto! —gritó Mesa—. ¡Teniente! ¡Teniente! ¿Quién se creyó esa estupidez? ¿Pero es que no sabe usted que también hay que avisar a otras personas si se producen cambios tan sospechosos como ese?

El oficial ya no sabía qué decir ante la furia de su superior.

—Mi general, el general Hernández es el jefe máximo del MININT y el viceprimer ministro del Interior de Cuba. Con todo el respeto, ¿a quién se supone que iba a llamar el cuerpo de guardia? ¿Cómo íbamos a cuestionar la autoridad del militar de más alto rango en este edificio?

Pedro Mesa se dio cuenta que estaba perdiendo el tiempo. Había llegado demasiado tarde y discutir con aquel teniente ya no solucionaría nada. Claramente, se encontraba ante una profunda grieta en el sistema de seguridad que vigilaba las operaciones de la FAR.

—Teniente, den la señal de alarma. Llamen al Alto Estado Mayor y díganles que convoquen una reunión de urgencia. Sellen el edificio del MININT. Que nadie entre o salga sin mi autorización. Envíen una orden de captura de máxima prioridad contra el general Hernández. Hay que averiguar exactamente qué está pasando aquí.

El general Hernández estaba dentro de un camión del Ejército cubano en las faldas de la Sierra Maestra. Se trataba de un vehículo especialmente diseñado para poder comunicarse con todo el aparato de la seguridad del Estado de Cuba, tanto en la isla como en el extranjero.

Ese era el modelo de camión que siempre acompañaba a los máximos líderes revolucionarios en todos sus desplazamientos a través del país. En caso de algún ataque militar inesperado o grave crisis política, los funcionarios podrían dirigir desde ahí cualquier tipo de operativo como si estuvieran en la misma Habana.

El vehículo circulaba despacio y por carreteras de tierra procurando pasar desapercibido. En él, aparte de Hernández, sólo había un conductor y un escolta. Ambos soldados permanecían en la parte delantera del camión mientras que el general se había encerrado en la central de comunicaciones instalada en la zona de carga del transporte militar.

Las órdenes de los soldados eran circular de un lado para otro y evitar cualquier tipo de contacto con otras personas que pudieran delatar su presencia allí. Hernández, por otra parte, había inutilizado las radios portátiles a los militares que le acompañaban, de forma que no pudieran ser alertados sobre lo que estaba ocurriendo.

El general ya no necesitaba a nadie más en La Habana para culminar la misión. Había preparado durante años un sistema que ahora le permitiría actuar solo en la fase final del operativo. Frente a él tenía todo lo necesario para ejecutar los pasos restantes del Plan Hatuey: radios, computadoras y todos los códigos necesarios de la FAR para confundir o dilatar cualquier intento del MININT por neutralizar la operación.

Por otra parte, los comandos del Cuerpo de Tropas Especiales del Ministerio del Interior ya estaban en Florida con sus helicópteros sin que nadie en el Alto Estado Mayor hubiera sospechado jamás que su verdadero destino aquella noche era Miami y no una maniobra más en la sierra del Escambray, tal y como se había informado inicialmente.

Hernández, tras decir a los oficiales involucrados en poner al día el Plan Hatuey que su labor había finalizado, partió de La Habana en helicóptero. Después, se encontró con el camión y ordenó a los soldados que dirigieran el vehículo hacia una zona montañosa para dificultar al máximo su localización.

Cualquier radar podría rastrear la procedencia electrónica de las órdenes de Hernández y, acto seguido, ubicar su posición geográfica exacta en un margen de tiempo bastante corto. Sin embargo, el general sólo necesitaba de aproximadamente una hora más para concluir toda la misión. Algo que, en la práctica, convertía al Plan Hatuey en un operativo imparable.

El viceprimer ministro del Interior, desde aquel camión repleto de antenas, controlaba completamente el llamado Teatro de Operaciones del plan gracias a sus conexiones con los sistemas de radar distribuidos por toda Cuba.

El radar inicialmente utilizado por el general fue el de la base militar de San Antonio de los Baños. Este, a su vez, controlaba las operaciones de otros cuya función era complementar al principal, como los de la base de San Julián, al sur de Pinar del Río, el de las Lomas del Limonar, ubicado en la carretera de Matanzas, el de Mariel, el de bahía Honda y el que estaba instalado en la azotea del edificio FOCSA de La Habana.

Todos esos sistemas siempre permanecían conectados a un mando central que, en aquella ocasión, era el camión del general del MININT. No obstante, ese centro de comunicaciones, al igual que los radares, sólo podía dirigir a los aviones cubanos hasta una distancia de unos veinticinco kilómetros fuera de la isla. El motivo era que todos los radares procedían de la antigua Unión Soviética y habían sido construidos con tecnología muy anticuada. Para ser concretos, Cuba los importó en el año 1977 y, debido a la falta de presupuesto, nunca fueron reemplazados por otros más modernos.

—Atención a todos los pilotos restantes, despegue inmediato —dijo Hernández por radio a los aviadores que esperaban en las pistas de despegue—. Despegue inmediato.

Tras la orden, varias decenas de MIGs comenzaron a surcar el cielo cubano con destino aún desconocido.

—Atención a todos los pilotos... atención a todos los pilotos... —prosiguió Hernández—. Introduzcan en sus computadoras de vuelo las siguientes claves... introduzcan en sus computadoras de vuelo las siguientes claves... Alfa Gama Charlie Beta 23 45... Alfa Gama Charlie Beta 23 45...

El general dio algunos segundos de tiempo para que los pilotos cubanos pudieran teclear las claves.

—Atención, ahora tienen ustedes frente a sus pantallas las coordenadas de sus objetivos, el armamento a utilizar para destruirlos y el plan de vuelo a seguir. Si hay alguna duda, por favor, comuníquense con el mando central... Si hay alguna duda, por favor, comuníquense con el mando central... —repitió.

Ningún piloto hizo preguntas, ya que las instrucciones estaban perfectamente detalladas en sus computadoras. Al no oír nada, Hernández abrió de nuevo el micrófono.

—¡Buena suerte! ¡Viva la revolución! —gritó antes de finalizar la comunicación.

El militar sabía que, con tan poco tiempo, La Habana nunca lograría detener el ataque. El factor sorpresa había sido total.

Tras verificar el despegue de todos los aparatos, el general Hernández se comunicó por radio con el piloto del SU-27.

—Atención SU-27... Atención SU-27... ¿me copia? Aquí el general Carlos Hernández.

Ese cazabombardero, especialmente traído desde la

antigua república soviética de Azerbayán gracias a otra operación encubierta de la Dirección General de la Inteligencia
cubana, apenas había llegado a la isla hacía unas horas.

La Habana no disponía de más cazas SU-27 en su arsenal, pero sí tenía varios aviadores plenamente capacitados
para pilotarlo. Militares muy familiarizados con ese aparato
debido a los cursillos que habían realizado en distintas escuelas de aviación del antiguo Ejército Rojo.

El avión de transporte que los agentes del MININT
utilizaron para llevar al SU-27 hasta Cuba, un AN 22-CUB de
fabricación rusa, todavía estaba estacionado en uno de los
hangares de la base de Varadero. Sus cuatro motores de hélice
modelo Ivchyenko AL-20 K eran capaces de levantar sesenta
toneladas de peso. Una fuerza más que suficiente para transportar al SU-27, que pesaba veintitrés mil kilos.

—Atención SU-27... Atención SU-27... ¿me copia? Aquí
el general Carlos Hernández...

—Adelante —respondió el piloto, que transportaba diez
toneladas de bombas bajo las alas de su cazabombardero.

—Si no me equivoco su nombre es Roberto Hidalgo.
¿Correcto?

—Correcto, mi general.

—Roberto, sé que es usted uno de nuestros mejores
aviadores.

—Gracias, mi general.

—Tenga por seguro que, si cumple su objetivo, le recompensaremos con un ascenso automático en la FAR... Roberto, yo sé muy bien cómo premiar a los revolucionarios que
son leales a nuestra lucha.

—A sus órdenes, mi general —afirmó parcamente el piloto.

—Piense en su mujer, Carmen, y en su hija Sonia. Eso le
ayudará a motivarse para regresar no sólo con éxito, sino también sano y salvo de este operativo —dijo Hernández recordando a Roberto Hidalgo que tenía dos poderosas razones
para no desertar con el avión que se convertiría en la pieza
vital de aquella misión.

El general había decidido sorprender al piloto diciéndole los nombres de su mujer e hija para dejarle claro que el control sobre su familia era más estrecho que nunca.

—Por supuesto, mi general. Yo nunca sería capaz de defraudar, de traicionar, ni a mi país ni a mi familia. Siempre hago lo mejor para ellos —respondió Hidalgo con frialdad mientras ya debatía internamente sobre si regresar o no a Cuba.

72. MANIOBRAS DE DISTRACCIÓN Y OBJETIVOS REALES

EL GRUPO DE ATAQUE estaba integrado por seis escuadrones. Los tres primeros tenían un claro fin de distracción, mientras que los tres últimos eran los que ejecutarían la parte letal del plan. Para los fines de distracción, el general Hernández había asignado a sus aviones menos sofisticados. Es decir, los MIGs-23 y los MIGs-21. Sin embargo, las tres escuadrillas restantes incluían lo mejor del arsenal de combate aéreo de Cuba: los MIGs-29 Fulcrum y, por supuesto, su más reciente adquisición, el SU-27.

Las escuadrillas encargadas de realizar el ataque final salieron de Varadero y de San Antonio de los Baños. Los restantes escuadrones, de las bases de las Villas, Santa Clara y, por último, de la de Olguín. Los MIGs-29 fueron ubicados en las bases más cercanas a Miami. De no haber despegado desde allí, su misión se habría alargado peligrosamente. En concreto, seis o siete minutos más de vuelo.

Todos los aparatos comenzaron a volar a ras de tierra y, después, a tan sólo algunos metros sobre la superficie marítima.

El primer escuadrón, procedente de Olguín y con dieciséis aparatos, fue hacia la base naval de los Estados Unidos en la ciudad de Jacksonville, al norte de Florida. El segundo, con el mismo número de aviones y saliendo de Las Villas, se dirigió hacia el destacamento militar de McDill, en Tampa, ciudad situada aproximadamente a mitad de camino entre Miami y Jacksonville. La tercera escuadrilla tenía la misión de acompañar y proteger a la segunda en su aproximación a Tampa. Tanto Jacksonville como Tampa, al igual que la base de Homestead, estaban dotadas de aparatos destinados específicamente a la vigilancia de Cuba.

Las tres escuadrillas restantes, integradas cada una por ocho cazabombarderos MIGs-29 que volaban a la velocidad del sonido, iban en dirección a la base aérea de Boca Chica, la de Homestead y, por último, hacia el aeropuerto internacional de Miami.

Por otra parte, el general Hernández había dejado abierta la opción de enviar algunos de esos MIGs a atacar la base aérea de Eglin, también ubicada en la Florida. El motivo era que esa base tenía gran cantidad de modernos aparatos de guerra electrónica que podrían dificultar enormemente la labor de Héctor Lara en el aeropuerto de Miami. Además, Eglin disponía de varios aviones EA-6B Prowler especializados en interceptación electrónica e inutilización de comunicaciones enemigas. Toda esa zona estaba defendida sobre todo por cazas F-15.

La última fase del Plan Hatuey estaba a tan sólo minutos de materializarse completamente.

73. OPERACIÓN «MANOS AMIGAS»

EL TENIENTE DEL GRU Dimitri Vostok, estacionado en la embajada rusa en La Habana, había escuchado atentamente la conversación entre el sargento Ivanov y el capitán Golovko. Su departamento, el de Seguridad Interna, era el encargado de monitorear todas las llamadas telefónicas que se producían dentro del recinto.

Vostok, junto a un reducido número de militares, tenía informes altamente confidenciales procedentes del Kremlin respecto al Plan Hatuey. De hecho, una de las principales misiones de ese grupo de agentes era avisar de inmediato a Moscú si detectaban cualquier operación sospechosa por parte de los aviones de guerra cubanos, especialmente los MIGs-29.

El GRU sólo había proporcionado esos datos a sus soldados de mayor confianza en la base. El objetivo era evitar que esa información se filtrara a demasiadas personas y que, de alguna manera, acabara en poder de la FAR. De igual forma que el GRU tenía agentes infiltrados entre las filas del Ejército cubano, era muy probable que La Habana también tuviera espías dentro del servicio de inteligencia militar ruso destacado en la embajada. Moscú no quería que Cuba ni siquiera llegara a sospechar que una de las prioridades del GRU en la isla era observar estrechamente cualquier movimiento inusual por parte de los cazas de combate de La Habana.

Dimitri Vostok, al ver los numerosos despegues, no dudó en dar la voz de alarma. Una acción que desencadenó automáticamente un plan ideado por las Fuerzas Armadas rusas en cooperación con Washington para neutralizar el corredor aéreo entre Cuba y la zona de Miami.

Los expertos del GRU habían calculado durante meses todas las posibles rutas que los aparatos de guerra de la FAR tendrían que utilizar para llegar hasta la central nuclear de Turkey Point en el menor tiempo posible. Justo en esos puntos, el Kremlin situó tres barcos de bandera rusa que siempre navegaban dentro de un perímetro que les permitía detectar cualquier incursión aérea cubana hacia el sur de la Florida.

En apariencia, esas naves, dos pesqueros y un carguero, eran simples buques comerciales, pero, en realidad, su misión era muy distinta.

El Ministerio de Defensa ruso había añadido varios grupos de soldados a las tripulaciones de los barcos. Militares especializados que, operando de forma encubierta, mantenían siempre a punto un sistema de defensa antiaéreo cuyo objetivo era poder derribar aviones hostiles que se acercasen desde Cuba. Dada la lógica escasez de espacio en las embarcaciones, el dispositivo era de una envergadura limitada. Sin embargo, había sido ideado para dar el máximo resultado posible contra cualquier fugaz e inesperado ataque por parte de cazas que volaran a muy baja altura.

Los buques pesqueros eran el General Diudayev, una nave procesadora y de exploración geológica de la clase Pulkovskiy Meridian, y el Turgonov, de la clase Mayakovskiy. El mercante era el Tovronezh, con capacidad para transportar más de dos mil toneladas de carga y que estaba dotado de tres grandes grúas para poder subir y bajar del buque las distintas mercancías de los muelles que visitaba.

Todos estos barcos habían sido construidos para desarrollar actividades comerciales legítimas. No obstante, ahora tenían instaladas de forma temporal varias rampas de misiles y numerosas ametralladoras pesadas sobre sus cubiertas.

En algunos casos, los artilleros accedían al armamento a través de diversos sistemas hidráulicos. En otros, simplemente destapando las pesadas lonas que los ocultaban. Los soldados, alrededor de una docena por barco, tenían órdenes de mezclarse entre los marineros y ayudarles en sus labores diarias de pesca o de carga y descarga para pasar completamente desapercibidos.

Moscú, debido a la crisis originada por el Plan Hatuey, informaba con puntualidad a Washington de todos los movimientos de esos tres barcos. Esa inusual cooperación entre ambos países hizo que el operativo conjunto acabara llamándose Manos Amigas. Un operativo que tanto la Casa Blanca como el Kremlin decidieron mantener en funcionamiento hasta que se produjera algún cambio político en la isla que eliminase las tensiones entre los Estados Unidos y Cuba.

La Administración norteamericana, ante la falta de fondos en Rusia, había accedido a pagar una buena parte del despliegue y lo calificó como de alto secreto. Tanto Washington como Moscú coincidieron en que la mejor opción era que el proyecto fuera ejecutado por barcos rusos, ya que su presencia cerca de Cuba no despertaría sospechas por parte de La Habana. Además, los pesqueros, para dar una sensación de absoluta rutina, dedicaban la totalidad de sus jornadas a su trabajo habitual: es decir, pescar. Lo mismo ocurría con la nave mercante, que, desde hacía ya diez años, cubría diversas rutas interiores entre las islas Bahamas.

La llamada del teniente Dimitri Vostok hizo que la señal de alerta llegara con rapidez a los militares que estaban a bordo de los tres buques. Una potente sirena comenzó a sonar en cada nave y los soldados corrieron hacia sus distintas baterías antiaéreas. Los artilleros, siguiendo su habitual disciplina, alistaron su equipo y se ubicaron en sus posiciones de combate en cuestión de minutos.

Cada uno sabía perfectamente cuál era su cometido, de forma que activaron los radares de sus sistemas de misiles sin pérdida de tiempo. Sin embargo, esta vez, los militares dieron prioridad al contacto visual, ya que sospechaban que los aviones volarían demasiado bajo como para ser detectados electrónicamente.

En efecto, casi de inmediato, los soldados divisaron varios cazabombarderos en el horizonte. Los artilleros del mercante Tovronezh, tras comprobar que eran cubanos, enseguida dispararon cuatro misiles SAM-5 y SAM-8 contra la primera escuadrilla de MIGs-29 que apareció frente a ellos, que era la que se dirigía a la base de Boca Chica. Esos misiles tenían un alcance limitado, pero más que suficiente para aquella ocasión, ya que todos los aviones estaban muy cerca del buque y, además, volaban en formación. Muy cerca los unos de los otros. Los MIGs-29, sorprendidos por la súbita presencia de los misiles, apenas tuvieron tiempo para reaccionar. El resultado fue que dos de ellos fueron impactados con rapidez y cayeron después al mar envueltos en llamas.

Esos misiles, los Strela, o flechas, eran la versión de la Marina rusa de los famosos SAM-7 Grail que, debido a su pequeño tamaño, podían ser disparados desde el hombro de una persona. Un arma que, paradójicamente, había tenido una altísima eficacia en la guerra de Afganistán contra las tropas soviéticas.

Los SAM-7 eran portátiles y podían trasladarse de un lado a otro del barco, pero también estaban agrupados en pequeñas baterías de cuatro proyectiles cada una. El misil, con un alcance de cuatro kilómetros, buscaba el calor de los motores enemigos y volaba a casi dos veces la velocidad del sonido.

Los MIGs-29 podían haber atacado los buques, pero optaron por seguir adelante con sus planes iniciales. No podían perder tiempo ni desperdiciar municiones que sin duda después resultarían vitales para destruir los blancos prioritarios de su misión.

En ese mismo momento, los pesqueros General Diudayev y Turgonov también se encontraban en pleno combate contra las otras dos escuadrillas de MIGs-29. Estos dos buques, debido a su mayor envergadura, tenían más armas a bordo que el mercante Tovronezh, de forma que pudieron lanzar un número mucho más elevado de misiles.

Los militares rusos habían demostrado históricamente ser unos verdaderos especialistas en las tácticas de defensa antiaérea. Algo que ese día probaron una vez más.

Los artilleros del General Diudayev crearon una auténtica cortina de plomo frente a ellos para evitar el paso de cualquier avión. Para eso no sólo utilizaron misiles antiaéreos fijos tipo SAM-1, SAM-2 y SAM-3, sino también ametralladoras pesadas de enorme poder destructivo. En concreto, las del tipo ZSU de veintitrés milímetros que, esparcidas por los cuatro puntos del barco, comenzaron a enviar miles de proyectiles por minuto contra los MIGs.

El General Diudayev fue asistido desde el pesquero Turgonov con ametralladoras de fabricación checa y algunas piezas de artillería antiaérea. Las ametralladoras estaban montadas sobre una base de cuatro cañones y eran de una efectividad demoledora.

Una vez comenzó la batalla, aquella pequeña zona del Caribe pudo presenciar durante algunos minutos un espectáculo de gran intensidad bélica. Los misiles salían rabiosos de sus tubos dejando tras de sí una tupida estela de humo blanco mientras las balas trazadoras iluminaban el cielo ininterrumpidamente en busca de los cazabombarderos de la FAR.

El ruido de las detonaciones era ensordecedor y, además, se mezclaba con el poderoso rugido de los motores de los MIGs. Cuando se producía algún impacto, los aviones se convertían en enormes bolas de fuego que caían en picado hasta estrellarse contra el mar.

La segunda escuadrilla de MIGs-29, también con ocho aviones y que iba hacia el aeropuerto de Miami, cayó de lleno en la trampa tendida por los barcos rusos y perdió cinco aparatos en apenas algunos segundos. La tercera, con dirección a la Base Aérea de Homestead, pudo reaccionar a tiempo y escapó con tan sólo una baja. De los veinticuatro MIGs-29 que habían iniciado la operación, ya únicamente quedaban dieciséis.

La embajada rusa en Cuba no sólo había avisado de la presencia de los MIGs a los barcos rusos que participaban en la operación Manos Amigas, sino que también envió una señal de alerta a las Fuerzas Armadas de los Estados Unidos.

Además de emplear satélites para espiar las actividades de la FAR, el Pentágono usaba los radares de sus bases militares en Puerto Rico y en Guantánamo, esta última ubicada en pleno territorio cubano. Sin embargo, y debido a la amenaza concreta del Plan Hatuey, Washington acabó creando un operativo adicional de seguridad: el llamado Sistema Periférico de Defensa del Sur, que consistía en vigilar la isla desde el mar. Para ser exactos, el Departamento de Defensa siempre tenía una o dos fragatas o destructores estacionados a treinta millas de las costas de Cuba cuya única función era espiar electrónicamente las actividades de los aviones de La Habana.

El Pentágono, por otra parte, apoyaba la operación con vuelos bastante frecuentes de aviones AWAC. Esos aparatos eran auténticos radares móviles que observaban el espacio aéreo cubano desde el cielo. Cada uno de los AWAC costaba alrededor de cien millones de dólares y disponía de la última tecnología en el campo de la detección de cazas enemigos. Ese tipo de avión era incluso capaz de descubrir fuerzas hostiles a cientos de kilómetros de distancia de donde se encontrara.

El AWAC era un Boeing 707 reconvertido para uso militar y rebautizado como E-3A Sentry. El aparato tenía sobre el exterior de su fuselaje un enorme radar en forma de círculo y viajaba sin ningún tipo de armamento. Su tripulación era de cuatro personas en la cabina y un grupo de veinte especialistas que operaban los radares. Ese reactor podía volar durante más de once horas sin repostar combustible y si detectaba alguna acción enemiga contra suelo estadounidense pasaba a convertirse de forma automática en el Centro de Control de Operaciones de la misión. El cerebro encargado de dirigir y combinar todas las maniobras de defensa contra cualquier ataque.

—Comandante, no puedo verificar la información porque los aviones podrían estar volando a muy baja altura y quizás el radar no los esté detectando... pero sí es cierto que hay fuego antiaéreo en las coordenadas que nos envió el GRU —dijo uno de los operadores del AWAC a su supervisor.

El AWAC, que volaba a ochocientos kilómetros por hora y a una altura de veinticinco mil pies, estaba en aquellos momentos entre Puerto Rico y la República Dominicana, en el mar Caribe.

Los oficiales del GRU habían proporcionado a sus contactos en Washington los datos sobre los MIGs de manera inmediata. Sin embargo, la Fuerza Aérea norteamericana ya estaba siguiendo muy de cerca la actividad de la artillería antiaérea rusa cuando recibió la llamada.

—Avise enseguida al USS Buchanan y al USS Goldsborough —no titubeó el comandante—. Que activen urgentemente sus defensas antiaéreas. Póngalos en zafarrancho de combate y explíqueles con claridad que este no es ningún ejercicio.

—¿Contactamos con Guantánamo?

—Sí, que ellos hagan lo mismo.

Tanto el USS Buchanan como el USS Goldsborough eran destructores con capacidad para lanzar misiles contra aviones enemigos. Ambos eran aquel día parte del Sistema Periférico de Defensa del Sur y estaban situados a treinta y cinco millas al norte de Cuba.

Debido a los rápidos movimientos de los cazas de la FAR y la baja altitud a la que volaban, era muy improbable que cualquiera de los buques de guerra del Pentágono pudiera derribar algún MIG-29. No obstante, la realidad fue otra muy distinta.

En apenas segundos, tanto el Buchanan como el Golds-borough comenzaron a lanzar misiles de interceptación contra los cazas de La Habana. Eso fue posible gracias a un mecanismo automático instalado en los destructores que había detectado la presencia de aviones enemigos dirigiéndose hacia la Florida.

Los radares de esos barcos tenían la capacidad para distinguir si los bombarderos eran estadounidenses o no, ya que una pequeña señal electrónica procedente de los aviones norteamericanos los identificaba de forma instantánea como amigos ante sus propios radares. Al no aparecer esa noche la señal, sólo hubo una interpretación posible: los cazas que iban hacia Miami tenían intenciones hostiles y, por lo tanto, debían ser derribados. El protocolo de combate elaborado tras los ataques del once de septiembre lo indicaba claramente.

Los MIGs fueron finalmente descubiertos por los radares del Pentágono debido a las improvisadas maniobras que tuvieron que realizar para evadir el fuego antiaéreo de los buques rusos. Al subir los cazas su altitud, sus fuselajes aparecieron señalados en un par de ocasiones en las pantallas de los radares militares estadounidenses. Tras ser identificados como aviones enemigos, los sistemas electrónicos de defensa instalados en los barcos activaron de inmediato las rampas lanzadoras de misiles sin la necesidad de la intervención de ningún artillero. Un método de la Fuerza Aérea ideado exactamente para ocasiones como esa, de escaso o nulo tiempo disponible para reaccionar ante un ataque inesperado.

De un total de quince misiles disparados, tres hicieron impacto contra los MIGs-29. La base de Guantánamo, a pesar de haber lanzado varios proyectiles, no alcanzó ningún blanco. Sin embargo, otro buque de guerra del Pentágono que pasaba casualmente por la zona, el crucero USS Princeton, también disparó ocho misiles, uno de los cuales impactó contra su objetivo. Esa nave disponía de uno los sistemas de detección contra incursiones aéreas hostiles más modernos en toda la flota estadounidense.

Los barcos y el AWAC enviaron rápidamente a las bases militares de la Florida una señal de alarma roja con el objetivo de que sus F-15 y sus F-16 salieran a interceptar a los aviones cubanos.

De un total de veinticuatro MIGs-29 que iniciaron el Plan Hatuey, doce ya habían sido derribados. La mitad. No obstante, otros doce parecían continuar imparables su camino hacia la central nuclear.

74. GUERRA ELECTRÓNICA

EL GENERAL HERNÁNDEZ seguía con extrema atención todos los pormenores del Plan Hatuey a través de las radios que le conectaban con sus cazas de combate. Entre tanto, los soldados que transportaban al jefe del MININT seguían conduciendo el camión militar por la Sierra Maestra completamente ajenos al drama que se estaba desarrollando al sur de la Florida.

El vehículo, en aquellos momentos, se encontraba entre Bayamo y Cabo Cruz, en el sureste del país y no demasiado lejos de Santiago de Cuba y de la base estadounidense de Guantánamo.

Esa zona estaba inundada de color verde. Las palmeras, las montañas, toda la vegetación, eran de un verde intenso, casi rabioso. La vida brotaba con furia de cada hoja, de cada tronco y de cada fruta haciendo que cada porción de terreno pareciera un verdadero cuadro; un cuadro de una hermosura exagerada y que lograba cautivar a cualquiera que tuviese la suerte y el privilegio de poder presenciarlo; una auténtica explosión visual que podía ser observada durante horas sin experimentar el más mínimo cansancio. Era como si la naturaleza hubiera perdido el control en Cuba y a esa parte del planeta le hubiese tocado una parte absolutamente desproporcional de vida, alegría y belleza.

El camión del MININT, debido a la temprana hora de la madrugada, apenas se cruzó con algunas personas y un par de camionetas que iban hacia diferentes granjas del área.

Las casas que se veían eran muy modestas. A pesar de

eso, muchas lucían amplios porches de entrada decorados con elegantes columnas. Ya fueran de cemento o bien de madera, la inmensa mayoría de las viviendas eran de una sola planta y habían sido construidas con tejados de ladrillo. Sin embargo, en los caminos menos transitados, las casas tenían rudimentarios techos de paja y, a veces, estaban hechas con tan sólo finas planchas metálicas.

La Sierra Maestra era de vegetación muy tupida y algunos de sus picos llegaban casi a los dos mil metros de altura. Las palmeras aparecían por todas partes, pero su número iba disminuyendo a medida que el camión subía de altitud. En esa histórica parte de Cuba había innumerables lugares para esconderse, algo que Hernández sabía perfectamente y estaba aprovechando muy bien en aquella ocasión. Fue en esas mismas montañas donde el cubano había iniciado la lucha revolucionaria junto a Fidel Castro.

Mientras el general ejecutaba los últimos pasos del Plan Hatuey, el nerviosismo ya se había apoderado plenamente de todo el Estado Mayor cubano. A esa misma hora, los máximos líderes militares y de la revolución estaban buscando de forma desesperada a Hernández por toda la isla. Sin embargo, el viceprimer ministro del Interior respiraba tranquilo, consciente de que el tiempo corría a su favor.

Carlos Hernández ya sabía que doce de sus MIGs-29 se habían estrellado contra el mar Caribe, pero eso no pareció inquietarle demasiado.

—Hasta ahora han logrado pasar la mitad. Todo según lo previsto —pensó con calma.

En realidad, los planes iniciales contemplaban la posibilidad de que en la primera fase de la operación se hubieran derribado incluso más aviones cubanos, de manera que, hasta el momento, el Plan Hatuey podía considerarse todo un éxito. Según los cálculos de Hernández, los MIGs-29 restantes, junto al SU-27, serían más que suficientes para concluir el operativo y destrozar sus blancos finales.

Tras iniciarse el ataque, el Pentágono dio su siguiente paso. Se trataba de activar lo que el Departamento de Defensa denominaba como guerra electrónica. Los barcos de la Marina estadounidense, junto a las modernas bases de Guantánamo y Puerto Rico, comenzaron entonces a emitir todo tipo de interferencias electrónicas hacia territorio cubano.

Washington, consciente de que el Plan Hatuey indicaba con claridad que los pilotos de la FAR despegarían de Cuba sin conocer sus objetivos finales, quería cortar todas las comunicaciones entre La Habana y sus aviadores. Aislar la cadena de mando para impedir que esta pudiera seguir enviando nuevas órdenes a sus MIGs. En otras palabras, era como vendar los ojos a los pilotos para que no supieran qué decisiones tomar ante determinadas circunstancias.

Esa guerra electrónica sólo fue dirigida hacia Cuba y nunca abarcó suelo norteamericano. La razón era que el Pentágono no quería confundir a sus propios aviones con fuertes interferencias. Incomunicar electrónicamente a la isla era, hasta cierto punto, una tarea fácil y rápida dado que los dispositivos tecnológicos estadounidenses estaban preparados para esa misión desde hacía mucho tiempo. No obstante, neutralizar las comunicaciones de los MIGs que ya estuvieran sobre los cielos de la Florida sin afectar a las de sus propios F-15, F-16 y F-18 era una labor mucho más arriesgada.

El papel de Héctor Lara era vital. Si los aviadores cubanos ya no podían recibir las órdenes directamente de Cuba, entonces sería él, desde Miami, quien se las daría por radio. Una tarea que sólo podía llevarse a cabo tras haber tomado un centro de comunicaciones tan moderno como el de la torre de control del aeropuerto de esa ciudad.

Las órdenes para los cazas de la FAR tenían que transmitirse a través de sofisticados canales de radio y diversos códigos secretos. Si Héctor fallaba en su cometido, los aviadores, aislados de sus jefes en Cuba, no sabrían qué hacer ni qué objetivos bombardear, así que acabarían optando por abortar el operativo y regresar a sus bases, frustrando así el Plan Hatuey.

El sistema de guerra electrónica era muy sencillo. Al detectar los radares estadounidenses a los MIGs en una posición hostil, las interferencias se disparaban de forma automática. La tecnología cubana era muy anticuada y no podía competir con la norteamericana en ese aspecto.

El general Hernández, por otro lado, era consciente de que los altos mandos de La Habana alertarían al aeropuerto de Miami sobre la misión de Héctor. Sin embargo, el militar estaba convencido de que todo ocurriría tan rápido que esa voz de alarma nunca llegaría a tiempo. Hernández contaba con que el Estado Mayor cubano estuviera sumido en una gran confusión durante unos momentos críticos, algo que, inevitablemente, retrasaría la toma de decisiones. Además, sólo había otra persona en Cuba que conociera todos los detalles del plan: Fidel Castro. Solo él podría encajar todas las piezas del rompecabezas y determinar la importancia del aeropuerto en el éxito final del plan. El resto de los integrantes de la misión operaba en compartimentos estancos. Sólo Castro podría entender que la prioridad era avisar al aeropuerto de Miami y no distraerse en otras acciones que, a la postre, no serían capaces de detener el letal operativo. Y por todo eso, no fue ninguna casualidad que Carlos Hernández decidiera lanzar el ataque justo cuando Fidel Castro estaba de visita oficial en China. Localizar al líder cubano, explicarle lo que estaba sucediendo y recibir una orden suya, tardaría, como mínimo, una o dos horas. Una o dos horas contra los apenas nueve minutos que los MIGs-29 necesitaban para llegar hasta Miami.

Por otro lado, las autoridades de la ciudad habían decidido que militarizar el aeropuerto y mantenerlo en un constante estado de alerta durante semanas, meses o incluso años era un costo demasiado alto, en especial ante lo que muchos percibían como únicamente la remota posibilidad de un ataque.

De pronto, el operativo cobró aun más intensidad. Las señales de radio entre Hernández y los aviones de la FAR se cortaron por completo y la misión pasó entonces a ponerse enteramente en las manos de Héctor Lara.

75. LA BATALLA DE MIAMI

LA VOZ DE ALARMA llegó demasiado tarde a Homestead, sede del Ala de Combate número 482. Cuando los barcos de guerra del Pentágono avisaron de la incursión enemiga, hacía ya diez minutos que los cuerpos de operaciones especiales del MININT estaban infiltrándose sigilosamente en ese recinto militar.

Tras volar bajo desde Cuba y repostar combustible en la granja donde se habían ensamblado los Harriers, varios helicópteros cubanos MI-24 y MI-17 aterrizaron cerca del perímetro de la base aérea con un total de ciento ochenta soldados especialmente entrenados para misiones como aquella. Ninguna de las naves había sido detectada por los barcos rusos porque, a diferencia de los MIGs, los helicópteros no siguieron las rutas más cortas hasta la Florida, sino las más seguras.

El MI-24 HIND era uno de los helicópteros más adecuados para ese tipo de operación porque podía volar muy rápido, disponía de gran cantidad de armamento y había sido ideado para infiltrar a un elevado número de soldados en territorio enemigo.

De no haberse detenido en los Everglades para recibir más instrucciones, los aparatos habrían llegado a Homestead en poco más de una hora desde su salida de Cuba. Además de su gran rapidez, los MI-24 eran muy difíciles de localizar por radar ya que podían desplazarse a tan sólo dos metros sobre el nivel del mar.

Los soldados del MININT tuvieron como objetivo inmediato eliminar la guardia de Homestead, algo que comenzó a ocurrir en el preciso instante en que el primer MIG-29 hizo su aparición sobre la base.

—Aquí cacique 8... Aquí cacique 8... —dijo por radio uno de los pilotos en una frecuencia reservada.

—Aquí Barbarroja... —respondió Héctor Lara.

—Cacique 8 sobre objetivo...

—Ejecute... Ejecute —ordenó el espía cubano siguiendo sus propias instrucciones.

El MIG-29 inició entonces su bombardeo sobre los puestos de mando, los aviones estacionados en la pista y los hangares donde estaban albergados los restantes F-16 Falcon. Muy poco tiempo después, llegaron los otros cinco MIGs-29 que formaban parte de la misma escuadrilla y que también habían sobrevivido a los ataques antiaéreos en el Caribe.

Los MIGs de la FAR lograron llegar hasta Homestead sin ser detectados por nadie en la base. El resultado fue que los militares norteamericanos se enteraron del ataque, literalmente, cuando comenzaron a caer sobre ellos las potentes bombas cubanas.

El ruido era espectacular y las explosiones se sucedían unas a otras sin descanso de ningún tipo. Entre el caos, la destrucción imperante, la efectividad de los atacantes del MININT y la total sorpresa del bombardeo, los comandos del general Hernández eliminaron a los confundidos guardias con relativa facilidad.

Los servicios de inteligencia de La Habana ya habían informado a sus cuerpos de operaciones especiales que Homestead sólo tenía vigilantes custodiando el perímetro de la base y no sus pistas de aterrizaje, de forma que, tras eliminar a los centinelas, los militares cubanos corrieron confiados hacia las rampas sabiendo que, ya dentro del recinto, no encontrarían una fuerte oposición armada hasta alcanzar los F-16.

Al llegar a las pistas, los miembros del Ministerio del Interior se dieron inmediatamente a la tarea de destruir con explosivos plásticos cuantas baterías antiaéreas y cazabombarderos se encontraron en su camino. Sin embargo, pronto comprobaron que no eran muchos los F-16 que habían resistido el ataque inicial de los MIGs y que todavía estaban en condiciones de volar. Los pocos aviones de combate que, a pesar de todo, trataron de despegar para repeler la agresión fueron abatidos con eficacia por las tropas cubanas utilizando misiles de hombro tipo Red Eye, o SAM-7.

Mientras, otros cuatro MIGs-29 habían llegado a la base de Boca Chica, en Cayo Hueso.

—Aquí cacique 19... Aquí cacique 19 —dijo el piloto utilizando otro canal confidencial para ponerse en contacto con Héctor Lara.

—Aquí Barbarroja —respondió este.

—Estamos sobre la posición indicada...

—Ejecuten... ejecuten... —repitió Héctor.

Los MIGs-29, tras escuchar las órdenes, comenzaron su ataque. El inesperado bombardeo sobre Boca Chica hizo que los temibles F-15, dotados de los últimos adelantos en el campo de la tecnología aerospacial, acabaran rápidamente convertidos en simples hierros retorcidos ante el fuego inmisericorde de los también letales MIGs. En apenas diez minutos, la totalidad de los aviones norteamericanos fue destruida sobre las pistas de la base sin que nadie pudiera impedirlo.

Todos los aparatos habían sincronizado sus acciones para iniciar los bombardeos en Boca Chica y Homestead exactamente a la misma hora. El objetivo era impedir que una base pudiera alertar a la otra sobre la amenaza que pendía sobre ellas. Si Boca Chica hubiera emitido una señal de alarma, algunos de los aviones de Homestead habrían tenido tiempo suficiente para, al menos, comenzar a calentar sus motores e intentar despegar lo antes posible. De igual forma, sus sistemas de defensa antiaérea ya estarían disparando los primeros misiles tierra-aire contra los MIGs. Sin embargo, aquella madrugada la única realidad era que los cazabombarderos cubanos estaban destrozando a los F-15 estadounidenses sin que estos pudieran ofrecer ningún tipo de resistencia. Las alarmas procedentes de los barcos situados en el Caribe y del avión AWAC habían llegado demasiado tarde.

Los aviones de la FAR tenían un sofisticado sistema láser que guiaba tanto sus ametralladoras de treinta milímetros como sus bombas y misiles contra los objetivos en tierra. Para asegurar la precisión de los proyectiles, los datos sobre la trayectoria de los mismos siempre estaban detallados en una pantalla ubicada en los cascos de los pilotos, de forma que los militares cubanos tenían acceso a esa información en todo momento.

—Atención... Atención a todos los caciques... —dijo Héctor por radio—. Atención a todos los caciques... —continuó—.

Preparados para misiles enemigos... Preparados para misiles enemigos... —advirtió el agente al detectar en los radares de la torre de control del aeropuerto de Miami un gran número de rápidas señales electrónicas que se dirigían hacia los MIGs.

El espía cubano sabía que eso sólo podía significar que el Departamento de Defensa ya había activado todas las baterías antiaéreas disponibles en Florida para derribar a los cazas cubanos. Sin embargo, los MIGs-29 también disponían de capacidad electrónica para burlar las defensas del Pentágono, lo cual hacía mucho más difícil el trabajo de los misiles norteamericanos.

Washington tenía instalados en Florida, especialmente alrededor de sus bases militares, distintos tipos de misiles. Dos de los más importantes eran los del tipo Patriot y Nikizeus.

Los Nikizeus tenían un alcance de siete kilómetros e iban transportados en un vehículo que se desplazaba de forma constante por las afueras de Miami. No obstante, el sistema de misiles más peligroso para los MIGs era el Patriot, diseñado para destruir tanto aviones como misiles enemigos. Cada uno de esos misiles costaba un millón de dólares y llevaba cabezas explosivas de fragmentación de alta capacidad.

Los Patriots, que se movían sobre un gran camión de doce gigantescas ruedas, medían dieciocho pies de altura y volaban a una velocidad de dos mil novecientas millas por hora. Esos ultramodernos misiles, con un radio de acción de entre treinta y cinco y cincuenta millas, eran guiados por radares generalmente situados en los mismos vehículos que los transportaban.

Además de los proyectiles antes mencionados, el Pentágono también tenía en Florida otros sistemas antiaéreos como el Chaparral, el Hawk y el Stinger. El Chaparral iluminaba sus blancos con rayos infrarrojos, el Hawk con energía electromagnética y el Stinger podía ser disparado desde el mismo hombro de un soldado tras apuntar ocularmente contra el avión enemigo. Washington nunca revelaba a la opinión pública cuántos misiles tenía en la Florida, pero la realidad era que siempre se trataba de un número mínimo.

De pronto, uno de los cazas cubanos que sobrevolaba Boca Chica, rompió su formación de combate.

—Atención... Atención... —dijo el piloto cambiando su frecuencia para sintonizar la de la Base Aérea de McDill, en Tampa—. Atención... McDill... Atención... McDill...

La base de la Fuerza Aérea esperó algunos segundos antes de contestar.

—Aquí McDill —se escuchó después.

—Soy uno de los pilotos de los MIGs-29 involucrados en el ataque y solicito permiso para aterrizar en su base. No quiero formar parte de esta carnicería. Estoy desertando de Cuba y les pido asilo político.

Inicialmente, los militares norteamericanos pensaron que podía tratarse de una trampa que permitiera al aviador acercarse hasta McDill para después atacarla con más facilidad.

—Si sus intenciones son esas, tire sobre el mar todas las bombas y los misiles que tiene en el avión.

—Atención McDill, yo todavía no he bombardeado ninguna de las dos bases. Estoy con todo mi armamento original.

—Descárguelo sobre el mar —repitió tajantemente la voz desde Tampa.

El MIG giró entonces hacia la costa y, tal y como le habían indicado, dejó caer sobre el mar sus bombas y misiles. Al confirmar la maniobra los radares norteamericanos, las autoridades de McDill finalmente le dieron permiso para volar hacia allí.

La deserción había sido escuchada por otro piloto cubano que, en aquellos momentos, estaba atacando Homestead, algo que le animó a seguir el ejemplo de su compañero. Es decir, abandonar su bombardeo y solicitar asilo político. El militar, al igual que el otro piloto de la FAR, rompió su formación y enfiló con rapidez hacia el mar.

—Atención... atención McDill... Aquí otro de los aviadores de los MIGs cubanos... Yo también quiero desertar... Sólo estaba cumpliendo órdenes —intentó justificarse—, pero esto ya es demasiado... Atención, McDill, permiso para dirigirme hacia su base y solicitar asilo político...

PABLO GATO

McDill dio las mismas instrucciones al piloto cubano. Sin embargo, cuando comenzó a descargar sus bombas y misiles sobre el mar, su cazabombardero saltó de pronto por los aires. A diferencia del otro aviador, de mucha más experiencia, este no desactivó un mecanismo instalado en las computadoras de las naves cuya función era destruir los MIGs si los aparatos no cumplían los planes de ataque previstos por La Habana. Sencillamente, desconocía que existía. Algo que le costó la vida.

A pesar de esas dos importantes bajas entre las fuerzas de la FAR y de que los diversos misiles norteamericanos habían logrado derribar a seis MIGs-29 más, todavía quedaban cinco cazabombarderos cubanos completamente operativos: cuatro MIGs-29 y el SU-27.

Héctor Lara seguía con suma atención todos los pormenores de los ataques desde la torre de control del aeropuerto. Sin embargo, por el momento, sólo tenía que dejar que los aviones cubanos alcanzaran sus metas originales. Después, él sería el encargado de proporcionarles sus nuevas dianas.

Mientras todo eso ocurría, los escuadrones de MIGs-21 y MIGs-23 que volaban hacia el centro y el norte de la Florida subieron de pronto a cinco mil pies de altitud para ser detectados por los radares norteamericanos.

Los tres escuadrones, con dieciséis aparatos cada uno, aceleraron sus motores y adoptaron una posición claramente ofensiva. El primero, procedente de Olguín, voló hacia la base naval de Jacksonville; el segundo, saliendo de Las Villas, fue en dirección a la base de McDill y en tercero, estacionado en Santa Clara, se encargó de proteger al segundo en su ruta hacia Tampa.

La misión de estos escuadrones, dotados con aviones muy anticuados, no era la de atacar a ninguna de sus teóricas dianas, sino solamente acercarse a ellas con la intención de alertar a los radares enemigos. El objetivo no era otro que confundir a los mandos militares estadounidenses.

Los tres escuadrones se aproximaron con rapidez hasta el límite de doce millas de las aguas jurisdiccionales de los Estados Unidos. Al detectar los MIGs, Tampa y Jacksonville se vieron forzados a usar parte de sus F-16 para interceptarlos. Una maniobra que dividió por la mitad el ya escaso número de aviones disponibles para enviar al sur del Estado y combatir contra los poderosos MIGs-29.

Cuando los MIGs-21 y los MIGs-23 llegaron al límite territorial, dieron la vuelta repentinamente y huyeron de nuevo hacia Cuba, provocando que los cazas norteamericanos salieran tras ellos en una persecución tan desorganizada como inefectiva. Limitar la capacidad de respuesta de Tampa y Jacksonville permitió que los MIGs-29 pudieran alcanzar con aún mayor facilidad los verdaderos objetivos del plan.

Más que rápido, todo ocurría a un ritmo celérico. Además era de madrugada, así que, a pesar de las fuertes explosiones, muchas partes de la ciudad de Miami ni siquiera se dieron cuenta de la batalla aérea que se desarrollaba a su alrededor. No obstante, otros, incluida la prensa, sí comenzaron a llamar a las autoridades para averiguar el origen de todas aquellas detonaciones.

En quince minutos de batalla, tanto la base de Homestead como la de Boca Chica quedaron seriamente dañadas. A pesar de eso, en Homestead, la resistencia de algunos grupos aislados de militares norteamericanos fue mucho más fuerte de lo anticipado por parte de los cubanos y los combates en tierra acabaron siendo muy intensos.

Entre el fuego enemigo y las explosiones originadas por las bombas de sus propios MIGs-29, alrededor de un setenta por ciento de los comandos del MININT acabó abatido en esa parte de la misión. La mayoría, tiroteados sobre las pistas de despegue y aterrizaje por soldados de las Fuerzas Especiales del Ejército del Aire especialmente entrenados para defender la base ante ese tipo de operaciones.

Los cincuenta soldados del MININT que lograron sobrevivir corrieron después en dirección a los MI-24 y MI-17 estacionados fuera del perímetro de la base. Una vez a bordo, los aparatos emprendieron vuelo hacia un punto predeterminado en los pantanos de los Everglades. No obstante, al despegar, tres de los seis helicópteros cayeron derribados por misiles Stinger procedentes de Homestead. De los ciento ochenta soldados cubanos que comenzaron la operación, tan sólo treinta y tres lograron acabarla.

Los militares del Ministerio del Interior, una vez en los Everglades, decidieron que regresar a Cuba en aquellos instantes era demasiado arriesgado, así que, tras destruir con explosivos plásticos los helicópteros, decidieron vestirse de civil y dispersarse entre la población de Homestead para después dirigirse hacia Miami. Previendo esa posibilidad, el MININT había preposicionado diversos automóviles en las inmediaciones. En caso de encontrarse con algún control policial, sus documentos falsificados deberían ser suficiente para permitirles llegar hasta sus casas seguras de Miami, donde se les brindaría cobijo y protección.

—Barbarroja a caciques... Barbarroja a caciques —dijo Héctor Lara acercándose al micrófono tras establecer otra frecuencia acordada para que los aviones cubanos pudieran escucharlo.

Después, el espía del MININT cambió de nuevo las frecuencias y siguió, paso a paso, todos los protocolos de seguridad establecidos por el general Carlos Hernández para aquella ocasión.

—Barbarroja a caciques... —repitió.

Al cabo de algunos instantes, Héctor comenzó a recibir respuestas.

—Aquí cacique 10... —sonó el primero.

—Aquí cacique 17... —llegó el segundo.

—Cacique 23 al habla... —respondió el tercer MIG-29.

—Aquí cacique 7... —se escuchó al piloto del último de los cazas que habían sobrevivido hasta aquel momento.

Héctor Lara, una vez más, cambió la frecuencia de la radio de la torre de control.

—Aquí Barbarroja... Hatuey... ¿me escucha...? Barbarroja a Hatuey... ¿Me escucha?

Hatuey no era otro que Roberto Hidalgo, el piloto del SU-27 que sería el encargado del ataque final en aquella misión. Carlos Hernández le había dado ese nombre codificado convirtiéndolo así en la reencarnación del cacique Hatuey que, una vez más, moriría peleando contra el imperialismo para después pasar a la Historia.

—Aquí Hatuey... —dijo el piloto.

El SU-27 había sido apartado de los combates iniciales para no poner en peligro su valiosa carga de bombas de alto poder explosivo. Mientras los otros MIGs-29 peleaban contra las bases de Boca Chica y Homestead, al SU-27 se le ordenó quedarse volando en círculos lejos de la costa, bien apartado de las batallas aéreas y de los misiles estadounidenses.

Héctor abrió entonces su libro confidencial de instrucciones y leyó con rapidez la página número nueve. Allí se indicaba qué hacer dependiendo del número de aviones que hubieran sobrevivido a los ataques norteamericanos. Héctor daba a los pilotos unas claves y ellos las introducían después en las computadoras de los MIGs, que identificaban así sus objetivos. Todo seguía el esquema habitual de razonamiento del general: no dar más información que la necesaria. Además de Hernández, Héctor era el único que disponía de esas claves. El general hubiera podido insertarlas en las computadoras de vuelo de los MIGs, pero no se fiaba de ese método. Temía que, de alguna forma, pudieran ser descubiertas antes de tiempo o bien que alguien las alterase. Por eso el papel de Héctor era tan importante. Vital para la operación. El joven cubano sabía que el último peldaño de la escalera era Turkey Point, pero el operativo requería una estrecha comunicación con los aviadores para destruir otros objetivos antes de llegar a la central.

—Cacique 10 y cacique 23, este es el nuevo código para su computadora de vuelo... AZX 665 BNV... repito AZX 665 BNV. ¿Recibido?

—AZX 665 BNV. Recibido... —dijeron los pilotos de los dos MIGs-29 repitiendo el código para evitar cualquier error.

Al entrar esa clave, las coordenadas de ataque que salieron en la pantalla de la computadora fueron las de una de las pistas de aterrizaje del aeropuerto de Miami.

—Cacique 7 y cacique 17... su código es GBF 887 GTR... repito GBF 887 GTR... ¿recibido?

—GBF 887 GTR. Recibido —respondieron los otros dos aviadores.

La misión de estos últimos era la de proporcionar apoyo aéreo a los dos primeros durante su bombardeo parcial del aeropuerto.

—Hatuey... Hatuey... —añadió Héctor.

—Aquí Hatuey...

—Permanezca en su misma posición. Recibirá sus códigos en los próximos minutos. Tan pronto como cacique 10 y cacique 23 hayan concluido su tarea.

—Entendido —dijo Roberto Hidalgo mientras seguía su doloroso debate interno respecto a si desertar o no.

El siguiente paso del plan, tal y como indicó Héctor Lara, no fue dirigirse directa e inmediatamente a la central nuclear de Turkey Point, sino eliminar de manera metódica y sistemática cualquier obstáculo para que los MIGs pudieran bombardearla después sin presiones de tiempo de ningún tipo.

Al recibir la primera llamada de la policía, Héctor les amenazó con hacer estallar la torre de control. Inutilizar ese centro de comunicaciones haría que los radares y los sistemas de seguimiento del aeropuerto dejasen automáticamente de funcionar, provocando así un verdadero caos aéreo entre las naves cercanas. Sin dirección de ningún tipo, muchas acabarían chocando entre sí, ya que, antes de aterrizar, los aparatos volaban casi tocándose los unos a los otros.

Tras recibir la orden de inhabilitar una de las pistas, los pilotos de la FAR lanzaron sobre la misma tres bombas de dos mil libras de peso cada una guiadas por rayos láser que abrieron enormes grietas en la rampa. Esa zona era una de las más alejadas del aeropuerto, de manera que, a pesar de escucharse las fuertes explosiones, los viajeros que esperaban en las distintas terminales no vieron los resultados del bombardeo. Un factor que sin duda contribuyó a que, al menos por el momento, las autoridades pudieran seguir manteniendo cierta calma entre el público. Los truenos y rayos de una tormenta cercana también ayudaron a que algunos confundieran los sonidos del ataque con los rugidos y destellos propios de la naturaleza.

En el aeropuerto internacional de Miami, un avión aterrizaba o despegaba cada minuto, de forma que, al faltar una de las pistas, el caos aéreo fue inmediato. Si, además, Héctor cumplía su promesa de hacer estallar la torre de control, la situación sería desastrosa ya que los aparatos no podrían ser guiados por los controladores y acabarían abandonados a su propia suerte.

El espía cubano también advirtió a la policía que si intentaban interrumpir su comunicación con los aviones de la FAR, destruiría el resto de las pistas. Es decir, que ningún avión podría aterrizar. Ninguno. Algo que convertiría a Miami en un auténtico infierno.

Normalmente, en esas pistas se acumulaban hasta ochenta aviones al mismo tiempo. Si el flujo de despegues y aterrizajes se detenía, habría centenares de reactores estancados sobre los cielos de Miami, sin un sitio donde aterrizar, con poco o ningún carburante disponible y, además, en medio de intensos combates aéreos. Una situación que tampoco podrían remediar los aeropuertos más cercanos a Miami, como el de Fort Lauderdale, Tampa o West Palm Beach, que, igualmente, quedarían colapsados en tan sólo minutos.

El aeropuerto de Miami operaba ininterrumpidamente durante las veinticuatro horas del día. De noche, el número de vuelos disminuía, pero, a esa hora de la madrugada, ya había retomado su ritmo habitual de actividad. El recinto era usado cada día por unos setenta mil pasajeros. Más de veinte millones de personas al año.

Héctor Lara dijo a los controladores que mantuvieran a los aparatos comerciales en el aire durante algún tiempo más bajo la promesa de que muy pronto todo volvería a la normalidad. Sin embargo, cuando las naves que habían sobrevolado el espacio aéreo de Miami durante casi una hora quisieron abandonarlo, ya fue demasiado tarde. No tenían reserva de combustible suficiente para salir de la Florida ni aeropuertos cercanos que pudieran acogerlos. En otras palabras, los aparatos estaban condenados a esperar sobre la ciudad hasta que las autoridades les permitieran aterrizar en alguna de las pistas del aeropuerto.

Por otra parte, los F-15, F-16 y F-18 norteamericanos no

podían poner en peligro la vida de las miles de personas que, en aquellos instantes, estaban volando sobre el sur de la Florida. Lanzar misiles contra los MIGs cubanos en un espacio aéreo infestado de aparatos comerciales podría provocar que esos proyectiles acabasen impactando contra los pesados y poco ágiles aviones de pasajeros y no contra los rápidos y maniobrables MIGs.

Un MIG-29, actuando con rapidez y precisión, podía eludir la trayectoria de un misil, pero un aparato comercial de gran tamaño jamás lo lograría. Los proyectiles dirigidos contra los cazas cubanos que no consiguiesen derribar a los MIGs acabarían, con toda seguridad, estrellándose contra el fuselaje de esos aviones. Un desastre que podría provocar miles de muertos. Todo eso, sin contar con las masacres en tierra que ocasionasen los aparatos al estrellarse en plena ciudad de Miami. Aunque el gobierno no dudaría en disparar y arriesgar el derribo de esos aviones comerciales si con ello salvaba la vida de millones de personas en la Florida, la decisión no era fácil. Había muchas vidas en juego y demasiada confusión. Básicamente, el Pentágono estaba atado de pies y manos.

Tras el bombardeo de la pista, Héctor se puso en contacto de nuevo con los MIGs.

—Barbarroja a cacique 10 y cacique 23...

—Adelante —dijeron ambos pilotos.

—Su nuevo código es SSE 343 WQE... repito SSE 343 WQE...

—SSE 343 WQE... —se escuchó confirmando la información.

Después, el agente siguió con las restantes instrucciones.

—Cacique 7 y cacique 17... su nuevo código es UUU OOO 777... repito UUU OOO 777...

—...UUU OOO 777... Entendido... —repitieron los aviadores cubanos.

—Atención Hatuey... atención Hatuey... —prosiguió Héctor.

—Adelante...

—Su código es el mismo que cacique 7 y cacique 17... UUU OOO 777... UUU OOO 777...

—Recibido... UUU OOO 777... —dijo Roberto Hidalgo tecleando el código en su computadora de vuelo.

Acto seguido, los dos primeros MIGs-29 se fueron hacia la central nuclear de Turkey Point, pero el SU-27, junto a los dos MIGs restantes, partió hacia otro lugar muy distinto de la Florida.

76. LA SEMILLA DE LA SOSPECHA

MARTA QUESADA, Miguel Cardoso y Gregory Nikolayev llegaron al aeropuerto de Miami en pleno ataque de la FAR. El grupo venía protegido por los mismos agentes del Kremlin que les habían acompañado anteriormente hasta el escondite del MININT en Hialeah.

La policía que patrullaba las terminales parecía ir de un lado a otro sin saber muy bien qué hacer ante las primeras señales de alarma. Por contra, Miguel tenía muy claro lo que estaba ocurriendo, así que no perdió tiempo alguno en llegar a su destino final. El agente, utilizando su acreditación oficial, logró que tanto él como el resto del grupo pudieran pasar todos los controles establecidos por la policía del aeropuerto. A pesar de la fuerte seguridad que había tras los ataques del once de septiembre, la policía de la ciudad y su unidad antiterrorista tenían carta blanca para circular por prácticamente todas las áreas del recinto.

La puerta de entrada a la torre de control estaba tomada por los comandos del Cuerpo de Operaciones Especiales del Ministerio del Interior. A pesar de eso, y en apenas algunos segundos, los rusos se dispersaron con rapidez por los pasillos cercanos y se prepararon para atacar. Esos pasillos interiores comunicaban la torre con varias terminales del aeropuerto. Es decir, que los pasajeros estaban muy cerca de allí.

Gregory Nikolayev y Miguel Cardoso enseguida se dieron cuenta de que, sin la llegada de más refuerzos, nunca serían capaces de recuperar la torre por la fuerza. Los dos bandos estaban uno frente al otro y sólo era necesaria una orden de ataque para que todos aquellos comandos comenzaran a disparar centenares de proyectiles en todas direcciones.

De pronto, Marta salió de detrás de una columna que la parapetaba y se situó entre los rusos y los soldados cubanos. En plena línea de fuego.

—¡Marta! ¡Qué estás haciendo! ¡Regresa aquí! —gritó desesperado Miguel.

Sin embargo, Marta, caminando poco a poco, se adelantó después algo más hasta colocarse a apenas algunos metros de los primeros militares del MININT.

—Quiero hablar con Héctor Lara —dijo de forma decidida—. Sé que está aquí.

Al escucharla, tanto Miguel Cardoso como Gregory Nikolayev siguieron los pasos de la cubana, algo que estuvo a punto de desatar el tiroteo que ellos mismos tanto habían intentado evitar.

—¡Quietos ahí! —gritó uno de los soldados.

El policía y Nikolayev se detuvieron y depositaron sus armas en el suelo.

—No queremos pelear —dijo Miguel—. Esa mujer es mi prima. Por favor, déjenme ir con ella —añadió.

Los militares estaban confundidos, sin saber qué hacer. El hecho de que Marta supiera el nombre de su jefe los trastocó visiblemente. No obstante, parecía obvio que los tres, de pie e indefensos, no representaban ninguna seria amenaza para las decenas de soldados cubanos que defendían la torre de control y sus alrededores. De querer entablar combate, no había ninguna duda de que los comandos del MININT podrían acabar con ellos y con su pequeña escolta en tan sólo cuestión de minutos. Además, la orden era evitar a toda costa cualquier enfrentamiento que no fuera absolutamente necesario.

El oficial situado en la puerta de acceso a la torre decidió llamar por radio a su jefe y pedir instrucciones.

—Mi capitán... Aquí el teniente Sotelo...

—Adelante —respondió Héctor Lara.

—Aquí hay una tal Marta que sabe su nombre y dice que quiere verlo. Con ella vienen dos hombres. Todos han llegado con un grupo de unos diez individuos armados que se están atrincherando en los pasillos de la terminal.

Héctor se quedó helado. Marta lo había descubierto. Ya sabía todo.

—¿Cómo ha llegado hasta aquí? ¿Qué voy a decirle? —pensó nerviosamente, fuera de control.

El cubano no supo qué hacer. Estaba embargado por la emoción. ¡Marta se encontraba a tan sólo algunos metros de él! ¡En pleno ataque! ¡Y él nunca le había dicho la verdad! Durante algunos instantes, el espía no supo qué hacer ante aquella sorpresa. Estaba paralizado. Sin embargo, enseguida sintió en lo más profundo de su corazón que, si no hablaba con ella en ese preciso momento y la dejaba ir, la perdería para siempre.

—Está bien. Déjela pasar —dijo con una voz temblorosa.

—¿A los tres?

—No. Sólo a ella.

La conversación pudo ser escuchada por todos, ya que el volumen de la radio estaba muy alto. Al oír que únicamente entraría Marta, tanto Miguel Cardoso como Gregory Nikolayev adoptaron una actitud mucho más agresiva.

—¡No! ¡O entramos los tres o no entra nadie! —exclamó el policía cogiendo uno de los brazos de Marta con su mano derecha.

La tensión se agravó enormemente y los rusos se alistaron de inmediato para comenzar a repeler cualquier ataque inicial.

—¡Clic...! ¡Clic...! —se escuchó al armarse dos de los fusiles de asalto AK-47.

El teniente cubano bajó entonces el volumen de la radio y explicó a Héctor lo que estaba ocurriendo.

—De acuerdo. Que suban los tres —ordenó el capitán del MININT pensando que lo principal era no poner en peligro la vida de Marta—. Llévenlos a la sala de crisis de la torre de control y que esperen allí. Iré en unos minutos —agregó.

No obstante, antes de cortar la comunicación, Héctor volvió a hablar con el oficial del Ministerio del Interior.

—Advierta a quienes les acompañan que si realizan cualquier estupidez, barreremos con ellos sin piedad.

—Entendido, mi capitán —afirmó el soldado cubano.

Después, y tras cachear a los tres con precaución para asegurarse de que no llevaban armas ocultas, el teniente les indicó que lo siguieran.

Marta Quesada, Miguel Cardoso y Gregory Nikolayev fueron custodiados hasta un cuarto con una amplia mesa rectangular en el centro que se utilizaba para coordinar cualquier situación de emergencia en el aeropuerto. Ya fuera un accidente, un ataque terrorista o un desastre natural, ese era el lugar al que deberían presentarse las máximas autoridades de la ciudad para manejar la crisis.

El cuarto estaba situado justo encima de la zona donde operaban los controladores de vuelo y había sido aislado del resto de la torre con una gruesa plancha de vidrio transparente. De esa forma, quienes estaban dentro del mismo podían ver la actividad de los controladores y viceversa. La llamada sala de crisis tenía multitud de monitores de vídeo, teléfonos y computadoras para poder comunicarse en todo momento con los distintos servicios de la ciudad.

—Tomen asiento —ordenó el teniente cubano.

Al sentarse, Marta pudo distinguir inmediatamente el cuerpo de Héctor Lara que, desde el piso inferior, dirigía sin descanso las actividades de sus hombres. Cuando lo vio, el corazón le dio un vuelco. El agente, vestido con un uniforme de camuflaje, estaba bastante lejos de ella. Sin embargo, la joven no perdió de vista ninguno de sus movimientos. Aún no podía creer lo que estaba ocurriendo frente a sus propios ojos. ¡El hombre que ella amaba! ¡Un traidor! ¡Un esbirro del régimen cubano! ¡Un asesino sin escrúpulos! Marta estaba destruida. Sus manos sudaban profusamente y ella no paraba de moverse mientras sus ojos seguían vertiendo lágrimas. Quería morir. Jamás había sufrido tanto como en esos momentos.

El espía del MININT estaba sentado frente a una pantalla de radar y una radio. Parecía muy concentrado en los últimos pasos del Plan Hatuey, pero, al sentir la presencia de Marta, miró de repente hacia atrás y la vio en la distancia, observándolo con extrema atención.

El cubano volvió a sentir que le fallaban las piernas. Ni una daga en el corazón le hubiese podido provocar tanto dolor. ¿Qué hacer? ¿Llorar? ¿Correr hacia ella? ¿Desplomarse en el suelo? ¿Gritar de impotencia como un desquiciado? ¿Hacer un esfuerzo imposible e intentar ignorar su presencia? ¿Arrodillarse y pedirle perdón? ¿Qué hacer? ¡Qué hacer! Pero Héctor no encontró ninguna respuesta. Simplemente se quedó estático.

—¿Está bien, mi capitán? —le preguntó un soldado cubano, tocándole levemente el hombro.

Héctor se giró con un rápido movimiento reflejo y miró al militar.

—¿Qué?

—Que si está usted bien, mi capitán... —repitió preocupado el soldado.

Héctor Lara, aún muy estremecido, volvió a mirar a Marta, pero hizo un gran esfuerzo de disciplina y giró de nuevo su cuerpo para regresar a la misión que le había llevado hasta allí. No podía distraerse. Había sido entrenado toda su vida para un momento así. Amaba a Marta con toda su alma, pero tenía que acabar de ejecutar el plan.

El cubano también estaba muy preocupado por la seguridad física de Marta. Aquel era un lugar muy peligroso en aquellos momentos y él habría dado cualquier cosa para que ella estuviera muy lejos de allí.

De repente, Héctor regresó por completo a la realidad del Plan Hatuey, que también lo consternaba más y más. El general Carlos Hernández siempre le dijo que aquel operativo sólo había sido ideado para asustar a los Estados Unidos, para dejar ver con claridad a Washington que Cuba sabría defenderse con uñas y dientes en caso de necesidad. Que la revolución todavía era fuerte y que había que respetarla.

Sin embargo, al comprobar que pasaban los minutos y que La Habana no cancelaba la orden de destruir la central nuclear de Turkey Point, Héctor, por primera vez, comenzó a sospechar que el Plan Hatuey podría tener consecuencias mucho más serias de las que le había dicho Hernández cuando él aceptó realizar aquella misión.

77. AL BORDE DEL ABISMO

LOS DOS PILOTOS CUBANOS de la FAR llegaron a Turkey Point exactamente dos minutos y cuarenta y ocho segundos después de haber recibido las órdenes de Héctor Lara. Su misión era inequívoca: bombardear con efectividad la central nuclear para que se produjera un derretimiento en sus reactores.

Una vez iniciado el caos aéreo sobre la ciudad de Miami, los MIGs-29 pasaron a tener, al menos en teoría, carta blanca para atacar Turkey Point de manera precisa y metódica hasta conseguir su objetivo final.

La central nuclear había sido construida con bloques de hormigón armado especialmente diseñados para resistir incluso el embiste de un huracán de la máxima intensidad o bien la fuerza de un terremoto. Sin embargo, nada podía haber preparado a Turkey Point para el bombardeo que estaba a punto de iniciarse.

Los MIGs-29 iban armados con las bombas más letales y poderosas del inventario militar ruso. Algunas eran las llamadas de fragmentación, que estallaban sucesivas veces en el aire hasta que la combinación entre combustible y oxígeno incineraba por completo el lugar del impacto. Otras, con un peso de dos mil libras, tenían tanto poder explosivo que podían originar cráteres de hasta diez metros de profundidad por veinte de diámetro. Esas eran similares a los modelos MK-84 y MK-82 estadounidenses. Los aviones de la FAR tenían asimismo bombas guiadas por rayos láser que caían sobre sus objetivos con una precisión casi absoluta. Estas pesaban mil quinientas o dos mil libras y eran la versión rusa de las GBU-10 E B o de las GBU-15 tipo Glide del arsenal del Pentágono.

Entre los dos MIGs-29 había un total de seis toneladas de sofisticadas bombas de la más alta capacidad destructiva. Una cantidad que los especialistas militares de La Habana consideraban más que suficiente para agrietar la estructura de la central. Además, la FAR también había previsto utilizar cohetes de demolición contra las partes más compactas del objetivo. Es decir, unos proyectiles que primero penetraban en las estructuras de las construcciones y después detonaban su carga dentro de las mismas, causando así mucho más daño.

Las cabezas de los misiles enviaban a la cabina de los pilotos una señal de vídeo que permitía a los aviadores de la FAR seleccionar en todo momento el lugar exacto del impacto. Los cubanos podían comprobar constantemente las trayectorias de los proyectiles a través de sus computadoras de vuelo y rectificarlas en caso de que acabaran desviándose. Prácticamente no había errores.

Debido a la alta sofisticación de su armamento, los pilotos de los MIGs-29 también podían lanzar sus misiles desde varias millas de distancia del objetivo, pero, esta vez, los aviadores cubanos decidieron situarse sobre el mismo blanco para bombardearlo con la mayor precisión posible.

Los militares de la FAR, antes de activar sus sistemas de ataque, dieron un par de pasadas por encima de la central nuclear creando un inmenso rugido que hizo temblar el suelo.

Ninguno de los dos aviones había disparado todavía sus misiles guiados por rayos láser, de forma que los MIGs aún tenían todos los proyectiles con los que despegaron originalmente de Cuba. Todo parecía listo para la última parte del Plan Hatuey. Sólo faltaba la decisión final de apretar el gatillo.

De repente, uno de los pilotos se dio cuenta de que estaba siendo apuntado desde el suelo por una batería de defensa antiaérea. Entonces, sin pérdida de tiempo, dejó caer sobre la central nuclear la primera bomba de dos mil libras. El misil impactó contra las paredes de hormigón armado del recinto y dañó seriamente su estructura.

—¡Qué demonios! —gritó Héctor, que escuchaba con atención el desarrollo del operativo desde la torre de control.

El espía cubano no pudo creer que el ataque se estuviera produciendo. Héctor siempre pensó que, de alguna forma y en el último segundo, las computadoras de los MIGs-29 acabarían abortando la misión para ordenar después a los cazas que regresaran a Cuba. Cualquier otro fin hubiera sido, en verdad, inimaginable para él.

El desencajado Héctor se levantó de su silla y miró a su alrededor, claramente confundido.

—Pero... ¿se puede saber qué está pasando aquí? —dijo sin poder creer todavía que los MIGs estuvieran bombardeando la central nuclear de Turkey Point.

Los otros soldados del MININT vieron alarmados su desesperación, pero optaron por concentrarse en seguir obedeciendo sus órdenes. A pesar de la gravedad del momento, nadie se atrevió a decir una sola palabra. El nerviosismo era enorme en la sala. Sin embargo, todos permanecieron estáticos ante lo que escuchaban a través de los altavoces interiores de la torre de control.

Héctor nunca pudo sospechar que el Plan Hatuey había sido activado para llegar hasta sus últimas consecuencias. No obstante, las computadoras de los MIGs no parecían mostrar ninguna señal de haber sido preprogramadas para detener el ataque final justo antes de que este se produjera.

—¡Cacique 10 a cacique 23! —se escuchó a uno de los pilotos cubanos.

—Adelante...

—¡Te están apuntando...! ¡Te están apuntando...! ¡Gira rápido! —advirtió el piloto de uno de los MIGs-29 al otro tras descubrir una señal electrónica en su avión que alertaba sobre el posible ataque de misiles enemigos.

El piloto del MIG descrito como cacique 23 hizo entonces una maniobra evasiva y consiguió salir del alcance de los primeros proyectiles estadounidenses. El Pentágono también había colocado diversas y modernas baterías antiaéreas justo alrededor de la central nuclear de Turkey Point. Es decir, en el mismo blanco de cualquier potencial ataque.

Washington instaló allí dos de sus sistemas más modernos: el Bradley Linebacker y el llamado Avenger Air Defense

System. Ambos eran móviles y, camuflándose entre la tupida vegetación de la zona, rotaban continuamente por las inmediaciones de Turkey Point.

Estos sistemas antiaéreos se habían desplegado dentro del más absoluto secreto, motivo por el cual su existencia nunca fue conocida por el ya fallecido teniente coronel Montalvo.

—¡Atención! ¡Atención! —dijo ahora el piloto del cacique 23 al cacique 10—. ¡Cuidado! ¡El radar te tiene iluminado! ¡Evade! ¡Evade rápido!

El aviador se refería a que una de las baterías Bradley Linebacker estaba a punto de disparar un misil contra el cacique 23.

El Bradley Linebacker era un sistema antiaéreo de proyectiles de corto alcance que se desplazaba de un lado a otro montado sobre un voluminoso vehículo acorazado llamado, precisamente, Bradley. Ese blindado podía disparar sus misiles tipo Stinger incluso estando en movimiento y también disponía de un cañón de veinticinco milímetros.

El primer misil Stinger del Bradley erró su objetivo. Los pilotos de los MIGs-29 habían sido entrenados a conciencia durante años en el arte de evadir proyectiles antiaéreos y todas esas lecciones estaban dando su fruto en aquel preciso momento.

Los MIGs-29, tras eludir el ataque inicial, sobrevolaron de nuevo la central y esta vez dejaron caer sobre la misma dos toneladas más de bombas. Los impactos provocaron una profunda grieta en la estructura de Turkey Point y dieron a entender claramente que las próximas dos o tres toneladas de explosivos serían suficientes para cumplir con los objetivos previstos por el general Carlos Hernández.

En aquel preciso instante también entró en acción el sistema antiaéreo denominado Avenger Air Defense System. Este consistía en dos bloques de baterías con cuatro misiles cada una situadas sobre un vehículo todoterreno llamado Humvee. El sistema estaba acompañado de una ametralladora pesada de calibre cincuenta milímetros que seguía la trayectoria de los misiles y destrozaba todo lo que estos no hubieran podido aniquilar con anterioridad. La ametralladora, igual que la batería de misiles, tenía la capacidad para girar trescientos sesenta grados sobre sí misma siguiendo las órdenes del radar. Todo el mecanismo era dirigido por un pequeño motor que movía el armamento en dirección a sus blancos mientras emitía un fuerte y muy característico ruido metálico. Esos movimientos casi robóticos se realizaban con extrema rapidez y parecían tener la precisión de un bisturí.

—¡Alisten los misiles! —ordenó un oficial estadounidense a dos soldados bajo sus órdenes.

El Avenger Air Defense System se componía de un jefe de grupo y dos artilleros. El primero era el encargado de operar el radar que apuntaba las armas contra los cazas enemigos.

—¡Fuego! ¡Fuego! —gritó el oficial.

Al escuchar la orden, los artilleros dispararon desde el Humvee un total de ocho misiles Stinger que comenzaron a buscar las emisiones térmicas de los motores de los dos MIGs-29. Los Stinger tenían un alcance de cuatro kilómetros, de manera que, para ser efectivos, tenían que impactar contra los aviones cubanos en apenas algunos segundos. De lo contrario, estos, gracias a sus potentes motores, conseguirían evadirlos saliendo con rapidez de su radio de acción.

Los proyectiles del primer Humvee fueron acompañados por otros ocho disparados desde el otro vehículo todoterreno y por siete más procedentes de los dos blindados Bradley. En un brevísimo espacio de tiempo, los dos MIGs tuvieron que enfrentarse a una auténtica lluvia de veintitrés misiles procedentes de los cuatro puntos cardinales.

Los pilotos cubanos, al comprobar la intensidad del devastador ataque, intentaron por todos los medios realizar maniobras evasivas de emergencia. No obstante, y a pesar de algunos éxitos iniciales, el número de misiles resultó demasiado elevado como para poder burlarlos a todos.

Tras algunos momentos de gran tensión, los MIGs fueron alcanzados por varios Stinger. Los aviones explotaron entonces en el aire debido a los fuertes impactos, perdiendo instantáneamente la vida los dos pilotos militares de La Habana. Entre las llamas despedidas por la trayectoria de los misiles y el ruido de las distintas detonaciones, el cielo se convirtió brevemente en un auténtico y ensordecedor carnaval de fuego y sangre.

Héctor Lara se echó las manos a la tez y respiró con profundidad. Por un lado, lamentó en lo más profundo la muerte de los soldados cubanos, pero, por otro, sintió un gran alivio en todo su cuerpo.

Tanto los controladores de vuelo como los propios militares del MININT que estaban en la torre de control del aeropuerto se habían quedado paralizados ante el ataque a la central nuclear. Nadie parecía comprender nada y, por primera vez, Héctor también estaba incluido en ese grupo. El espía cubano nunca había puesto en duda, ni en público ni en privado, cualquier orden del general Hernández. Nunca. Sin embargo, su sorpresa inicial pasó, poco a poco, a trasformarse en incredulidad y, después, en abierta rebeldía.

—¡Mi madre! ¡Qué locura es esto! —exclamó de nuevo.

Héctor no era una persona ingenua. Su trabajo como agente encubierto del MININT, simplemente, no se lo permitía. Para no ser descubierto, más bien tenía que desconfiar en todo momento de cualquier persona que le rodeara y, de esa forma, poder llevar a cabo con éxito sus siempre delicadas misiones. Sin embargo, en esta ocasión había demostrado un grado de inocencia realmente difícil de creer en alguien como él. Una característica en extremo inusual para un espía que había logrado sobrevivir ante las condiciones más adversas durante años y años.

—¿Cómo es posible que no hubiera sospechado nada de esto? —se preguntó.

El cubano no fue capaz de encontrar una respuesta inmediata a sus preguntas, pero, en el fondo, sabía que el motivo no era otro que la ciega lealtad a su padre, el general Hernández. Héctor siempre lo había idealizado como un sacrificado luchador por el bienestar de su pueblo y nunca hubiera podido imaginar que fuese capaz de materializar una matanza semejante. No obstante, el agente también comenzó a pensar que, en verdad, todo podía tratarse de un trágico error. Un error del cual su padre, sin duda, no era el responsable. A pesar de eso, por el momento, lo único cierto era que el ataque proseguía con una gélida y metódica crueldad.

Toda la torre de control estaba conectada por el mismo sistema de sonido, de manera que las órdenes de Héctor y las voces de los pilotos podían escucharse perfectamente en la sala donde habían sido ubicados Marta Quesada, Miguel Cardoso y Gregory Nikolayev.

Marta Quesada lloraba. Su tristeza era infinita. No sólo por descubrir que su novio, en verdad, era un auténtico desconocido para ella, sino también por ver con sus propios ojos algo que nunca hubiera podido creer: que Héctor fuera capaz de participar en un operativo como aquel. Un plan que había sido concebido para cobrarse la vida de decenas o centenares de miles de personas.

Héctor sintió vergüenza de sí mismo y ni siquiera se atrevió a girarse para observar el rostro de Marta. En su mente reinaba una gran confusión de ideas y sentimientos.

De pronto, el cubano casi perdió la respiración.

—¡Dios santo! —dijo al recordar que los otros dos MIGs-29 y el SU-27 todavía estaban operativos en el aire.

Entonces, el agente del MININT, con un rápido movimiento, se situó delante de la pantalla del radar y buscó la ubicación de los tres aviones. Todos se distinguían perfectamente por las señales electrónicas que despedían y que los identificaban como aparatos de la FAR. Las tenían activadas para evitar dispararse misiles de larga distancia entre ellos. Al cabo de algunos segundos, el rostro de aquel espía tan acostumbrado a esconder magistralmente sus sentimientos, adoptó una expresión de verdadero terror.

—Si existe un Dios… Si existe un Dios… por favor, que me perdone… —susurró. La pantalla del radar indicaba con claridad que los aviones se dirigían hacia un punto situado a ciento cincuenta millas al norte de Turkey Point y limítrofe con el lago Okeechobee. Héctor, que había estudiado de arriba abajo el mapa de la Florida para aquella misión, conocía muy bien aquel punto. No podía ser una casualidad. Se trataba de la central nuclear de Saint Lucie.

En aquel momento, la jugada del general Hernández quedó perfectamente clara en la mente de Héctor Lara. Hernández había enviado a un grupo de la FAR a atacar Turkey Point con el único objetivo de distraer la atención del Departamento de Defensa respecto al verdadero objetivo del Plan Hatuey. El jefe del MININT, consciente del calibre de las defensas antiaéreas ubicadas alrededor de Turkey Point, seguramente sabía que ese ataque nunca concluiría con éxito. Sin embargo, Saint Lucie no tenía ningún cordón aéreo de seguridad militar. Sólo terrestre. El motivo era que el Pentágono jamás sospechó que esa central también pudiera ser un blanco potencial de la aviación cubana. Algo que la convertía de manera automática en una presa mucho más fácil de eliminar.

Esa parte del Plan Hatuey había sido modificada por el general Hernández a espaldas de los líderes de la revolución hacía tan sólo algunas semanas y era un secreto absoluto del cual ni los rusos ni los estadounidenses tenían la más mínima idea.

Por si fuera poco, aquellos dos MIGs-29, el cacique 7 y el cacique 17, tenían cargas suplementarias de misiles. Cada uno, siguiendo órdenes previas del general Hernández, llevaba cinco mil kilos de bombas, que junto a las diez del SU-27, sumaban un total de veinte toneladas de explosivos. Una fuerza capaz de pulverizar la central nuclear de Saint Lucie sin demasiados problemas.

El jefe del Ministerio del Interior de Cuba había seguido paso a paso las últimas fases del Plan Hatuey gracias a un teléfono de satélite instalado en el camión que lo llevaba de un lado a otro en la Sierra Maestra. Hernández, al habla con uno de los espías del MININT situado en una de las llamadas casas seguras de Miami, fue informado en todo momento de lo que pasaba sobre los cielos de la ciudad. Eso fue posible ya que dicho agente, con la ayuda de Héctor Lara, se había conectado por teléfono al sistema de sonido de la torre de control del aeropuerto y podía escuchar a la perfección todo cuanto ocurría allí.

Era obvio que Héctor no dispondría del tiempo necesario para informar personalmente a su padre sobre la evolución del operativo, de forma que el general utilizó a otro agente para ese cometido. Nada fue dejado a la improvisación. Todo se había estudiado una y otra vez para asegurar que Hernández pudiera monitorizar el operativo segundo a segundo. De principio a fin.

Sin embargo, cuando los Estados Unidos comenzaron a desatar la guerra electrónica, la señal de satélite desapareció de inmediato. Las potentes ondas de interferencia norteamericanas bloquearon con rapidez cualquier emisión procedente de la isla.

Entonces, habiendo previsto ya la lógica maniobra del Pentágono, ambos pasaron al denominado Plan B. Al interrumpirse la llamada, el general ordenó a los soldados que detuvieran el vehículo y lo aparcaran justo frente a la estación central de correos de la ciudad de Bayamo.

Hernández, conectó después una de las computadoras del camión a un teléfono de tierra instalado en la estafeta y accedió a la Internet. Ese sistema era el único que aún podía seguir accediendo a las redes de comunicación de Miami, ya que la línea telefónica entre Cuba y los Estados Unidos se había construido a base de cables submarinos y, por lo tanto, era inaccesible al plan ideado por el Pentágono.

Tal y como estaba previsto, el general tecleó sus códigos confidenciales y apenas tuvo que esperar algunos minutos para poder ver en la pantalla al mismo agente del servicio de inteligencia cubano con quien hablaba antes. Ambos disponían de pequeñas cámaras y micrófonos en sus respectivas computadoras, de forma que la conversación, esta vez, fue prácticamente cara a cara.

Mientras eso ocurría, ni Hernández ni los dos soldados que conducían el vehículo militar se dieron cuenta de que ya habían sido localizados por un helicóptero del MININT que volaba a gran altura sobre ellos. Dentro de la nave había un reducido grupo de militares con la orden de capturar a cualquier costo al general prófugo. Una operación para la que ya se estaban preparando y que realizarían en los próximos minutos.

Un avión AWAC de la Fuerza Aérea estadounidense que había despegado de la base de McDill en dirección sur comenzó a emitir una nueva voz de alarma. El aparato, cuya tarea era monitorear la actividad de los MIGs cubanos, estaba a cuarenta millas de la central nuclear de Saint Lucie cuando detectó la presencia de los tres reactores de la FAR cerca de la misma.

El AWAC, al sospechar sobre la alta posibilidad de que Saint Lucie fuera el siguiente blanco de los cazabombarderos de La Habana, solicitó asistencia urgente por parte de cualquier avión de combate norteamericano que estuviese en el área. Los radares del AWAC localizaron enseguida a cinco F-16 que, en aquel momento, estaban volando hacia Miami. Tras ordenarles que modificaran su ruta de inmediato, estos comenzaron a seguir el rastro de los aparatos de la FAR.

Los MIGs-29 y el SU-27 llegaron a la central de Saint Lucie en el tiempo previsto y se prepararon para descargar todas sus bombas sobre la misma. Sin embargo, y sin el menor aviso previo, uno de los aviones se apartó del grupo en una clara señal de que no estaba dispuesto a formar parte de aquel bombardeo.

—Lo siento, mi comandante, no puedo hacer lo que se me ordena... —dijo el teniente del cacique 7 a su comandante del cacique 17.

Al oficial de la FAR que pilotaba el MIG llamado cacique 17 le dio un ataque de cólera.

—¡Déjese de estupideces! ¡No hay tiempo que perder!

Sin embargo, la furia del leal revolucionario no pareció inquietar al otro cubano.

—No. Esto es una monstruosidad —afirmó mientras desactivaba los sistemas de ataque del avión.

El comandante tuvo que pensar muy rápido para ver cómo podía convencer al otro piloto para que materializase su parte de la misión.

—Esto va a costarle un juicio de guerra y morir frente a un pelotón de fusilamiento. ¡Esto es alta traición!

—Quizás —respondió el teniente—, pero si ese es el

precio de salvar miles de vidas inocentes, estoy dispuesto a pagarlo.

Aquellas palabras de abierta rebeldía enfurecieron aún más al otro piloto.

—¡Gusano! —explotó de ira—. ¡Al menos piense en su familia! ¡Ya sabe lo que les espera! —le amenazó.

Al teniente se le estremeció el cuerpo cuando escuchó esas palabras. Sabía muy bien que aquellas amenazas se harían realidad, pero ni siquiera eso pudo hacer que cambiara de idea.

—Yo no estoy traicionando ni a mi país, Cuba, ni a mi familia. Estoy traicionando a un sistema que está demente si me ordena hacer una barbaridad como esta. Mi país, Cuba, y mi familia estarán orgullosos de lo que estoy haciendo. No puedo permitir que me obliguen a participar en una masacre semejante...

Mientras todo eso ocurría, el piloto del SU-27, Roberto Hidalgo, escuchaba por radio con extrema atención la disputa entre los aviadores de los dos MIGs.

El comandante de la FAR comprendió que nunca lograría recuperar la lealtad de su teniente, así que, con una fugaz y diestra maniobra, situó su aparato tras el otro MIG. El cacique 7 jamás esperó ser atacado por su superior, de forma que esa acción le cogió completamente desprevenido. Cuando el teniente intentó evadir al otro caza cubano, ya fue demasiado tarde. El cacique 17 disparó dos misiles aire-aire, un AA-10 y un AS-12 HARM, que destrozaron al aparato que se había negado a atacar la central.

Roberto Hidalgo comprendió a la perfección lo que sin duda también le ocurriría a él si no seguía las órdenes asignadas. No obstante, los cazas estadounidenses aparecieron providencialmente en el horizonte justo en aquel momento y obligaron a que el MIG-29 todavía operativo saliera a atacarlos para proteger el bombardeo del SU-27.

—¡Vaya a la central y atáquela con todo lo que trae! ¡Rápido! ¡Yo le protegeré! —dijo el comandante a Hidalgo consciente de que el SU-27 tenía más y mejores bombas que su MIG-29.

Roberto Hidalgo acató las órdenes y enfiló su avión hacia el blanco establecido. El comandante cubano, al ver que el otro aparato parecía seguir sus instrucciones, dirigió sin demora su MIG-29 contra los cazas del Pentágono. El objetivo era distraerlos el tiempo suficiente para que el SU-27 pudiera descargar sus diez toneladas de bombas sobre Saint Lucie.

En ese preciso instante, la voz de Héctor Lara comenzó a sonar por la radio de los dos aviones cubanos.

—¡Atención! ¡Atención! —gritó Héctor—. Aquí Barbarroja... Aquí Barbarroja al piloto del SU-27... ¿me escucha?

El agente del MININT no pudo soportar más la idea de no hacer todo lo posible para detener el ataque, de manera que decidió contravenir las órdenes de su padre y cancelar el plan. Héctor seguía creyendo que el general Hernández no formaba parte de toda aquella locura, así que pensó que su deber era tomar la iniciativa. Frenar algo que ya había llegado demasiado lejos.

—Aquí el SU-27... ¿Quién está hablando? —respondió Hidalgo.

El agente respiró con cierta tranquilidad al escuchar a Hidalgo.

—Ya le dije, el agente Barbarroja. Detenga el ataque —le ordenó sin titubeos.

Los agentes del MININT que estaban en la torre de control no dieron crédito al hecho de que Héctor estuviera desobedeciendo abiertamente las instrucciones de La Habana. Todos sabían que eso era un claro sinónimo de estar firmando su propia sentencia de muerte.

—¿Repita...? —dijo el piloto.

—¡Aborte! ¡Aborte la misión!

Roberto Hidalgo dudó durante un instante sobre la autenticidad de aquella voz.

—Cámbiese a la frecuencia de emergencia establecida —afirmó el aviador para verificar si se trataba o no de Barbarroja.

Casi de forma instantánea, Héctor cambió la frecuencia de la radio y pasó a usar la requerida por Hidalgo.

—Aquí Barbarroja de nuevo. ¿Me copia, SU-27?

—Sí. Le copio —afirmó Hidalgo.

—Aborte ahora mismo el operativo. ¡Es una orden! —repitió el espía.

Entonces, el comandante del MIG-29 intervino de inmediato.

—¡No! ¡Atención! ¡SU-27! ¡No le escuche! ¡Proceda con la misión! —le ordenó.

El piloto del MIG-29 había recibido órdenes muy claras: de desatarse el ataque, nadie podía detener el bombardeo sobre el blanco final. No habría vuelta atrás. El general Hernández, consciente de que ese comandante estaría en uno de los aviones encargados de llegar hasta Saint Lucie, se reunió personalmente con él en La Habana para despejar todas las dudas que pudiesen surgir durante el Plan Hatuey. En ese encuentro le dijo que, usando la radio, posiblemente alguien se haría pasar por un miembro del MININT para confundir a los pilotos y frustrar el operativo, así que le ordenó neutralizar cualquier intento por impedir que el plan culminase con éxito. Según él, eso sólo serían maniobras de distracción del enemigo para desconcertar a los aviadores de la FAR.

—¡Escuche! ¡SU-27! —regresó Héctor—. ¡Yo soy el oficial a cargo de esta operación! ¡Yo le he dado sus destinos en clave y dispongo de todos los códigos secretos del plan! ¡En estos momentos yo soy su superior inmediato y le ordeno que no deje caer esas bombas! ¿Está claro?

El MIG-29 apenas disponía de algunos segundos más antes de que comenzara el combate contra los F-16 estadounidenses.

—¡No sea estúpido SU-27! ¿No ve que le están engañando? ¿No ve que esa es una táctica del enemigo imperialista para que se confunda? ¡Vamos!

—¡No le escuche! —prosiguió Héctor—. ¡A usted, el piloto del MIG-29, también le ordeno que abandone el combate y regrese a Cuba! ¡Le ordeno que no bombardee esa central bajo ninguna circunstancia!

—¡No sea cobarde! —gritó el comandante al teniente Hidalgo por la radio—. ¿Por qué cree que estamos haciendo esto? ¿Cómo sabe que, en estos precisos instantes, los yanquis no están atacando o invadiendo Cuba? ¡Eh! ¿Por qué estarían acaso enviándonos a una misión como esta si no estuviera ocurriendo algo semejante?

—¡No! ¡Todo es un error! ¡No hay ninguna invasión de Cuba! —dijo Héctor.

Roberto Hidalgo se dio cuenta entonces de que el MIG-29 tuvo que interrumpir precipitadamente la comunicación para concentrarse en su ataque contra los F-16 que se acercaban con peligro hacia él.

El comandante del MIG-29 era un piloto muy experimentado y logró realizar varias maniobras evasivas casi de manual, pero la aplastante superioridad numérica de los F-16 hizo que el cubano acabara recibiendo el impacto de un misil aire-aire SPARROW 7 F. La explosión dañó severamente al MIG, pero el piloto, en un acto desesperado por cumplir las órdenes recibidas por el general Hernández, aún tuvo tiempo suficiente para enfilar los restos de su aparato hacia la central.

El MIG se estrelló contra la estructura donde estaban ubicados los reactores y se escuchó una gran explosión. Igual que en el caso de Turkey Point, la central quedó peligrosamente agrietada, pero no lo suficiente como para ocasionar una liberación de material radiactivo. Sin embargo, si las diez toneladas de bombas del SU-27 también caían sobre Saint Lucie, el derretimiento de los reactores sería un hecho garantizado.

Hidalgo dio una pasada por encima de la central, pero no dejó caer ningún misil.

—¡Detenga el ataque! ¡Detenga el ataque! —insistió con furia Héctor—. ¡Deténgase! —añadió desesperado—. ¿Es que no se da cuenta de que está a punto de cometer un verdadero crimen? ¡Respóndame!

Los pilotos estadounidenses prefirieron, al menos por el momento, distanciarse un poco del avión cubano. Temían que, si se acercaban demasiado, el aviador de la FAR podría sentirse acorralado. Si eso ocurría, su respuesta, quizás, sería la de atacar debido a esa misma presión. Los militares norteamericanos pensaron que si existía alguna posibilidad de que el SU-27 optara por no soltar las bombas, quedaría arruinada si los F-16 adoptaban una posición más agresiva hacia él. Por otra parte, uno de los aviadores del Pentágono entendía español y estaba escuchando las instrucciones que Héctor emitía desde Miami, algo que fue interpretado como una clara señal de esperanza. La única opción era rezar para que Roberto Hidalgo escuchase a su conciencia y no accionara el mecanismo de lanzamiento de misiles de su poderoso cazabombardero.

Hidalgo volaba en círculos concéntricos sobre la central, sin decidirse sobre cuál debería ser el siguiente paso a seguir.

—¡Por el amor de Dios! ¡No lo haga! ¡Piense en su familia! ¿Cómo podrá mirarles a los ojos si comete esta barbaridad! —suplicó Héctor.

El piloto cubano, antes de emprender esta misión, prácticamente había decidido desertar en su próximo vuelo. El apoyo e insistencia de su mujer fueron esenciales para llegar a esa conclusión. Sin embargo, pensar en desertar y hacerlo eran dos cosas muy distintas. Dejar atrás a la familia suponía un sacrificio enorme para Roberto y esa pesadilla hacía que tuviera muchas dudas de última hora respecto a aquel difícil paso. Además, si no ejecutaba una misión tan importante como aquella, el futuro de su familia quedaría absolutamente en el aire. Las represalias podrían ser imprevisibles y de todo tipo. Si algo malo les ocurriera, no se lo podría perdonar jamás.

—SU-27... SU-27... —dijo por radio un militar de la base de McDill que había escuchado todos los pormenores de lo ocurrido hasta el momento—. Le habla el teniente coronel Richard Polmar, de McDill... ¿Me escucha...?

Hidalgo sudaba profusamente y sus dedos comenzaron a temblar.

—Adelante, McDill... —dijo el piloto sacando fuerzas de flaqueza.

—Sé que está usted luchando con su conciencia...

El cubano hablaba inglés, de forma que entendía perfectamente todo cuanto le decían. No obstante, el teniente coronel no obtuvo ninguna respuesta inmediata.

—No hace falta que me diga nada —prosiguió Polmar

con mucha inteligencia—. Si usted no estuviera peleando con su conciencia, ya hace tiempo que hubiese dejado caer esas bombas. Algo dentro de usted se está resistiendo a cumplir las órdenes que le dieron porque sabe que eso sería un crimen contra la Humanidad. No contra los Estados Unidos, sino contra la misma Humanidad. Las víctimas no serían sólo militares, sino, sobre todo, civiles. Mujeres, niños, ancianos... Personas inocentes...

El SU-27 seguía sobrevolando la central nuclear de Saint Lucie, pero nada parecía indicar cuál sería la decisión final del piloto. Los silencios de apenas segundos se sentían como si fueran eternos y no hacían más que aumentar la gran tensión ya existente.

—Si deserto... —dijo de repente Hidalgo—, ¿me ayudarán a traer a mi familia de Cuba?

—Sí, haremos todo lo posible —respondió enseguida el militar estadounidense.

Durante algunos instantes de máxima ansiedad, nadie pudo predecir si Florida se salvaría o no de la destrucción. Sin embargo, Hidalgo, mientras lloraba y acariciaba la foto de su mujer Carmen y de su hija Sonia, aceleró de pronto los motores del SU-27 y dirigió con decisión el aparato hacia el norte. El piloto cubano abandonó sin más demora el área de Saint Lucie y tecleó después en su computadora de vuelo las coordenadas para dirigirse a la base de McDill. Hidalgo se dio cuenta de que, independientemente de cualquier amenaza personal o familiar, nunca hubiera sido capaz de bombardear la central nuclear. Él era un militar y no un asesino y tenía todo el derecho a negarse a participar en un ataque semejante.

—SU-27 a base de McDill... Solicito permiso para aterrizar y pedir asilo político...

La respuesta llegó en menos de un segundo.

—Permiso concedido —dijo Polmar mientras ordenaba a sus F-16 que no derribaran al avión de Roberto Hidalgo.

Al escuchar lo ocurrido, Héctor también lloró de alegría y, al cabo de algunos segundos, volvió a coger su radio.

—Aquí Barbarroja a SU-27...

—Adelante...

—¿Cuál es su nombre?

—Roberto Hidalgo —afirmó sin vacilar.

—Roberto, hoy ha salvado usted la vida de miles de personas. Es usted un héroe. Nunca permita que nadie le diga que es un cobarde o un traidor. Su país... su patria... su pueblo está orgulloso de usted... —le dijo antes de cortar la comunicación.

Al escuchar lo ocurrido, una profunda sensación de alivio se extendió con rapidez entre todos los que estaban en la torre de control, pero el peligro todavía estaba muy lejos de haber finalizado.

La cara de Carlos Hernández quedó completamente desencajada cuando se dio cuenta de que el Plan Hatuey había fracasado. Ya nunca podría dejar el legado histórico con el que tanto había soñado. De repente, el general sintió como si su vida hubiera dejado de tener sentido.

—¿Cómo es posible...? ¡Mi propio hijo! Hasta mi propio hijo traicionando a la revolución... —susurró indignado y con la mirada perdida.

Al escuchar la voz de su Héctor ordenando a los pilotos cubanos abortar el ataque, el militar se dio cuenta de que su hijo ya no le servía para nada.

—Siempre pensé que me profesaba una lealtad sin límites... ¡qué equivocado estaba! ¿Cómo ha podido fallarme en una misión tan trascendental como esta? Eso es imperdonable... —pensó Hernández dejando claro una vez más que nunca consideró a Héctor como un verdadero hijo, sino como un simple instrumento más del MININT para ejecutar sus planes. Uno de entre miles. Alguien cuyo único valor había radicado en su férrea lealtad y en su extraordinaria destreza como agente secreto.

Tras dar una última orden al agente de Miami para que fuera transmitida a los equipos de rescate del Ministerio del Interior, Carlos Hernández desconectó su computadora y reclinó hacia atrás su cabeza para descansar un poco.

—Estoy exhausto —dijo el general.

Héctor Lara se levantó de la silla donde estaba sentado en la torre de control y ordenó a los agentes del MININT que se preparasen para abandonar el recinto. Después fue en dirección a la sala donde habían sido encerrados Marta Quesada, Miguel Cardoso y Gregory Nikolayev.

Marta, que veía perfectamente todos los movimientos de Héctor, se puso muy nerviosa cuando se dio cuenta de que iba a encontrarse con él en tan sólo algunos segundos. La cubana estaba desesperada por escuchar todo lo que Héctor tuviera que decirle, pero el miedo a esas mismas palabras comenzó a paralizarla.

Gregory Nikolayev enseguida se dio cuenta del estado de Marta y se dirigió hacia la joven. A pesar de casi no conocerla y de no tener mucha confianza con ella, el espía ruso se tomó la libertad de intentar reconfortarla.

—Marta —le dijo acariciándole su brazo derecho—, imagino por lo que estarás pasando...

—No. No te lo puedes imaginar... —afirmó ella—. No te puedes imaginar qué dolor tan grande tengo dentro de mí...

El ruso la miró fijamente y le brindó una suave sonrisa.

—Todos hemos amado alguna vez y sabemos lo que duele cuando te parten el corazón, pero sólo quiero que recuerdes una cosa. No importa cuánto te haya hecho sufrir Héctor, piensa que acaba de salvar la vida de miles de personas...

Marta no pudo reprimir sus lágrimas, que brotaban cada vez con mayor intensidad.

—Héctor es un agente secreto entrenado para no fallar y acaba de echar por la borda toda su carrera y su vida en Cuba. Ha desobedecido las órdenes de sus jefes y eso va a costarle caro. Muy caro. Eso ha tenido que ser terriblemente difícil para él, pero lo ha hecho porque se ha dado cuenta de que estaba equivocado. Es un ser humano y ha admitido su error. Yo lo admiro. Muy pocos hubieran sido tan valientes como él —dijo Nikolayev.

El ruso la abrazó con cariño y después regresó al lado de la sala donde estaba Miguel Cardoso.

Marta Quesada se sentía rota por dentro y atrapada en un mar de rabia y confusión. La cubana no podía parar de llorar, pero, al menos, las lágrimas parecían ayudarle a desahogar su inmensa angustia.

Cuando Héctor Lara entró en la sala, Marta fue hacia él sin darle tiempo a decir nada.

—¡Dime cómo has sido capaz de engañarme de esa forma! —le dijo agarrándole la cara con su mano derecha y sacando fuerzas de flaqueza—. ¡Sé hombre! ¡Mírame a los ojos y dímelo!

El agente del MININT venía con una nutrida escolta y Héctor tuvo que hacer una señal a los militares para que no se preocupasen.

—Marta —titubeó Héctor—, sólo puedo decirte que te quiero y pedirte que me perdones. Por favor, perdóname tú también —dijo después mirando a Miguel Cardoso—. Sé que tienen todo el derecho del mundo a pensar lo peor de mí, pero quiero que sepan que mis sentimientos hacia ustedes no son ninguna mentira... Especialmente, por ti, Marta —añadió girándose hacia ella.

La cubana hubiera querido golpearlo, insultarlo e irse para no verlo más. Sin embargo, su corazón era todavía mucho más fuerte que su cabeza y algo la obligó a quedarse allí, junto a Héctor. Una fuerza que no podía controlar.

—Mi amor, te pido que me acompañes. Tenemos que irnos. No hay mucho tiempo.

—¿Mi amor? ¿Cómo te atreves todavía a llamarme así? —dijo furiosa.

—Por favor...

—¿Que te acompañe? ¿Adónde? —se extrañó ella.

—Sólo quiero salir del aeropuerto y poder conversar contigo con un poco más de tranquilidad.

Marta sopesó rápidamente la oferta y asintió. No podía dejar que Héctor se fuera sin antes hablar con él. Esa sería una forma ridícula de acabar su relación con una persona que había significado tanto para ella.

—Esperen... —intervino de pronto Miguel Cardoso—. Yo no voy a dejar que te vayas solo con Marta. Como ya dije antes, aquí llegamos los tres juntos y sólo nos iremos juntos de nuevo.

—Está bien —afirmó Héctor sin querer empezar una discusión—. Vamos.

El grupo bajó entonces hacia las pistas de aterrizaje junto a decenas de militares del Cuerpo de Tropas Especiales. Justo frente a la torre de control estaban los tres helicópteros utilizados por las fuerzas del MININT para llegar hasta allí. Algunos comandos regresarían en los MI-24. Otros, en cambio, se mezclarían con la población.

Héctor subió a Marta, a Miguel y al agente ruso en el primer helicóptero y, tras dar las últimas instrucciones, tomó asiento en el mismo aparato. El agente llevaba una escolta de ocho soldados.

La nave despegó en apenas segundos y, acto seguido, los otros dos MI-24 iniciaron los preparativos para seguirla. Sin embargo, sólo el primer MI logró abandonar el perímetro del aeropuerto, ya que los otros fueron atacados por tres helicópteros Apache del Ejército de los Estados Unidos que aparecieron inesperadamente sobre las pistas de aterrizaje.

Los Apache AH-64 procedían de la base de Homestead y habían logrado sobrevivir al bombardeo de los MIGs-29. Esos aparatos volaban a muy alta velocidad, algo que podían hacer incluso de noche gracias a sus avanzados sistemas de visión nocturna.

Cada Apache tenía setenta y cuatro cohetes y, en la primera pasada, descargaron la gran mayoría de ellos contra los dos MI-24 que todavía estaban sobre las rampas. En el segundo ataque, los helicópteros norteamericanos dispararon sus misiles Hellfire guiados por rayos láser hasta que las naves cubanas se convirtieron en pura chatarra envuelta en llamas. Al responder las tropas del MININT con fuego de ametralladora, los Apaches aniquilaron a multitud de soldados cubanos con varias ráfagas procedentes de su poderoso cañón de treinta milímetros. De los casi setenta militares de La Habana que estaban intentando escapar del aeropuerto antes de que aparecieran los Apache, tan sólo sobrevivieron diez o doce.

Héctor Lara se enteró por radio del destino de sus soldados. Todo parecía ir de mal en peor en aquella misión, algo que el rostro del espía del MININT reflejaba con absoluta claridad. El agente sintió cada una de aquellas muertes como si hubieran sido miembros de su propia familia, pero ahora le tocaba velar por la seguridad de los que todavía seguían vivos.

El ruido de los motores y de las hélices del MI-24 era ensordecedor, así que Héctor dio a Marta unos auriculares para hablar con ella.

—Marta, pequeña... —dijo el cubano, que se había sentado justo frente a ella—. Tenemos que hablar ahora. Siento que sea así, pero después quizás no haya tiempo.

—Habla. Habla ya. Di lo que tengas que decirme —afirmó Marta intentando contener la intensa emoción que la embargaba.

—Sé que es injusto pedirte esto, pero te ruego que confíes en mí.

—¿Confiar en ti? —preguntó Marta expresando indignación en su rostro—. ¿Por qué habría yo de confiar en ti?

—Porque te amo.

La cubana suspiró y después movió su cabeza de un lado para otro en señal de negación.

—Qué bien mientes.

—No te estoy mintiendo y tú lo sabes. Tú me conoces mejor que nadie en este mundo. Sólo tienes que mirarme a los ojos y sabrás que te estoy diciendo la verdad.

Marta, consciente de que no era dueña de sus sentimientos, procuró esquivar la mirada de Héctor. La joven se sentía demasiado débil, vulnerable y confundida como para poder mirarlo a los ojos sin estallar aún en más lágrimas. Una escena que quería evitar a toda costa.

—¿Cómo puedes hablar así después de todo lo que has hecho? ¡Eres un asesino!

Héctor bajó su cabeza, pero enseguida volvió a mirar a Marta.

—Marta, mi amor. Tú eres mi vida. Hoy te necesito más que nunca. Sin ti, no podría seguir adelante...

—Tú no necesitas a nadie. Usas a quien te interesa y después los abandonas como si fueran basura. ¡Eres un espía! ¡Un lacayo de la revolución!

El cubano sintió cada una de aquellas palabras como si fueran verdaderas cuchilladas.

—Una vez me dijiste que yo estaba con quienes sufren y no con quienes hacen sufrir. ¿Es que ya has cambiado de opinión? ¿Tanto he cambiado en tan poco tiempo?

—No. No has cambiado. Aparentemente, siempre has sido el mismo, pero yo no te conocía. Tus mentiras me impidieron verte como eres en realidad, no como yo quería que fueras.

—Marta, si yo te mentí alguna vez no fue para hacerte daño, sino por miedo a perderte. Mil veces quise decirte la verdad respecto a todo, pero mil veces me arrepentí pensando que sería demasiado complicado de entender.

—¿Cómo vas a querer a alguien en quien tan siquiera puedes confiar?

—Con respecto a mi amor por ti, yo soy el mismo de ayer. El mismo de siempre. Nada ha cambiado en mi corazón.

—¿Cómo pude ser tan estúpida? —dijo con furia Marta—. Tú eres un comunista, un represor, el ejemplo de todo cuanto odio. Yo me fui de Cuba por gente como tú. Tú representas lo que yo desprecio con todas mis fuerzas. Mi familia sufrió mucho por la revolución y mi hermano incluso murió asesinado por ella. ¡Tú eres un esbirro más de La Habana!

—No —afirmó Héctor—. Yo no soy ningún esbirro. Yo soy alguien que siempre luchó por lo que creía, pero ahora todo ha cambiado.

—¿Qué ha cambiado? —preguntó Marta sonriendo con ironía.

—Tú lo has cambiado todo. El amor por ti me ha hecho ver todo de una forma muy distinta y hoy me he dado cuenta de que ya no soy la misma persona. Estaba confundido. Luchaba por unos ideales, sí, pero de una forma equivocada. Yo siempre quise defender a los más débiles, a los pobres, pero la revolución no puede ser odio y represión. Tú, tu amor, nuestro amor, me han hecho ver la verdadera realidad de lo que me rodea. Tus palabras, tus caricias y tu cariño me han enseñado que hay algo mucho más poderoso que la revolución y eso es nuestro amor... ¡Marta! —exclamó Héctor agarrando con fuerza las manos de la cubana—. ¡No sabes lo duro que es despertarse de esta forma y ver el daño que has hecho a tanta gente! ¡Qué miserable he sido tantas veces cuando lo único que intentaba era hacer el bien!

Marta no supo cómo reaccionar ante lo que estaba escuchando.

—Te pido perdón. Por favor, perdóname —imploró con sinceridad Héctor.

—¿Perdón? —preguntó de pronto Marta—. ¿Y cómo sé yo con quién estoy hablando ahora? ¿Cuál es tu verdadera cara? ¿Quién eres en estos momentos? ¿Héctor el espía o Héctor el hombre de quien yo me enamoré?

—Marta, cariño, yo soy el mismo. El mismo que te quiso, te quiere y siempre te querrá. Perdóname. Estaba confundido, hundido en un túnel, pero ya me desperté de esa pesadilla y te pido de rodillas que confíes en mí. Esta desgracia me ha acabado de abrir los ojos respecto a quién soy y cuáles son mis auténticos sentimientos. No te lo puedo explicar muy bien, pero, de repente, lo he visto todo claro.

Miguel Cardoso y Gregory Nikolayev observaban en silencio la conversación, pero sin poder oír nada. A pesar de eso, ambos sentían perfectamente la intensidad de la misma.

—Vaya... ¿ya le estás dando la espalda a la revolución? —siguió Marta a la ofensiva.

—Siempre quise ayudar a la gente y todavía quiero hacerlo, pero sin causar más dolor a nadie. Ya estoy cansado de lastimar; ahora quiero curar heridas. La revolución no puede ser una cárcel. La revolución es justicia, pero no mediante cadenas para quienes no están de acuerdo con ella.

Héctor miró fijamente a Marta y lloró.

—Yo tuve que enamorarme de alguien que no creía en esa revolución para poder apreciar el dolor de las personas a las que yo tanto he hecho sufrir. Es triste. ¡Lo siento! ¡Estaba ciego y equivocado! —exclamó—. Te ruego que me perdones, pero no puedo renunciar a tu amor. Eso sería mucho peor que morirme. Puedo realizar cualquier sacrificio, excepto renunciar a ti. Te pido perdón a ti y a todos los que murieron por mi culpa. ¡Qué tonto he sido! ¡Por favor, perdóname! ¡Te quiero tanto!

Marta sentía que algo se había roto dentro de ella, pero el amor hacia Héctor era todavía tan fuerte que tenía que luchar con todas sus fuerzas para no creer en la sinceridad de las palabras del cubano.

—Tú dices que te mentí —continuó Héctor—, pero yo nunca te mentí cuando te dije que te quería, que te amaba, que te necesitaba y que no podía vivir sin ti. Mis labios nunca mintieron cuando te besaron y te juraron amor eterno. Mis labios nunca mintieron cuando te prometieron que nunca besarían otros que no fueran los tuyos. Esos besos, todos y cada uno de ellos, fueron besos de auténtico amor. ¿Es que no lo sabes? Yo comencé a cambiar tan pronto como te conocí y eso tampoco es ninguna mentira.

En ese momento, el helicóptero comenzó a descender hasta aterrizar en la playa de Key Biscayne. El lugar elegido fue una zona remota, alejada del tráfico y de los edificios de esa pequeña isla situada justo frente a Miami y unida a la ciudad por un pequeño puente.

El grupo bajó con rapidez de la nave y mientras cuatro soldados del MININT custodiaban a Miguel Cardoso y a Gregory Nikolayev, los otros cuatro comenzaron a preparar una pequeña barca zodiac para echarse al mar.

Héctor Lara y Marta Quesada caminaron entonces hasta la densa vegetación que rodeaba a la playa. Allí, amparados por la noche y el verde de las palmeras, pudieron continuar hablando durante algunos minutos más.

—Marta, sé que te estoy pidiendo mucho. Después de todo lo que ha ocurrido, sé que rogarte que confíes en mí es algo a lo que quizás no tengo derecho, pero necesito que me des la oportunidad para rectificar todos mis errores.

Marta estaba destruida. Su desprecio hacia la revolución era una parte esencial de su personalidad más profunda. Sin embargo, el caprichoso destino había hecho que se enamorara, precisamente, de un espía cubano. No un amor más, sino el único amor de toda su vida. Un amor que la había enloquecido por completo y por el que profesaba auténtica devoción.

—Héctor... —dijo en voz baja—. Hoy he sufrido demasiado. Tú no puedes ni imaginar lo que yo te he querido, pero todo esto me ha destrozado... No tengo fuerzas ni para hablar... Siento como si, de repente, hubiera envejecido cuarenta años... Estoy exhausta... Necesito estar sola...

Tras esas palabras, la joven se separó de Héctor y comenzó a caminar en dirección contraria. No obstante, el cubano enseguida la siguió y la abrazó con fuerza por la espalda. Al acercar su cara a la de ella, olió su cuello y su cabello para disfrutar una vez más de la exquisita fragancia que siempre emanaba de la piel de Marta.

—Marta, por favor, confía en mí. Dame otra oportunidad. He cometido muchos errores en mi vida, pero voy a rectificarlos todos. Sólo sé que te quiero y que no puedo vivir sin ti.

—Confía en mí... —parafraseó Marta a Héctor—. ¿Cómo quieres que olvide todo lo que ha pasado? ¿Cómo quieres que te diga que te quiero y no piense en que si no hubiéramos venido en la misma balsa de Cuba, quizás, mi hermano todavía estaría vivo? ¿Por qué tuviste que cruzarte en mi camino? ¿Por qué? —estalló de nuevo en lágrimas.

Héctor, en vez de soltarla, la abrazó aún con más fuerza.

—Perdóname por todo lo que te he hecho sufrir... Por favor, perdóname... pero no me quites la esperanza de volverte a ver... —dijo el cubano con los ojos también llenos de lágrimas—. Prefiero que me maten aquí mismo antes que renunciar a tu amor. Coge mi pistola. Toma —dijo Héctor poniendo el arma en la mano de Marta—. Mátame si quieres, pero por favor no me apartes de tu vida. No quiero vivir si no es junto a ti.

La respiración de ambos era intensa y ninguno de los dos fue capaz de negar que necesitaba terriblemente al otro. Parecía claro que su amor estaba demostrando ser mucho más fuerte que cualquier obstáculo que se inmiscuyera entre ellos.

—Héctor, no sé si sería capaz de poder mirarte a la cara como antes, con la misma frescura con la que lo había hecho hasta ahora... confiando en ti al cien por cien...

—No importa lo que pase, siempre estaré contigo, a tu lado. Siempre podrás confiar en mí porque te quiero con toda mi alma y eso te aseguro que no ha cambiado. Sé que nuestro amor podrá cicatrizar esta herida. Si no creyera eso, yo mismo me pegaría el tiro, Martica. Te lo juro. Ahora mismo.

Héctor acarició de nuevo el pelo de Marta, así como la suave y delicada piel de su rostro.

—Tú me has enseñado mucho y gracias a ti he cambiado como nunca antes hubiera podido imaginar. Lo que para mí antes eran verdades absolutas, ahora ya no lo son. Veo las cosas de forma distinta. Tú me has convertido en un verdadero hombre, en una verdadera persona, en un verdadero ser humano. Sí, quiero justicia, pero sin provocar dolor, separación y muerte.

La cubana se dejó llevar por su corazón y besó a Héctor en los labios. Suavemente y con dulzura mientras dejaba caer la pistola sobre la arena.

—Ahora tengo que irme, Marta.

—¿Adónde? —preguntó extrañada ella.

—A Cuba.

—¿Cómo? ¿Estás loco? —se asustó ella.

—No. Mi padre es un general del MININT y él fue quien planeó esta operación. Marta, los ataques a las centrales nucleares fueron un error. Nunca debieron haberse producido.

—¿Y por qué has de volver? ¿Es que no ves que te negaste a cumplir las órdenes que te dieron? ¿Es que no sabes que te pueden matar por eso?

—No, no —dijo convencido Héctor—. No me pasará nada, pero no puedo permitir que mi padre piense que le he traicionado. Tengo que ir para explicarle lo que ocurrió y averiguar de dónde vino el error de autorizar los ataques finales sobre Turkey Point y Saint Lucie. Todo esto no era más que una operación limitada para asustar a Washington. Nada más.

—Quizás eso sólo fue lo que te dijeron a ti... —apuntó Marta.

—No. Eso no puede ser. Es ridículo. Mi padre es una persona decente. Nunca permitiría algo semejante.

De pronto, uno de los militares del MININT se acercó para decir a Héctor que la barca ya estaba lista.

—Tengo muy poco tiempo. He de regresar a Cuba para no fallar a mi padre, pero también para decirle que no me quedaré allí. Para decirle que me he enamorado de la mejor mujer del mundo y que regreso con ella. Mi casa ya no es Cuba, sino dondequiera que tú estés, pero ahora tengo que volver. No puedo quedarme aquí y no explicárselo cara a cara. Se lo debo. ¿Comprendes?

Marta tuvo entonces la horrible sensación de que si Héctor se iba, no volvería a verlo jamás.

—¿Y cómo vas a explicarle que ya no crees en la revolución? ¿Acaso no es eso traición? Héctor, tienes una venda en los ojos... Estás haciendo algo demasiado peligroso... por favor, quédate...

—Él es mi padre. Me quiere y sólo desea que sea feliz. Me comprenderá. Siempre he hecho cuanto me ha pedido, por difícil que eso haya sido —afirmó seguro de sí mismo—. Él sabe cuánto lo quiero. No habrá problemas, ya verás.

El presentimiento de Marta se hacía cada vez más intenso, pero, finalmente, decidió no intentar convencer a Héctor para que se quedara. Quizás él tenía razón y esa era la única forma de romper de forma definitiva con su pasado y comenzar una nueva vida con ella lejos de Cuba.

—Mi padre tiene que enterarse del desastre que hemos estado a punto de causar. Eso es algo que no puede volver a suceder. Tengo que verlo. Ya verás. Echará el grito en el cielo cuando le diga todo lo que ocurrió —afirmó Héctor.

—Tengo mucho miedo —se apresuró a decir Marta mientras lo abrazaba.

—No. No te preocupes.

—Hay tantas cosas que quiero preguntarte...

—Lo sé, pequeña. Yo también, pero te juro que volveré muy pronto. En apenas algunos días. Entonces hablaremos sobre todo lo que quieras. Podrás preguntar lo que desees. Hay muchas cosas de las que ahora no estoy nada orgulloso, pero, aunque me duela hacerlo, te responderé a todo con sinceridad.

—Júrame que cuando regreses ya no nos separaremos nunca más.

—Te lo juro.

Marta, de repente, sonrió.

—Héctor, tienes una pestaña en la cara.

—¿Sí? —sonrió también el cubano.

—Sí, aquí está —dijo ella cogiéndola delicadamente con sus dedos—. Rápido. Pide un deseo.

—Ya está —se le iluminó la cara a Héctor.

—¿Así de rápido?

—Así de rápido.

—¿Tiene que ver con nosotros?

—Claro.

Héctor sopló después con suavidad sobre la palma de la mano de Marta y la pestaña desapareció de entre sus dedos. En ese momento, un miembro del MININT regresó para decirle que ya no podían esperar más.

—Te amo —le dijo a Marta besando sus labios por última vez.

—Yo también.

El cubano corrió hasta la zodiac y se subió a la misma junto a otros tres militares. El resto puso unos explosivos plásticos SEMTEX en el helicóptero y huyó hacia la carretera. Después, los soldados detuvieron el primer automóvil que pasó por la misma y, desalojando por la fuerza a sus ocupantes, emprendieron su camino hacia el escondite del MININT en Hialeah.

Tanto Marta como Miguel Cardoso y Gregory Nikolayev se apartaron del MI-24 para no resultar heridos por la inminente explosión, pero se quedaron en la playa para ver hacia dónde iba Héctor.

De repente, Marta, utilizando unos prismáticos que se encontraban entre el material abandonado por los cubanos en su huida, vio cómo un submarino cubano emergió relativamente cerca de la playa. Se trataba de una nave de la clase Foxtrot de fabricación rusa. Cuba tenía tres de esos submarinos en su inventario.

Esa nave, de noventa metros de eslora y propulsada por

tres motores diesel, podía sumergirse hasta doscientos metros y tenía una autonomía de casi diez mil millas náuticas.

La pequeña zodiac no tardó demasiado tiempo en alcanzar al submarino. Cuando lo hizo, los marineros les echaron un cable y ayudaron a los miembros del MININT a subir a bordo.

—¿Quién es Héctor Lara? —preguntó el capitán de la nave cuando vio a los cinco cubanos ya a salvo sobre la cubierta.

—Yo —dijo Héctor enseguida.

El capitán se giró hacia él con decisión.

—Tengo un mensaje para usted de parte de su padre, el general Hernández.

Héctor sonrió.

—¿Cuál?

—El general Hernández dice que es usted un perro traidor y que no merece llamarse su hijo.

Inmediatamente después, y aprovechando la total confusión de Héctor, el oficial sacó su pistola reglamentaria y le pegó un tiro a quemarropa en la cabeza.

Marta, que, debido a la distancia, no pudo escuchar nada, se desplomó contra el suelo cuando vio cómo asesinaban a Héctor. Su cuerpo, de repente, dejó de funcionar y cayó en un profundo abismo hasta perder por completo el conocimiento. El trauma había sido demasiado fuerte. Ni siquiera pudo emitir un grito o derramar una lágrima como muestra de dolor. La cubana se quedó en blanco y creyó morir.

El capitán del submarino, tras comprobar que Héctor estaba muerto, empujó el cadáver por la borda y lo dejó caer en el mar. Acto seguido, se metió en el Foxtrot por una de sus escotillas y ordenó que el submarino se sumergiera en las aguas del Caribe.

Los dos soldados que conducían el camión donde estaba el general Hernández se despertaron de repente cuando varios militares de las tropas especiales del Ministerio del Interior golpearon con suavidad la ventana del vehículo. Al ver cuatro ametralladoras AK-47 apuntándoles de frente, se quedaron paralizados.

—¿Dónde está el general? —les preguntaron intentando hacer el menor ruido posible.

—Detrás —dijeron los dos casi al mismo tiempo—. Con su computadora.

Los militares tenían la orden de neutralizar lo antes posible a Hernández. Los máximos jefes de la revolución ya estaban al corriente de la locura que había cometido el jefe del MININT y, en esos momentos, la prioridad número uno era arrestarlo de inmediato.

El camión fue rodeado de militares, pero antes de que pudieran asaltarlo se escuchó un disparo dentro. Al abrir la puerta trasera vieron a Hernández sentado sobre una silla, sin media cabeza y con un gran charco de sangre a su alrededor. A su lado encontraron una escopeta de caza que el general había llevado consigo convencido de que su lema en esa misión sólo podía ser uno: «Victoria o muerte».

78. EL ENCUBRIMIENTO

DAVID BLANK ENTRÓ en la sala de personalidades del aeropuerto de Miami a las siete y treinta y seis minutos de la mañana. Fuera había un gran número de agentes del FBI custodiando el acceso. La prensa, entre tanto, intentaba llegar a las distintas terminales para averiguar qué había ocurrido la noche anterior sobre los cielos de la ciudad, pero la zona permanecía acordonada por la policía. La confusión era obvia y las autoridades sabían muy bien que no podían aguantar mucho más tiempo sin dar algún tipo de explicación sobre la violencia y la destrucción vividas durante las últimas horas.

El FBI, a petición de Blank, había aislado por completo la sala de personalidades para realizar allí una reunión del más alto secreto. Por su parte, varios técnicos de la Agencia Central de Inteligencia llegados especialmente desde Washington revisaron hasta el último centímetro del local para asegurarse de que las conversaciones no pudieran ser escuchadas por nadie fuera de ahí.

El miembro del Consejo de Seguridad Nacional saludó a todos los asistentes y les pidió que se sentaran. Después, caminó hasta un pequeño podio situado en un extremo de la sala.

—Mi nombre es David Blank y represento al Consejo de Seguridad Nacional. Muchas gracias por haber venido con tanta rapidez.

Frente a Blank se encontraban el subsecretario de Defensa, el alcalde de Miami, el administrador del condado de Dade, el director del aeropuerto, el jefe de la torre de control con todos los empleados que vivieron el ataque del MININT, el gobernador del Estado de la Florida, el jefe del departamento de policía de la ciudad, los comandantes militares de las bases de Homestead, Boca Chica y McDill y los jefes de las centrales nucleares de Turkey Point y Saint Lucie.

—Seré honesto con ustedes. No puedo explicarles todo lo que sabemos respecto a lo ocurrido aquí anoche. Es un tema de seguridad nacional y debe permanecer en el más absoluto secreto.

Los asistentes escucharon con atención, sin hacer preguntas.

—Está claro que hemos sufrido un ataque aéreo de gran magnitud, pero, afortunadamente, no consiguió los resultados deseados por nuestros agresores. La amenaza ha sido neutralizada.

Blank observó a todos con solemnidad.

—Les he reunido hoy aquí para decirles que nada de todo lo que sucedió ayer puede ser revelado al público. Nada —recalcó con énfasis—. Voy a tomarles juramento para asegurarnos de que nuestros labios quedarán sellados para siempre y que nunca, absolutamente nunca, diremos la verdad sobre lo que ocurrió esta pasada noche aciaga. Son órdenes directas de la Casa Blanca invocando las leyes más estrictas de seguridad nacional que hay en el país.

El político se calló durante algunos segundos para ver si alguien discutía lo que había dicho. La respuesta, de nuevo, fue la de un profundo silencio. Ni siquiera el gobernador, consciente de la trascendencia del momento, se atrevió a decir nada.

—Al principio, nuestras explicaciones quizás parezcan increíbles, fuera de toda lógica, alucinantes... pero poco a poco conseguiremos que tanto el público como la prensa las acepten como buenas. Recuerden: una mentira repetida mil veces se convierte en una verdad. Básicamente, y sin dar muchos detalles concretos de los que aún no dispongo, la versión oficial será que todo se trató de unas maniobras militares. Tan fácil como eso. Unas maniobras tan bien ejecutadas que incluso muchos pensaron que, en efecto, se trató de un ataque real. Las maniobras se llamarán Cielo Seguro. Diremos que eran las mayores maniobras militares aéreas organizadas desde los atentados terroristas del once de septiembre y que se habían ideado para repeler cualquier nuevo ataque sorpresa con aviones por parte de Al Qaeda contra aeropuertos, ciudades, centrales nucleares o incluso bases militares en la Florida.

La primera pregunta fue inmediata.

—¿Y las decenas y decenas de muertos en ambos bandos, especialmente en las bases atacadas? ¿Y los daños en esas bases? —preguntó el jefe militar de la base de Boca Chica.

—No se preocupen. Recuerden: lo importante es mantener la calma y aparentar que estamos seguros de lo que decimos. Esa es la clave para que la gente se crea que es verdad. Las consecuencias de lo que ocurrió se ajustarán completamente a nuestra versión de los hechos. Hay muchos especialistas trabajando en este mismo momento para eliminar cualquier prueba que pueda contradecir nuestras explicaciones. Sin embargo, sí aceptaremos un número limitado de muertos. Diremos que eso se debió a un terrible fallo a la hora de ejecutar las maniobras.

—No entiendo... —continuó el militar.

—Declararemos que una serie de graves errores hicieron posible que algunos aviones fueran provistos de municiones reales y no de fogueo. Esa será la causa de las bajas. Un grave error que nunca debió haber sucedido. Por supuesto, añadiremos que los pilotos abandonaron la misión tan pronto como se dieron cuenta de que las bombas y las balas eran reales. No hace falta ni decir que habrá un gran escándalo, pero nada comparado con lo que podría ocurrir si se averigua la verdad.

Varios de los presentes parecieron no quedar muy satisfechos con la estrategia.

—Tranquilícense —prosiguió Blank—. Con el tiempo, los periodistas se irán olvidando de este escándalo. Esto acaparará la atención de la prensa nacional durante algunas semanas y después lo irán olvidando paulatinamente. Surgirá otro escándalo en alguna parte y entonces ya no se acordarán de que existimos. La prensa suele ser muy superficial. Se concentra veinticuatro horas al día durante una semana sobre un tema y, de repente, ese mismo tema pasa completamente al olvido. Empiezan con uno y enseguida saltan a otro como si fueran saltamontes. Hay demasiada competencia entre ellos. No pueden permitirse el lujo de estar investigando algo eternamente. ¿No vieron lo que pasó con Katrina y Rita? Al principio las televisiones no paraban de hablar de eso. Fue una auténtica obsesión, pero ahora ya casi ni lo mencionan. Desapareció del radar. La gente prácticamente ni se acuerda del peor desastre natural en la historia de la nación. Las penas de Nueva Orleans se quedaron para los residentes de esa ciudad. El resto del país ya pasó la página. La gente se aburre pronto. Necesita nuevos escándalos.

En eso, los asistentes parecieron darle la razón.

—Lo esencial es que nunca piensen que estamos mintiendo —prosiguió—. Eso es vital. Hay que salir frente a ellos con toda la seguridad del mundo, pero también con mucha autocrítica y humildad, y decirles que tuvimos un gravísimo fallo y que pedimos perdón. Que investigaremos a fondo todo lo ocurrido para que jamás pueda repetirse y que todo se hizo en un esfuerzo para evitar un nuevo ataque de Al Qaeda. Para proteger la vida de nuestros ciudadanos. Si admites un error y propones los cambios específicos para cambiar la situación, la gente lo perdona todo. Lo tenemos muy estudiado. Es la idea más elemental de cualquier manejo de situaciones de crisis.

También es muy importante repetir mucho las palabras Al Qaeda. Nada da tanto resultado como infundir miedo a la gente. Enseguida simpatizan contigo. Además, si la prensa se vuelve muy insistente, no se preocupen. Nosotros mismos provocaremos algo que acapare su interés y les mantenga ocupados. Elevar el nivel de alerta en el país... una nueva ofensiva militar en Irak... algún arresto importante en la lucha contra el terrorismo que ya hemos hecho pero que aún no se ha anunciado... en fin... hay donde elegir para distraer a los periodistas... no se preocupen... —insistió.

—¿Y las centrales nucleares? —intervino el alcalde de Miami.

—Por suerte, ninguna fue dañada críticamente —dijo mirando a los jefes de Turkey Point y Saint Lucie—. No hubo ningún escape radioactivo, pero ya tenemos varios grupos de ingenieros trabajando en la reparación de las dos estructuras. Las centrales han sido acordonadas por la guardia nacional y diremos que también formaban parte de la maniobra Cielo Seguro. Lo mismo se está haciendo con las instalaciones dañadas en el aeropuerto y, por supuesto, con las bases militares. No hace falta ni decir que hemos prohibido sobrevolar esas zonas y que bloquearemos cualquier satélite que las quiera fotografiar.

—¿Y los muertos en el aeropuerto? —preguntó el jefe de la policía.

—Diremos que el ejercicio incluía acciones tipo comando. Tanto en el aeropuerto como en las bases. La versión será que algunos de esos comandos se mataron trágicamente entre sí. El motivo: cuando se inició la confusión, pensaron que en verdad se estaba produciendo un ataque y que los otros grupos eran los agresores. Lo mismo habría ocurrido entre esos comandos y la policía.

A pesar de la seguridad en sí mismo de Blank, algunos seguían teniendo serias dudas sobre si aquellas teorías podrían convencer a alguien.

—¿De verdad cree que va a poder encubrir todo esto?

—No tenemos otra alternativa. Ha de salir bien. El fracaso no es una opción. Nos jugamos demasiado —dijo Blank helando la sangre a quienes le escuchaban—. Pero no estamos tan mal. Pensemos por un momento. En realidad, fueron muy pocas las personas que vieron aviones de guerra en el aire. Todo ocurrió muy rápido y a altas horas de la madrugada. Definitivamente, sí se escucharon disparos y explosiones, pero nada más. Incluso los pasajeros que estaban en el aeropuerto durante la noche nunca supieron muy bien el origen de todo aquel caos. Nuestro plan será negar que se haya producido un ataque real contra nosotros. Negar, negar, negar. Esa táctica nos ha funcionado muy bien en el pasado y tendrá que funcionarnos de nuevo esta vez.

—No piense que estoy siendo negativo —dijo el jefe de la base aérea de Homestead—, pero ¿no cree que va a ser extremadamente difícil convencer a la opinión pública de que todo ocurrió como usted dice?

Blank ni se inmutó.

—¿Es que no convencimos al pueblo estadounidense para ir a una guerra contra Irak a pesar de no haber podido aportar ni una sola prueba irrefutable de que ese país tenía armas de destrucción masiva? Y si tuvimos éxito en algo de esa envergadura, ¿por qué iba a ser distinto ahora? Para eso gastamos casi cuatrocientos mil millones de dólares anuales en el Departamento de Defensa. Además de armas, barcos, cazas de combate y submarinos, también tenemos todo tipo de especialistas capaces de justificar cualquier teoría que nos interese difundir, por retorcida e improbable que sea —afirmó con aplomo el funcionario—. Como les había adelantado, ahora mismo hay un pequeño ejército de personas en el Pentágono ultimando todos los detalles de lo que diremos frente a la prensa. Su trabajo es elaborar una explicación que tenga sentido y, además, producir las pruebas necesarias para que todo sea creíble. Créanme. Son verdaderos expertos en el arte de manipular a la opinión pública. Nos hemos enfrentado a situaciones similares a esta muchas veces a través de la historia y casi siempre logramos que se mantuvieran en secreto. ¡Si la gente supiera una cuarta parte de todo lo que ha ocurrido en este país...! —suspiró Blank—. Es mucho mejor que sigan tranquilamente con sus vidas, sin preocuparse de cosas sobre las que no tienen ningún control.

—Antes de salir a la sala de prensa, tiene que adelantarnos exactamente lo que va decir frente a las cámaras —dijo de pronto el gobernador—. De lo contrario, pareceremos unos imbéciles si nos contradecimos al explicar lo que ocurrió.

—Gobernador, con todo el respeto: este es un tema de seguridad nacional y no vamos a estar debatiendo con la prensa nada sobre el mismo —dijo Blank—. En primer lugar, todos ustedes dirán que la investigación la están realizando el FBI y el Pentágono y, por lo tanto, les remitirán automáticamente cualquier pregunta. Ninguno de nosotros hablará de esto con la prensa. Nadie. El gobierno designará a un portavoz conjunto y esa persona será la única autorizada para informar a los medios de comunicación.

—Claro... comprendo... —asintió enseguida el gobernador.

Sin embargo —prosiguió Blank—, algunas de las preguntas de la prensa, sencillamente, no las responderemos. A los reporteros se les dirá que se trata de secretos militares y que revelarlos comprometería la seguridad nacional de los Estados Unidos. En especial en tiempos como estos, de guerra contra el terrorismo. Eso también nos dará cierto margen para no tener que explicarlo todo. Ya saben... Sería antipatriótico criticarnos por intentar defender la vida de nuestros ciudadanos —les guiñó el ojo el funcionario.

De pronto, David Blank cogió una Biblia y la depositó encima de su podio.

—Señores, me temo que no hay tiempo para más explicaciones. La prensa está esperando. Si tardamos demasiado en salir, comenzarán a difundir sus propias teorías y eso no nos beneficiaría en nada.

Todos parecieron coincidir con él.

—Debo recordarles que este es un tema de la máxima importancia para su país. Nada de todo lo hablado aquí puede salir jamás de esta sala. Cualquiera que viole el secreto oficial de esta reunión se enfrentará a las penas legales más severas, que incluyen un mínimo obligatorio de quince años de prisión. Por favor, levanten su mano derecha y juren conmigo...

A las once y dieciocho minutos de la mañana, David Blank ya estaba de regreso en Washington y a las doce en punto aparecieron frente a él el embajador ruso acompañado por el jefe de la Sección de Intereses Cubanos en la capital. Es decir, el máximo representante de La Habana en los Estados Unidos.

La reunión, esta vez, se realizaba en el sótano de un edificio del gobierno federal en pleno centro de la ciudad.

Todos se sentaron con rapidez y mostraron claras señales de desconfianza mutua.

—Como es lógico, nuestros gobiernos se mantendrán en contacto permanente. Hay que seguir conversando a diario sobre cómo manejar esta crisis —comenzó diciendo Blank.

El miembro del Consejo de Seguridad Nacional se refería a que tanto los Estados Unidos como Rusia y Cuba ya habían hablado a última hora de la madrugada para empezar a coordinar cuál debería ser la respuesta oficial a los acontecimientos.

—¿Algo nuevo de Cuba? —preguntó David Blank.

—No. Continuaremos negando cualquier participación en los hechos. Tienen nuestra completa cooperación. Estamos hablando de las acciones de un loco. La Habana lamenta lo ocurrido, pero no tenemos nada que ver con la activación del Plan Hatuey. Se trata de un trágico fallo en nuestro sistema de seguridad —dijo el representante cubano.

—¿Y de Moscú? ¿Qué sabemos de Moscú? —continuó el estadounidense.

—Moscú ya cumplió con su deber. Prometimos hacer todo lo posible para neutralizar cualquier ataque y así lo hicimos. Sin nuestra ayuda, Florida estaría hoy destruida y, como consecuencia, Cuba, también. Usted lo sabe perfectamente. A nivel oficial, no sabemos nada, no vimos nada, no escuchamos nada. No contradeciremos nada que salga de la Casa Blanca.

Blank encendió un cigarrillo y se recostó sobre su sillón. La situación era tensa. En un momento como aquel, la prohibición de no fumar en los edificios federales no pareció importarle en exceso.

—Todo esto es increíble. ¿Cómo es posible que haya ocurrido algo así? —se preguntó Blank.

—Cuba ya ha tomado todas las medias pertinentes —apuntó el cubano.

—¿Las medidas pertinentes...? —ironizó molesto Blank—. Mi amigo, me temo que sólo hay una cosa que podemos hacer para que esto no vuelva a ocurrir y, quién sabe, si con éxito.

—¿Qué? —dijo enseguida el funcionario de La Habana.

—Eliminar el Plan Hatuey del sistema de defensa cubano. Quemar los documentos, borrarlo de todas sus computadoras, desarticularlo completamente. ¿Estarían ustedes dispuestos a hacer eso para evitar otra tragedia en el futuro?

—Lo siento. Creo que ya es hora de finalizar esta reunión —respondió el cubano con una forzada sonrisa mientras comenzaba a levantarse de su silla—. Ya les dijimos que esto ha sido la acción de un desequilibrado, pero la defensa de la patria es sagrada.

79. LA PUERTA DE LA ESPERANZA

MARTA QUESADA ESTABA junto a Miguel Cardoso en el cementerio Graceland Memorial Park de Miami. Ambos se habían postrado frente a dos tumbas. La primera, a la derecha, era la del padre de Miguel. La segunda tenía el nombre de Héctor Lara.

—Nunca hubiera podido imaginar que mi padre descansaría eternamente junto a alguien que defendió con tanta fuerza a la revolución... —dijo Miguel.

—Que la defendió con tanta pasión y que después se reviró contra ella hasta sacrificar su vida por intentar cambiarla... —añadió Marta.

Miguel se mordió los labios.

—En efecto. Es verdad.

—Mira las dos tumbas... parece que se estén dando la mano...

—Pobre Héctor. Morir cuando apenas había comenzado a vivir.

Los dos primos se abrazaron con fuerza.

—¿Y tú? ¿Cómo estás? —preguntó Miguel.

—Le extraño mucho. Todos los días. Siempre. Es muy duro.

El cubano suspiró hondo.

—No hay nada como perder a alguien a quien amas tanto. Es un sentimiento de desesperación y de completo vacío que conozco demasiado bien.

—Así es como me siento, completamente vacía.

Miguel cogió entonces a Marta y la ayudó a levantarse. Después, antes de irse, los dos se quedaron de pie frente a las tumbas durante algunos minutos más.

—Es curioso y parece mentira que yo, con lo que quise a Héctor, pueda estar diciendo esto, pero creo que, quizás, su muerte sí sirvió para algo... Para algo muy importante —dijo de pronto Marta.

—¿Para qué? —se extrañó Miguel ante aquellas palabras.

—No sé... es muy difícil de ponerlo en palabras... —titubeó la cubana.

—No veo que pueda haber algo de bueno en la muerte de alguien a quien quieres —afirmó Miguel con seguridad.

—No es eso. Hubiera dado mi vida por él. Tú lo sabes.

—¿Entonces? —siguió él sin comprender.

—Es que Héctor me enseño a dejar de odiar. Miguel, yo ya no tengo odio dentro de mi alma. Mi amargura desapareció. Yo estaba cargada de odio y de resentimiento y ahora todo es distinto. A pesar de lo que me han hecho sufrir, estoy en paz. Tranquila. Mucho más que antes.

—No te entiendo.

—Héctor me demostró que la fuerza del odio no puede ni compararse con la fuerza del amor y del perdón. El odio es pasajero e ignorante. En cambio, el amor es aplastantemente superior a todo eso.

—¿Y qué me quieres decir con eso?

—Pues que quizás Héctor, con su muerte, nos ha enseñado que la paz triunfará en Cuba y que nuestro amor entre cubanos será mucho más fuerte que las balas. Si él pudo cambiar, cualquiera puede hacerlo. Dejar atrás los odios y abrazarnos. Extender la mano y perdonar. Dejar de sufrir. Quizás su dolorosa muerte se produjo para demostrarnos que la reconciliación todavía es posible en nuestra querida, castigada y dividida patria.

80. UN AMOR QUE NUNCA SE OLVIDA

AQUEL ERA UN DÍA caluroso como pocos y Marta se había ido a la playa para refrescarse e intentar aplacar un poco el intenso calor.

La cubana se acercó a la orilla y siguió caminando hasta que el agua llegó a su cintura. La mar estaba tranquila, sin apenas oleaje.

Marta extendió entonces sus brazos y comenzó a echarse agua con ambas manos sobre el cuerpo antes de zambullirse por completo bajo el mar.

Con el movimiento, la joven pudo sentir cómo, milímetro a milímetro, su anillo comenzó a resbalar fuera de su dedo. Antes de que pudiera evitarlo, la sortija ya estaba cayendo hacia el mar.

La maestra vio casi a cámara lenta la trayectoria del anillo hasta que impactó contra el agua. Marta nunca se había quitado esa sortija desde que Héctor se la regalara, precisamente en aquella playa hacía ya varios años.

De repente, una angustia indescriptible se apoderó de ella. Ese anillo era el símbolo mágico de su amor por Héctor y el único recuerdo físico que pudo guardar de sus días junto a él. Aquel fascinante círculo de oro representaba todo lo que Héctor había significado en su vida: confianza plena en alguien por primera vez, total y completa entrega y la ilusión de un futuro lleno de felicidad y esperanza. Amor, verdadero amor. Ese amor por el cual uno vive y también es capaz de morir.

La cubana acariciaba y tocaba el anillo cada día y, cuando lo hacía, tenía la sensación de estar hablando con el mismo Héctor. Era como si él estuviera allí, junto a ella. Como si nunca se hubiera ido de su lado.

Marta se puso en extremo nerviosa y se sumergió en el agua para recuperar el anillo. Al hundir su cabeza, vio claramente cómo este caía con suavidad hacia la arena y después se posaba sobre la misma. Sin embargo, al estirar su mano para agarrarlo, lo único que hizo fue crear un pequeño remolino de arena que hundió el anillo aún más en el suelo del mar.

Las manos de Marta se movieron con angustia a su alrededor, pero cuanto más removía la arena, más difícil se hacía recuperar el anillo. La joven maestra comenzó entonces a llorar como una niña. Perder aquel preciado anillo, aquella muestra de amor tan importante, pareció vencer todas sus defensas.

Tras un par de minutos de intensa búsqueda, la cubana pensó que ya lo había perdido definitivamente y una sensación de profunda tristeza empezó a inundar todo su espíritu.

De pronto, una niña que nadaba cerca de ella se le acercó y le preguntó qué le pasaba. Marta, entre lágrimas y casi sin hacerle caso, le dijo que había perdido un anillo. La pequeña se hundió entonces con sus gafas de bucear y, en apenas algunos segundos, emergió de nuevo. Al ponerse de pie, sonrió y subió su mano izquierda mostrando el anillo.

Marta lo cogió con delicadeza y abrazó a la niña con todas sus fuerzas.

—No sabes lo importante que es este anillo para mí —le agradeció.

—¿Por qué? —dijo la niña.

La cubana sonrió.

—Porque es mi luz de la esperanza. La luz que me guía.

La niña también esbozó una sonrisa. Después se giró y dio unos pasos hacia un hombre que nadaba en aquella dirección.

—¿Ha ocurrido algo? —preguntó el hombre a Marta Quesada al llegar junto a ella.

—No, no. ¿Es su hija?

—Sí.

—Me ayudó a recuperar algo muy valioso para mí.

—¿Sí? ¿Qué? —dijo él.

—Un anillo.

—¡Ah! ¡Pues qué bien! —exclamó contento el hombre.

—¡Es el anillo de la esperanza! —afirmó la niña con alegría.

Marta agradeció una vez más a la niña su ayuda y comenzó a caminar junto a ella y a su padre. Al llegar a la orilla, se despidió de ambos y dio un beso cariñoso a la pequeña.

—No vuelvas a perder tu anillo de la esperanza —le dijo la niña antes de irse.

—No. No lo haré. Gracias.

De pronto, se escuchó la voz de la madre de la niña, que la llamó para que fuera a secarse.

—¡Sonia! —gritó Carmen.

Roberto Hidalgo miró a los ojos de Marta y vio un brillo muy especial.

—Me alegro de que haya recuperado su anillo. Por su expresión, sin duda simboliza algo por lo cual vale la pena arriesgarlo todo, ¿verdad? —dijo Roberto sonriéndole antes de irse con su familia.

En 1983, durante la invasión norteamericana de Grenada, Fidel Castro encargó la elaboración de un plan militar de contingencia para la destrucción de la central nuclear de Turkey Point, situada veinticinco millas al sur de Miami, en la costa de Florida. Los detalles del plan fueron detallados por el general Rafael del Pino Díaz, antiguo jefe de la Fuerza Aérea Revolucionaria de Cuba, después de que obtuviera asilo político en los Estados Unidos en 1987.

Todas las entidades y los personajes que intervienen en la obra son ficticios, a excepción de las entidades públicas y las personalidades públicas reales y reconocibles que son expresamente nombradas en la novela, tales como el MININT y el Consejo de Seguridad Nacional o Fidel Castro y George W. Bush. También son reales algunos de los lugares de acceso al público en los que se desarrolla la acción de la obra, tales como la librería La Moderna Poesía o el café Tryst. Toda otra similitud que pudieran tener las entidades y los personajes ficticios de la obra, tales como Great Miami Air, La Estrella Polar, el general Carlos Hernández o el Palacio del Baile, con entidades privadas y/o personas reales, es pura coincidencia.